10년간 9회 전체수석 합격자 배출

법무사시험 |

법원사무관승진시험 |

법원행정고등고시 |

변호사시험 |

이혁준

민법 정리

2차 | 요건사실론

Vol. 2 보론

브랜드만족
1위
박문각

근거자료
후면표기

제9판

박문각 법무사

박문각

먼저 그 동안 본 교재에 보여 준 여러분들의 깊은 관심과 사랑에 다시 한 번 머리 숙여 감사드리고, 평생 가슴 속에 간직하며 살아갈 것을 다짐해 본다.

이번 민법 요건사실론 개정판(제9판)에서도 전판에서와 같이 기본서와 판례서를 겸한 통합교재를 만들기 위해 많은 신경을 썼다. 2차 수험 민법을 위해서는 1차 때와는 달리 현실적인 분쟁의 발생과 그 해결과정을 구체적인 논리적 추론과정을 거쳐 습득해 가는 연습과정이 필요하다. 특히 복잡다단한 분쟁 속에 활용될 법리가 입체적으로 적용될 수 있도록 끊임없이 사고하는 과정이 필요하다. 다만 수험생은 그 과정이 학문적 소양을 기르는 정도까지 이르러서는 안 될 것이다. 어디까지나 수험 적합적인 수준에서 그 맺고 끊기를 잘해야 한다. 이런 점에서 본서는 각 청구분쟁 유형별로 누가 어떠한 법리를 공격방어방법으로 정하여, 어떤 방법으로 주장하고 증명하는지를, 가장 수험 적합적인 방식으로 살펴봄으로써 시험의 편의를 제공하기에 그 역할이 지대하다고 본다. 판례를 이해하고 정리하는 데에도 마찬가지이다. 모든 판례는 기본적으로 어떠한 사실을 토대로 소송의 당사자인 원고와 피고의 치열한 법리적 공방이 담겨져 있는 것이기 때문이다.

법리의 논리적 체계는 어떻게 이룰 수 있을까? 이에 대한 답은 의외로 간단하다. 모든 법학은 요건과 효과론이다. 즉 어떤 사유나 원인이 있으면 어떤 효과가 있다는 것이다. 모든 제도는 효과를 그 제도의 결론으로 놓고 그러한 효과가 발생하기 위한 요건은 무엇인지로 구성되어 있다. 그리고 이 모든 것은 기본적으로 조문에 나타나 있고 판례는 이런 요건이나 효과에 관한 좀 더 구체적인 해석 자료인 셈이다. 따라서 조문을 기본으로 각 제도·법리의 요건과 효과를 기억하고 누가 어떠한 요건과 효과를 주장하고 증명하는 것인지를, 꾸준히 연습하고 사고하는 과정을 거치는 것이 논리적 체계를 이루기 위한 가장 현명하고 지혜로운 방식이다. 무작정 열심히만 하는 것이 능사가 아니라는 말이다. 따라서 본서의 논증적 서술체계에 따른다면 무수히 많은 판례도 자연히 이해되고 충분히 정리될 수 있을 것이다.

민법을 이렇게 접근하고 정리함이 현 국가시험을 공략하는 데에 가장 현명한 방식임을 알아야 한다. 현 국가시험은 단순한 암기형 문제는 지양되고, 민법 전반에 걸친 이해와 판례에 대한 보다 구체적이고 정확한 실질적인 이해를 요구하여, 그 쓰임새를 알고 있는지를 묻는 문제들이 출제되는 경향에 있다. 따라서 민법은 거시적인 안목을 기반으로 법리를 자세하고 정확하게 공부하는 것이 정도라고 생각한다. 본서는 이러한 원칙에 입각하여 만들어진 것이다. 본서를 처음 접하는 수험생은 시중의 다른 교재와 형식과 구성(공방의 형식과 구성) 면에서 차이가 있다 보니, 생소함을 느껴 본서가 매우 어렵다고 느낄 수 있다. 그러나 단순히 지문을 보고 맞힐 수 있도록 공부하는 1차 민법과 아무것도 없는 백지상태에서 스스로 알고 있는 지식만으로 보기 좋게 그 내용을 채워 나가야 하는 2차 민법은 전혀 다른 세계임을 인지하여야 한다. 2차 민법을 공략하기 위해서는 본서의 형식과 구성이 가장 적합한 방식임을 자부한다. 따라서 본서를 활용함에 있어 처음에는 다소 어려움이 있을 수 있으나, 반복적으로 보면서 차근차근 정리해 간다면 민법의 진면목을 엿볼 수 있고 누구보다 한발 앞서 시험에 합격함은 당연지사라 할 것이다.

이번 개정판(제9판)의 개편기조는 다음과 같다.

첫째, 내용을 다소 정비하였다.
오해의 소지가 있는 부분과 오탈자가 있는 부분을 바로 잡았고, 보다 간결하고 정확하게 기술하여 그 내용을 쉽게 이해할 수 있도록 하였다. 또한 새로이 개정된 법률뿐만 아니라 시행령 등을 반영하였고, 기존에 누락된 조문도 보충하였다.

둘째, 판례를 대거 보완하였다.
2023년까지 치러진 법무사시험과 2024년에 치러진 변호사시험 및 법원행시, 법원사무관 승진시험 등에 출제된 판례를 비롯하여, 2024년 상반기까지의 중요판례와 전원합의체 판결 등을 모두 반영하였다. 아울러 중요도 높은 판례를 중심으로 구체적인 사실관계나 소송과정을 축약함과 동시에 해설이나 보충설명도 간략히 소개함으로써 보다 쉽게 이해하고 입체적으로 정리할 수 있도록 힘을 쏟았다. 또한 판례서로서의 면모에 부합하게 누락된 판례도 보충하여 그 완결을 도모하였다. 나아가 중요하고 핵심적인 판례에는 별표(★)를 추가(중요도별로 가감)하여 보다 효율적인 공부를 할 수 있도록 신경을 썼다.

셋째, 중요한 법리에 대해서도 추가해서 정리하고 소개하였다.
또한 선명하게 정리되어 있지 않던 부분에 대해서도 추가로 서술하거나 보완하였다. 이로써 본서가 한층 새로워지고 충실해진 것으로 생각된다.

넷째, 보론편의 내용을 보완하고 추가하였다.
통상 보론편의 내용은 간과하기 쉬운데, 그 중에서도 신경을 써야 하는 법리에 대해서는 본론으로 옮겨서 정리할 수 있도록 하였고, 보론 편의 내용도 향후 출제가 예상되는 주제나 판례는 다소 보완하고 추가하였다.

언제나 그랬듯이 이번 개정판을 출간함에 있어서도 많은 분들의 도움이 있었다. 일일이 이름을 들어 감사의 말씀을 드리지는 못하나, 다시 한 번 그 분들에게 지면을 빌어 고마움을 전한다. 그리고 본서가 수험서로서 보다 새로워지고 충실해질 수 있도록 도움을 주신 박문각 朴睿 회장님과 출판사 임직원 분들에게 감사의 말씀을 드린다.
마지막으로 이 책을 항상 격려와 관심 그리고 깊은 애정으로 지켜봐 주는 사랑하는 가족들에게 바친다.

개정판을 내면서 매해 그러하듯이, 민법 요건사실론을 공부하는 수험생 여러분들에게 조금이라도 도움이 되었으면 하는 바람이다. 앞으로도 계속적으로 다듬고 보충하여 좀더 훌륭한 책이 될 수 있도록 끊임없이 노력할 것임을 약속드리며, 수험생 여러분들의 조속한 합격을 진심으로 기원한다.

편저자 이혁준 올림

CONTENTS
이 책의 차례

CONTENTS
이 책의 차례

PREFACE GUIDE

PART

03

보론

제1절 관습법

Ⅰ. 의의

관습법이란 사회의 거듭된 관행으로 생성한 사회생활규범이 사회의 법적 확신에 의하여 법적 규범으로 승인되기에 이른 것으로 헌법을 최상위 규범으로 하는 전체 법질서에 반하지 아니하는 것을 말한다.

Ⅱ. 성립요건 및 성립시기

1. 성립요건

관습법이 성립하기 위해서는 ① 일정기간 반복된 관행이 존재하고, ② 그러한 관행이 사회구성원의 법적 확신에 의하여 지지되며, ③ 관행이 헌법을 최상위 규범으로 하는 전체 법질서에 반하지 아니하는 것으로서 정당성과 합리성이 있다고 인정될 수 있을 것을 요한다.

2. 성립시기

관습법의 성립시기에 대해 통설은 법원의 판결에 의해 관습법의 존재와 그 구체적 내용이 확인되면 관행이 사회구성원들에 의해 법적 확신을 얻은 때에 소급하여 관습법이 성립한다고 본다.

Ⅲ. 관습법의 효력

1. 성문법과 관습법의 우열관계

판례는 "가정의례준칙 제13조의 규정과 배치되는 관습법의 효력을 인정하는 것은 관습법의 제정법에 대한 열후적·보충적 성격에 비추어 민법 제1조의 취지에 어긋나는 것이다."라고 하여 보충적 효력설의 입장이다.

2. 관습법과 사실인 관습과의 관계

판례는 "관습법이란 사회의 거듭된 관행으로 생성한 사회생활규범이 사회의 법적 확신과 인식에 의하여 법적 규범으로 승인·강행되기에 이른 것을 말하고, 사실인 관습은 사회의 관행에 의하여 발생한 사회생활규범인 점에서 관습법과 같으나 사회의 법적 확신이나 인식에 의하여 법적 규범으로서 승인된 정도에 이르지 않은 것을 말하는 바, 관습법은 바로 법원으로서 법령과 같은 효력을 갖는 관습으로서 법령에 저촉되지 않는 한 법칙으로서의 효력이 있는 것이며, 이에 반하여 사실인 관습은 법령으로서의 효력이 없는 단순한 관행으로서 법률행위의 당사자의 의사를 보충함에 그치는 것이다"라고 함으로써 양자를 구별한다.

판례 연구 > 관련판례 정리

[대판 1983.6.14, 80다3231]

[1] 관습법이란 사회의 거듭된 관행으로 생성한 사회생활규범이 사회의 법적 확신과 인식에 의하여 법적 규범으로 승인·강행되기에 이르른 것을 말하고, 사실인 관습은 사회의 관행에 의하여 발생한 사회생활규범인 점에서 관습법과 같으나 사회의 법적 확신이나 인식에 의하여 법적 규범으로서 승인된 정도에 이르지 않은 것을 말하는 바, 관습법은 바로 법원으로서 법령과 같은 효력을 갖는 관습으로서 법령에 저촉되지 않는 한 법칙으로서의 효력이 있는 것이며, 이에 반하여 사실인 관습은 법령으로서의 효력이 없는 단순한 관행으로서 법률행위의 당사자의 의사를 보충함에 그치는 것이다.

[2] 법령과 같은 효력을 갖는 관습법은 당사자의 주장 입증을 기다림이 없이 법원이 직권으로 이를 확정하여야 하고 사실인 관습은 그 존재를 당사자가 주장 입증하여야 하나, 관습은 그 존부자체도 명확하지 않을 뿐만 아니라 그 관습이 사회의 법적 확신이나 법적 인식에 의하여 법적 규범으로까지 승인되었는지의 여부를 가리기는 더욱 어려운 일이므로, 법원이 이를 알 수 없는 경우 결국은 당사자가 이를 주장입증할 필요가 있다.

[3] 사실인 관습은 사적 자치가 인정되는 분야 즉 그 분야의 제정법이 주로 임의규정일 경우에는 법률행위의 해석기준으로서 또는 의사를 보충하는 기능으로서 이를 재판의 자료로 할 수 있을 것이나 이 이외의 즉 그 분야의 제정법이 주로 강행규정일 경우에는 그 강행규정 자체에 결함이 있거나 강행규정 스스로가 관습에 따르도록 위임한 경우 등 이외에는 법적 효력을 부여할 수 없다.

[4] 가족의례준칙 제13조의 규정과 배치되는 관습법의 효력을 인정하는 것은 관습법의 제정법에 대한 열후적·보충적 성격에 비추어 민법 제1조의 취지에 어긋나는 것이다.

[대판(전) 2005.7.21, 2002다1178]

[1] 관습법이란 사회의 거듭된 관행으로 생성한 사회생활규범이 사회의 법적 확신과 인식에 의하여 법적 규범으로 승인·강행되기에 이른 것을 말하고, 그러한 관습법은 법원으로서 법령에 저촉되지 아니하는 한 법칙으로서의 효력이 있는 것이고, 또 사회의 거듭된 관행으로 생성한 어떤 사회생활규범이 법적 규범으로 승인되기에 이르렀다고 하기 위하여는 헌법을 최상위 규범으로 하는 전체 법질서에 반하지 아니하는 것으로서 정당성과 합리성이 있다고 인정될 수 있는 것이어야 하고, 그렇지 아니한 사회생활규범은 비록 그것이 사회의 거듭된 관행으로 생성된 것이라고 할지라도 이를 법적 규범으로 삼아 관습법으로서의 효력을 인정할 수 없다.

[2] 사회의 거듭된 관행으로 생성된 사회생활규범이 관습법으로 승인되었다고 하더라도 사회구성원들이 그러한 관행의 법적 구속력에 대하여 확신을 갖지 않게 되었다거나, 사회를 지배하는 기본적 이념이나 사회질서의 변화로 인하여 그러한 관습법을 적용하여야 할 시점에 있어서의 전체 법질서에 부합하지 않게 되었다면 그러한 관습법은 법적 규범으로서의 효력이 부정될 수밖에 없다.

[3] [다수의견] 종원의 자격을 성년 남자로만 제한하고 여성에게는 종원의 자격을 부여하지 않는 종래 관습에 대하여 우리 사회구성원들이 가지고 있던 법적 확신은 상당 부분 흔들리거나 약화되어 있고, 무엇보다도 헌법을 최상위 규범으로 하는 우리의 전체 법질서는 개인의 존엄과 양성의 평등을 기초로 한 가족생활을 보장하고, 가족 내의 실질적인 권리와 의무에 있어서 남녀의 차별을 두지 아니하며, 정치·경제·사회·문화 등 모든 영역에서 여성에 대한 차별을 철폐하고 남녀평등을 실현하는 방향으로 변화되어왔으며, 앞으로도 이러한 남녀평등의 원칙은 더욱 강화될 것인바, (중략) 공동선조의 후손 중 성년 남자만을 종중의 구성원으로 하고 여성은 종중의 구성원이 될 수 없다는 종래의 관습은, 공동선조의 분묘수호와 봉제사 등 종중의 활동에 참여할 기회를 출생에서 비롯되는 성별만에 의하여 생래적으로 부여하거나 원천적으로 박탈하는 것으로서, 위와 같이 변화된 우리의 전체 법질서에 부합하지 아니하여 정당성과 합리성이 있다고 할 수 없으므로, 종중 구성원의 자격을 성년 남자만으로 제한하는 종래의 관습법은 이제 더 이상 법적 효력을 가질 수 없게 되었다.

[4] [다수의견] 종중이란 공동선조의 분묘수호와 제사 및 종원 상호 간의 친목 등을 목적으로 하여 구성되는 자연발생적인 종족집단이므로, 종중의 이러한 목적과 본질에 비추어 볼 때 공동선조와 성과 본을 같이 하는 후손은 성별의 구별 없이 성년이 되면 당연히 그 구성원이 된다고 보는 것이 조리에 합당하다.

[5] 위와 같이 변경된 견해를 소급하여 적용한다면, 최근에 이르기까지 수십 년 동안 유지되어 왔던 종래 대법원판례를 신뢰하여 형성된 수많은 법률관계의 효력을 일시에 좌우하게 되고, 이는 법적 안정성과 신의성실의 원칙에 기초한 당사자의 신뢰보호를 내용으로 하는 법치주의의 원리에도 반하게 되는 것이므로, 위와 같이 변경된 대법원의 견해는 이 판결 선고 이후의 종중 구성원의 자격과 이와 관련하여 새로이 성립되는 법률관계에 대하여만 적용된다고 함이 상당하다. 다만 원고들이 자신들의 권리를 구제받기 위하여 종래 관습법의 효력을 다투면서 자신들이 피고 종회의 회원(종원) 자격이 있음을 주장하고 있는 이 사건에 대하여도 위와 같이 변경된 견해가 적용되지 않는다면, 이는 구체적인 사건에 있어서 당사자의 권리구제를 목적으로 하는 사법작용의 본질에 어긋날 뿐만 아니라 현저히 정의에 반하게 되므로, 원고들이 피고 종회의 회원(종원) 지위의 확인을 구하는 이 사건 청구에 한하여는 위와 같이 변경된 견해가 소급하여 적용되어야 할 것이다.

[대판 2022.5.26. 2017다260940]

종중이란 공동선조의 분묘수호와 제사 및 종원 상호 간의 친목 등을 목적으로 하여 구성되는 자연발생적인 종족집단이므로, 종중의 이러한 목적과 본질에 비추어 볼 때 공동선조와 성과 본을 같이 하는 후손은 성별의 구별 없이 성년이 되면 당연히 그 구성원이 된다. 민법 제781조 제6항에 따라 자녀의 복리를 위하여 자녀의 성과 본을 변경할 필요가 있어 자녀의 성과 본이 모의 성과 본으로 변경되었을 경우 성년인 그 자녀는 모가 속한 종중의 공동선조와 성과 본을 같이 하는 후손으로서 당연히 종중의 구성원이 된다.

▶ 타인 소유의 토지에 분묘를 설치한 경우에 20년간 평온, 공연하게 분묘의 기지를 점유하면 지상권과 유사한 관습상의 물권인 분묘기지권을 시효로 취득한다는 법적 규범이 2000.1.12. 법률 제6158호로 전부 개정된 '장사 등에 관한 법률'의 시행일인 2001.1.13. 이전에 설치된 분묘에 관하여 현재까지 유지되고 있는지 여부(적극)

[다수의견] ① 대법원은 분묘기지권의 시효취득을 우리 사회에 오랜 기간 지속되어 온 관습법의 하나로 인정하여, 20년 이상의 장기간 계속된 사실관계를 기초로 형성된 분묘에 대한 사회질서를 법적으로 보호하였고, 민법 시행일인 1960.1.1.부터 50년 이상의 기간 동안 위와 같은 관습에 대한 사회구성원들의 법적 확신이 어떠한 흔들림도 없이 확고부동하게 이어져 온 것을 확인하고 이를 적용하여 왔다. 대법원이 오랜 기간 동안 사회구성원들의 법적 확신에 의하여 뒷받침되고 유효하다고 인정해 온 관습법의 효력을 사회를 지배하는 기본적 이념이나 사회질서의 변화로 인하여 전체 법질서에 부합하지 않게 되었다는 등의 이유로 부정하게 되면, 기존의 관습법에 따라 수십 년간 형성된 과거의 법률관계에 대한 효력을 일시에 뒤흔드는 것이 되어 법적 안정성을 해할 위험이 있으므로, 관습법의 법적 규범으로서의 효력을 부정하기 위해서는 관습을 둘러싼 전체적인 법질서 체계와 함께 관습법의 효력을 인정한 대법원 판례의 기초가 된 사회구성원들의 인식·태도나 사회적·문화적 배경 등에 의미 있는 변화가 뚜렷하게 드러나야 하고, 그러한 사정이 명백하지 않다면 기존의 관습법에 대하여 법적 규범으로서의 효력을 유지할 수 없게 되었다고 단정하여서는 아니 된다. ② 우선 2001.1.13.부터 시행된 장사 등에 관한 법률(이하 개정 전후를 불문하고 '장사법'이라 한다)의 시행으로 분묘기지권 또는 그 시효취득에 관한 관습법이 소멸되었다거나 그 내용이 변경되었다는 주장은 받아들이기 어렵다. 2000.1.12. 법률 제6158호로 매장 및 묘지 등에 관한 법률을 전부 개정하여 2001.1.13.부터 시행된 장사법[이하 '장사법(법률 제6158호)'이라 한다] 부칙 제2조, 2007.5.25. 법률 제8489호로 전부 개정되고 2008.5.26.부터 시행된 장사법 부칙 제2조 제2항, 2015.12.29. 법률 제13660호로 개정되고 같은 날 시행된 장사법 부칙 제2조에 의하면, 분묘의 설치기간을 제한하고 토지소유자의 승낙 없이 설치된 분묘에 대하여 토지소유자가 이를 개장하는 경우에 분묘의 연고자는 토지소유자에 대항할 수 없다는 내용의 규정들은 장사법(법률 제6158호) 시행 후 설치된 분묘에 관하여만 적용한다고 명시하고 있어서, 장사법(법률 제6158호)의 시행 전에 설치된 분묘에 대한 분묘기지권의 존립 근거가 위 법률의 시행으로 상실되었다고 볼 수 없다. 또한 분묘기지권을 둘러싼 전체적인 법질서 체계에 중대한 변화가 생겨 분묘기지권의 시효취득에 관한 종래의 관습법이 헌법을 최상위 규범으로 하는 전체 법질서에 부합하지 아니하거나 정당성과 합리성을 인정할 수 없게 되었다고 보기도 어렵다. 마지막으로 화장률 증가 등과 같이 전통적인 장사방법이나 장묘문화에 대한 사회구성원들의 의식에 일부 변화가 생겼더라도 여전히 우리 사회에 분묘기지권의 기초가 된 매장문화가 자리 잡고 있고 사설묘지의 설치가 허용되고 있으며, 분묘기지권에 관한 관습에 대하여 사회구성원들의 법적 구속력에 대한 확신이 소멸하였다거나 그러한 관행이 본질적으로 변경되었다고 인정할 수 없다. ③ 그렇다면 타인 소유의 토지에 분묘를 설치한 경우에 20년간 평온, 공연하게 분묘의 기지를 점유하면 지상권과 유사한 관습상의 물권인 분묘기지권을 시효로 취득한다는 점은 오랜 세월 동안 지속되어 온 관습 또는 관행으로서 법적 규범으로 승인되어 왔고, 이러한 법적 규범이 장사법(법률 제6158호) 시행일인 2001.1.13. 이전에 설치된 분묘에 관하여 현재까지 유지되고 있다고 보아야 한다(대판(전) 2017.1.19. 2013다17292).[1]

---

1) 이에 대한 반대의견은 다음과 같다. ① 현행 민법 시행 후 임야를 비롯한 토지의 소유권 개념 및 사유재산제도가 확립되고 토지의 경제적인 가치가 상승함에 따라 토지소유자의 권리의식이 향상되고 보호의 필요성이 커졌으며, 또한 상대적으로 매장을 중심으로 한 장묘문화가 현저히 퇴색함에 따라, 토지소유자의 승낙 없이 무단으로 설치된 분묘까지

제2절 **태아의 권리능력**

Ⅰ. 서설

1. 권리능력의 시기

> 제3조【권리능력의 존속기간】
> 사람은 생존한 동안 권리와 의무의 주체가 된다.

(1) 권리주체란 권리의 귀속주체를 말하며, 이와 같은 권리의 귀속주체가 될 수 있는 지위 또는 자격을 권리능력(인격)이라고 한다. 현행민법상 권리주체로는 자연인과 법인이 있다.[2]

(2) 자연인은 출생한 때부터 권리능력을 취득한다. 출생의 시기에 관해서는 전부노출설이 통설이다.

2. 태아보호의 필요성

(1) 태아는 아직 출생 전의 상태이므로 민법상 사람이 아니며 따라서 권리능력을 가지지 못한다 (제3조). 그러나 이 원칙을 획일적으로 적용한다면 태아에게 불이익하거나 공평에 반하는 결과가 발생할 수 있으므로 일정한 경우에는 권리능력을 인정하여 그의 이익을 보호할 필요성이 있다.

취득시효에 의한 분묘기지권을 관습으로 인정하였던 사회적·문화적 기초는 상실되었고 이러한 관습은 전체 법질서와 도 부합하지 않게 되었다. ② 비록 토지소유자의 승낙이 없이 무단으로 설치한 분묘에 관하여 분묘기지권의 시효취득 을 허용하는 것이 과거에 임야 등 토지의 소유권이 확립되지 않았던 시대의 매장문화를 반영하여 인정되었던 관습이더 라도, 이러한 관습은 적어도 소유권의 시효취득에 관한 대법원 1997.8.21. 95다28625 전원합의체 판결이 이루어지고 2001.1.13. 장사법(법률 제6158호)이 시행될 무렵에는 재산권에 관한 헌법 규정이나 소유권의 내용과 취득시효의 요 건에 관한 민법 규정, 장사법의 규율 내용 등을 포함하여 전체 법질서에 부합하지 않게 되어 정당성과 합리성을 유지할 수 없게 되었다. 전통적인 조상숭배사상, 분묘설치의 관행 등을 이유로 타인 소유의 토지에 소유자의 승낙 없이 분묘를 설치한 모든 경우에 분묘기지권의 시효취득을 인정해 왔으나, 장묘문화에 관한 사회 일반의 인식 변화, 장묘제도의 변경 및 토지소유자의 권리의식 강화 등 예전과 달라진 사회현실에 비추어 볼 때, 분묘기지권 시효취득의 관습에 대한 우리 사회구성원들이 가지고 있던 법적 확신은 상당히 쇠퇴하였고, 이러한 법적 확신의 실질적인 소멸이 장사법의 입 법에 반영되었다고 볼 수 있다. ③ 따라서 토지소유자의 승낙이 없음에도 20년간 평온, 공연한 점유가 있었다는 사실 만으로 사실상 영구적이고 무상인 분묘기지권의 시효취득을 인정하는 종전의 관습은 적어도 2001.1.13. 장사법(법률 제6158호)이 시행될 무렵에는 사유재산권을 존중하는 헌법을 비롯한 전체 법질서에 반하는 것으로서 정당성과 합리성 을 상실하였을 뿐 아니라 이러한 관습의 법적 구속력에 대하여 우리 사회구성원들이 확신을 가지지 않게 됨에 따라 법적 규범으로서 효력을 상실하였다. 그렇다면 2001.1.13. 당시 아직 20년의 시효기간이 경과하지 아니한 분묘의 경 우에는 법적 규범의 효력을 상실한 분묘기지권의 시효취득에 관한 종전의 관습을 가지고 분묘기지권의 시효취득을 주 장할 수 없다.

2) 자연인과 법인 이외에는 권리능력을 갖는 것은 없다. 예컨대 동물의 생명을 보호할 목적으로 동물보호법이 제정되어 있다고 하더라도, 민법이나 그 밖의 법률에서 동물에 대해 권리능력을 인정하는 규정이 없고 이를 인정하는 관습법도 있지 않으므로, 동물 자체가 위자료 청구권의 주체가 될 수 없고, 이는 그 동물이 애완견 등 이른바 반려동물이라고 하여 달리 볼 수 없다(대판 2013.4.25. 2012다118594).

(2) 민법은 개별적인 규정을 통해 중요한 법률관계에서만 태아의 권리능력을 예외적으로 인정하는 개별적 보호주의를 취하고 있다.

II. 태아의 권리능력이 인정되는 사유

제762조【손해배상청구권에 있어서의 태아의 지위】
태아는 손해배상의 청구권에 관하여는 이미 출생한 것으로 본다.
제1000조【상속의 순위】
① 상속에 있어서는 다음 순위로 상속인이 된다.
    1. 피상속인의 직계비속
    2. 피상속인의 직계존속
    3. 피상속인의 형제자매
    4. 피상속인의 4촌 이내의 방계혈족
② 전항의 경우에 동순위의 상속인이 수인인 때에는 최근친을 선순위로 하고 동친 등의 상속인이 수인인 때에는 공동상속인이 된다.
③ 태아는 상속순위에 관하여는 이미 출생한 것으로 본다.
제1001조【대습상속】
전조 제1항 제1호와 제3호의 규정에 의하여 상속인이 될 직계비속 또는 형제자매가 상속개시 전에 사망하거나 결격자가 된 경우에 그 직계비속이 있는 때에는 그 직계비속이 사망하거나 결격된 자의 순위에 갈음하여 상속인이 된다.
제1118조【준용규정】
제1001조, 제1008조, 제1010조의 규정은 유류분에 이를 준용한다.
제1064조【유언과 태아, 상속결격자】
제1000조 제3항, 제1004조의 규정은 수증자에 준용한다.

1. 불법행위에 의한 손해배상청구

(1) 제762조는 태아 자신이 불법행위의 직접적인 피해자인 경우에 한하여 적용되는 규정이다. 父의 생명침해로 인하여 父에게 발생한 손해배상청구권은 상속규정(제1000조 제3항)에 의하여 태아에게 상속된다.

(2) 직계존속의 생명침해에 대한 위자료청구권(제752조)은 인정되나 채무불이행에 기한 손해배상청구권은 인정되지 않는다.

(3) 태아도 손해배상청구권에 관하여는 이미 출생한 것으로 보는바, 부가 교통사고로 상해를 입을 당시 태아가 출생하지 아니하였다고 하더라도 그 뒤에 출생한 이상 부의 부상으로 인하여 입게 될 정신적 고통에 대한 위자료를 청구할 수 있다(대판 1993.4.27, 93다4663). → 판례는 태아가 피해 당시 정신상 고통에 대한 감수성을 갖추고 있지 않더라도 장래 감수할 것임이 현재 합리적으로 기대할 수 있는 경우에 있어서는 즉시 그 청구를 할 수 있다고 하여 태아의 위자료 청구권을 긍정하고 있다(대판 1962.3.15, 4252민상903).

2. 상속능력 등

태아는 상속순위에 관하여 이미 출생한 것으로 보며, 이 규정은 유증에 준용된다(제1064조). 통설은 상속과 관련하여 발생하는 대습상속(제1001조)·유류분반환청구권(제1118조)에 있어서도 태아의 권리능력을 인정한다.

3. 사인증여

판례는 단독행위인 유증과 달리 사인증여는 계약이므로 그 성질이 달라 사인증여에는 태아의 권리능력을 인정할 수 없다고 한다. 증여(생전증여)에 관하여 태아는 수증능력이 인정되지 아니하고, 또 태아인 동안에는 법정대리인이 있을 수 없으므로 법정대리인에 의한 수증행위도 할 수 없다(대판 1982.2.9, 81다534 – 엄밀히 말하면 사인증여에 관해 명시적인 입장을 밝힌 판례는 없다).

4. 인지청구권

태아는 부에 대하여 인지청구의 소를 제기할 수 없다. 즉 생부는 태아를 인지할 수 있음에 반해, 태아의 인지청구권을 인정하는 명문의 규정이 없는 이상 이를 부정하는 것이 통설이다(제858조 참조).

III. "이미 출생한 것으로 본다"의 이론구성

구분	정지조건설(판례)	해제조건설(다수설)
사상적 기초	제3자의 보호·거래안전에 중점	태아의 보호에 중점
내용	태아인 동안에는 권리능력을 취득하지 못하지만 살아서 출생한 때에는 권리능력의 취득의 효과가 사건이 발생한 때(불법행위 시 혹은 상속개시 시)에 소급해서 생긴다는 견해	문제된 사실이 발생한 때부터 제한적인 권리능력을 갖지만, 사산한 경우에는 권리능력 취득의 효과가 과거의 문제의 사건발생 시에 소급하여 소멸한다고 보는 견해
특징	① 태아인 동안에는 권리능력이 인정되지 않으므로 법정대리인도 있을 수 없다. ② 태아가 사산되더라도 타인에게 불측의 손해를 줄 염려가 없다.	① 태아인 동안에도 권리능력이 인정되므로 법정대리인이 있을 수 있다. ② 태아가 사산된 경우 법정대리인의 행위가 소급해서 무효가 되기 때문에 상대방·제3자에게 불측의 손해를 줄 염려가 있다.
공통점	태아가 살아서 출생하면 사건발생 시부터 권리능력이 인정되고, 사산된 때에는 권리능력을 갖지 못한다는 데에는 견해대립의 실익이 없다(대판 1976.9.14, 76다1365).	

판례 연구 ▶ **관련판례 정리**

[1] 피해자가 차량충격에 의한 강력한 뇌진탕과 두개골절 및 뇌출혈 등으로 인간의 지각 내지 의식작용이 순간적으로 소실되었다 하더라도 치명상을 받을 때와 사망과의 간에는 시간적 간격이 있었다 할 것이고 아무리 순간적이라 할지라도 피해자로서의 정신적 고통을 느끼는 순간이 있었다 할 것이다(대판 1973. 9.25, 73다1100).

[2] 판례는 정지조건설을 취하므로 태아인 동안에는 법정대리인이 존재할 수 없고, 따라서 태아의 조건부권리를 보존·관리할 수 없다(대판 1976.9.14, 74다1365).

[3] 태아가 특정한 권리에 있어서 이미 태어난 것으로 본다는 것은 살아서 출생한 때에 출생시기가 문제의 사건의 시기까지 소급하여 그때에 태아가 출생한 것과 같이 법률상 보아 준다고 해석하여야 상당하므로, 그가 모체와 같이 사망하여 출생의 기회를 못 가진 이상 손해배상청구권을 논할 여지가 없다(대판 1976.9. 14, 76다1365).

제3절 부재와 실종

Ⅰ. 서설

사람이 그의 주소를 떠나 당분간 돌아올 가망이 없는 경우에 그 자의 재산을 관리하고 잔존배우자나 상속인 등의 이해관계인을 보호할 수 있는 조치가 필요하다. 이에 우리 민법은 1차적으로 부재자 재산관리제도와 2차적으로 실종선고제도를 둠으로써 2단계의 조치를 취하고 있다.

Ⅱ. 부재자의 재산관리

제22조 【부재자의 재산의 관리】
① 종래의 주소나 거소를 떠난 자가 재산관리인을 정하지 아니한 때에는 법원은 이해관계인이나 검사의 청구에 의하여 재산관리에 관하여 필요한 처분을 명하여야 한다. 본인의 부재 중 재산관리인의 권한이 소멸한 때에도 같다.
② 본인이 그 후에 재산관리인을 정한 때에는 법원은 본인, 재산관리인, 이해관계인 또는 검사의 청구에 의하여 전항의 명령을 취소하여야 한다.
제23조 【관리인의 개임】
부재자가 재산관리인을 정한 경우에 부재자의 생사가 분명하지 아니한 때에는 법원은 재산관리인, 이해관계인 또는 검사의 청구에 의하여 재산관리인을 개임할 수 있다.
제24조 【관리인의 직무】
① 법원이 선임한 재산관리인은 관리할 재산목록을 작성하여야 한다.

> ② 법원은 그 선임한 재산관리인에 대하여 부재자의 재산을 보존하기 위하여 필요한 처분을 명할 수 있다.
> ③ 부재자의 생사가 분명하지 아니한 경우에 이해관계인이나 검사의 청구가 있는 때에는 법원은 부재자가 정한 재산관리인에게 전2항의 처분을 명할 수 있다.
> ④ 전3항의 경우에 그 비용은 부재자의 재산으로써 지급한다.
> 제25조【관리인의 권한】
> 법원이 선임한 재산관리인이 제118조에 규정한 권한을 넘는 행위를 함에는 법원의 허가를 얻어야 한다. 부재자의 생사가 분명하지 아니한 경우에 부재자가 정한 재산관리인이 권한을 넘는 행위를 할 때에도 같다.

1. 부재자의 개념

부재자란 종래의 주소나 거소를 떠나 당분간 돌아올 가망이 없는 자로서 그의 재산을 관리할 필요가 있는 자를 말한다. 이러한 부재자는 자연인에 한하여 인정되며, 법인은 부재자가 될 수 없다 (대결 1965.2.9, 64스9).

2. 부재자 자신이 재산관리인을 두지 않은 경우

(1) 법원의 조치

1) 이해관계인, 검사의 청구에 의하여 가정법원은 재산관리에 관한 필요한 처분을 명한다.

2) 여기서 이해관계인이란 ① 부재자의 재산의 보전에 관하여 법률상 이해관계를 가지는 자를 말하며(예 상속인, 배우자, 채권자, 보증인 등) 사실상 이해관계를 가진 자(예 사실혼배우자, 친구)는 포함되지 않는다. ② 또한 자가 부재자인 경우 친권자는 자의 재산을 관리할 권한이 있으므로 청구권자에 포함되지 않는다.

(2) 재산관리인의 지위

1) 일종의 법정대리인에 해당하고, 재산관리인의 권한은 법원의 명령에 의해 정해지지만, 그 정함이 없는 경우에는 제118조에서 정한 보존행위와 관리행위(이용·개량 행위)만을 할 수 있는 것이 원칙이다. 따라서 그 범위를 넘어 처분행위, 예 재산의 매각·담보제공 등의 행위를 한 경우에는 법원의 허가를 받아야 한다. 만일 이를 위반한 경우에는 무권대리행위로서 원칙적으로 무효이다. 다만 기왕의 처분행위에 대한 추인으로서 법원의 허가를 받으면 유효하다.

2) 한편 허가를 받았으나 그러한 처분행위가 부재자 본인을 위한 것이 아닌 경우에 대해서 판례는 무권대리행위로 취급한다.

3) 선임된 관리인은 수임인에 준하는 지위를 가지므로, 선임관재인은 선관주의로서 사무를 처리해야 한다(제681조).

4) 선임된 재산관리인은 언제든지 사임할 수 있고, 법원도 언제든지 개임할 수 있다(대판 1961.1.25, 4293민재항349).

판례 연구 ▶ 관련판례 정리

1. 허가의 방법

[1] 허가받은 재산에 대한 장래의 처분행위 뿐 아니라 기왕의 처분행위를 추인하는 방법으로도 할 수 있다. 따라서 관리인이 허가 없이 부재자 소유 부동산을 매각한 경우라도 사후에 법원의 허가를 얻어 이전등기절차를 경료케 하였다면 추인에 의하여 유효한 처분행위로 된다(대판 1982.9.14, 80다3063; 대판 1982.12.14, 80다1872).

[2] 부재자 재산관리인의 부재자 소유 부동산에 대한 매매계약에 관하여 법원의 허가를 받지 아니하였다는 이유로 소유권이전등기청구소송의 패소판결이 확정된 후 그 권한초과행위에 대하여 법원의 허가를 받게 되면 다시 그 매매계약에 기한 소유권이전등기청구의 소를 제기할 수 있다. 또한 부재자 재산관리인이 권한을 초과하여 체결한 부동산 매매계약에 관하여 허가신청절차를 이행하기로 약정하고도 이를 이행하지 않는 경우, 상대방은 부재자 재산관리인을 상대로 허가신청절차의 이행을 소구할 수 있다(대판 2002.1.11, 2001다41971).

2. 선임재산관리인의 권한 범위

[1] 부재자의 재산에 대한 임대료 청구 또는 불법행위로 인한 손해배상청구는 허가를 요하지 않는다(대판 1957.10.14, 4290민재항104).

[2] 부동산소유권이전등기말소등기절차이행청구나 인도청구는 보존행위에 불과하므로 법원의 허가 없이 할 수 있다(대판 1964.7.23, 64다108).

[3] 부재자재산관리인이 부재자를 위한 소송비용 때문에 피고로부터 돈을 차용하고 그 돈을 임대보증금으로 하여 본건 임야를 골프장을 하는 피고에게 임대하였다면 이는 성질을 변하지 아니한 이용 또는 개량행위로서 법원의 허가를 요하지 않는다(대판 1980.11.11, 79다2164).

3. 허가취소, 선임결정취소의 효과 – 비소급효(장래효)

[1] 법원의 허가를 얻어 권한초과행위를 한 후에는 그 허가결정이 취소되더라도 소급효가 없으며, 취소 전의 처분행위는 유효하다(대판 1960.2.4, 4291민상636).

[2] 법원에 의하여 부재자재산관리인으로 선임된 자는 그 부재자의 사망이 확인된 후라 할지라도 위 선임결정이 취소되지 않는 한 관리인으로서의 권한이 소멸하지 않고(대판 1971.3.23, 71다189; 대판 1991.11.26, 91다11810), 부재자 재산관리인으로서 권한초과 행위의 허가를 받고 그 선임결정이 취소되기 전에 위 권한에 의하여 이루어진 행위는 부재자에 대한 실종선고기간이 만료된 뒤에 이루어졌다고 하더라도 유효하다(대판 1981.7.28, 80다2668).

[3] 법정절차에 의하여 재산관리인 선임결정이 취소되지 않는 한 선임된 부재자재산관리인의 권한이 당연히는 소멸되지 아니하고 또 위 결정 이후에 취소된 경우에도 그 취소의 효력은 장래에 향하여서만 생기는 것이며 그간의 부재자재산관리인의 적법한 권한행사의 효과는 이미 사망한 그 부재자의 재산상속인에게 미친다 할 것이다(대판 1970.1.27, 69다719).

4. 허가받은 처분행위의 한계

[1] 법원의 매각처분허가를 받았다면 저당권설정을 위해 다시 법원의 허가를 얻을 필요는 없다. 다만 법원의 허가가 있었더라도 그 처분은 부재자의 이익을 위한 것에 한정되고, 부재자의 이익을 위한 정당한 관리행위가 아닌 때에는 그 권한범위를 일탈한 것으로서 무권대리로 되고 표현대리가 성립하지 않는 한 본인에 대하여 효력이 없다.

[2] 따라서 관리인이 법원의 매각처분허가를 얻었더라도 부재자와 아무 관계없는 남의 채무의 담보를 위하여 부재자 재산에 근저당권을 설정한 때에는 달리 그 권한이 있다고 믿음에 정당한 이유가 없는 한 상대방은 선의·무과실이라 볼 수 없고 본인은 책임이 없다(대결 1976.12.21. 75마551; 대판 1977.11. 8. 77다1159).

3. 부재자 자신이 재산관리인을 둔 경우

(1) 그 재산관리인은 부재자의 수임인으로서 임의대리인이므로, 대리권의 범위는 당사자의 약정에 의하여 정해진다. 따라서 부재자가 재산관리인을 선임하면서 처분권까지 부여하였다면, 부재자 재산관리인의 처분행위에는 법원의 허가를 받을 필요가 없다. 다만 그러한 약정이 없으면 민법 제118조가 적용된다.

▶ **부재자 스스로 위임한 재산관리인의 권한범위**
부재자 스스로 위임한 재산관리인이 있는 경우에는, 그 재산관리인의 권한은 그 위임의 내용에 따라 결정될 것이며 그 위임관리인에게 재산처분권까지 위임된 경우에는 그 재산관리인이 그 재산을 처분함에 있어 법원의 허가를 요하는 것은 아니라 할 것이므로 재산관리인이 법원의 허가 없이 부동산을 처분하는 행위를 무효라고 할 수 없다(대판 1973.7.24. 72다2136).

(2) 법원은 원칙적으로 이에 간섭하지 않는다. 다만 재산관리권이 본인부재 중 소멸한 때(제22조 제1항 후단) 또는 부재자의 생사가 분명하지 않게 된 때(제24조)에는 예외적으로 법원이 개입·간섭하고, 이 경우 종전 수임인이 재산관리인으로 되었더라도 종전 수임인의 부재자 위임에 의한 재산관리 처분권한은 종료된다. 따라서 그 후 부재자의 재산을 처분하는 경우 민법 제25조에 따른 권한 초과 행위의 허가를 받아야 하며 허가를 받지 아니하고 한 부재자의 재산매각은 무효이다(대판 1977.3.22. 76다1437).

III. 실종선고

1. 의의

실종선고란 부재자의 생사불명의 상태가 일정기간 계속되고 있는 경우 가정법원의 선고에 의해 사망한 것으로 간주함으로써, 종래의 주소·거소를 중심으로 하는 법률관계를 확정하는 제도를 말한다.

2. 실종선고의 요건

> 제27조【실종의 선고】
> ① 부재자의 생사가 5년간 분명하지 아니한 때에는 법원은 이해관계인이나 검사의 청구에 의하여 실종선고를 하여야 한다.

② 전지에 임한 자, 침몰한 선박 중에 있던 자, 추락한 항공기 중에 있던 자 기타 사망의 원인이 될 위난을 당한 자의 생사가 전쟁종지 후 또는 선박의 침몰, 항공기의 추락 기타 위난이 종료한 후 1년간 분명하지 아니한 때에도 제1항과 같다.

(1) 부재자의 생사 불분명

생사불명이란 생존 또는 사망에 대한 증명을 할 수 없는 상태이므로 가족관계등록부(과거의 호적부)에 사망한 것으로 기재된 자에 대하여는 특단의 사정이 없는 한 실종선고를 청구할 수 없다.

▶ 호적부(현 가족관계등록부)의 기재사항은 이를 번복할 만한 명백한 반증이 없는 한 진실에 부합하는 것으로 추정되고, 특히 호적부의 사망기재는 쉽게 번복할 수 있게 해서는 안되며, 그 기재내용을 뒤집기 위해서는 사망신고 당시에 첨부된 서류들이 위조 또는 허위조작된 문서임이 증명되거나 신고인이 공정증서원본불실기재죄로 처단되었거나 또는 사망으로 기재된 본인이 현재 생존해 있다는 사실이 증명되고 있을 때, 또는 이에 준하는 사유가 있을 때 등에 한해서 호적상의 사망기재의 추정력을 뒤집을 수 있을 뿐이고, 그러한 정도에 미치지 못한 경우에는 그 추정력을 깰 수 없다 할 것이므로, 호적상 이미 사망한 것으로 기재되어 있는 자는 그 호적상 사망기재의 추정력을 뒤집을 수 있는 자료가 없는 한 그 생사가 불분명한 자라고 볼 수 없어 실종선고를 할 수 없다(대판 1997.11.27, 97스4).

(2) 실종기간의 경과

생사불명이 일정기간 계속되어야 한다. 민법은 보통실종기간으로 5년, 특별실종기간으로 1년을 규정하고 있다.

(3) 이해관계인 등의 청구

1) 실종선고의 청구권자로서 이해관계인이란 부재자의 사망으로 직접적으로 신분상 또는 재산상의 권리를 취득하거나 의무를 면하게 되는 자만을 뜻한다. 예컨대 배우자, 상속인, 법정대리인, 재산관리인 등을 의미한다는 점에서 부재자재산관리를 청구할 수 있는 이해관계인의 범위와 다름을 유의한다.

2) 부재자의 자매로서 제2순위 내지 제3순위 상속인에 불과한 자는 부재자에 대한 실종선고의 여부에 따라 상속지분에 차이가 생긴다고 하더라도 위 부재자의 사망 간주시기에 따른 간접적인 영향에 불과하고 부재자의 실종선고 자체를 원인으로 한 직접적인 결과는 아니므로 부재자에 대한 실종선고를 청구할 이해관계인이 될 수 없다. 판례도 마찬가지의 입장이다 (대결 1992.4.14, 92스4).

3) 법률상·직접적 이해관계인을 의미하므로 부재자의 상속인의 내연의 처로부터 재산을 매수한 자는 실종선고를 청구할 수 있는 이해관계인이 아니다.

(4) 절차상 요건

실종선고를 할 때에는 6개월 이상의 공시최고가 반드시 필요하나, 실종선고취소를 할 때에는 공시최고를 요하지 아니한다.

3. 실종선고의 효과 – 사망의제(간주)

> **제28조【실종선고의 효과】**
> 실종선고를 받은 자는 전조의 기간이 만료한 때에 사망한 것으로 본다.

(1) 사망한 것으로 추정하는 것이 아니라는 점에서 인정사망과 다르고, 사망한 것으로 간주되므로 생존사실 등 기타의 반증을 하여도 실종선고의 효력을 다툴 수 없으며, 오직 실종선고를 취소하여야만 사망의 효과를 뒤집을 수 있다.

(2) 실종선고는 종래의 주소와 거소를 중심으로 한 사법상의 법률관계에 관하여만 사망한 것으로 간주할 뿐 권리능력을 박탈하는 제도는 아니다. 따라서 선거권 등 공법상의 법률관계에는 영향을 미치지 않는다.

(3) 부재자의 생사가 분명하지 아니한 경우, 부재자는 법원의 실종선고가 없는 한 사망자로 간주되지 아니하며, 부재자의 재산관리인이 부재자의 대리인으로서 소를 제기하여 그 소송계속 중에 부재자에 대한 실종선고가 확정되어 그 소 제기 이전에 부재자가 사망한 것으로 간주되는 경우에도, 실종선고의 효력이 발생하기 전에는 실종기간이 만료된 실종자라 하여도 소송상 당사자능력을 상실하는 것은 아니므로, 실종선고가 확정된 때에 소송절차가 중단되어 부재자의 상속인 등이 이를 수계할 수 있을 뿐이고, 위 소 제기 자체가 소급하여 당사자능력이 없는 사망한 자가 제기한 것으로 되는 것은 아니다(대판 2008.6.26, 2007다11057). 또한 실종자를 당사자로 한 판결이 확정된 후에 실종선고가 확정되어 그 사망간주의 시점이 소 제기 전으로 소급하는 경우에도 위 판결 자체가 소급하여 당사자능력이 없는 사망한 사람을 상대로 한 판결로서 무효가 된다고는 볼 수 없다(대판 1992.7.14, 92다2455).

(4) 사망한 것으로 간주된 자가 그 이전에 생사불명의 부재자로서 그 재산관리에 관하여 법원으로부터 재산관리인이 선임되어 있었다면 재산관리인은 그 부재자의 사망을 확인했다고 하더라도 선임결정이 취소되지 아니하는 한 계속하여 권한을 행사할 수 있다 할 것이므로 재산관리인에 대한 선임결정이 취소되기 전에 재산관리인의 처분행위에 기하여 경료된 등기는 법원의 처분허가 등 모든 절차를 거쳐 적법하게 경료된 것으로 추정된다(대판 1991.11.26, 91다11810).

(5) 실종선고를 받은 자는 실종기간이 만료한 때에 사망한 것으로 간주되는 것이므로, 실종선고로 인하여 실종기간 만료시를 기준으로 하여 상속이 개시된 이상 설사 이후 실종선고가 취소되어야 할 사유가 생겼다고 하더라도 실제로 실종선고가 취소되지 아니하는 한, 임의로 실종기간이 만료하여 사망한 때로 간주되는 시점과는 달리 사망시점을 정하여 이미 개시된 상속을 부정하고 이와 다른 상속관계를 인정할 수는 없다(대판 1994.9.27, 94다21542).

(6) 피상속인의 사망 후에 실종선고가 이루어졌으나 피상속인의 사망 이전에 실종기간이 만료된 경우, 실종선고된 자는 재산상속인이 될 수 없다(대판 1982.9.14, 82다144).

4. 실종선고의 취소

> **제29조【실종선고의 취소】**
> ① 실종자의 생존한 사실 또는 전조의 규정과 상이한 때에 사망한 사실의 증명이 있으면 법원은 본인, 이해관계인 또는 검사의 청구에 의하여 실종선고를 취소하여야 한다. 그러나 실종 선고 후 그 취소 전에 선의로 한 행위의 효력에 영향을 미치지 아니한다.
> ② 실종선고의 취소가 있을 때에 실종의 선고를 직접원인으로 하여 재산을 취득한 자가 선의인 경우에는 그 받은 이익이 현존하는 한도에서 반환할 의무가 있고 악의인 경우에는 그 받은 이익에 이자를 붙여서 반환하고 손해가 있으면 이를 배상하여야 한다.

(1) 요건 및 절차

1) 요건

① 실질적 요건으로 실종자가 생존한 사실 또는 실종기간이 만료한 때와 다른 때에 사망한 사실(제29조 제1항), 실종기간의 기산점 이후의 어떤 시점에 생존하고 있었던 사실이 증명되어야 하고, ② 형식적 요건으로 본인·이해관계인 또는 검사의 청구가 있어야 한다(제29조 제1항).

2) 절차

실종선고의 취소는 본인 주소지의 가정법원의 전속관할에 속한다(가사소송법 제44조). 그 취소절차에는 실종선고의 경우와는 달리 공시최고 절차는 필요하지 않다. 취소의 요건을 갖추면 법원은 반드시 실종선고를 취소하여야 한다(제29조 제1항).

(2) 효과

1) 원칙 - 소급 무효

실종선고가 취소되면 처음부터 실종선고가 없었던 것으로 되어 실종선고로 인하여 발생한 법률관계는 원칙적으로 소급하여 무효가 된다.

2) 예외

가) 실종선고 후 그 취소 전에 선의로 한 행위의 효력(제29조 제1항 단서)

실종선고 후 그 취소 전에 선의로 한 행위의 효력에 영향을 미치지 아니한다. 여기서 선의의 구체적 의미에 대해서는 견해가 대립한다. 동조는 실종선고 전에 한 행위 또는 실종선고취소 후에 한 행위에는 적용이 없으므로, 선의인 경우라도 소급하여 무효가 된다.

① **재산행위**

ⅰ) 단독행위 - 오직 단독행위자의 선의만을 요구하는 것이 통설이다.

ⅱ) 계약

㉠ **쌍방 선의설** : 제29조의 문리해석상 당사자 전부가 선의일 때만 보호받고 그 중에서 1인이라도 악의인 경우에는 반환하여야 한다.

(ㄴ) **상대적 효력설** : 개별적으로 판단하여 선의자는 보호를 받고 악의자는 반환하여야 한다 (⇨ 엄폐물 법칙 적용 ×).

(ㄷ) **절대적 효력설** ⇨ 전제 : 엄폐물 법칙 적용○

┌ 쌍방선의설에 근거한 절대적 효력설
└ 상대적 효력설에 근거한 절대적 효력설

② **신분행위** : 통설은 신분행위에도 제29조 제1항 단서가 적용됨을 전제로 쌍방의 선의를 요구한 다고 하며, 적어도 어느 한쪽이 악의일 때는 전혼은 부활하나 이혼사유(제840조 제6호)가 있게 되고 후혼은 중혼으로 취소될 수 있다고 본다.

나) **실종선고를 직접원인으로 재산을 취득한 자**(상속인·수유자·생명보험금의 수익자)**의 반환의무**(제29조 제2항)

반환의무의 성질은 부당이득의 반환이고, 따라서 반환청구권은 실종선고 취소시부터 10년의 소 멸시효에 걸린다. 반환범위도 부당이득에 있어서와 같다(⇨ 선의 − 현존이익 / 악의 − 받은 이익 에 이자 + 손해).

다) **양자의 관계**

선택적 관계이다. 따라서 실종선고의 취소를 받은 실종자는 제29조 제1항 단서에 의해서 전득 자에게 반환청구를 하든지, 아니면 직접수익자에게 제29조 제2항에 의한 부당이득반환청구를 해야 한다. 다만 쌍방이 선의이기 때문에 제29조 제1항 단서에 의해서 전득자에 대하여 반환을 청구할 수 없는 때에는 제29조 제2항에 의해서 직접수익자에 대해서만 반환을 청구할 수 있다.

3) **타 제도와의 관계**

예외요건에 해당하지 않아 소급적으로 소멸되더라도 재산취득자에게 취득시효·선의취득·첨부 등과 같은 별개의 권리취득사유가 있으면 실종선고의 취소에 의한 영향을 받지 않고, 별개의 취득 사유에 따라 권리를 취득할 수 있다.

제4절 ▌ 주물과 종물

> **제100조 【주물, 종물】**
> ① 물건의 소유자가 그 물건의 상용에 공하기 위하여 자기소유인 다른 물건을 이에 부속하게 한 때에는 그 부속물은 종물이다.
> ② 종물은 주물의 처분에 따른다.

1. 의의

물건의 소유자가 그 물건의 상용(常用)에 공(供)하기 위하여 자기소유인 다른 물건을 이에 부속하게 한 때에는 그 물건을 '주물'이라 하고, 주물에 부속된 다른 물건을 '종물'이라고 한다.

2. 종물의 요건

(1) 주물의 상용에 공할 것

계속적으로 주물의 경제적 효용을 도와야 한다. 어느 건물이 주된 건물의 종물이기 위하여는 주된 건물의 경제적 효용을 보조하기 위하여 계속적으로 이바지되어야 하는 관계가 있어야 한다(대판 1988.2.23, 87다카600). 따라서 폐수처리시설이 공장저당법에 의하여 근저당권이 설정된 공장 토지와 그에 인접한 공장 토지가 아닌 타인 소유의 토지에 걸쳐서 설치되어 있는 경우, 주물의 소유자나 이용자의 상용에 공여되고 있더라도 주물 그 자체의 효용과 직접 관계가 없는 물건은 종물이 아니다(대판 1997.10.10, 97다3750).

(2) 장소적 밀접성

"상용에 공한다"는 의미는 사회통념상 계속하여 주물의 효용을 완성시키는 작용을 한다고 인정되는 종류의 물건이고 또 특정의 주물에 부속된다고 인정될 만한 장소적 관계에 있어야 한다는 것을 의미한다(대판 1988.2.23, 87다카600).

(3) 독립한 물건

종물이 주물의 구성부분이거나, 주종이 합하여 단일물이나 합성물인 경우는 종물이 아니며, 주물·종물은 모두 동산이건 부동산이건 상관 없다(예 주유소의 주유기, 백화점 내의 전화교환설비, 횟집건물 내의 수족관, 양수시설). 정화조는 건물의 대지가 아닌 다른 필지의 지하에 설치되어 있다 하더라도 독립된 물건인 종물이라기보다 건물의 구성부분이다(대판 1993.12.10, 93다42399).

(4) 동일 소유자 여부

원칙적으로 주물, 종물 모두 동일한 소유자에 속하여야 한다. 단, 제3자의 권리를 해하지 않는 한 주물과 종물의 소유자가 달라도 된다는 최근 판례가 있다.

판례 연구 ▶ 관련판례 정리 ═══

종물의 인정 例(판례)

[1] 주유소의 주유기는 계속해서 주유소 건물 자체의 경제적 효용을 다하게 하는 작용을 하고 있으므로 주유소건물의 상용에 공하기 위하여 부속시킨 종물이다(대판 1995.6.29, 94다6345). *
단, 유류저장탱크는 토지의 부합물이다(대판 1995.6.29, 94다6345). 그런데 최근 이와 상반되는 판결이 있다. 즉 판례는 甲이 토지소유자 乙에게서 토지를 임차한 후 주유소 영업을 위하여 지하에 유류저장조를 설치한 사안에서, 유류저장조의 매설 위치와 물리적 구조, 용도 등을 감안할 때 이를 토지로부터

분리하는 데에 과다한 비용을 요하거나 분리하게 되면 경제적 가치가 현저히 감소되므로 토지에 부합된 것으로 볼 수 있으나, 사실상 분리복구가 불가능하여 거래상 독립한 권리의 객체성을 상실하고 토지와 일체를 이루는 구성 부분이 되었다고는 보기 어렵고, 또한 甲이 임차권에 기초하여 유류저장조를 매설한 것이므로, 위 유류저장조는 민법 제256조 단서에 의하여 설치자인 임차인 甲의 소유에 속한다고 하였다(대판 2012.1.26. 2009다76546).

[2] 백화점 지하에 설치된 전화교환설비는 백화점건물의 종물이다(대판 1993.9.13. 92다43142).

[3] 호텔의 각 방실에 시설된 텔레비죤, 전화기, 호텔세탁실에 시설된 세탁기, 탈수기, 드라이크리닝기, 호텔 주방에 시설된 냉장고 제빙기, 호텔방송실에 시설된 브이티알(비데오), 앰프 등이 포함되어 있는 사실이 인정되는 바 위 사실관계에 의하면 적어도 위에 적시한 물건들에 관한 한 위 물건들이 위 호텔의 경영자나 이용자의 상용에 공여됨은 별론으로 하고 주물인 같은 제1,2목록 기재부동산 자체의 경제적 효용에 직접 이바지 하지 아니함은 경험칙상 명백하므로 위 부동산에 대한 종물이라고는 할 수 없다(대판 1985.3.26. 84다카269 판결이유 중).

[4] 횟집으로 사용할 점포건물에 신축한 수족관은 점포건물의 종물이다(대판 1993.2.12. 92도3234).

[5] 낡은 가재도구 등의 보관장소로 이용되는 방, 연탄창고, 공동변소 등은 본체에서 떨어져 축조되어 있어도 본체의 종물이다(대판 1991.5.14. 91다2729). 또한, 농지에 부속한 양수시설도 종물성이 있다(대판 1967. 3.7. 66누176).

3. 종물의 효과

(1) 처분의 수반성(제100조 제2항)

1) 의의

종물은 주물의 처분에 따른다. 이때 처분은 물권적 처분뿐만 아니라 채권적 처분도 포함하므로 소유권양도, 저당권설정뿐만 아니라 매매, 임대차 등을 의미한다. 판례는 압류와 같은 공법상의 처분의 경우에도 처분의 수반성 원칙을 관철한다. 즉, 구분건물의 대지사용권은 전유부분과 종속적 일체불가분성이 인정되는 점 등에 비추어 볼 때, 구분건물의 전유부분에 대한 소유권보존등기만 경료되고 대지지분에 대한 등기가 경료되기 전에 전유부분만에 대해 내려진 가압류결정의 효력은, 대지사용권의 분리처분이 가능하도록 규약으로 정하였다는 등의 특별한 사정이 없는 한, 종물 내지 종된 권리인 그 대지권에까지 미친다고 본다(대판 2006.10.26. 2006다29020).

2) 주물 위에 저당권이 설정된 경우

종물의 설치시기는 저당권설정 전후를 불문하고 저당권의 효력이 종물에도 미친다(제358조 본문).

3) 주물 위에 질권이 설정된 경우

물권변동에 관한 형식주의 원칙상 종물이 인도된 경우에 한하여 질권의 효력은 종물에도 미친다.

4) 종물에 대한 공시의 문제

종된 권리가 물권이라면 물권취득의 공시방법을 갖추어야 한다. 지상권이 존재하는 건물의 매수인이 지상권을 취득하기 위해서는 건물의 이전등기와 함께 지상권의 이전등기도 경료할 것을 요한다(대판(전) 1985.4.9, 84다카1131). 즉, 종물은 주물의 처분에 따른다는 제100조 제2항의 규정은 물건의 경제적 효용의 관점에서 주물, 종물을 하나의 집합물로서 다룬다는 취지일 뿐이고 물권변동에서 요구되는 공시방법은 이와 별개로 갖추어야 한다.

(2) 제100조 제2항 규정의 성격

제100조 제2항은 강행규정이 아닌 임의규정이므로 당사자의 약정에 의하여 종물만의 처분도 가능하다(대판 2012.1.26, 2009다76546).

4. 종물이론의 유추적용

(1) 종물이론은 권리상호 간에 유추적용된다. 따라서 건물이 양도되면 그 건물을 위한 대지의 임차권도 건물의 양수인에게 이전하며, 원본채권이 양도되면 기본적 이자채권도 원본채권과 운명을 같이한다.

(2) "저당권의 효력은 저당부동산에 부합된 물건과 종물에 미친다"는 제358조 본문의 규정은 저당부동산에 관한 종된 권리에도 유추적용되어서, 건물에 대한 저당권의 효력은 그 건물의 소유를 목적으로 하는 지상권에도 미친다(대판 1992.7.14, 92다527).

(3) 건물에 대한 저당권의 효력은 건물의 종된 권리인 지상권에도 미치므로 경락인은 등기 없이 지상권도 취득하고, 이 건물을 제3자에 양도한 때에는 건물과 함께 지상권도 양도한 것으로 봄이 상당하며 이때 경락인으로부터 건물을 양도받은 자는 등기를 하여야 건물소유권 및 지상권을 취득하게 된다(대판 1996.4.26, 95다52864).

(4) 구분건물의 대지권은 전유부분에 대한 종된 권리이다. 판례에 따르면 구분건물의 대지권을 구분건물의 전유부분에 종된 권리로 파악하여 구분건물의 전유부분만에 관하여 설정된 저당권의 효력은 대지권의 분리처분이 가능하도록 규약으로 정하는 등의 특별한 사정이 없는 한, 그 전유부분의 소유자가 사후라도 대지권을 취득함으로써 전유부분과 대지권이 동일소유자의 소유에 속하게 되었다면 그 대지사용권에까지 미친다. 따라서 전유부분에 저당권을 설정한 자는 대지권과 함께 경매를 청구할 수 있다(대판 2001.9.4, 2001다22604). 여기의 대지사용권에는 지상권 등 용익권 이외에 대지소유권도 포함되는 것이다(대결 2005.11.14, 2004그31).

판례 연구 관련판례 정리

[1] 민법 제100조는 종물에 관하여 '자기 소유인 다른 물건'이라고 규정하고 있어 종물이 주물 소유자의 소유물인 것을 전제로 하고 있지만, 종물이 타인의 소유라고 하더라도 그 타인의 권리를 해하지 아니하는 범위에서 민법 제100조가 적용된다고 할 것이고, 따라서 주물이 처분된 경우에 종물의 소유자가 동의 또는 추인하거나, 종물이 동산인 경우에 상대방이 선의취득의 요건을 갖추면 종물의 소유권을 취득하게 되는 것이며, 또한 동산의 선의취득을 주장하는 자는 점유취득시에 무과실이었다는 점을 주장·입증하여야 한다(대판 2002.2.5, 2000다38527).

   * 정리 - 종물은 물건의 소유자가 그 물건의 상용에 공하기 위하여 자기 소유인 다른 물건을 이에 부속하게 한 것을 말하므로(민법 제100조 제1항), 주물과 다른 사람의 소유에 속하는 물건은 종물이 될 수 없다(대판 2008.5.8, 2007다36933·36940). 다만 종물이 주물 소유자의 소유가 아니어도 타인의 권리를 해하지 않는 범위 내에서 종물에 관한 제100조가 적용된다(대판 2002.2.5, 2000다38527 참조).

[2] 저당권의 실행으로 부동산이 경매된 경우에 그 부동산에 부합된 물건은 그것이 부합될 당시에 누구의 소유이었는지를 가릴 것 없이 그 부동산을 낙찰받은 사람이 소유권을 취득하지만, 그 부동산의 상용에 공하여진 물건일지라도 그 물건이 부동산의 소유자가 아닌 다른 사람의 소유인 때에는 이를 종물이라고 할 수 없으므로 부동산에 대한 저당권의 효력에 미칠 수 없어 부동산의 낙찰자가 당연히 그 소유권을 취득하는 것은 아니며, 나아가 부동산의 낙찰자가 그 물건을 선의취득하였다고 할 수 있으려면 그 물건이 경매의 목적물로 되었고 낙찰자가 선의이며 과실 없이 그 물건을 점유하는 등으로 선의취득의 요건을 구비하여야 한다(대판 2008.5.8, 2007다36933·36940).

[3] 구분건물의 대지사용권은 전유부분과 종속적 일체불가분성이 인정되는 점 등에 비추어 볼 때, 구분건물의 전유부분에 대한 소유권보존등기만 경료되고 대지지분에 대한 등기가 경료되기 전에 전유부분만에 대해 내려진 가압류결정의 효력은, 대지사용권의 분리처분이 가능하도록 규약으로 정하였다는 등의 특별한 사정이 없는 한, 종물 내지 종된 권리인 그 대지권에까지 미친다고 보아야 할 것이다(대판 2006.10.26, 2006다29020).

[4] 토지 지하에 설치된 유류저장탱크와 건물에 설치된 주유기가 토지에 부합되거나 건물의 상용에 공하기 위하여 부속시킨 종물로서 토지 및 건물에 대한 경매의 목적물이 된다(대결 2000.10.28, 2000마5527).

[5] 저당권은 법률에 특별한 규정이 있거나 설정행위에 다른 약정이 있는 경우를 제외하고 그 저당 부동산에 부합된 물건과 종물 이외에까지 그 효력이 미치는 것이 아니므로, 토지에 대한 경매절차에서 그 지상 건물을 토지의 부합물 내지 종물로 보아 경매법원에서 저당 토지와 함께 경매를 진행하고 경락허가를 하였다고 하여 그 건물의 소유권에 변동이 초래될 수 없다(대판 1997.9.26, 97다10314).

제1절 특정물채권과 종류채권

I. 특정물채권

1. 의의

특정물채권이란 특정물의 인도를 목적으로 하는 채권으로서, 종류물의 인도를 목적으로 하는 종류채권(불특정물채권)과 대비된다. 여기서 특정물·불특정물의 구별은 당사자의 주관적 의사에 의해 결정된다(반면 대체물·부대체물은 급부의 성질에 따라 객관적으로 결정된다).[1]

2. 선관주의의무

> 제374조【특정물인도채무자의 선관의무】
> 특정물의 인도가 채권의 목적인 때에는 채무자는 그 물건을 인도하기까지 선량한 관리자의 주의로 보존하여야 한다.

(1) 의의

특정물채권의 채무자는 그 물건을 인도하기까지 선량한 관리자의 주의로 보존하여야 한다(제374조). 여기서 선량한 관리자의 주의란 채무자의 직업이나 지위에 비추어 거래상 일반적으로 평균인에게 요구되는 정도의 주의를 말한다. 이와 같은 선관주의의무를 결하게 되면 '추상적 (경)과실'이 있는 것이 된다.[2]

---

1) 채권 성립 당시 이미 급부가 특정되어 있다면 특정채권이라 한다. 따라서 특정물채권은 특정채권 중 그 목적이 특히 특정물의 인도인 경우만을 의미하는 것으로서, 특정채권은 특정물채권을 포함하는 개념이다.

2) 자기재산과 동일한 주의의무와 고유재산에 대한 주의의무 – 민법은 행위자의 구체적·주관적 주의능력에 따른 주의만을 요구하는 경우가 있다. 즉 주의의무의 정도가 선관주의의무보다 낮으며, 이에 따른 주의의무를 결한 것을 구체적 과실이라고 한다. ① 임치계약은 특정물채무임에도 보수 없이 임치를 받은 자(무상수치인)는 임치물을 자기재산과 동일한 주의로 보관하여야 하며(제695조), ② 친권자가 재산관리권을 행사함에는 자기의 재산에 관한 행위와 동일한 주의를 하여야 하며(제922조), ③ 상속인은 그 고유재산에 대하는 것과 동일한 주의로 상속재산을 관리하여야 한다(제1022조)는 것이 이에 해당한다.

(2) 선관주의의무의 존속기간

① 이행기의 도과 여부에 관계없이 목적물을 실제로 인도할 때까지 선관주의의무를 부담한다 (제374조).

② 다만 실제로 인도된 때가 이행기 이후인 경우에는 이행지체나 수령지체 중 어느 것에도 해당하지 않는 경우에만 선관주의의무가 존속하게 된다. 이행지체(제392조 ; 책임의 가중 – 무과실책임)와 채권자의 수령지체(제401조 ; 책임의 경감 – 고의 또는 중과실에 대해서만 책임)의 경우에는 채무자의 책임이 가중되거나 감경되기 때문이다. 따라서 이행기 이후에 선관의무를 부담하는 경우란, 귀책사유 없이 이행을 못하고 있는 경우와 이행지체를 정당화하는 사유(예 동시이행항변권, 유치권)가 존재하는 경우만을 의미한다.

(3) 위반의 효과

1) 선관의무를 다했으나 목적물이 멸실된 경우

채무자의 귀책사유는 없으므로 채무불이행책임을 지지 않는다.

2) 선관의무를 다하지 못하여 목적물이 멸실된 경우

채무자는 귀책사유가 있으므로 채무불이행책임을 진다. 이 경우 채무자는 그 책임내용으로 원칙적으로 손해배상의무만을 부담한다(부수적 의무설).

► **위험부담의 문제**

[1] **급부위험** – 급부가 당사자 쌍방의 귀책사유 없이 불능이 된 경우 채무자가 다시 급부를 하여야 하는가의 문제이다. ① 종류물채무는 채무자의 조달의무가 있으므로 채무자가 급부위험을 부담한다. 반면, ② 특정물채무는 조달의무가 없으므로 채권자가 급부위험을 부담한다. 즉 채권자는 다른 물건의 인도를 청구할 수 없다.

[2] **대가위험** – 쌍무계약에서만 문제되는 것으로, 급부가 채무자의 귀책사유 없이 불능이 된 경우 채무자가 채권자에게 반대급부를 청구할 수 있는지의 문제이다. 대가위험은 원칙상 채무자가 진다(채무자위험부담의 원칙, 제537조). 그러나 급부불능이 채권자의 귀책사유로 인한 경우에는 채권자가 대가위험을 부담하므로(제538조), 이 경우 채무자는 반대급부를 청구할 수 있다.

---

3. 특정물의 인도의무

(1) 현상인도의무

특정물의 인도가 채권의 목적인 때에는 채무자는 이행기의 현상대로 그 물건을 인도하여야 하며 (제462조), 또한 그것으로 충분하다(이를 특정물도그마라 한다). 따라서 이행기 전에 목적물이 훼손된 경우라도 채무자는 그 목적물을 현상대로 인도함으로써 자신의 인도의무를 다한 것이 되고, 다만 그 훼손에 채무자의 선관주의의무의 위반이 있는 경우에는 그에 따른 채무불이행책임을 부담하면 족하다. 즉 특정물도그마이론에 따르면 훼손에 대한 선관주의의무와 현상인도의무는 별개의 문제로 취급된다.

(2) 인도장소(변제장소)

> **제467조【변제의 장소】**
> ① 채무의 성질 또는 당사자의 의사표시로 변제장소를 정하지 아니한 때에는 특정물의 인도는 채권성립 당시에 그 물건이 있던 장소에서 하여야 한다.
> ② 전항의 경우에 특정물 인도 이외의 채무변제는 채권자의 현주소에서 하여야 한다. 그러나 영업에 관한 채무의 변제는 채권자의 현영업소에서 하여야 한다.

특정물의 인도는 채권성립 당시에 그 물건이 있던 장소에서 하여야 한다(제467조 제1항). 그러나 특정물 인도 이외의 채무변제는 채권자의 현주소에서 하여야 하며(제467조 제2항), 이를 지참채무 원칙이라 한다.

(3) 천연과실의 귀속

> **제101조【천연과실, 법정과실】**
> ① 물건의 용법에 의하여 수취하는 산출물은 천연과실이다.
> **제102조【과실의 취득】**
> ① 천연과실은 그 원물로부터 분리하는 때에 이를 수취할 권리자에게 속한다.
> **제587조【과실의 귀속, 대금의 이자】**
> 매매계약 있은 후에도 인도하지 아니한 목적물로부터 생긴 과실은 매도인에게 속한다. 매수인은 목적물의 인도를 받은 날로부터 대금의 이자를 지급하여야 한다. 그러나 대금의 지급에 대하여 기한이 있는 때에는 그러하지 아니하다.

① 특정물을 인도할 때까지(현실 인도 시까지) 목적물로부터 생긴 천연과실은 이를 수취할 권리를 가진 자에게 귀속한다(제102조 제1항). 따라서 채무자는 이행기까지의 천연과실을 수취할 수 있는 권리를 가지므로 채권자에게 천연과실을 인도할 필요가 없다. 다만 이행기 이후의 과실은 원칙적으로 목적물과 함께 채권자에게 인도하여야 한다.

② 그러나 매매의 경우에는 특칙인 제587조에 의해 매수인이 대금지급 전이라면 이행기 이후라도 목적물을 인도하기 전에 발생한 과실은 매도인에게 귀속한다.

Ⅱ. 종류채권

1. 의의

(1) 개념

종류채권이란 일정한 종류와 일정한 수량으로만 정해진 물건의 인도를 목적으로 하는 채권을 말한다(예 OB맥주 1상자 등). 목적물이 불특정물(종류물)이라는 점에서 특정물채권에 대비하여 불특정물채권이라고도 한다. 종류물의 여부는 당사자의 의사를 표준으로 하여 정해진다.

(2) 구별개념

1) 선택채권

① 채권의 목적이 확정되어 있지 않다는 점에서 선택채권과 종류채권은 동일하지만, 선택채권은 처음부터 수 개의 상이한 급부(개성의 차이)들 중 어느 하나를 목적으로 하는 채권으로서, 수 개의 동종의 급부들 중 일부의 실현을 목적으로 하는 종류채권과 구별된다.

② 선택채권은 목적물의 개성이 중요하지만, 종류채권은 목적물의 개성이 중요하지 않다.

2) 제한종류채권

① 종류 이외에 다시 일정한 제한을 두어서 일정 범위 내의 물건의 인도로 한정하는 경우가 있는데, 이를 제한종류채권이라고 한다. 예 쌀 100가마가 있는 A창고 내의 30가마를 매매한 경우에, 100가마 중에서 30가마라는 점에서는 종류채권이지만, A창고에 있는 것으로 한정하는 점에서 제한종류채권이다.

② 이러한 제한종류채권은 종류채권의 일종이지만, 목적물이 멸실된 경우라면 채무자는 인도의무를 면하게 되므로, 특정물채권으로 다룬다.

2. 목적물의 품질

이행할 목적물의 품질을 결정하는 표준은, 첫째 법률행위의 성질[예 소비대차(제598조)·소비임차 (제702조) → 이 경우 차주와 수치인은 그가 처음에 받은 것과 동종·동질·동량의 것을 반환하여야 한다] 또는 당사자의 의사에 의하고, 둘째 이에 의해서도 품질을 정할 수 없는 경우에는 중등품질의 물건으로 이행하여야 한다(제375조 제1항).

3. 종류채권의 특정

> 제375조【종류채권】
> ② 전항의 경우에 채무자가 이행에 필요한 행위를 완료하거나 채권자의 동의를 얻어 이행할 물건을 지정한 때에는 그때로부터 그 물건을 채권의 목적물로 한다.

(1) 의의

종류채권의 목적물은 종류와 수량만으로 정하여져 있을 뿐이므로, 실제로 채무를 이행하려면 어떤 물건을 이행할 것인지가 구체적으로 확정되어야 하는데, 이를 종류채권의 특정 또는 집중이라고 한다.

(2) 특정의 방법

1) 채무자의 이행에 필요한 행위의 완료에 의한 특정

가) **지참채무** : 지참채무란 채무자가 목적물을 채권자의 주소에 가지고 가서 이행해야 하는 채무이며, 민법은 특정물채무 이외의 채무는 지참채무를 원칙으로 하고 있다(제467조). 지참채무에

서는 ① 채무자가 채권자의 주소지에서 채무내용에 좋은 현실의 이행제공을 한 때에 특정이 있게 된다. 즉 목적물이 채권자의 주소에 도달하고 채권자가 언제든지 수령할 수 있는 상태에 놓여진 때에 비로소 특정이 된다. ② 그러나 채권자가 미리 수령을 거절한 경우에는 인도할 목적물을 분리하고 구두제공(변제준비의 완료를 통지하고 그 수령을 최고)을 하여야 특정이 생긴다 (제460조 단서).

나) **추심채무** : 추심채무란 채권자가 채무자의 주소에 와서 목적물을 추심하여 변제를 받아야하는 채무이다. 추심채무의 경우 채무자는 구두의 제공과 함께 목적물을 분리해 놓아야 한다. 즉 채무자가 목적물을 분리하여 놓고 변제의 준비를 완료하였음을 통지하고 그 수령을 최고할 때(구두제공)에 특정된다(제460조 단서).[3]

다) **송부채무** : 송부채무란 채권자 또는 채무자의 주소지 이외의 제3의 장소에 목적물을 송부하여 야 할 채무이다. ① 제3의 장소가 본래의 이행장소이면 지참채무의 경우처럼 제3지에 도달하 여 현실의 제공이 된 때에 특정되지만(제467조 제2항 본문), ② 제3의 장소가 채무본래의 이행 장소가 아니고 채권자의 요청에 의해 채무자의 호의로 이행장소가 된 경우에는 제3의 장 소로 발송 시에 특정된다(통설).

2) 지정권의 행사에 의한 특정

당사자는 계약으로 당사자 일방 또는 제3자에게 종류채권의 목적물을 구체적으로 결정할 수 있는 지정권을 부여할 수 있다. 이 경우 지정권자의 지정권 행사에 의하여 특정이 생긴다. 제375조 제2 항의 '채무자가 채권자의 동의를 얻어 이행할 물건을 지정한 때'에서 말하는 '채권자의 동의'는 채 무자에게 지정권을 주고 그 지정권을 행사하는 것에 대한 동의, 즉 합의(계약)를 의미하는 것이지, 채무자가 지정하는 데에 대한 동의를 의미하는 것이 아니다(통설). 이처럼 당사자 간의 합의에 의 해 채무자가 지정권을 가지는 경우에는 지정권자인 채무자가 이행할 물건을 지정·분리한 때 특 정된다(제375조 제2항 후문).

▶ **제한종류채권의 특정방법 및 제381조**(선택권의 이전)**의 준용 여부**

제한종류채권에 있어 급부목적물의 특정은, 원칙적으로 종류채권의 급부목적물의 특정에 관하여 민 법 제375조 제2항이 적용되므로, 채무자가 이행에 필요한 행위를 완료하거나 채권자의 동의를 얻어 이행할 물건을 지정한 때에는 그 물건이 채권의 목적물이 되는 것이나, 당사자 사이에 지정권의 부여 및 지정의 방법에 관한 합의가 없고, 채무자가 이행에 필요한 행위를 하지 아니하거나 지정권자로 된 채무자가 이행할 물건을 지정하지 아니하는 경우에는 선택채권의 선택권 이전에 관한 민법 제381조 를 준용하여 채권의 기한이 도래한 후 채권자가 상당한 기간을 정하여 지정권이 있는 채무자에게 그 지정을 최고하여도 채무자가 이행할 물건을 지정하지 아니하면 지정권이 채권자에게 이전한다 (대판 2003.3.28, 2000다24856).

---

[3] 채권자지체를 발생시키는 구두의 제공과는 달리 제공된 물건이 미리 분리되어 있어야 한다. 그렇지 않으면 급부의 위험이 어떤 객체에 관하여 이전되는지를 확정할 수 없기 때문이다.

3) 기타

그 밖에 사적 자치의 원칙상 당사자는 언제든지 합의에 의하여 목적물을 특정할 수 있으며, 채무자와 채권자가 계약을 통해 제3자에게 지정권을 주고 그 제3자가 지정권을 행사한 때에도 특정이 이루어진다.

(3) 특정의 효과

1) 특정 전 채무자의 조달의무

채무자는 이행기까지 지정된 종류·수량의 물건을 구하여 채권자에게 인도해야 할 의무를 부담하는데, 이를 조달의무라 한다. 따라서 특정되기 전 쌍방의 귀책사유 없이 목적물이 멸실된 경우라도 채무자는 조달의무를 면하지 못하므로, 여기에 이행불능(단 제한종류채권은 제외)이나 위험부담의 문제는 생기지 않는다. 즉 급부위험(물건의 위험)은 여전히 채무자가 부담하게 된다.

2) 특정 후의 효과

가) **특정물채권으로의 전환** : 종류채권은 목적물의 특정으로 특정물채권으로 전환된다. 따라서 특정물채권에 관한 선관주의의무, 현상인도의무, 책임의 감경 등에 관한 설명은 그대로 적용된다.

나) **급부위험의 이전** : 특정 후에는 특정물채권으로 변하므로 급부의 위험은 채무자로부터 채권자에게 이전된다. 즉, 특정 후 채무자의 귀책사유 없이 불가항력으로 그 목적물이 멸실되면 다른 종류의 물건이 있더라도 채무자는 채무를 면한다(조달의무의 소멸).

다) **변경권** : 채무자는 특정 후에는 원칙적으로 특정물만을 인도할 의무를 부담하지만, 종류채권에서는 물건의 개성이 중요하지 않기 때문에 특정이 있더라도 채무자가 특정된 물건이 멸실되었지만 반대급부를 얻기 위하여 채무를 이행하고자 하는 경우에는 다른 종류물을 제공할 수도 있다. 이를 변경권이라고 한다. 다만, ① 채권자의 반대의사가 있거나, ② 채권자에게 불이익을 주는 때에는 채무자의 변경권은 인정되지 않는다(통설).

제2절 ▼ 대물변제

I. 서설

1. 의의

> **제466조【대물변제】**
> 채무자가 채권자의 승낙을 얻어 본래의 채무이행에 갈음하여 다른 급여를 한 때에는 변제와 같은 효력이 있다.

대물변제란 채무자(또는 변제자)가 채권자의 승낙을 얻어 본래의 채무이행에 갈음하여 다른 급여를 하는 경우로서, 변제와 동일한 효력이 있다.

2. 법적 성질

대물변제는 원래의 급부에 갈음하는 현실의 급부가 행해져야 채권이 소멸된다는 점에서 요물계약이고, 본래의 급부에 대한 대가라는 점에서 유상계약이다(계약설). 이에 따르면 본래의 채무를 소멸시킨다는 점에서는 경개와 유사하나 신채무를 발생시키지 않는 점에서 경개와 구별된다.

Ⅱ. 요건

1. 일반론

대물변제의 요건으로는 ① 채권이 존재할 것, ② 본래의 급부와 다른 급부를 현실적으로 할 것, ③ 본래의 채무이행에 '갈음하여' 다른 급부가 행하여질 것, ④ 대물변제는 계약이므로 당사자 사이에 대물변제에 관한 합의가 있어야 함을 요구한다.

판례 연구 ▶ 관련판례 정리

1. 원인채무가 부존재함에도 대물변제로 경료된 등기의 효력

甲이 乙에 대한 채무의 이행에 갈음하여 부동산으로 대물변제하려 하자, 乙은 자신도 丙에 대하여 채무를 부담하고 있기 때문에 그 소유자인 甲 및 丙과 사이에 甲 명의로부터 직접 丙 명의로 소유권이전등기를 경료하기로 합의하여 소유권이전등기를 경료한 경우, 甲이 乙에게 대물변제한 본래의 채무인 甲의 乙에 대한 채무가 존재하지 않는 것이라면, 丙이 乙에 대하여 채권을 가지고 있었다고 하더라도, 위 부동산의 소유권이 甲으로부터 丙에게 이전되는 것은 아니다(대판 1991.11.12, 91다9503).

2. 경료된 등기가 무효로 되는 경우의 대물변제의 효력

대물변제가 채무소멸의 효력을 발생하려면 채무자가 본래의 이행에 갈음하여 행하는 다른 급여가 현실적인 것이어야 하며 그 경우 다른 급여가 부동산소유권의 이전인 때에는 그 부동산에 관한 물권변동의 효력이 발생하는 등기를 경료하여야 하는바, 부동산 실권리자명의 등기에 관한 법률에 의하면 이른바 3자간 등기명의신탁의 경우 같은 법에서 정한 유예기간 경과에 의하여 기존 명의신탁약정과 그에 의한 등기가 무효로 되고, 이 경우 수탁자가 제3자에게 신탁부동산에 대한 처분행위를 한 경우 3자간 등기명의신탁에 의한 소유권이전등기의 무효로써 제3자에게 대항할 수 없다고 하더라도(부동산실명법 제4조 제3항), 당초의 약정에 따른 신탁자에 대한 소유권이전등기의무가 이행된 것으로는 볼 수 없다(대판 2003.5.16, 2001다27470).

---

2. 원인채무와 어음·수표가 교부된 경우의 법률관계

(1) '변제를 위하여' 다른 급부가 행해진 경우, 대물변제가 아니고 새로운 채무의 추가에 불과하다. 따라서 원인채무와 어음·수표채무는 병존한다. 한편 기존의 채권을 위해 다른 채권을 양도한 경우, 그 채권양도는 채무변제를 위한 담보 또는 변제의 방법으로 양도되는 것으로 추정된다(대판 1995.9.15. 95다13371 참고).

(2) '지급에 갈음하여'인지 '지급을 위하여' 한 것인지 여부는 당사자의 의사가 명확하면 이에 따른다. 은행발행 자기앞수표는 '지급에 갈음하여', 통상의 어음·수표는 '지급을 위하여' 교부된 것으로 추정된다.

(3) '지급에 갈음하여' 어음·수표가 교부되었다면 유효한 대물변제가 되므로 기존의 채무와 그 담보 등은 소멸하고, 교부된 어음·수표가 추후 부도가 나더라도 기존의 채무가 부활하지는 않는다.

▶ 어음이 교부된 경우 그 성격

기존 채무의 이행에 관하여 채무자가 채권자에게 어음을 교부할 때의 당사자의 의사는 기존 원인채무의 '지급에 갈음하여', 즉 기존 원인채무를 소멸시키고 새로운 어음채무만을 존속시키려고 하는 경우와, 기존 원인채무를 존속시키면서 그에 대한 지급방법으로서 이른바 '지급을 위하여' 교부하는 경우 및 단지 기존 채무의 지급 담보의 목적으로 이루어지는 이른바 '담보를 위하여' 교부하는 경우로 나누어 볼 수 있는데, 당사자 사이에 특별한 의사표시가 없으면 어음의 교부가 있다고 하더라도 이는 기존 원인채무는 여전히 존속하고 단지 그 '지급을 위하여' 또는 그 '담보를 위하여' 교부된 것으로 추정할 것이며, 따라서 특별한 사정이 없는 한 기존의 원인채무는 소멸하지 아니하고 어음상의 채무와 병존한다고 보아야 할 것이고, 이 경우 어음상의 주채무자가 원인관계상의 채무자와 동일하지 아니한 때에는 제3자인 어음상의 주채무자에 의한 지급이 예정되고 있으므로 이는 '지급을 위하여' 교부된 것으로 추정하여야 한다(대판 1996.11.8. 95다25060).

▶ 제3자가 채무자를 위하여 어음이나 수표를 발행한 경우의 법률관계

금전소비대차계약으로 인한 채무에 관하여 제3자가 채무자를 위하여 어음이나 수표를 발행하는 것은 특별한 사정이 없는 한 동일한 채무를 중첩적으로 인수한 것으로 봄이 타당하다(대판 1998.3.13. 97다52493).

▶ 어음·수표가 '지급을 위하여' 교부된 경우 원인채권과의 관계

[1] 어음·수표의 독립성

① 판례는 지급을 확보하기 위해 교부된 경우에는 선택적 행사를 인정하고(대판 1999.6.11. 99다16378 참고), 지급을 위하여 교부된 경우에는 어음채권을 먼저 행사하고 만족을 얻을 수 없을 때에 원인채권을 행사할 수 있다(대판 2001.2.13. 2000다5961 참고)고 한다.

② 어음·수표상의 권리가 시효로 소멸해도 원인채무가 소멸하지는 않는다(대판 1976.11.23. 76다1391 참고).

[2] 어음·수표와 원인채무의 관계

① 어음·수표의 채무가 변제되면 원인채무도 소멸한다(대판 2000.2.11, 99다56437 참고).

② 원인채무의 변제기는 어음의 만기로 변경된다고 본다(대판 2001.2.13, 2000다5961 참고). 다만, 채무불이행에 빠진 후에 어음이 발행된 경우에는 그러하지 않다(대판 2000.7.8, 2000다16367 참고).

③ 원인채무가 시효로 소멸하면 채무자의 인적항변사유가 된다(대판 1999.6.11, 99다16378 참고). 어음·수표상의 권리를 행사하면 원인채무의 시효도 중단되나, 그 역은 성립하지 않는다(대판 1999.6.11, 99다16378 참고).

④ 원인채무의 이행과 어음·수표의 반환은 동시이행관계에 있으나, 그것만으로 이행지체가 정당화되지는 않는다. 즉, 동시이행항변권을 행사하여 원인채무의 지급을 거절하고 있는 경우에 한하여 이행지체책임을 면한다(대판 1993.11.9, 93다11203).

3. 채무자가 다른 채권을 양도한 경우의 법률관계

(1) 채무자가 채권자에게 채무변제와 관련하여 다른 채권을 양도하는 것은 특단의 사정이 없는 한 채무변제를 위한 담보 또는 변제의 방법으로 양도되는 것으로 추정할 것이지 채무변제에 갈음한 것으로 볼 것은 아니어서, 그 경우 채권양도만 있으면 바로 원래의 채권이 소멸한다고 볼 수는 없고 채권자가 양도받은 채권을 변제받은 때에 비로소 그 범위 내에서 채무자가 면책된다(대판 1995.9.15, 95다13371 참고).

(2) 채무자가 채권자에게 채무변제에 '갈음하여' 다른 채권을 양도하기로 한 경우에는 특별한 사정이 없는 한 채권양도의 요건을 갖추어 대체급부가 이루어짐으로써 원래의 채무는 소멸하는 것이고 그 양수한 채권의 변제까지 이루어져야만 원래의 채무가 소멸한다고 할 것은 아니다. 이 경우 대체급부로서 채권을 양도한 양도인은 양도 당시 양도대상인 채권의 존재에 대해서는 담보책임을 지지만 당사자 사이에 별도의 약정이 있다는 등 특별한 사정이 없는 한 그 채무자의 변제자력까지 담보하는 것은 아니다(대판 2013.5.9, 2012다40998).

Ⅲ. 효과

1. 기본적 효과

대물변제는 변제와 같은 효력이 있다(제466조). 따라서 채권과 그 채권을 담보하는 담보권도 모두 소멸한다. 다만 대물변제가 무효 또는 취소되는 경우에는 구채권은 소멸되지 아니하고 존속하게 된다(대판 1977.6.7, 77다369).

2. 담보책임의 문제

대물변제를 유상계약으로 이해할 때, 대물급부의 목적물에 하자가 있다면 매도인의 담보책임에 관한 규정이 준용된다(제567조).

▶ 대물변제에서 본래 채무의 이행에 갈음한 다른 급여가 부동산의 소유권이전인 경우, 기존채무가 소멸하는 시기(=소유권이전등기 완료 시) 및 이때 목적물에 하자가 있을 경우, 매도인의 담보책임에 관한 민법 조항이 준용되는지 여부(적극)

대물변제는 본래 채무의 이행에 갈음하여 다른 급여를 현실적으로 하는 때에 성립하는 계약이므로, 다른 급여가 부동산의 소유권이전인 경우 등기를 완료하면 대물변제가 성립되어 기존채무가 소멸한다. 한편 대물변제도 유상계약이므로 목적물에 하자가 있을 경우 매도인의 담보책임에 관한 민법 조항이 준용된다(대판 2023.2.2. 2022다276789).

→ [사실관계 및 해설] : 甲 주식회사가 다세대주택 신축공사의 전기공사를 乙 합자회사에 하도급 주면서 공사대금을 다세대주택 구분건물로 대물변제하기로 약정하고, 이후 乙 회사가 구분건물에 관하여 소유권이전등기를 넘겨받은 사안에서, 乙 회사가 당초의 약정대로 하도급 공사대금에 대한 대물변제를 원인으로 구분건물에 관하여 소유권이전등기를 마친 이상 甲 회사는 본래 채무에 갈음하여 이행하기로 한 다른 급여를 현실적으로 한 것으로 보아야 하고, 구분건물이 아직 사용승인을 받지 않았으며 대지지분에 제한물권이 설정되어 있다는 사정은 대물변제 목적물의 하자로서 담보책임을 물을 수 있는 사유가 될 뿐이므로 乙 회사가 약정한 목적물에 관하여 대물변제를 원인으로 소유권이전등기를 넘겨받았는데도, 대물변제가 이행되었다는 甲 회사의 항변을 배척한 원심판단에 법리오해의 잘못이 있다고 한 사례이다.

IV. 대물변제의 예약

> 제607조【대물반환의 예약】
> 차용물의 반환에 관하여 차주가 차용물에 갈음하여 다른 재산권을 이전할 것을 예약한 경우에는 그 재산의 예약 당시의 가액이 차용액 및 이에 붙인 이자의 합산액을 넘지 못한다.
> 제608조【차주에 불이익한 약정의 금지】
> 전2조의 규정에 위반한 당사자의 약정으로서 차주에 불리한 것은 환매 기타 여하한 명목이라도 그 효력이 없다.

(1) 대물변제의 예약이란 채무자가 원래의 급부에 갈음하여 다른 급부를 할 것을 채권자와 채무자가 미리 약정하는 것을 말한다.

(2) 대물변제예약의 기초가 되는 소비대차계약이 폭리행위, 사회질서위반 기타의 이유로 무효가 되거나 실효가 된 때에는 대물변제의 예약도 효력을 잃는다.

(3) 그 대물변제의 예약부분은 제607조 및 제608조의 적용을 받게 되어 무효로 되지만, 담보 목적으로 신탁적으로 소유권을 이전한 부분까지 당연무효로 되는 것은 아니며, 이른바 정산형 양도담보로 전환하여 존속한다.

(4) 원칙적으로 제607조 및 제608조는 소비대차에서의 대물변제의 예약을 규제한다. 그러나 결국 양도담보를 비롯하여 모든 비전형담보는 위 강행규정의 적용을 받게 되어 '정산형'으로만 존속할 수 있다. 한편, 대물변제 자체에 대하여는 제607조 및 제608조가 적용되지 아니한다(대판 1992.2.28. 91다25574).

(5) 대물변제의 예약만으로는 본래의 채권은 소멸하지 않으므로, 채권자는 이행기에 본래의 채무의 이행을 청구하거나 또는 대물변제예약에 기초하여 다른 급부를 청구할 수 있다.

(6) 소비대차와 관련하여 대물변제의 예약을 한 때에는 제607조·제608조가 적용되어 담보의 범위에서만 그 효력이 인정된다. 즉 목적물의 가액에서 차용액 및 이자를 공제한 나머지는 채무자에게 반환되어야 한다.

(7) 대물변제예약과 함께 가등기를 한 경우에는 가등기담보 등에 관한 법률로써 규율하게 되며, 가등기를 수반하지 않는 대물변제예약은 민법 제607조, 제608조로서 해결한다.

제3절 분할채권관계와 불가분채권관계

Ⅰ. 분할채권관계

> **제408조 【분할채권관계】**
> 채권자나 채무자가 수인인 경우에 특별한 의사표시가 없으면 각 채권자 또는 각 채무자는 균등한 비율로 권리가 있고 의무를 부담한다.

1. 의의

분할채권관계란 1개의 가분급부에 관하여 채권자 또는 채무자가 수인인 경우에 특별한 의사표시가 없는 한, 채권 또는 채무가 각각 수인의 채권자 또는 채무자 사이에 분할되어 가지는 다수당사자의 채권관계를 말한다. 민법은 이러한 채권관계를 다수당사자의 채권관계의 원칙적인 모습으로 본다.

2. 분할채권관계의 성립

(1) 일반론

1) 원칙

① 분할채권관계가 인정되기 위해서는 하나의 가분적 급부(예 금전급부)에 대해 분할채권관계를 배제하는 특별한 의사표시가 없는 경우이어야 한다. 즉 가분적 급부이더라도 당사자의 의사표시에 의해 불가분채권관계로 하는 것은 얼마든지 가능하며, 법률의 규정에 의해 불가분채권관계 또는 연대채무로 되는 경우가 있다.

② 그러나 분할채권관계에서는 각 채권자의 채권 또는 각 채무자의 채무는 각각 독립된 채권·채무이므로, 채무자는 수인의 채권자에게 따로 따로 변제를 해야 한다는 불편이 있고, 채권자 또한 수인의 채무자로부터 따로 따로 변제를 받아야 하는 불편이 있으며, 나아가 수인의 채무자 중 어느 한 채무자가 무자력인 경우에 그의 분할부분에 관해서는 변제를 못 받게 되는 위험도 따른다. 이에 통설 및 판례는 분할채무를 제한하려는 태도를 보인다.

2) 분할채무의 제한

통설은 「확대된 성질상의 불가분채무」를 인정한다. 즉 수인이 부담하는 채무가 '불가분적으로 향수하는 이익의 대가'로서의 의미를 가지는 경우에는 성질상 불가분채무로 보아야 한다. 즉 수인이 공동으로 법률상 원인 없이 타인의 재산을 사용한 경우의 부당이득반환의 채무는 불가분채무라고 할 것이다.

(2) 개별적 고찰

1) 분할채권 例

① 공유물에 대한 제3자의 불법행위로 인한 손해배상청구권(대판 1970.4.14, 70다171), 공유물에 대해 제3자가 무단점유한 경우의 차임상당의 부당이득반환청구권(대판 1979.1.30, 78다2088), ② 공동매수에 있어서 지분에 대한 소유권이전등기 청구권(대판 1981.2.24, 79다14)

2) 분할채무 例

① 3인의 채권자가 채무자로부터 공동담보로 부동산의 소유권을 이전받은 경우, 양도담보권에 대해서는 준공유이나, 귀속청산시의 청산금지급채무는 분할채무이다(대판 1985.4.23, 84다카2159). ② 금전소비대차에서 수인의 채무자가 각자 일정한 돈을 빌리는 경우(대판 1985.4.23, 84다카2159), 공동으로 부담하는 보수지급채무(대판 1993.2.12, 92다42941), ③ 공동으로 매매계약을 체결한 후, 매매계약이 무효가 되는 경우에 부담하게 되는 부당이득반환의무(계약금반환의무. 대판 1993.8.14, 91다41316).

> ▶ **분할채무임에도 성질상 불가분채무로 되는 경우**
> 국토이용관리법(현행 국토의 계획 및 이용에 관한 법률)상 토지거래허가지역 내에 있는 토지에 관한 매매계약을 체결함에 있어서 매도인들이 매매계약 당시 특약사항으로 분묘의 이장과 같은 여러 가지 불가분채무를 부담하였을 뿐만 아니라 매도인들 상호 간에 밀접한 신분관계를 가지고 있어 계약 이행에 관하여 전원의 의사나 능력이 일체로서 고려되었다고 할 것이므로 매매계약이 확정적으로 무효로 되면서 발생한 매도인들의 매수인들에 대한 부당이득반환채무도 성질상 불가분채무이다(대판 1997.5.16, 97다7356).

3. 분할채권관계의 효력

(1) 대외적 관계에서 특별한 약정이 없는 한 균등한 비율로 권리와 의무를 부담하므로(제408조), 분할채권에서 각 채권자는 자기부분만의 채권을 가지고, 분할채무에서 각 채무자는 자기부담부분만의 채무를 질 뿐이다. 따라서 각 채권자는 자기부분 이외의 부분에 대해 이행을 청구하지 못하며, 각 채무자는 자기부담부분 이외의 부분에 대해 이행할 필요가 없다. 다만 제547조 해제의 불가분성이 적용되므로 해제는 전원으로부터 전원에 대해서 해야 한다.

(2) 각 채권·채무는 독립적이므로 1인의 채권자 또는 채무자에 관하여 생긴 사유(例 이행지체, 면제, 소멸시효 등)는 다른 채권자나 채무자에게 영향을 미치지 아니한다.

(3) 내부관계에서도 특별한 약정이 없는 한 그 비율은 균등한 것으로 해석할 것이기 때문에 원칙적으로 채권자 사이에서 또는 채무자 사이에서 분급이나 구상관계는 생기지 않는다.

II. 불가분채권관계 - 불가분채권과 불가분채무

1. 의의 및 법적 성격

> **제409조【불가분채권】**
> 채권의 목적이 그 성질 또는 당사자의 의사표시에 의하여 불가분인 경우에 채권자가 수인인 때에는 각 채권자는 모든 채권자를 위하여 이행을 청구할 수 있고 채무자는 모든 채권자를 위하여 각 채권자에게 이행할 수 있다.

(1) 불가분채권관계란 하나의 불가분급부에 대해서 수인의 당사자가 각각 채권을 갖거나 채무를 부담하는 다수당사자 채권관계를 말한다. 이에는 채권자가 다수인 경우로서 불가분채권과 채무자가 다수인 경우로서 불가분채무가 있다. 예컨대 A와 B가 공동으로 甲으로부터 주택을 매수한 경우 그 주택의 인도청구권에 대하여는 A와 B가 불가분채권을 가지게 된다. 반대로 甲과 乙이 공유하는 주택을 A에게 매도한 경우, 그 주택의 인도채무에 대하여는 甲과 乙이 불가분채무를 부담하게 된다.

(2) 불가분채권관계에 있어서는 그 주체의 수만큼 채권 또는 채무가 존재하는 것이고(복수성), 다만 그 급부가 불가분이기 때문에 각 채권자는 일부의 급부를 청구할 수 없고, 각 채무자는 일부의 급부를 이행할 수 없다.

2. 불가분채권관계의 성립 및 가분(분할)채권관계로의 전환

(1) 불가분채권관계의 성립

불가분채권관계는 급부의 성질상 불가분이거나(예 건물의 인도·자동차의 인도 등) 또는 당사자의 의사표시에 의해 불가분으로 한 때에 성립한다.

(2) 가분(분할)채권관계로의 전환

> **제412조【가분채권, 가분채무에의 변경】**
> 불가분채권이나 불가분채무가 가분채권 또는 가분채무로 변경된 때에는 각 채권자는 자기부분만의 이행을 청구할 권리가 있고 각 채무자는 자기부담부분만을 이행할 의무가 있다. → 불가분급부가 가분급부로 변경된 때에는 불가분채권관계는 분할채권관계로 변한다.

3. 불가분채권관계의 효력

(1) 불가분채권의 효력

1) 대외적 효력

각 채권자는 모든 채권자를 위하여 전부의 이행을 청구할 수 있고, 채무자는 모든 채권자를 위하여 각 채권자에게 전부를 이행할 수 있다(제409조 후문).

2) 1인의 채권자에게 생긴 사유의 효력

> **제410조【1인의 채권자에 생긴 사항의 효력】**
> ① 전조의 규정에 의하여 모든 채권자에게 효력이 있는 사항을 제외하고는 불가분채권자 중 1인의 행위나 1인에 관한 사항은 다른 채권자에게 효력이 없다.
> ② 불가분채권자 중의 1인과 채무자 간에 경개나 면제 있는 경우에 채무 전부의 이행을 받은 다른 채권자는 그 1인이 권리를 잃지 아니하였으면 그에게 분급할 이익을 채무자에게 상환하여야 한다.

가) 절대적 효력 사유

불가분채권의 경우에도 각 채권자의 채권은 각각 독립된 것이므로, 한 사람의 채권자에 관한 사항은 다른 채권자에게 효력이 없는 것이 원칙이다. 다만 이행(예 변제의 제공, 채권자지체, 공탁)과 이행청구(이행청구에 의한 시효중단, 이행지체) 등에 의해 발생하는 효과는 다른 채권자에 대해서도 효력이 미친다(제409조).

나) 상대적 효력 사유

청구와 이행에 따른 효과 이외의 사유는 다른 채권자에게 그 효력이 없다(제410조 제1항 후문). 따라서 경개, 상계, 면제, 혼동, 이행청구 이외의 사유(예 압류)에 의한 시효중단, 시효의 완성 등은 다른 채권자에게 효력이 없다.

▶ 수인의 채권자에게 금전채권이 불가분적으로 귀속되는 경우, 불가분채권자들 중 1인을 집행채무자로 한 압류 및 전부명령의 효력이 집행채무자가 아닌 다른 불가분채권자에게 미치는지 여부(소극) 및 이때 다른 불가분채권자가 모든 채권자를 위하여 채무자에게 불가분채권 전부의 이행을 청구할 수 있는지 여부(적극) / 이러한 법리는 불가분채권의 목적이 금전채권이고 그 일부에 대하여만 압류 및 전부명령이 이루어진 경우에도 마찬가지인지 여부(적극) ★★★
① 수인의 채권자에게 금전채권이 불가분적으로 귀속되는 경우에, 불가분채권자들 중 1인을 집행채무자로 한 압류 및 전부명령이 이루어지면 그 불가분채권자의 채권은 전부채권자에게 이전되지만, 그 압류 및 전부명령은 집행채무자가 아닌 다른 불가분채권자에게 효력이 없으므로, 다른 불가분채권자의 채권의 귀속에 변경이 생기는 것은 아니다. 따라서 다른 불가분채권자는 모든 채권자를 위하여 채무자에게 불가분채권 전부의 이행을 청구할 수 있고, 채무자는 모든 채권자를 위하여 다른 불가분채권자에게 전부를 이행할 수 있다. ② 이러한 법리는 불가분채권의 목적이 금전채권인 경우 그 일부에 대하여만 압류 및 전부명령이 이루어진 경우에도 마찬가지이다(대판 2023.3.30. 2021다264253).

---

3) 대내적 효력

불가분채권 전부의 변제를 받은 채권자는 다른 채권자에 대하여 내부관계의 비율에 따라 그의 이익을 분급해야 한다(제410조 제2항 참조). 그 분급의 비율은 채권자 사이의 합의 또는 특별한 사정이 없는 한 균등한 것으로 추정된다.

(2) 불가분채무의 효력

> 제411조 【불가분채무와 준용규정】
> 수인이 불가분채무를 부담한 경우에는 제413조 내지 제415조(연대채무의 이행청구 등), 제422조(연대
> 채무에서 채권자지체의 절대효), 제424조 내지 제427조(연대채무자 간 부담부분의 균등추정·내부적
> 구상권) 및 전조(불가분채권자 1인에 생긴 사유의 효력)의 규정을 준용한다.

1) 대외적 효력

채권자는 수인의 불가분채무자 중 어느 1인에 대하여 또는 모든 채무자에 대하여 동시 또는 순차로 전부의 이행을 청구할 수 있다(제41조, 제414조). 연대채무에서는 채권자가 채무의 일부의 이행도 청구할 수 있지만, 불가분채무에서는 그 성질상 일부청구는 허용되지 않는다는 점에 주의를 요한다.

2) 1인의 채무자에 관해 생긴 사유의 효력

가) 절대적 효력 사유

채권만족사유인 이행(예 변제·대물변제, 공탁), 이행의 제공에 따른 수령지체(제411조, 제412조)는 다른 채무자에 대해서도 절대적 효력이 있다.

나) 상대적 효력 사유

① 경개, 면제, 시효 완성의 효과 등은 상대효를 갖는다. 한편 ② 이행청구(그에 따른 이행지체 및 시효중단)에 대해서는 제411조가 제416조를 준용하지 않으므로 상대효를 갖는다고 봄이 다수설이다. ③ 나아가 대물변제와 상계는 불가분채권에 있어서는 상대적 효력이 있는 사유이지만, 불가분채무에 있어서는 채권자가 1인에 불과하므로 절대적 효력을 인정하여도 채권자에게 아무런 불이익이 없다고 할 것이다(상계에 대해서 전통적인 견해는 상대효를 인정한다. 다만 최근 절대효를 인정하는 견해가 유력하다).

3) 대내적 효력

연대채무에 관한 규정이 준용되므로(제411조, 제424조 ~ 제427조), 변제를 한 채무자는 다른 채무자에게 그들의 부담부분에 대해 구상권을 행사할 수 있다.

▶ **변제 기타 자기의 출재로 공동면책을 얻은 연대채무자가 다른 연대채무자에게 구상할 수 있는 부담부분을 결정하는 기준 및 이러한 법리는 변제 기타 자기의 출재로 공동면책을 얻은 불가분채무자가 다른 불가분채무자를 상대로 구상권을 행사하는 경우에도 마찬가지로 적용되는지 여부(적극) ★**
연대채무자가 변제 기타 자기의 출재(出財)로 공동면책을 얻은 때에는 다른 연대채무자의 부담부분에 대하여 구상권을 행사할 수 있고 이때 부담부분은 균등한 것으로 추정된다(제425조 제1항, 제424조). 그러나 연대채무자 사이에 부담부분에 관한 특약이 있거나 특약이 없더라도 채무의 부담과 관련하여 각 채무자의 수익비율이 다르다면 그 특약 또는 비율에 따라 부담부분이 결정된다. 이러한 법리는 민법 제411조에 따라 연대채무자의 부담부분과 구상권에 관한 규정이 준용되는 불가분채무자가 변제 기타 자기의 출재로 공동면책을 얻은 때 다른 불가분채무자를 상대로 구상권을 행사하는 경우에도 마찬가지로 적용된다. 불가분채무자 사이에 부담부분에 관한 특약이 있거나 특약이 없더라도 채무자의

수익비율이 다르다면 그 특약 또는 비율에 따라 부담부분이 결정된다. 따라서 불가분채무자가 변제 등으로 공동면책을 얻은 때에는 다른 채무자의 부담부분에 대하여 구상할 수 있다(대판 2020.7.9, 2020다208195).

판례 연구 ▶ **관련판례 정리**

혼동되는 경우 - 불가분채권관계 등

1. 공유물에 관하여 수령한 보증금에 대한 공유자의 반환채무(대판 1998.12.8, 98다43137), 채권적 전세에서 공유자의 전세금반환채무(대판 1967.4.25, 67다328)

① 건물의 공유자가 공동으로 건물을 임대하고 보증금을 수령한 경우, 특별한 사정이 없는 한 그 임대는 각자 공유지분을 임대한 것이 아니고 임대목적물을 다수의 당사자로서 공동으로 임대한 것이고 그 보증금반환채무는 성질상 불가분채무에 해당된다고 보아야 할 것이다(대판 1998.12.8, 98다43137). ② 상속에 따라 임차건물의 소유권을 취득한 자도 상가건물 임대차보호법 제3조에서 말하는 임차건물의 양수인에 해당한다. 임대인 지위를 공동으로 승계한 공동임대인들의 임차보증금 반환채무는 성질상 불가분채무에 해당한다(대판 2021.1.28, 2015다59801).

2. 공동으로 법률상 원인 없이 타인의 소유물에 대해 점유·사용한 경우의 부당이득반환의무의 성질(불가분채무)

여러 사람이 공동으로 법률상 원인 없이 타인의 재산을 사용한 경우의 부당이득 반환채무는 특별한 사정이 없는 한 불가분적 이득의 반환으로서 불가분채무이고, 불가분채무는 각 채무자가 채무 전부를 이행할 의무가 있으며, 1인의 채무이행으로 다른 채무자도 그 의무를 면하게 되는 점에 있어서 연대채무와 그 내용이 동일하다(대판 1981.8.20, 80다2587; 대판 2001.12.11, 2000다13948).

3. 공동상속인들의 건물철거의무

공동상속인들의 건물철거의무는 그 성질상 불가분채무이고 각자 그 지분의 한도 내에서 건물전체에 대한 철거의무를 지는 것이므로 공동상속인의 일부만을 상대로 하여 건물전체의 철거를 청구할 수 있다(대판 1980.6.24, 80다756).

4. 기타 사항

(1) 법률상 연대채무인 경우

공동임대차·사용대차에 있어서 차주의 의무(제616조, 제654조 참조), 일상가사채무(제832조), 상행위로 인한 채무(상법 제57조)

(2) 법률규정에는 연대채무로 명시되어 있으나 부진정연대채무인 경우

법인의 불법행위책임과 그 이사 기타 대표자 개인의 책임(제35조), 공동불법행위 시 공동불법행위자들의 책임(제760조)

제4절 계약의 성립

Ⅰ. 청약과 승낙의 합치에 의한 계약의 성립

1. 청약

(1) 의의 및 성질

1) 청약이란 일방이 타방에게 일정한 내용의 계약을 체결할 것을 제의하는 일방적 · 확정적 의사표시를 말한다.

2) 청약은 승낙이라는 다른 의사표시와 결합하여야 비로소 계약이라는 법률행위를 성립시키는 것이므로, 청약 그 자체는 하나의 의사표시(법률사실)일 뿐이고, 법률행위(법률요건)가 아니다. 따라서 그것 자체만으로는 법률효과가 발생하지 않는다.

(2) 청약의 요건

1) 청약자

청약은 장차 계약의 일방당사자가 될 특정인에 의하여 행해져야 한다. 그러나 청약자가 누구이냐가 그 청약의 의사표시 속에 명시적으로 표시될 필요는 없다(예 자동판매기의 설치).

2) 상대방

청약의 의사표시는 상대방 있는 의사표시이지만, 상대방은 반드시 청약 당시에 특정되어 있을 필요는 없고, 불특정다수인에 대한 것도 유효하다(→ 불특정 다수인에 대한 승낙이 인정되지 않는 것과 구별).

3) 청약의 확정성

청약은 승낙자의 단순한 승낙만 있으면 계약이 성립할 수 있을 정도로 내용이 확정적이어야 한다. 따라서 계약의 내용이 확정되지 않아 상대방의 승낙만으로 계약이 성립하지 않고, 다시 유인한 자의 승낙의 의사표시가 있어야만 계약이 성립하는 '청약의 유인'과는 구별된다(예 구인광고, 음식점 메뉴, 물품판매광고, 기차의 시간표 게시, 상품카탈로그 배부 등은 '청약의 유인'에 해당하나, 정찰가격이 붙은 상품의 진열, 자동판매기 설치는 '청약'으로 볼 수 있다).

▶ **청약의 의사표시의 요건**

① 계약이 성립하기 위한 법률요건인 청약은 그에 응하는 승낙만 있으면 곧 계약이 성립하는 구체적 · 확정적 의사표시여야 하므로, 청약은 계약의 내용을 결정할 수 있을 정도의 사항을 포함시키는 것이 필요하다(대판 2003.4.11, 2001다53059).

② 상가를 분양하면서 그 곳에 첨단오락타운을 조성 · 운영하고 전문경영인을 두어 분양계약자들에게 일정액 이상의 수익을 보장한다고 광고를 하였으나, 체결된 분양계약서에는 그와 같은 내용이 기재되지 않은 사안에서, 이와 같은 광고는 청약의 유인에 불과할 뿐 상가분양계약의 내용으로 되었다고 볼 수 없어, 분양회사는 분양계약자에 대해 분양광고상의 의무를 부담하지 않는다고 하였다(대판 2001.5.29, 99다55601; 대판 2007.6.1, 2005다5843).

→ **[보충]** : 한편 다소의 과장광고가 상거래상 시인되는 점에 비추어 기망성도 없는 것으로 보았다. 또한 아파트의 외형 · 재질 · 구조 등과 같은 아파트 분양광고의 내용 중 구체적인 거래조건이 아닌 아파트 분양광고의 내용도 일반적으로 청약의 유인으로서의 성질을 가지는 데 불과하므로 이를 이행하지 아니하였다고 하여 분양자에게 계약불이행의 책임을 물을 수는 없다(대판 2019.4.23, 2015다28968 · 28975 · 28982).

③ 광고는 일반적으로 청약의 유인에 불과하지만 내용이 명확하고 확정적이며 광고주가 광고의 내용 대로 계약에 구속되려는 의사가 명백한 경우에는 이를 청약으로 볼 수 있다. 나아가 광고가 청약의 유인에 불과하더라도 이후의 거래과정에서 상대방이 광고의 내용을 전제로 청약을 하고 광고주가 이를 승낙하여 계약이 체결된 경우에는 광고의 내용이 계약의 내용으로 된다. 나아가 당사자 사이에 계약의 해석을 둘러싸고 다툼이 있어 계약내용에 관한 서면에 나타난 당사자의 의사해석이 문제 되는 경우에는 문언의 내용, 약정이 이루어진 동기와 경위, 약정으로 달성하려는 목적, 당사자의 진정한 의사 등을 종합적으로 고찰하여 논리와 경험칙에 따라 합리적으로 해석하여야 한다(대판 2010.2.13, 2017다275447).

(3) 청약의 효력

1) 효력발생시기

> **제111조 【의사표시의 효력발생시기】**
> ① 상대방이 있는 의사표시는 상대방에게 도달한 때에 그 효력이 생긴다.
> ② 의사표시자가 그 통지를 발송한 후 사망하거나 제한능력자가 되어도 의사표시의 효력에 영향을 미치지 아니한다.

청약은 상대방 있는 의사표시이므로 상대방에게 도달하여야 그 효력이 발생한다(제111조). 표의자가 그 통지를 발송한 후 사망하거나 제한능력자가 되어도 의사표시의 효력에 영향을 미치지 아니한다. 따라서 ① 표의자가 사망한 경우에는 그 의사표시의 효력은 원칙적으로 상속인에게 미치며(다만 당사자의 인격 내지 개성이 중시되는 계약, 예컨대 고용 · 위임 등의 경우에는 상속인이 청약자의 지위를 승계하지 못하므로 청약은 그 효력을 잃게 된다), ② 행위능력을 상실한 경우에는 표의자에게 그대로 효력이 발생하고, 다만 그 이후의 처리는 법정대리인에 의해 이루어진다.

2) 청약의 구속력(비철회성)

> **제527조 【계약의 청약의 구속력】**
> 계약의 청약은 이를 철회하지 못한다.

청약이 상대방에게 도달하여 효력이 발생하면 청약자는 임의로 이를 철회하지 못한다(제527조). 이를 청약의 구속력이라 한다. 다만 ① 청약이 상대방에게 도달하기 전 또는 ② 청약시 철회권을 유보한 경우에는 이를 철회할 수 있다.

► **청약의 구속력과 명예퇴직의 신청 문제**

명예퇴직은 근로자가 명예퇴직의 신청(청약)을 하면 사용자가 요건을 심사한 후 이를 승인(승낙)함으로써 합의에 의하여 근로관계를 종료시키는 것으로, 명예퇴직의 신청은 근로계약에 대한 합의해지의 청약에 불과하여 이에 대한 사용자의 승낙이 있어 근로계약이 합의해지되기 전에는 근로자가 임의로 그 청약의 의사표시를 철회할 수 있다(대판 2003.4.25, 2002다11458).

→ [해설] : ① 사용자의 승낙의 의사표시가 근로자에게 도달하기 전까지 근로자가 사직의 의사표시를 철회할 수 있다고 하는 것은 민법 제527조 "계약의 청약은 이를 철회하지 못한다."라는 규정에 배치되는 해석이므로, 이와 같이 해석하는 근거가 무엇인지 문제된다. 이와 관련하여 우선 민법 제527조는 지금까지 계약관계가 없었던 당사자 사이에 새로운 계약관계를 창설하는 경우, 즉 계약성립의 경우에 전형적으로 타당한 것이고, 이와는 달리 지금까지 계속적으로 인적 결합관계에 있는 근로계약의 당사자 사이에서의 계약관계 종료를 위한 합의해약의 청약에 있어서는 그 철회를 자유로이 허용하더라도 상대방의 보호에 흠이 되는 것은 아니므로 위 법조의 적용을 부정하여도 지장이 없다는 이유로 수긍되고 있다. 또한 노·사간의 계약관계는 형식상으로는 대등·평등한 것 같지만 실질적으로는 사용자가 우월적 지위에 있음을 부인할 수 없고, 이것은 근로자가 퇴직원 등에 의하여 퇴직의 의사표시를 하기까지 사이의 경위, 동기 형성에 있어 사용자의 압력이 유형·무형으로 작용할 가능성이 크기 때문에 근로자의 진의를 존중하여 퇴직 의사표시의 철회를 허용함으로써 근로계약관계의 유지·계속을 인정하는 것이 요망된다는 점도 이러한 해석의 근거가 되고 있다. ② 참고로 대법원은 근로자의 퇴직의 의사표시와 관련하여 철회가 문제되는 경우를 크게 해약의 고지(근로계약의 해지통고)와 합의해지의 청약으로 나누어서 판단하고 있다. 후자의 경우라면 위 ①과 같이 판단하지만, 전자의 경우로서 단순히 해약의 고지인 경우에는 사직의 의사표시가 도달한 이상 임의로 사직의 의사표시를 철회할 수 없다. 그리고 사직의 의사표시는 특별한 사정이 없는 한 당해 근로계약을 종료시키는 취지의 해약고지로 본다.

3) 청약(구속력)의 존속기간(승낙적격)

청약은 그에 대한 승낙만 있으면 계약을 성립하게 하는 효력이 있는데, 보통 청약에는 승낙기간을 정하는 것이 보통이고, 이때에는 승낙기간이 경과하면 청약의 효력은 상실된다(제528조 제1항). 한편 승낙기간을 정하지 않은 때라도 승낙에 필요한 상당기간이 경과하면 청약은 그 효력을 잃는다(제529조). 이를 승낙적격이라 하는데, 결국 청약의 존속기간을 말한다. 따라서 청약은 그 존속기간(승낙기간) 동안에만 효력을 유지하며, 이 기간에만 청약자가 청약을 철회할 수 없는 청약의 구속력이 있다.

2. 승낙

(1) 의의

① 승낙은 청약의 상대방이 청약에 대응하여 계약을 성립시킬 것을 목적으로 청약자에 대하여 행하는 의사표시이다. 따라서 불특정 다수인에 대한 승낙이란 있을 수 없다.

② 청약의 상대방은 승낙 여부의 자유를 가진다(계약자유의 원칙). 따라서 설령 청약자가 '미리 정한 기간 내에 이의를 하지 않으면 승낙한 것으로 보겠다'고 표시하더라도, 그것은 상대방을 구속하지 않는다(대판 1999.1.29, 98다48903).

▶ **승낙의무의 인정 여부**

청약의 상대방에게 청약을 받아들일 것인지 여부에 관하여 회답할 의무가 있는 것은 아니므로, 청약자가 미리 정한 기간 내에 이의를 하지 아니하면 승낙한 것으로 간주한다는 뜻을 청약시 표시하였다고 하더라도 이는 상대방을 구속하지 아니하고 그 기간은 경우에 따라 단지 승낙기간을 정하는 의미를 가질 수 있을 뿐이다(대판 1999.1.29, 98다48903).

(2) 승낙기간

1) 승낙기간을 정한 경우

제528조【승낙기간을 정한 계약의 청약】
① 승낙의 기간을 정한 계약의 청약은 청약자가 그 기간 내에 승낙의 통지를 받지 못한 때에는 그 효력을 잃는다.
② 승낙의 통지가 전항의 기간 후에 도달한 경우에 보통 그 기간 내에 도달할 수 있는 발송인 때에는 청약자는 지체 없이 상대방에게 그 연착의 통지를 하여야 한다. 그러나 그 도달 전에 지연의 통지를 발송한 때에는 그러하지 아니하다.
③ 청약자가 전항의 통지를 하지 아니한 때에는 승낙의 통지는 연착되지 아니한 것으로 본다.

그 기간 내에 승낙이 도달해야 하나, 그 기간 내에 도달할 만한 것인데 연착된 경우 청약자는 연착의 통지(책무)를 해야 한다. 이 경우 ① 청약자가 연착통지를 했다면 계약은 불성립하고, 연착된 승낙은 새로운 청약으로 볼 수 있다. ② 반면, 연착통지를 하지 않았으면 연착하지 않은 것으로 간주되어 승낙은 유효하고 승낙의 발송 시에 계약이 성립한다.

2) 승낙기간을 정하지 않은 경우

제529조【승낙기간을 정하지 아니한 계약의 청약】
승낙의 기간을 정하지 아니한 계약의 청약은 청약자가 상당한 기간 내에 승낙의 통지를 받지 못한 때에는 그 효력을 잃는다.

3) 연착된 승낙의 효력

제530조【연착된 승낙의 효력】
전2조의 경우에 연착된 승낙은 청약자가 이를 새 청약으로 볼 수 있다.

(3) 조건을 붙이거나 변경을 가한 승낙

제534조【변경을 가한 승낙】
승낙자가 청약에 대하여 조건을 붙이거나 변경을 가하여 승낙한 때에는 그 청약의 거절과 동시에 새로 청약한 것으로 본다.

(4) 계약의 성립시기(승낙의 효력발생시기)

> **제531조 【격지자 간의 계약성립시기】**
> 격지자 간의 계약은 승낙의 통지를 발송한 때에 성립한다.

1) 격지자의 사이

제528조 제1항은 도달해야 승낙이 유효하다고 규정하고 있는데, 제531조는 격지자 사이에서 승낙의 효력(계약의 성립)은 발송 시 발생한다고 규정함으로써, 양 규정이 모순되는 것이 아닌가 하는 의문이 제기된다. 이에 대해 다수설은 승낙의 기간 내에 부도달을 해제조건으로 하여 발송 시에 성립하고, 청약의 존속기간 내에 도달하지 않는 경우에는 계약은 소급하여 성립하지 않는다고 한다.

2) 대화자의 사이

대화자 간의 경우에는 도달주의의 일반원칙(제111조)에 따른다.

3. 합의 - 청약과 승낙의 합치

(1) 계약의 성립요건으로서 합의

1) 의의

계약이 성립하려면 계약당사자 간에 서로 대립되는 의사의 합치, 즉 합의가 있어야 한다. 여기에는 객관적 합치(내용의 합치)와 주관적 합치(당사자의 일치)가 모두 필요하다. 따라서 둘 중 어느 하나라도 그 합치가 없으면 계약은 성립하지 않는다.

2) 객관적 합치(내용의 합치)

청약의 의사표시와 승낙의 의사표시가 내용적으로 일치하는 것을 객관적 합치라고 한다. 다만 의사의 합치는 해당 계약의 내용을 이루는 모든 사항에 관하여 있어야 하는 것은 아니고, 그 본질적 사항이나 중요사항에 관해 구체적인 의사의 합치가 있거나 적어도 장래 구체적으로 특정할 수 있는 기준과 방법 등에 관한 합의가 있어야 한다(**예** 매매계약이 성립했다고 하기 위해서는 매매의 목적물과 그에 대한 매매대금에 대한 합의가 있어야 한다).

▶ **'객관적 합치'의 정도**

① 계약이 성립하기 위하여는 당사자 사이에 의사의 합치가 있을 것이 요구되고 이러한 의사의 합치는 해당 계약의 내용을 이루는 모든 사항에 관하여 있어야 하는 것은 아니나 그 본질적 사항이나 중요사항에 관하여는 구체적으로 의사의 합치가 있거나 적어도 장래 구체적으로 특정할 수 있는 기준과 방법 등에 관한 합의는 있어야 하며, 한편 당사자가 의사의 합치가 이루어져야 한다고 표시한 사항에 대하여 합의가 이루어지지 아니한 경우에는 특별한 사정이 없는 한 계약은 성립하지 아니한 것으로 보는 것이 상당하다고 할 것이다(대판 2001.3.23, 2000다51650).

② 매매계약은 매도인이 재산권을 이전하는 것과 매수인이 대금을 지급하는 것에 관하여 쌍방 당사자가 합의함으로써 성립하므로, ⅰ) 매매계약 체결 당시에 반드시 매매목적물과 대금을 구체적으로 특정할 필요는 없지만, ⅱ) 적어도 매매계약의 당사자인 매도인과 매수인이 누구인지는 구체적으로 특정되어 있어야만 매매계약이 성립할 수 있다(대판 2021.1.14, 2018다223054).

▶ **완공된 아파트의 현황과 달리 분양광고에만 표현된 아파트의 외형·재질 등에 관한 묵시적 합의의 인정 여부**(대판 2014.11.13, 2012다29601)

[1] 상가나 아파트의 분양광고의 내용은 일반적으로 청약의 유인으로서의 성질을 갖는 데 불과하다. 그런데 선분양·후시공의 방식으로 분양되는 대규모 아파트단지 등의 거래사례에서, 비록 분양광고의 내용, 견본주택의 조건 또는 그 무렵 분양회사가 수분양자에게 행한 설명 중 아파트 등의 외형·재질·구조 및 실내장식 등에 관한 것으로서 사회통념에 비추어 수분양자가 분양회사에게 계약 내용으로서 이행을 청구할 수 있다고 보이는 사항에 관한 한 수분양자는 이를 신뢰하고 분양계약을 체결하는 것이고 분양회사도 이를 알고 있었다고 보아야 할 것이므로, 분양계약 시에 달리 이의를 유보하였다는 등의 특별한 사정이 없는 한, 분양회사와 수분양자 사이에 이를 분양계약의 내용으로 하기로 하는 묵시적 합의가 있었다고 봄이 상당하다.

[2] 반면 선시공·후분양의 방식으로 분양되거나, 당초 선분양·후시공의 방식으로 분양하기로 계획되었으나 계획과 달리 준공 전에 분양이 이루어지지 아니하여 준공 후에 분양이 되는 아파트 등의 경우에는 수분양자는 실제로 완공된 아파트 등의 외형·재질 등에 관한 시공 상태를 직접 확인하고 분양계약 체결 여부를 결정할 수 있어 완공된 아파트 등 그 자체가 분양계약의 목적물로 된다고 봄이 상당하다. 따라서 비록 준공 전에 분양안내서 등을 통해 분양광고를 하거나 견본주택 등을 설치한 적이 있고, 그러한 광고내용과 달리 아파트 등이 시공되었다고 하더라도, 완공된 아파트 등의 현황과 달리 분양광고 등에만 표현되어 있는 아파트 등의 외형·재질 등에 관한 사항은 분양계약 시에 아파트 등의 현황과는 별도로 다시 시공해 주기로 약정하였다는 등의 특별한 사정이 없는 한 이를 분양계약의 내용으로 하기로 하는 묵시적 합의가 있었다고 보기는 어렵다고 할 것이다. 그리고 선분양·후시공의 방식으로 분양하기로 한 아파트 등의 단지 중 일부는 준공 전에, 일부는 준공 후에 분양된 경우에는 각 수분양자마다 분양계약 체결의 시기 및 아파트 등의 외형·재질 등에 관한 구체적 거래조건이 분양계약에 편입되었다고 볼 수 있는 사정이 있는지 여부 등을 개별적으로 살펴 분양회사와 각 수분양자 사이에 이를 분양계약의 내용으로 하기로 하는 묵시적 합의가 있었는지 여부를 판단하여야 한다.

3) 주관적 합치(당사자의 일치)

계약의 상대방에 대한 일치가 있어야 한다. 즉 상대방이 누구인가에 관한 잘못이 없어야 한다.

(2) 불합의와 착오

1) 불합의

① '불합의'는 의사표시의 불일치, 즉 해석에 의하여 확정된 의사표시들의 객관적 의미가 일치하지 않는 경우이다. 이에는 당사자가 불합치를 모르고 있는 '무의식적 불합의'가 있는데, 이는 계약의 성립의 문제로서 불합의가 있는 경우 계약은 성립하지 않는다.

② 의사표시의 합치가 있는지 아니면 불합의가 있는지 여부는 법률행위의 해석으로 귀결된다. 즉 자연적 해석과 규범적 해석의 방법으로 한다. 따라서 자연적 해석의 방법으로 '오표시 무해의 원칙'이 적용되는 경우에는 양당사자의 내심적 진의가 완전히 일치하므로 계약이 성립하게 된다. 이는 계약의 성립이 부정되는 '불합의'와는 구별된다.

2) 착오

반면 '착오'는 청약 또는 승낙의 어느 한 의사표시 내에서 표의자의 효과의사와 표시내용이 일치하지 않는 경우를 가리키며 그것은 의사표시의 효력문제이다. 따라서 불합의 여부를 먼저 검토하여 불합의로 판명되면 계약은 불성립이 되므로, 착오취소의 문제는 발생하지 않는다.

II. 기타의 방법에 의한 계약의 성립

1. 의사실현에 의한 계약의 성립

> **제532조【의사실현에 의한 계약성립】**
> 청약자의 의사표시나 관습에 의하여 승낙의 통지가 필요하지 아니한 경우에는 계약은 승낙의 의사표시로 인정되는 사실이 있는 때에 성립한다.

청약자의 의사표시나 관습에 의해서 승낙의 통지가 필요하지 않은 경우에는 승낙의 의사표시가 없더라도 승낙의 의사표시로 인정되는 사실이 있는 때에 계약은 성립할 수 있다(제532조). 이를 '의사실현에 의한 계약성립'이라고 한다. **예** 매도청약과 함께 송부된 책을 줄을 그어가며 읽는 행위에 의해 계약은 성립한다.

> ▶ **예금계약의 성립시기**
> 예금계약은 예금자가 예금의 의사를 표시하면서 금융기관에 돈을 제공하고 금융기관이 그 의사에 따라 그 돈을 받아 확인을 하면 그로써 성립하며, 금융기관의 직원이 그 받은 돈을 금융기관에 입금하지 아니하고 이를 횡령하였다고 하더라도 예금계약의 성립에는 아무런 소장이 없다(대판 1996. 1. 26, 95다26919).

2. 교차청약에 의한 계약의 성립

> **제533조【교차청약】**
> 당사자 간에 동일한 내용의 청약이 상호교차된 경우에는 양 청약이 상대방에게 도달한 때에 계약이 성립한다.

이 경우 양 청약이 모두 상대방에게 도달한 때에 계약이 성립한다(제533조). 즉 나중의 청약이 상대방에게 도달한 때 계약이 성립한다.

제5절 계약체결상 과실책임

Ⅰ. 서설

1. 의의

계약체결을 위한 준비나 계약의 성립과정에서 당사자 일방의 책임 있는 사유로 상대방에게 손해를 발생시킨 경우 이를 배상할 책임을 계약체결상의 과실책임(체약상 과실책임)이라 한다(제535조).

2. 연혁

계약체결상 과실책임론은 보호의무론과 결부되어 논의되어 온 부분이다. 특히 독일법상 불법행위법에 의한 피해자 구제의 취약점, 예컨대 사용자책임에 관한 면책의 허용과 개별적 성립요건주의 및 채무불이행법상의 이원적 구조에 따른 채권자 구제의 한계선상에서 논의되어 왔으며, 독일민법의 제정과정에서 개별적인 규정으로 입법화되기에 이르렀다.

Ⅱ. 법적 성질

(1) 이 책임의 본질에 관해서는 계약책임으로 보는 견해, 불법행위책임으로 보는 견해 및 독자적인 법정책임이라고 보는 견해의 대립이 있으나, 다수설은 계약이 체결되기 전이라도 계약교섭단계에 이미 교섭당사자는 신의칙에 기초하여 보호의무를 부담하므로, 계약체결상의 과실책임은 바로 신의칙상의 보호의무의 위반에 대한 손해배상책임으로서, 그 본질은 계약책임에 해당한다고 본다(계약책임설).

(2) 다만 판례는 계약교섭의 부당파기로 인한 손해배상을 청구한 사안에서, 불법행위책임을 인정한 바 있다. 그러나 판례가 계약체결상 과실책임의 본질을 불법행위책임으로 파악한다고 단정할 수는 없다.

Ⅲ. 원시적 불능으로 인한 계약체결상의 과실책임

> **제535조【계약체결상의 과실】**
> ① 목적이 불능한 계약을 체결할 때에 그 불능을 알았거나 알 수 있었을 자는 상대방이 그 계약의 유효를 믿었음으로 인하여 받은 손해를 배상하여야 한다. 그러나 그 배상액은 계약이 유효함으로 인하여 생길 이익액을 넘지 못한다.
> ② 전항의 규정은 상대방이 그 불능을 알았거나 알 수 있었을 경우에는 적용하지 아니한다.

1. 요건

(1) 요건

① 원시적·객관적·전부불능이기 때문에 무효일 것, ② 상대방이 손해를 입었을 것, ③ 배상책임을 지는 일방당사자의 고의·과실, ④ 상대방의 선의·무과실을 요건으로 한다(제535조 제2항). 악의 또는 과실 있는 상대방을 보호할 필요가 없기 때문이다(대판 1986.6.25, 85다978).

(2) 매매 기타의 유상계약의 경우

계약내용의 일부가 객관적으로 원시적 불능이라도 계약은 유효하게 성립하고 담보책임으로 처리되므로(제574조, 제567조), 동 규정은 적용될 여지가 없다(대판 2002.4.9, 99다47396). 또한 원시적 불능이더라도 주관적 불능인 경우에는 계약은 유효하게 성립하고, 단지 담보책임(제570조, 제571조)이 문제될 뿐이다.

2. 효과

(1) 손해배상청구권의 발생

일방 당사자는 상대방이 그 계약의 유효를 믿었음으로 인하여 받은 손해(신뢰이익)를 배상하여야 하는데, 다만 그 배상액은 계약이 유효함으로 인하여 생길 이익액(이행이익)을 넘지 못한다(제535조 제1항).

(2) 부당이득반환청구와의 관계

계약 당시에 이미 채무의 이행이 불가능했다면 특별한 사정이 없는 한 채권자가 이행을 구하는 것은 허용되지 않고, 이미 이행한 급부는 법률상 원인 없는 급부가 되어 부당이득의 법리에 따라 반환청구할 수 있으며, 나아가 민법 제535조에서 정한 계약체결상의 과실책임을 추궁하는 등으로 권리를 구제받을 수 있다(대판 2017.10.12, 2016다9643).

IV. 제535조의 확대운용에 관한 논의

1. 개관

민법은 계약의 목적이 '원시적 불능'인 경우에 한하여만 제535조에서 이를 규정하고 있으나, 그 적용범위를 그 이외의 계약체결과정에서 발생하는 손해 유형에까지 확대할 것인지가 논의되고 있다. 이에 대해 판례는 제535조를 확대적용하지 않고, 원시적·객관적·전부불능의 경우로 한정하는 입장으로 평가되고 있다.

2. 구체적 유형별 검토

(1) 계약이 불성립된 경우

1) 계약준비단계에서의 과실

계약준비단계에서 일방 당사자의 과실로 계약이 결렬되어 상대방이 재산상의 손해 또는 상해를 입은 경우의 문제이다(예 리놀륨용단사건, 바나나껍질사건이 이에 해당한다). 이에 대해 제535조의 확대적용을 긍정하는 입장과 불법행위책임을 통해 구제받을 수 있다는 견해의 대립이 있다.

> ▶ **매매계약이 매매대금에 관한 의사의 불합치로 성립하지 아니한 경우, 민법 제535조를 유추적용하여 계약체결상의 과실에 따른 손해배상책임의 이행을 구할 수 있는지 여부**(소극)
>
> 계약이 의사의 불합치로 성립하지 아니한 경우, 그로 인하여 손해를 입은 당사자가 상대방에게 <u>부당이득반환청구 또는 불법행위로 인한 손해배상청구를 할 수 있는지는 별론으로 하고</u>, 상대방이 계약이 성립되지 아니할 수 있다는 것을 알았거나 알 수 있었음을 이유로 민법 제535조를 유추적용하여 계약체결상의 과실로 인한 손해배상청구를 할 수는 없다(대판 2017.11.14. 2015다10929).
>
>> → [사실관계] : 중고차를 매도하려는 乙(반소피고)과 이를 매수하려는 甲(반소원고) 사이에서 성명불상자가 양 당사자를 모두 기망함으로써 乙과 甲 사이에 매매대금에 관한 의사가 합치되지 아니하여 매매계약이 성립하지 않은 사안에서, 乙에게 과실이 있음을 들어 불법행위책임을 지우는 것은 별론으로 하고 민법 제535조를 유추적용하여 계약체결상의 과실로 인한 손해배상청구를 할 수는 없다고 본 사례이다.

2) 계약교섭의 부당파기

> ▶ **계약체결을 위한 교섭의 부당파기**
>
> [1] 법적 구성
> 어느 일방이 교섭단계에서 계약이 확실하게 체결되리라는 정당한 기대 내지 신뢰를 부여하여 상대방이 그 신뢰에 따라 행동하였음에도 상당한 이유 없이 계약의 체결을 거부하여 손해를 입혔다면 이는 신의성실의 원칙에 비추어 볼 때 계약자유 원칙의 한계를 넘는 위법한 행위로서 불법행위를 구성한다고 할 것이다(대판 2001.6.15. 99다40418; 대판 2022.7.14. 2021다216773).
>
> [2] 손해배상의 범위
> ① ⅰ) 계약교섭의 부당한 중도파기가 불법행위를 구성하는 경우 그러한 불법행위로 인한 손해는 일방이 신의에 반하여 상당한 이유 없이 계약교섭을 파기함으로써 계약체결을 신뢰한 상대방이 입게 된 상당인과관계 있는 손해로서 계약이 유효하게 체결된다고 믿었던 것에 의하여 입었던 손해, 즉 신뢰손해에 한정된다고 할 것이고, 이러한 신뢰손해란 예컨대 그 계약의 성립을 기대하고 지출한 계약준비비용과 같이 그러한 신뢰가 없었더라면 통상 지출하지 아니하였을 비용상당의 손해라고 할 것이며, 아직 계약체결에 관한 확고한 신뢰가 부여되기 이전 상태에서 계약교섭의 당사자가 계약체결이 좌절되더라도 어쩔 수 없다고 생각하고 지출한 비용, 예컨대 경쟁입찰에 참가하기 위하여 지출한 제안서, 견적서 작성비용 등은 여기에 포함되지 아니한다(대판 2003.4.11. 2001다53059). ⅱ) 계약교섭의 부당한 중도파기가 불법행위를 구성하는 경우, 상대방에게 배상책임을 지는 것은 계약체결을 신뢰한 상대방이 입게 된 상당인과관계 있는 손해이고, 한편 계약교섭 단계에서는 아직 계약이 성립된 것이 아니므로 당사자 중 일방이 계약의 이행행위를 준비하거나 이를 착수하는 것은 이례적이라고 할 것이므로, 설령 이행에 착수하였다고 하더라도 이는 자기의 위험 판단과 책임에 의한 것이라

고 평가할 수 있지만, 만일 이행의 착수가 상대방의 적극적인 요구에 따른 것이고, 바로 위와 같은 이행에 들인 비용의 지급에 관하여 이미 계약교섭이 진행되고 있었다는 등의 특별한 사정이 있는 경우에는, 당사자 중 일방이 계약의 성립을 기대하고 이행을 위하여 지출한 비용 상당의 손해가 상당 인과관계 있는 손해에 해당한다(대판 2004.5.28, 2002다32301). 즉 이러한 특별한 사정이 있다면 당사자 중 일방이 계약의 성립을 기대하고 이행을 위하여 지출하였거나 지출할 것이 확실한 비용은 계약체결을 신뢰하여 발생한 손해로서 계약 교섭의 부당파기로 인한 손해배상의 범위에 해당할 수 있다(대판 2022.7.14, 2021다216773).

② 침해행위와 피해법익의 유형에 따라서는 계약교섭의 파기로 인한 불법행위가 인격적 법익을 침해함으로써 상대방에게 정신적 고통을 초래하였다고 인정되는 경우라면, 그러한 정신적 고통에 대한 손해에 대하여는 별도로 배상을 구할 수 있다(대판 2003.4.11, 2001다53059).

▶ **최종합격통고 후 발령지체에 대한 책임**

학교법인이 원고를 사무직원 채용시험의 최종합격자로 결정하고 그 통지와 아울러 '1989.5.10.자로 발령하겠으니 제반 구비서류를 5.8.까지 제출하여 달라.'는 통지를 하여 원고로 하여금 위 통지에 따라 제반 구비서류를 제출하게 한 후, 원고의 발령을 지체하고 여러 번 발령을 미루었으며, 그 때문에 원고는 위 학교법인이 1990.5.28. 원고를 직원으로 채용할 수 없다고 통지할 때까지 임용만 기다리면서 다른 일에 종사하지 못한 경우 이러한 결과가 발생한 원인이 위 학교법인이 자신이 경영하는 대학의 재정 형편, 적정한 직원의 수, 1990년도 입학정원의 증감 여부 등 여러 사정을 참작하여 채용할 직원의 수를 헤아리고 그에 따라 적정한 수의 합격자 발표와 직원채용통지를 하여야 하는데도 이를 게을리 하였기 때문이라면, 위 학교법인은 불법행위자로서 원고가 위 최종합격자 통지와 계속된 발령약속을 신뢰하여 직원으로 채용되기를 기대하면서 다른 취직의 기회를 포기함으로써 입은 손해를 배상할 책임이 있다(대판 1993.9.10, 92다42897).

(2) 계약이 무효이거나 취소된 경우

① 계약책임설의 입장에서 강행법규위반으로 무효인 경우에도 피해자를 보호하기 위하여 계약체결상의 과실책임규정을 유추적용하자고 하는 입장도 있으나, 판례는 일반불법행위책임으로 해결하여 손해액을 조정할 수 있다는 입장을 취한다(대판 1994.1.11, 93다26205 - 투자수익보장약정사안).

② 계약책임설의 입장에서 계약체결상의 과실책임규정을 유추적용하자고 하는 입장도 있으나, 표의자의 경과실에 의한 착오취소 시 상대방에 대한 배상책임과 관련하여 판례는 불법행위책임을 부정한 바 있다(대판 1997.8.22, 97다13023).[4]

---

4) 전문건설공제조합의 계약보증서 발급에 경과실이 있는 경우, 과실로 착오에 빠져 보증계약서를 발급한 것이나 그 착오를 이유로 보증계약을 취소하는 것은 위법성이 없어 불법행위를 구성하지 않는다.

제6절 계약의 해지

1. 의의

> 제550조 【해지의 효과】
> 당사자 일방이 계약을 해지한 때에는 계약은 장래에 대하여 그 효력을 잃는다.

해지란 계속적 계약관계에서 일방적 의사표시로써 계약의 효력을 장래에 향하여 소멸케 하는 행위를 말하고, 이와 같이 해지할 수 있는 권리를 해지권이라 한다. 해지권은 해제권과 마찬가지로 형성권이다.

2. 해지권의 발생

(1) 약정해지권

계속적 계약을 체결하면서 당사자 일방이나 쌍방을 위하여 해지권을 보류하는 특약을 할 수도 있으며, 이 경우에는 그 특약에 의하여 해지권이 발생한다.

(2) 법정해지권

법정해지권의 일반적 공통 발생원인에 대해서는 명문의 규정이 없다. 다만 계약각칙에서 각종의 계속적 계약에 관하여 개별적으로 그 해지권의 발생원인을 규정하고 있다(임대차의 경우 제625조, 제627조, 제640조, 고용의 경우 제657조 등).

(3) 사정변경을 이유로 한 해지권

판례는 '신뢰파괴' 내지 '현저한 사정변경'을 이유로 한 해지권을 인정하고 있다. 특히 계속적 보증계약에서 해지할 만한 상당한 이유가 있는 경우에 보증인의 계약해지를 인정하고 있다.

> ▶ **계속적 계약의 해지사유 - 신뢰파괴**
> 계속적 계약은 당사자 상호 간의 신뢰관계를 그 기초로 하는 것이므로, 당해 계약의 존속 중에 당사자의 일방이 그 계약상의 의무를 위반함으로써 그로 인하여 계약의 기초가 되는 신뢰관계가 파괴되어 계약관계를 그대로 유지하기 어려운 정도에 이르게 된 경우에는 상대방은 그 계약관계를 막바로 해지함으로써 그 효력을 장래에 향하여 소멸시킬 수 있다고 봄이 타당하다(대판 1995.3.24, 94다17826).

3. 해지권의 행사

해지권의 행사에 관한 내용은 해제권의 경우와 동일하다. 즉 그 행사는 상대방에 대한 의사표시로 하고, 해제권 행사 및 소멸의 불가분성은 해지권의 경우에도 적용된다(제547조 제2항).

4. 해지의 효과

(1) 비소급효
해지는 '장래에 향하여' 효력을 발생한다는 점에서 계약의 효력을 '소급적으로' 소멸시키는 해제와 구별된다.

(2) 손해배상의 청구
계약의 해지는 손해배상의 청구에 영향을 미치지 아니한다(제551조). 다만 이 경우의 손해배상은 상대방의 채무불이행을 전제로 인정된다.

5. 유사제도 – 합의해지

▶ **계약의 합의해지의 성립 여부 및 판단**(대판 2018.12.27, 2016다274270) *
① 계약의 합의해지는 계속적 채권채무관계에서 당사자가 이미 체결한 계약의 효력을 장래에 향하여 소멸시킬 것을 내용으로 하는 새로운 계약으로서, 이를 인정하기 위해서는 계약이 성립하는 경우와 마찬가지로 기존 계약의 효력을 장래에 향하여 소멸시키기로 하는 내용의 청약과 승낙이라는 서로 대립하는 의사표시가 합치될 것을 요건으로 한다. ② 계약의 합의해지는 묵시적으로 이루어질 수도 있으나, 계약에 따른 채무의 이행이 시작된 다음에 당사자 쌍방이 계약실현 의사의 결여 또는 포기로 계약을 실현하지 않을 의사가 일치되어야만 한다. ③ 이와 같은 합의가 성립하기 위해서는 쌍방 당사자의 표시행위에 나타난 의사의 내용이 객관적으로 일치하여야 하므로 계약당사자 일방이 계약해지에 관한 조건을 제시한 경우 그 조건에 관한 합의까지 이루어져야 한다. 한편 ④ 당사자 사이에 계약을 종료시킬 의사가 일치되었더라도 계약 종료에 따른 법률관계가 당사자들에게 중요한 관심사가 되고 있는 경우 그러한 법률관계에 관하여 아무런 약정 없이 계약을 종료시키는 합의만 하는 것은 경험칙에 비추어 이례적이고, 이 경우 합의해지가 성립하였다고 보기 어렵다.

제7절 매매의 효력

I. 매매의 기본적 효력

> **제568조【매매의 효력】**
> ① 매도인은 매수인에 대하여 매매의 목적이 된 권리를 이전하여야 하며 매수인은 매도인에게 그 대금을 지급하여야 한다.
> ② 전항의 쌍방의무는 특별한 약정이나 관습이 없으면 동시에 이행하여야 한다.

1. 매도인의 의무

(1) 재산권이전의무

1) 매도인은 매수인에 대하여 매매의 목적이 된 권리를 이전하여야 한다(제568조 제1항). 따라서 매매의 목적인 권리가 등기·등록·인도 등의 공시방법을 갖추어야 하는 것이면 등기·등록에 협력하거나 인도하여야 하고, 채권인 경우에는 채무자에게 통지하는 등의 대항요건을 갖추어야 한다.

2) 따라서 부동산 매매의 경우에는 소유권이전의무의 이행 또는 이행제공사실로서 목적물의 소유권이전에 관련된 등기서류를 교부하여야 한다.

3) 또한 매도인은 특별한 사정이 없는 한 제한이나 부담이 없는 완전한 소유권을 이전해 주어야 할 의무가 있으므로, 매매목적물에 가압류등기나 (근)저당권등기가 되어 있는 경우에는 소유권이전에 관련된 등기서류뿐만 아니라 이들 등기의 말소에 필요한 서류까지 교부 또는 제공하여야 한다.

4) 매수인의 대금지급의무와는 특약이나 관습이 없으면 동시이행관계에 있다(제568조 제2항).

(2) 과실의 귀속

> **제587조【과실의 귀속, 대금의 이자】**
> 매매계약 있은 후에도 인도하지 아니한 목적물로부터 생긴 과실은 매도인에게 속한다. 매수인은 목적물의 인도를 받은 날로부터 대금의 이자를 지급하여야 한다. 그러나 대금의 지급에 대하여 기한이 있는 때에는 그러하지 아니하다.
> **제102조【과실의 취득】**
> ① 천연과실은 그 원물로부터 분리하는 때에 이를 수취할 권리자에게 속한다.

1) 원칙 – 매도인의 과실취득(제587조 특칙)

① 물건에서 생기는 과실은 '수취할 권리자'에게 귀속하는 것이 원칙이다(제102조 원칙). 그러나 매매의 경우 특별히 과실과 이자의 간편한 결제를 위해, 목적물 인도 전에는 본래의 과실수취권자를 따지지 않고 매도인에게 과실수취권을 인정한다(제587조 특칙).

② 그 결과 매도인은 목적물의 인도를 지체하더라도 매매대금을 완전히 지급받고 있지 않는 한 인도할 때까지의 과실을 수취할 수 있다(대판 2004.4.23. 2004다8210).

③ 여기서 과실은 대금의 이자에 대응한 것이므로 매수인이 대금을 완전히 지급하지 않은 때에는 매도인의 이행지체가 있더라도 매수인은 목적물인도의무의 지체로 인한 손해배상을 청구할 수 없다(대판 2004.4.23. 2004다8210).

▶ **매매대금미완납 매수인이 매도인의 목적물인도의무 지체시 손해배상을 청구할 수 있는지 여부**(소극)
민법 제587조에 의하면, 매매계약 있은 후에도 인도하지 아니한 목적물로부터 생긴 과실은 매도인에게 속하고, 매수인은 목적물의 인도를 받은 날로부터 대금의 이자를 지급하여야 한다고 규정하고 있는바, 이는 매매당사자 사이의 형평을 꾀하기 위하여 매매목적물이 인도되지 아니하더라도 매수인이 대금을 완제한 때에는 그 시점 이후의 과실은 매수인에게 귀속되지만, 매매목적물이 인도되지 아니하고 또한 매수인이 대금을 완제하지 아니한 때에는 매도인의 이행지체가 있더라도 과실은 매도인에게 귀속되는 것이므로 매수인은 인도의무의 지체로 인한 손해배상금의 지급을 구할 수 없다(대판 2004. 4.23. 2004다8210).

---

2) 예외 - 매수인의 과실취득

그러나 매수인이 매매대금을 모두 지급한 때에는 그 이후의 과실은 매수인에게 속한다(대판 1993.11.9. 93다28928). 만약 이때에도 매도인에게 과실수취권을 인정하면 매도인은 2중의 이득을 얻기 때문이다.

2. 매수인의 대금지급의무

매수인은 매도인에게 대금을 지급할 의무를 부담한다(제563조). 대금지급의 시기 및 장소는 일반적으로 특약에 의해 정해지지만, 그러한 특약이 없는 경우를 위하여 민법은 다음과 같은 규정을 두고 있다.

(1) 대금지급기일

> **제585조 【동일기한의 추정】**
> 매매의 당사자 일방에 대한 의무이행의 기한이 있는 때에는 상대방의 의무이행에 대하여도 동일한 기한이 있는 것으로 추정한다.

(2) 대금지급장소

> **제586조 【대금지급장소】**
> 매매의 목적물의 인도와 동시에 대금을 지급할 경우에는 그 인도장소에서 이를 지급하여야 한다.

대금지급채무는 일종의 종류채무이므로 지참채무의 원칙에 의해 매도인의 주소에서 지급하여야 하지만(제467조 제2항), 그에 대한 특칙으로 매매의 목적물의 인도와 동시에 대금을 지급하는 경우에는 그 목적물의 인도장소에서 대금을 지급하여야 한다(제586조).

(3) 이자

> **제587조【과실의 귀속, 대금의 이자】**
> 매매계약 있은 후에도 인도하지 아니한 목적물로부터 생긴 과실은 매도인에게 속한다. 매수인은 목적물의 인도를 받은 날로부터 대금의 이자를 지급하여야 한다. 그러나 대금의 지급에 대하여 기한이 있는 때에는 그러하지 아니하다.

매수인은 목적물의 인도를 받은 날로부터 대금의 이자를 지급하여야 한다. 그러나 대금의 지급에 대하여 기한이 있는 때에는 그러하지 아니하다(제587조).

(4) 대금지급거절권

> **제588조【권리주장자가 있는 경우와 대금지급거절권】**
> 매매의 목적물에 대하여 권리를 주장하는 자가 있는 경우에 매수인이 매수한 권리의 전부나 일부를 잃을 염려가 있는 때에는 매수인은 그 위험의 한도에서 대금의 전부나 일부의 지급을 거절할 수 있다. 그러나 매도인이 상당한 담보를 제공한 때에는 그러하지 아니하다.
> **제589조【대금공탁청구권】**
> 전조의 경우에 매도인은 매수인에 대하여 대금의 공탁을 청구할 수 있다.

Ⅱ. 매도인의 담보책임

🔹 담보책임의 개관

구분	계약해제	손해배상	대금감액청구	제척기간 - 재판상·재판외 행사 가능
권리의 전부가 타인에게 속하는 경우 (제570조)	선의·악의 불문	선의 → 손해배상책임의 범위는 이행이익 배상 : 과실상계 준용 ✗, 단 참작은 가능 ★ 악의의 자는 담보책임으로서 손해배상책임을 추궁할 수는 없으나, 채무불이행책임으로서 손해배상책임을 추궁할 수는 있다.	✗	✗

[1] ① 부동산을 매수한 자가 그 소유권이전등기를 하지 아니한 채 이를 다시 제3자에게 매도한 경우나 ② 명의신탁한 부동산을 명의신탁자가 매도하는 경우에는 그것을 민법 제569조에서 말하는 '타인의 권리매매'라고 할 수는 없다(대판 1996.4.12, 95다55245; 대판 1996.8.20, 96다18656). 그러나 ③ 낙찰받은 부동산을 매각대금의 납부 전에 매도한 경우 그 매매계약은 민법 제569조에서 정한 타인의 권리의 매매에 해당한다(대판 2008.8.11, 2008다25824).
[2] 매매위임장을 제시하고 매매계약을 체결하는 자는 특단의 사정이 없는 한 소유자를 대리하여 매매행위하는 것이라고 보아야 하고, 매매계약서에 대리관계의 표시 없이 그 자신의 이름을 기재하였다고 해서 그것만으로 그 자신이 매도인으로서 타인물을 매매한 것이라고 볼 수는 없다.

	[3] 매수인이 선의이더라도 과실이 있는 경우에 손해배상의 범위를 정함에 있어서 과실상계의 규정이 준용되지 않는다 하더라도, 매수인의 과실이 참작될 수 있다.
	[4] 선의의 매도인의 담보책임 → 전부불능 시 적용(O) / 일부불능 시 적용(✗)
	  ① 매도인이 계약당시에 매매의 목적이 된 권리가 자기에게 속하지 아니함을 알지 못한 경우에 그 권리를 취득하여 매수인에게 이전할 수 없는 때에는 매도인은 손해를 배상하고 계약을 해제할 수 있다.
	  ② 전항의 경우에 매수인이 계약 당시 그 권리가 매도인에게 속하지 아니함을 안 때에는 매도인은 매수인에 대하여 그 권리를 이전할 수 없음을 통지하고 계약을 해제할 수 있다.
	[5] 타인권리매매와 사기에 의한 의사표시 취소와의 관계 : 경합가능(대판 1973.10.23, 73다268).
	[6] 권리를 취득하여 매수인에게 이전하여야 할 매도인의 의무가 매도인의 귀책사유로 인하여 이행불능이 되었다면 채무불이행 일반의 규정에 좇아서 계약을 해제하고 손해배상을 청구할 수 있다.			

권리의 일부가 타인에게 속하는 경우 (제572조)	선의	선의	선의·악의 불문	1년
	매매계약에서 건물과 그 대지가 계약의 목적물인데 건물의 일부가 경계를 침범하여 이웃 토지 위에 건립되어 있는 경우에 매도인이 그 경계 침범의 건물부분에 관한 대지부분을 취득하여 매수인에게 이전하지 못하는 때에는 매수인은 매도인에 대하여 민법 제572조를 유추적용하여 담보책임을 물을 수 있다(대판 2009.7.23, 2009다33570).5)			
목적물의 수량 부족, 일부멸실 (제574조)	선의	선의	선의	1년
	[1] 매수인이 일정한 면적이 있는 것으로 믿고 매도인도 그 면적이 있는 것을 명시적·묵시적으로 표시하며, 나아가 계약 당사자가 면적을 가격을 정하는 여러 요소 중 가장 중요한 요소(→ 수량이 주안점이고 이를 기초로 가격 결정)로 파악하고 그 객관적 수치를 기준으로 가격을 정한 경우, 매매계약서에 토지의 평당 가격을 기재하지 않았다 하더라도 수량을 지정한 매매에 해당한다(대판 1996.4.9, 95다43780). [2] 대금감액청구는 별론으로 하고, ① 부당이득반환청구나 ② 제535조에 기한 계약체결상의 과실책임을 물을 수는 없다.			
용익권에 의한 제한 (제575조) - 매매의 목적물이 지상권, 전세권, 지역권, 유치권, 질권, 대항력 있는 임차권에 의하여 제한되어 있는 경우	선의	선의	✗	1년

---

5) 민법 제572조는 단일한 권리의 일부가 타인에게 속하는 경우에만 한정하여 적용되는 것이 아니라, 수개의 권리를 일괄하여 매매의 목적으로 한 경우에도 특별한 사정이 없는 한 역시 적용된다는 것이다(대판 1989.11.14, 88다카13547).

담보권에 의한 제한 (제576조) - 저당권, 전세권이 실 행된 경우, 가등기에 기 하여 본등기 가 되어 버려 취득한 소유 권을 잃게 된 경우	선의·악의 불문	선의·악의 불문	✗	✗
	[1] 가등기의 목적이 된 부동산을 매수한 사람이 그 뒤 가등기에 기한 본등기가 경료됨으로써 그 부동산의 소유권을 상실하게 된 때 적용되는 담보책임규정은 제576조이지 제570조가 아니다(대판 1992.10.27, 92다21784). → 신뢰이익의 배상 : 매매대금 + 법정이자 [2] 가압류 목적이 된 부동산을 매수한 사람이 그 후 가압류에 기한 강제집행으로 부동산 소유권을 상실하게 된 경우도 제576조의 규정이 준용된다. [3] 이행인수 - 담보책임의 면제 또는 포기로 봄이 상당			

매도인의 하자담보 책임(물건의 하자)	선의· 무과실	선의·무과실 [1] 신뢰이익의 배상에 한정 [2] 확대손해 내지 부가적 손해 - 책임발생의 원인사실이 다른 별도의 불완전이행의 성립을 주장하여 전보 가능하다(판례).	✗ ☆ 종류물 - 완전물급부청 구권 ○ → But 공평상 제한 인정	6월
	[1] 하자의 개념 - 객관적 하자 및 주관적 하자 [2] 하자의 판단시기 - ① 특정물 : 계약체결 시, ② 종류물 : 특정 시 [3] 건축목적으로 토지를 매수하였는데 건축허가를 받을 수 없어 건축이 불가능하다는 법률상 장애는 물건자체의 하자이다(판례). [4] 폐기물 매립 사안 → 폐기물처리비용 : 매도인은 이른바 불완전이행으로서 채무불이행으로 인한 손해배상책임을 부담하고 제580조 소정의 하자담보책임과 경합적으로 인정 [5] 매매목적물의 하자로 인한 확대손해 내지 2차 손해에 대한 배상책임을 지우기 위하여는 채무의 내용으로 된 하자 없는 목적물을 인도하지 못한 의무위반사실 외에 그러한 의무위반에 대하여 매도인에게 귀책사유가 인정되어야 한다. [6] 착오로 인한 취소 제도와 매도인의 하자담보책임 제도는 취지가 서로 다르고, 요건과 효과도 구별되므로, 하자담보책임이 성립하는지와 상관없이 착오를 이유로 매매계약을 취소할 수 있다.			

제척기간과 소멸시효와 의 관계	매도인에 대한 하자담보에 기한 손해배상청구권에 대하여는 민법 제582조의 제척기간이 적용되고, 이는 법률관계의 조속한 안정을 도모하고자 하는 데에 취지가 있다. 그런데 하자담보에 기한 매수인의 손해배상청구권은 권리의 내용·성질 및 취지에 비추어 민법 제162조 제1항의 채권소멸시효의 규정이 적용되고, 민법 제582조의 제척기간 규정으로 인하여 소멸시효 규정의 적용이 배제된다고 볼 수 없으며, 이때 다른 특별한 사정이 없는 한 무엇보다도 매수인이 매매 목적물을 인도받은 때부터 소멸시효가 진행한다고 해석함이 타당하다(대판 2011.10.13, 2011다10266).

제8절 위임

Ⅰ. 서설

1. 의의

> **제680조【위임의 의의】**
> 위임은 당사자 일방이 상대방에 대하여 사무의 처리를 위탁하고 상대방이 이를 승낙함으로써 그 효력이 생긴다.

당사자 일방(위임자)이 상대방(수임자)에 대하여 사무의 처리를 위탁하고, 상대방이 이를 승낙함으로써 성립하는 계약을 말한다(제680조). 타인의 노무를 이용하는 계약이라는 점에서 고용·도급과 공통되지만, 수임인이 위탁받은 사무를 자유재량에 의해 처리한다는 점에서 고용과 구별되고, 타인의 사무를 처리한다는 활동 그 자체에 목적을 두는 점에서 도급과 구별된다.

▶ **집행관의 직무 내용 및 성격**(=독립된 단독의 사법기관) / **채권자의 집행관에 대한 집행위임의 성격**(=집행개시를 구하는 신청) **및 위 집행위임이 민법상 위임에 해당하는지 여부**(소극)
집행관은 집행관법 제2조에 따라 재판의 집행 등을 담당하면서 그 직무 행위의 구체적 내용이나 방법 등에 관하여 전문적 판단에 따라 합리적인 재량을 가진 독립된 단독의 사법기관이다. 따라서 채권자의 집행관에 대한 집행위임은 비록 <u>민사집행법 제16조 제3항, 제42조 제1항, 제43조 등에 '위임'으로 규정되어 있더라도</u> 이는 집행개시를 구하는 신청을 의미하는 것이지 일반적인 민법상 위임이라고 볼 수는 없다(대판 2023.4.27. 2020도34).

2. 법적 성질

원칙적으로 편무·무상계약이지만, 당사자의 약정으로 위임인의 보수지급의무를 계약내용으로 정할 경우 쌍무·유상계약이 된다(제686조 제1항).

Ⅱ. 성립

위임인이 수임인에 대해 사무의 처리를 위탁하고, 수임인이 이를 승낙하는 합의로 성립한다.

Ⅲ. 효력

1. 수임인의 의무

> **제681조【수임인의 선관의무】**
> 수임인은 위임의 본지에 따라 선량한 관리자의 주의로써 위임사무를 처리하여야 한다.

> **제682조【복임권의 제한】**
> ① 수임인은 위임인의 승낙이나 부득이한 사유 없이 제3자로 하여금 자기에 갈음하여 위임사무를 처리하게 하지 못한다.
> ② 수임인이 전항의 규정에 의하여 제3자에게 위임사무를 처리하게 한 경우에는 제121조, 제123조의 규정을 준용한다.
>
> **제683조【수임인의 보고의무】**
> 수임인은 위임인의 청구가 있는 때에는 위임사무의 처리상황을 보고하고 위임이 종료한 때에는 지체 없이 그 전말을 보고하여야 한다.
>
> **제684조【수임인의 취득물 등의 인도, 이전의무】**
> ① 수임인은 위임사무의 처리로 인하여 받은 금전 기타의 물건 및 그 수취한 과실을 위임인에게 인도하여야 한다.
> ② 수임인이 위임인을 위하여 자기의 명의로 취득한 권리는 위임인에게 이전하여야 한다.
>
> **제685조【수임인의 금전소비의 책임】**
> 수임인이 위임인에게 인도할 금전 또는 위임인의 이익을 위하여 사용할 금전을 자기를 위하여 소비한 때에는 소비한 날 이후의 이자를 지급하여야 하며 그 외의 손해가 있으면 배상하여야 한다.

(1) 위임사무 처리의무

수임인은 위임인으로부터 위탁받은 사무를 처리할 의무를 진다(제680조). 여기서 사무는 법률상 또는 사실상의 모든 행위를 말한다. 민법은 수임인의 위임사무 처리의무와 관련하여 다음의 두 가지를 규정하고 있다.

1) 선관주의의무

① 수임인은 선량한 관리자의 주의로써 위임사무를 처리하여야 한다(제681조). 수임인이 선관의무에 위반한 경우에는 채무불이행책임을 진다. 수임인은 유상·무상을 불문하고 선관의무를 부담한다.

② 법무사는 그 직무를 수행하는 과정에서 의뢰인의 지시에 따르는 것이 위임의 취지에 적합하지 않거나 오히려 의뢰인에게 불이익한 결과가 되는 것이 드러난 경우에는 그러한 내용을 의뢰인에게 설명 내지 조언할 의무가 있다(대판 2006.9.28, 2004다55162). 즉 법무사가 의뢰인으로부터 등기신청서류의 작성과 등기신청의 대리 등을 수임하였을 때에는 위임의 본지에 따라 선량한 관리자의 주의로써 위임사무를 처리하여야 하는바, 일반인들이 법무사에게 등기신청의 대리 등을 의뢰하는 이유는 통상 법무사의 등기에 관한 전문적이고 기술적인 지식의 도움으로 복잡한 등기신청절차를 적정하게 처리하기 위한 것이라 할 것이므로, 부동산 매수인의 의뢰로 매매계약 및 대금 지급에 참여하는 등 부동산 거래관계에 관여하고 그에 따른 등기신청서류의 작성과 등기신청을 대리한 법무사는 그 등기신청과 관련된 한도 내에서는 등기부를 열람하여 등기의 목적과 관련된 권리관계를 확인하고, 이를 의뢰인에게 설명하고 필요한 조언 등을 할 의무가 있고, 형식적으로 소유권이전등기신청에 관한 서류를 작성하여 제출한 것만으로는 법무사가 수임인으로서의 의무를 다하였다고 할 수 없다(대판 2008.3.27, 2007다76313).

2) 복위임의 제한

위임은 신뢰관계를 기초로 하므로, 수임인은 위임인의 승낙이나 부득이한 사유 없이 제3자로 하여금 자기에 갈음하여 위임사무를 처리하게 하지 못한다(제682조).

(2) 기타 의무 – 부수의무

1) 보고의무

수임인은 위임인의 청구가 있는 때에는 위임사무의 처리상황을 보고하고 위임이 종료한 때에는 지체 없이 그 전말을 보고하여야 한다(제683조).

2) 취득물 등의 인도・이전의무

① 수임인은 위임사무의 처리로 인하여 받은 금전 기타의 물건 및 그 수취한 과실을 위임인에게 인도하여야 한다(제684조 제1항). 수임인이 위임인을 위하여 자기의 명의로 취득한 권리는 위임인에게 이전하여야 한다(제684조 제2항).

② 민법 제684조 제1항은 "수임인은 위임사무의 처리로 인하여 받은 금전 기타의 물건 및 그 수취한 과실을 위임인에게 인도하여야 한다."고 규정하고 있는데, 위임계약이 위임인과 수임인의 신임관계를 기초로 하는 것이라는 점 및 수임인은 위임의 본지에 따라 선량한 관리자의 주의로써 위임사무를 처리하여야 하는 것이라는 점 등을 감안하여 볼 때, 위 조항에서 말하는 '위임사무의 처리로 인하여 받은 금전 기타 물건'에는 수임인이 위임사무의 처리와 관련하여 취득한 금전 기타 물건으로서 이를 수임인에게 그대로 보유하게 하는 것이 위임의 신임관계를 해한다고 사회통념상 생각할 수 있는 것도 포함된다(대판 2010.5.27. 2010다4561).

▶ **당사자 간의 특약 등 특별한 사정이 없는 경우, 수임인이 위임사무의 처리로 인하여 받은 금전 등을 위임인에게 인도하여야 하는 시기(=위임계약이 종료한 때) 및 그 반환할 금전의 범위를 정하는 기준시점(=위임종료 시)**

민법 제684조 제1항에 의하면 수임인은 위임사무의 처리로 인하여 받은 금전 기타의 물건 및 그 수취한 과실이 있을 경우에는 이를 위임인에게 인도하여야 한다고 규정하고 있는바, 이때 인도 시기는 당사자 간에 특약이 있거나 위임의 본뜻에 반하는 경우 등과 같은 특별한 사정이 있지 않는 한 위임계약이 종료한 때이므로, 수임인이 반환할 금전의 범위도 위임종료 시를 기준으로 정해진다(대판 2007.2.8. 2004다64432).

▶ **수임인이 위임인을 위하여 자기 명의로 취득한 권리를 위임인에게 이전하여야 하는 시기 및 위 권리에 관한 위임인의 이전청구권의 소멸시효 기산점(=위임계약이 종료된 때) ***

민법 제684조 제2항은 "수임인이 위임인을 위하여 자기의 명의로 취득한 권리는 위임인에게 이전하여야 한다."라고 규정하고 있는데, 이때 그 이전 시기는 당사자 간에 특약이 있거나 위임의 본뜻에 반하는 경우 등과 같은 특별한 사정이 없는 한 위임계약이 종료된 때이다. 따라서 위임사무로 수임인 명의로 취득한 권리에 관한 위임인의 이전청구권의 소멸시효는 위임계약이 종료된 때부터 진행하게 된다(대판 2022.9.7. 2022다217117).

3) 금전소비의 책임

수임인이 위임인에게 인도할 금전 또는 위임인의 이익을 위하여 사용할 금전을 자기를 위하여 소비한 때에는 소비한 날 이후의 이자를 지급하여야 하며, 그 외의 손해가 있으면 배상하여야 한다(제685조).

2. 수임인의 권리 – 위임인의 의무

> **제686조 【수임인의 보수청구권】**
> ① 수임인은 특별한 약정이 없으면 위임인에 대하여 보수를 청구하지 못한다.
> ② 수임인이 보수를 받을 경우에는 위임사무를 완료한 후가 아니면 이를 청구하지 못한다. 그러나 기간으로 보수를 정한 때에는 그 기간이 경과한 후에 이를 청구할 수 있다.
> ③ 수임인이 위임사무를 처리하는 중에 수임인의 책임 없는 사유로 인하여 위임이 종료된 때에는 수임인은 이미 처리한 사무의 비율에 따른 보수를 청구할 수 있다.
>
> **제687조 【수임인의 비용선급청구권】**
> 위임사무의 처리에 비용을 요하는 때에는 위임인은 수임인의 청구에 의하여 이를 선급하여야 한다.
>
> **제688조 【수임인의 비용상환청구권 등】**
> ① 수임인이 위임사무의 처리에 관하여 필요비를 지출한 때에는 위임인에 대하여 지출한 날 이후의 이자를 청구할 수 있다.
> ② 수임인이 위임사무의 처리에 필요한 채무를 부담한 때에는 위임인에게 자기에 갈음하여 이를 변제하게 할 수 있고 그 채무가 변제기에 있지 아니한 때에는 상당한 담보를 제공하게 할 수 있다.
> ③ 수임인이 위임사무의 처리를 위하여 과실 없이 손해를 받은 때에는 위임인에 대하여 그 배상을 청구할 수 있다.

(1) 보수청구권

1) 위임은 원칙적으로 무상이지만, 당사자 사이에 보수지급에 관한 특약이 있으면 위임인은 수임인에게 보수를 지급하여야 한다(제686조 제1항). 보수의 특약은 묵시적으로도 가능하다. 판례는 위임사무의 성격상 수임인이 맡은 사무가 그의 영업 내지 업무에 관련된 경우(예 부동산중개업자, 변호사, 의사 등)에는 무보수의 특약이 없으면 보수지급의 묵시적 약정이 있는 것으로 보아야 한다는 입장이다(대판 1993.11.12, 93다36882).

2) 수임인이 보수를 받을 경우에는 위임사무를 완료한 후가 아니면 이를 청구하지 못한다. 그러나 기간으로 보수를 정한 때에는 그 기간이 경과한 후에 이를 청구할 수 있다(제686조 제2항).

3) 수임인이 위임사무를 처리하는 중에 수임인의 책임 없는 사유로 인하여 위임이 종료된 때에는 수임인은 이미 처리한 사무의 비율에 따른 보수를 청구할 수 있다(제686조 제3항).

▶ **위임계약에서의 보수청구권 및 위임계약의 무효**(대판 2016.2.18, 2015다35560)

　[1] 위임계약에서 약정보수액이 부당하게 과다하여 신의성실의 원칙이나 형평의 원칙에 반하는 경우, 수임인이 청구할 수 있는 보수액의 범위

　　위임계약에서 보수액에 관하여 약정한 경우에 수임인은 원칙적으로 약정보수액을 전부 청구할

수 있는 것이 원칙이지만, 위임의 경위, 위임업무 처리의 경과와 난이도, 투입한 노력의 정도, 위임인이 업무 처리로 인하여 얻게 되는 구체적 이익, 기타 변론에 나타난 제반 사정을 고려할 때 약정보수액이 부당하게 과다하여 신의성실의 원칙이나 형평의 원칙에 반한다고 볼 만한 특별한 사정이 있는 때에는 예외적으로 상당하다고 인정되는 범위 내의 보수액만을 청구할 수 있다(대판 2012.4.12, 2011다107900 同).

[2] 행정청의 허가 등을 목적으로 하는 신청행위를 대상으로 하는 위임계약이 반사회질서적 성질을 띠고 있어 민법 제103조에 따라 무효인 경우

어떠한 위임계약이 행정청의 허가 등을 목적으로 하는 신청행위를 대상으로 하는 경우에 신청행위 자체에는 전문성이 크게 요구되지 않고 허가에는 공무원의 재량적 판단이 필요하며, 신청과 관련된 절차에 필수적으로 필요한 비용은 크지 않은 데 반하여 약정보수액은 지나치게 다액으로서, 수임인이 허가를 얻기 위하여 공무원의 직무 관련 사항에 관하여 특별한 청탁을 하면서 뇌물공여 등 로비를 하는 자금이 보수액에 포함되어 있다고 볼 만한 특수한 사정이 있는 때에는 위임계약은 반사회질서적인 조건이 결부됨으로써 반사회질서적 성질을 띠고 있어 민법 제103조에 따라 무효이다.

▶ 소송위임계약으로 성공보수를 약정하였을 경우, 보수청구권의 소멸시효 기산점(=해당 심급의 판결을 송달받은 때) 및 이때 당사자 사이에 보수금의 지급시기에 관한 특약이 있는 경우, 소멸시효 기산점(=특약에 따라 보수채권을 행사할 수 있는 때)

민법 제686조 제2항에 의하면 수임인은 위임사무를 완료하여야 보수를 청구할 수 있다. 따라서 소송위임계약으로 성공보수를 약정하였을 경우 심급대리의 원칙에 따라 수임한 소송사무가 종료하는 시기인 해당 심급의 판결을 송달받은 때로부터 그 소멸시효기간이 진행되나, 당사자 사이에 보수금의 지급시기에 관한 특약이 있다면 그에 따라 보수채권을 행사할 수 있는 때로부터 소멸시효가 진행한다고 보아야 한다(대판 2023.2.2, 2022다276307).

(2) 비용청구권

1) 사무의 처리에 소요되는 비용에 대해서는 무상위임이든 유상위임이든 보수와는 별개로 수임인은 그 선급(제687조)이나 상환(제688조)을 청구할 수 있다.

2) 수임인이 위임사무의 처리에 관하여 필요비를 지출한 때에는 위임인에 대하여 지출한 날 이후의 이자를 청구할 수 있다(제688조 제1항).

▶ 민법 제688조 제1항에 따라 수임인이 상환을 청구할 수 있는 필요비의 의미 및 수임인이 위임사무를 처리하는 과정에서 선관주의의무를 위반한 이후 위임사무 처리를 위해 지출한 필요비의 상환을 구할 수 있는지 여부(적극)

수임인이 위임사무의 처리에 관하여 필요비를 지출한 때에는 위임인에 대하여 지출한 날 이후의 이자를 청구할 수 있는바(민법 제688조 제1항), 위 규정에 따라 수임인이 상환을 청구할 수 있는 필요비는 선량한 관리자의 주의를 가지고 수임인이 필요하다고 판단하여 지출한 비용으로서 위임인에게 실익이 생기는지 여부 또는 위임인이 소기의 목적을 달성하였는지 여부는 불문한다. 한편 수임인이 위임사무를 처리하는 과정에서 선관주의의무를 위반한 사실이 있다 하더라도, 그 이후 수임인이 위임사무 처리를 위해 비용을 지출하였고, 해당 비용의 지출 과정에서 수임인이 선량한 관리자로서의 주의

를 다하였다면, 수임인은 선행 선관주의의무 위반과 상당인과관계 있는 비용 증가에 대하여 손해배상 의무를 부담하는 것은 별론으로 하고 위임인에 대하여 필요비의 상환을 청구할 수 있다(대판 2024.2.29, 2023다294470).

(3) 대변제청구권·담보제공청구권

수임인이 위임사무의 처리에 필요한 채무를 부담한 때에는 위임인에게 자기에 갈음하여 이를 변제하게 할 수 있고, 그 채무가 변제기에 있지 아니한 때에는 상당한 담보를 제공하게 할 수 있다(제688조 제2항).

▶ **수임인이 위임사무를 처리함에 있어 선관주의의무를 다하지 못한 잘못으로 인해 필요 이상의 비용 등이 발생된 경우, 민법 제688조 제2항에서 규정하는 수임인의 위임인에 대한 소위 대변제청구권의 범위를 제한할 수 있는지 여부**(적극)

민법 제688조 제2항은 그 전문에서 수임인이 위임사무의 처리에 필요한 채무를 부담한 때에는 위임인에게 자기에 갈음하여 이를 변제하게 할 수 있다고 규정하고 있다. 민법 제681조는 수임인은 위임의 본지에 따라 선량한 관리자의 주의로써 위임사무를 처리하여야 한다고 규정하고, 이러한 선관주의의무의 일환으로 민법 제683조는 수임인은 위임인의 청구가 있는 때에는 위임사무의 처리상황을 보고하고 위임이 종료한 때에는 지체 없이 그 전말을 보고하여야 한다고 규정하고 있다. 이러한 규정의 내용과 그 취지를 종합하여 보면, 수임인이 위임사무 처리와 관련하여 선관주의의무를 다하여 자기의 이름으로 위임인을 위해 필요한 계약을 체결하였다고 하더라도, 이후 그에 따른 채무를 이행하지도 않고 위임인에 대하여 필요한 보고 등의 조치도 취하지 않으면서 방치하여 두거나 계약 상대방의 소제기에 제대로 대응하지 않음으로써 수임인 자신이 계약 상대방에 대하여 부담하여야 할 채무액이 확대된 경우에는, 그 범위가 확대된 부분까지도 당연히 '위임사무의 처리에 필요한 채무'로서 '위임인에게 대신 변제하게 할 수 있는 채무'의 범위에 포함된다고 보기는 어렵다. 이러한 경우 법원으로서는 수임인이 보고의무 등을 다하지 못하거나 계약 상대방이 제기한 소송에 제대로 대응하지 못하여 채무액이 확대된 것인지 등을 심리하여 수임인이 위임인에게 대신 변제하게 할 수 있는 채무의 범위를 정하여야 한다(대판 2018.11.29, 2016다48808).

(4) 손해배상청구권

수임인이 위임사무의 처리를 위하여 과실 없이 손해를 받은 때에는 위임인에 대하여 그 배상을 청구할 수 있다(제688조 제3항).

IV. 종료

제689조 【위임의 상호해지의 자유】
① 위임계약은 각 당사자가 언제든지 해지할 수 있다.
② 당사자 일방이 부득이한 사유 없이 상대방의 불리한 시기에 계약을 해지한 때에는 그 손해를 배상하여야 한다.

> 제690조 【사망, 파산 등과 위임의 종료】
>
> 위임은 당사자 한쪽의 사망이나 파산으로 종료된다. 수임인이 성년후견개시의 심판을 받은 경우에도 이와 같다.
>
> 제691조 【위임종료시의 긴급처리】
>
> 위임종료의 경우에 급박한 사정이 있는 때에는 수임인, 그 상속인이나 법정대리인은 위임인, 그 상속인이나 법정대리인이 위임사무를 처리할 수 있을 때까지 그 사무의 처리를 계속하여야 한다. 이 경우에는 위임의 존속과 동일한 효력이 있다.
>
> 제692조 【위임종료의 대항요건】
>
> 위임종료의 사유는 이를 상대방에게 통지하거나 상대방이 이를 안 때가 아니면 이로써 상대방에게 대항하지 못한다.

1. 종료원인

위임에 특유한 종료원인으로서 민법은 해지, 당사자의 사망 또는 파산, 수임인의 성년후견개시의 심판을 받은 경우를 규정하고 있다.

(1) 해지

1) 상호해지의 자유

위임계약은 당사자 쌍방의 신뢰관계를 기초로 하기 때문에, 각 당사자는 언제든지 해지할 수 있다(제689조 제1항).

2) 해지의 효과

해지로 인해 상대방이 손해를 입더라도 손해배상의무가 없음이 원칙이다. 다만 당사자 일방이 부득이한 사유 없이 상대방의 불리한 시기에 계약을 해지한 때에는 그 손해를 배상하여야 한다(제689조 제2항). 이 경우 손해배상의 범위는 위임이 해지되었다는 사실로부터 생기는 손해가 아니라, '적당한 시기에 해지되었더라면 입지 아니하였을 손해'에 한한다(대판 2000.6.9, 98다64202 등).

▶ **위임계약에서의 해지**(대판 2015.12.23, 2012다71411)

[1] 위임계약의 일방 당사자가 타방 당사자의 채무불이행을 이유로 위임계약을 해지한다는 의사표시를 하였으나 실제로는 채무불이행을 이유로 한 계약 해지의 요건을 갖추지 못한 경우, 민법 제689조 제1항에 따른 임의해지로서의 효력이 인정되는지 여부(원칙적 적극)

위임계약의 각 당사자는 민법 제689조 제1항에 따라 특별한 이유 없이도 <u>언제든지 위임계약을 해지할 수 있다. 따라서 위임계약의 일방 당사자가 타방 당사자의 채무불이행을 이유로 위임계약을 해지한다는 의사표시를 하였으나 실제로는 채무불이행을 이유로 한 계약 해지의 요건을 갖추지 못한 경우라도, 특별한 사정이 없는 한 의사표시에는 민법 제689조 제1항에 따른 임의해지로서의 효력이 인정된다.</u>

[2] 상대방이 불리한 시기에 위임계약을 해지한 경우 그로 인한 손해를 배상하여야 하는지 여부 및 배상의 범위 / 수임인이 사무처리를 완료하기 전에 위임계약을 해지한 것이 위임인에게 불리한 시기에 해지한 것인지 여부(소극)

① 민법상의 위임계약은 유상계약이든 무상계약이든 당사자 쌍방의 특별한 대인적 신뢰관계를 기초로 하는 위임계약의 본질상 각 당사자는 언제든지 해지할 수 있고 그로 말미암아 상대방이 손해를 입는 일이 있어도 그것을 배상할 의무를 부담하지 않는 것이 원칙이며, 다만 상대방이 불리한 시기에 해지한 때에는 해지가 부득이한 사유에 의한 것이 아닌 한 그로 인한 손해를 배상하여야 하나, 배상의 범위는 위임이 해지되었다는 사실로부터 생기는 손해가 아니라 적당한 시기에 해지되었더라면 입지 아니하였을 손해에 한한다.

② 그리고 수임인이 위임받은 사무를 처리하던 중 사무처리를 완료하지 못한 상태에서 위임계약을 해지함으로써 위임인이 사무처리의 완료에 따른 성과를 이전받거나 이익을 얻지 못하게 되더라도, 별도로 특약을 하는 등 특별한 사정이 없는 한 위임계약에서는 시기를 불문하고 사무처리 완료 전에 계약이 해지되면 당연히 위임인이 사무처리의 완료에 따른 성과를 이전받거나 이익을 얻지 못하는 것으로 계약 당시에 예정되어 있으므로, 수임인이 사무처리를 완료하기 전에 위임계약을 해지한 것만으로 위임인에게 불리한 시기에 해지한 것이라고 볼 수는 없다.

▶ 당사자가 위임계약을 체결하면서 민법 제689조 제1항, 제2항과 다른 내용으로 해지사유 및 절차, 손해배상책임 등을 정한 경우, 당사자 간 법률관계도 약정이 정한 바에 의하여 규율되는지 여부(원칙적 적극) *

민법 제689조 제1항·제2항은 임의규정에 불과하므로 당사자의 약정에 의하여 위 규정의 적용을 배제하거나 그 내용을 달리 정할 수 있다. 그리고 당사자가 위임계약의 해지사유 및 절차, 손해배상책임 등에 관하여 민법 제689조 제1항, 제2항과 다른 내용으로 약정을 체결한 경우, 이러한 약정은 당사자에게 효력을 미치면서 당사자 간의 법률관계를 명확히 함과 동시에 거래의 안전과 이에 대한 각자의 신뢰를 보호하기 위한 취지라고 볼 수 있으므로, 이를 단순히 주의적인 성격의 것이라고 쉽게 단정해서는 아니 된다. 따라서 당사자가 위임계약을 체결하면서 민법 제689조 제1항·제2항에 규정된 바와 다른 내용으로 해지사유 및 절차, 손해배상책임 등을 정하였다면, 민법 제689조 제1항, 제2항이 이러한 약정과는 별개 독립적으로 적용된다고 볼 만한 특별한 사정이 없는 한, 위 약정에서 정한 해지사유 및 절차에 의하지 않고는 계약을 해지할 수 없고, 손해배상책임에 관한 당사자 간 법률관계도 위 약정이 정한 바에 의하여 규율된다고 봄이 타당하다(대판 2019.5.30. 2017다53265).

(2) 기타 종료원인

위임은 당사자에게 전속적이고 신뢰관계에 기초를 두고 있는 특성상, 당사자 한쪽의 사망이나 파산으로 종료되고, 수임인이 성년후견개시의 심판을 받은 경우에도 종료된다(제690조).

2. 위임종료 시의 특칙

위임의 종료로 당사자가 불측의 손해를 입게 되는 것을 방지하기 위해 민법은 다음 두 개의 특칙을 규정하고 있다.

(1) 긴급처리의무

위임종료의 경우에 급박한 사정이 있는 때에는 수임인은 위임인이 위임사무를 처리할 수 있을 때까지 그 사무의 처리를 계속하여야 한다. 이 경우에는 위임의 존속과 동일한 효력이 있다(제691조).

(2) 대항요건

위임종료의 사유는 이를 상대방에게 통지하거나 상대방이 이를 안 때가 아니면 이로써 상대방에게 대항하지 못한다(제692조). 예컨대 위임인의 파산으로 위임계약이 종료하였으나 위임인이 이를 수임인에게 통지하지 않으면 위임관계가 존속하는 것으로 되므로, 위임사무를 처리할 수밖에 없었던 수임인은 그 동안의 비용상환 및 보수를 청구할 수 있다.

판례 연구 ▶ **관련판례 정리**

1. 소송수행을 위임받은 변호사의 선관의무

일반적으로 수임인은 위임의 내용에 따라 선량한 관리자의 주의의무를 다하여야 하고, 특히 소송대리를 위임받은 변호사는 그 수임사무를 수행함에 있어 전문적인 법률지식과 경험에 기초하여 성실하게 의뢰인의 권리를 옹호할 의무가 있으며, 구체적인 위임사무의 범위는 변호사와 의뢰인 사이의 위임계약의 내용에 의하여 정하여지는 것이지만, 위임사무의 종료단계에서 패소판결이 있었던 경우에는 의뢰인으로부터 상소에 관하여 특별한 수권이 없는 때에도 그 판결을 점검하여 의뢰인에게 불이익한 계산상의 잘못이 있다면 의뢰인에게 그 판결의 내용과 상소하는 때의 승소가능성 등에 대하여 구체적으로 설명하고 조언하여야 할 의무가 있다(대판 2004.5.14, 2004다7354).

2. 소송위임을 하면서 보수약정이 없는 경우의 의사해석

변호사는 당사자 기타 관계인의 위임 또는 공무소의 위촉 등에 의하여 소송에 관한 행위 및 행정처분의 청구에 관한 대리행위와 일반 법률사무를 행함을 그 직무로 하고 사회통념에 비추어 현저히 부당한 보수를 받을 수 없을 뿐이므로, 변호사에게 계쟁사건의 처리를 위임함에 있어서 그 보수지급 및 수액에 관하여 명시적인 약정을 아니하였다 하여도, 무보수로 한다는 등 특별한 사정이 없는 한 응분의 보수를 지급할 묵시의 약정이 있는 것으로 봄이 상당하다(대판 1993.11.12, 93다36882).

3. 대변제청구권을 보전하기 위한 채권자대위권의 행사시 무자력요건이 필요한지(소극)

수임인이 가지는 민법 제688조 제2항 전단 소정의 대변제청구권은 통상의 금전채권과는 다른 목적을 갖는 것이므로, 수임인이 이 대변제청구권을 보전하기 위하여 채무자인 위임인의 채권을 대위행사하는 경우에는 채무자의 무자력을 요건으로 하지 아니한다(대판 2002.1.25, 2001다52506).

4. 해지의 자유와 손해배상의 범위

민법상의 위임계약은 그것이 유상계약이든 무상계약이든 당사자 쌍방의 특별한 대인적 신뢰관계를 기초로 하는 위임계약의 본질상 각 당사자는 언제든지 이를 해지할 수 있고 그로 말미암아 상대방이 손해를 입는 일이 있어도 그것을 배상할 의무를 부담하지 않는 것이 원칙이며, 다만 상대방이 불리한 시기에 해지한 때에는 그 해지가 부득이한 사유에 의한 것이 아닌 한 그로 인한 손해를 배상하여야 하나, 그 배상의 범위는 위임이 해지되었다는 사실로부터 생기는 손해가 아니라 적당한 시기에 해지되었더라면 입지 아니하였을 손해에 한한다고 볼 것이고, 또한 사무처리의 완료를 조건으로 하여 보수를 지급받기로 하는 내용의 계약과 같은 유상위임계약에 있어서는 시기 여하에 불문하고 사무처리 완료 이전에 계약이 해지되면 당연히 그에 대한 보수청구권을 상실하는 것으로 계약 당시에 예정되어 있어 특별한 사정이 없는 한 해지에 있어서의 불리한 시기란 있을 수 없다 할 것이므로, 수임인의 사무처리 완료 전에 위임계약을 해지한 것만으로 수임인에게 불리한 시기에 해지한 것이라고 볼 수는 없다(대판 2000.6.9, 98다64202).

5. 해지의 자유에 대한 제한

등기권리자와 등기의무자 쌍방으로부터 등기절차의 위촉을 받고 그 절차에 필요한 서류를 교부받은 법무사는 절차가 끝나기 전에 등기의무자로부터 등기신청을 보류해 달라는 요청이 있었다 하여도 등기권리자에 대한 관계에 있어서는 그 사람의 동의가 있는 등 특별한 사정이 없는 한 그 요청을 거부해야 할 위임계약상의 의무가 있는 것이므로 등기의무자와 법무사 간의 위임계약은 계약의 성질상 민법 제689조 제1항의 규정에 관계없이 등기권리자의 동의 등 특별한 사정이 없는 한 해제할 수 없다(대판 1987.6.23, 85다카2239).

제9절 # 소비임치

1. 서설

(1) 의의

> **제702조 【소비임치】**
> 수치인이 계약에 의하여 임치물을 소비할 수 있는 경우에는 소비대차에 관한 규정을 준용한다. 그러나 반환시기의 약정이 없는 때에는 임치인은 언제든지 그 반환을 청구할 수 있다.

보통의 임치에 있어서는 수치인이 임치한 물건 자체를 반환하여야 한다. 이에 대해 소비임치란 당사자의 계약으로 임치물의 소유권을 수치인에게 이전하여 수치인이 임치물을 소비하고, 그와 동종·동질·동량의 물건을 임치인에게 반환할 것을 정한 임치를 말한다. 이러한 소비임치의 목적물은 대체물에 한한다.

(2) 법적 성질

소비임치는 「소비대차와 임치의 성질」이 포함되어 있다. 즉, 대체물의 소유권을 수치인에게 이전하고 상대방은 그와 같은 종류의 것으로 반환하는 점에서 소비대차로서, 그 물건을 보관하는 점에서 임치로서의 성질이 병존한다.

2. 효과

(1) 소비임치는 수치인이 임치물의 소유권을 취득하고 동종·동량의 것을 반환하면 된다는 점에서 소비대차와 유사하기 때문에 소비대차의 규정이 준용된다(제702조 본문).

(2) 그러나 반환시기에 대한 약정이 없는 경우에는 언제든지 임치인은 그 반환을 청구할 수 있다(제702조 단서). 이 점이 소비대차와 다르다(제603조 제2항).

3. 예금계약에서의 특수문제

(1) 법적 성질

예금계약은 금전의 소비임치에 해당하고, 금전의 수수를 전제로 한다는 점에서 요물계약에 해당한다(대판 1977.4.26, 74다646).

(2) 예금계약의 성립과 시기

예금계약은 예금자가 예금의 의사를 표시하면서 금융기관에 돈을 제공하고 금융기관이 그 의사에 따라 그 돈을 받아 확인을 하면 그로써 성립하며, 금융기관의 직원이 그 받은 돈을 금융기관에 입금하지 아니하고 이를 횡령하였다고 하더라도 예금계약의 성립에는 아무런 소장이 없다(대판 1996.1.26, 95다26919).

(3) 예금계약의 당사자

1) 종래 판례

금융실명제 시행 후 종래 판례는 원칙적으로 예금명의자를 예금주로 보아야 하지만(대판 1998.6.12, 97다18455), 출연자와 금융기관 사이에 예금명의인이 아닌 출연자에게 예금반환채권을 귀속시키기로 하는 명시적 또는 묵시적 약정이 있는 경우에는 그 출연자를 예금주로 하는 금융거래계약이 성립된다고 하였다(대판 2005.6.24, 2005다17877).

2) 변경 판례

그러나 최근 변경된 판례는 "일반적으로 예금명의자를 예금계약의 당사자로 보려는 것이라고 해석하는 것이 경험법칙에 합당하고, 이와 같은 예금계약 당사자의 해석에 관한 법리는, 예금명의자 본인이 금융기관에 출석하여 예금계약을 체결한 경우나 예금명의자의 위임에 의하여 자금 출연자 등의 제3자(이하 '출연자 등'이라 한다)가 대리인으로서 예금계약을 체결한 경우 모두 마찬가지로 적용된다고 보아야 한다. 따라서 본인인 예금명의자의 의사에 따라 예금명의자의 실명확인 절차가 이루어지고 예금명의자를 예금주로 하여 예금계약서를 작성하였음에도 불구하고, 예금명의자가 아닌 출연자 등을 예금계약의 당사자라고 볼 수 있으려면, 금융기관과 출연자 등과 사이에서 실명확인 절차를 거쳐 서면으로 이루어진 예금명의자와의 예금계약을 부정하여 예금명의자의 예금반환청구권을 배제하고 출연자 등과 예금계약을 체결하여 출연자 등에게 예금반환청구권을 귀속시키겠다는 명확한 의사의 합치가 있는 극히 예외적인 경우로 제한되어야 한다. 그리고 이러한 의사의 합치는 금융실명거래 및 비밀보장에 관한 법률에 따라 실명확인 절차를 거쳐 작성된 예금계약서 등의 증명력을 번복하기에 충분할 정도의 명확한 증명력을 가진 구체적이고 객관적인 증거에 의하여 매우 엄격하게 인정하여야 한다"고 하였다(대판(전) 2009.3.19, 2008다45828).

▶ **예금계약의 당사자 결정(확정)**(대판 2020.12.10, 2019다267204)

[1] 계약의 당사자가 누구인지 확정하는 방법

계약의 당사자가 누구인지는 계약에 관여한 당사자의 의사해석 문제이다. 당사자들의 의사가 일치하는 경우에는 그 의사에 따라 계약의 당사자를 확정해야 한다. 그러나 당사자들의 의사가 합치되지 않는 경우에는 의사표시 상대방의 관점에서 합리적인 사람이라면 누구를 계약의 당사자로 이해하였을 것인지를 기준으로 판단해야 한다.

[2] 부가가치세법에 따른 고유번호나 소득세법에 따른 납세번호를 부여받지 않은 비법인 단체의 대표자가 단체를 계약의 당사자로 할 의사를 밝히면서 대표자인 자신의 실명으로 예금계약 등 금융거래계약을 체결하고, 금융기관이 그 사람이 비법인 단체의 대표자인 것과 그의 실명을 확인한 경우, 금융거래계약의 당사자를 비법인 단체라고 보아야 하는지 여부(원칙적 적극)

금융실명거래 및 비밀보장에 관한 법률 제2조 제4호, 제3조 제1항, 제3항, 제7항, 금융실명거래 및 비밀보장에 관한 법률 시행령 제3조 제1호, 제4조의2 제1항 제1호, 제3조 제3호, 제4조의2 제1항 제3호의 문언 내용과 체계 등을 종합하면, 부가가치세법에 따른 고유번호나 소득세법에 따른 납세번호를 부여 받지 않은 비법인 단체의 경우 그 대표자가 단체를 계약의 당사자로 할 의사를 밝히면서 대표자인 자신의 실명으로 예금계약 등 금융거래계약을 체결하고, 금융기관이 그 사람이 비법인 단체의 대표자인 것과 그의 실명을 확인하였다면, 특별한 사정이 없는 한 당사자 사이에 단체를 계약의 당사자로 하는 의사가 일치되었다고 할 수 있어 금융거래계약의 당사자는 비법인 단체라고 보아야 한다.

(4) 공동명의의 예금

은행에 공동명의로 예금을 하고 은행에 대하여 그 권리를 함께 행사하기로 한 경우에 만일 ① 동업자금을 공동명의로 예금한 경우라면 채권의 준합유관계에 있다고 볼 것이나, ② 공동명의 예금채권자들 각자가 분담하여 출연한 돈을 동업 이외의 특정 목적을 위하여 공동명의로 예치해 둠으로써 그 목적이 달성되기 전에는 공동명의 예금채권자가 단독으로 예금을 인출할 수 없도록 방지·감시하고자 하는 목적으로 공동명의로 예금을 개설한 경우라면, 하나의 예금채권이 분량적으로 분할되어 각 공동명의 예금채권자들에게 공동으로 귀속되고, 각 공동명의 예금채권자들이 예금채권에 대하여 갖는 각자의 지분에 대한 관리처분권은 각자에게 귀속된다(대판 2004.10.14, 2002다55908).

▶ **공동명의 예금채권자들의 은행을 상대로 한 예금반환청구소송이 필요적 공동소송인지 여부**

은행에 공동명의로 예금을 하고 은행에 대하여 그 권리를 함께 행사하기로 한 경우에 그 공동명의 예금채권자들은 은행을 상대로 하여서는 공동으로 이행의 청구나 변제의 수령을 함이 원칙이라고 할 것이나, 그렇다고 하여 공동명의 예금채권자들의 은행에 대한 예금반환청구소송이 항상 필요적 공동소송으로서 그 예금채권자 전원이 당사자가 되어야만 한다고 할 수는 없을 것이다. 만일 동업자들이 동업자금을 공동명의로 예금한 경우라면 채권의 준합유관계에 있어 합유의 성질상 은행에 대한 예금반환청구가 필요적 공동소송에 해당한다고 볼 것이나, 공동명의 예금채권자들 중 1인이 전부를 출연하거나 또는 각자가 분담하여 출연한 돈을 동업 이외의 특정목적을 위하여 공동명의로 예치해 둠으로써 그 목적이 달성되기 전에는 공동명의 예금채권자가 자신의 예금에 대하여도 혼자서는 인출할 수 없도록 방지, 감시하고자 하는 목적으로 공동명의로 예금을 개설한 경우에는 그 예금에 관한 관리처분권까지 공동명의 예금채권자 전원에게 공동으로 귀속된다고 볼 수 없을 것이므로, 이러한 경우에는 은행에 대한 예금반환청구가 민사소송법상의 필요적 공동소송에 해당한다고 할 수 없다(대판 1994.4.26, 93다31825).

(5) 착오송금과 예금계약

송금의뢰인이 수취인의 예금구좌에 계좌이체를 한 때에는, 송금의뢰인과 수취인 사이에 계좌이체의 원인인 법률관계가 존재하는지 여부에 관계없이 수취인과 수취은행 사이에는 계좌이체금액 상당의 예금계약이 성립하고, 수취인이 수취은행에 대하여 위 금액 상당의 예금채권을 취득한다. 이때, 송금의뢰인과 수취인 사이에 계좌이체의 원인이 되는 법률관계가 존재하지 않음에도 불구하고, 계좌이체에 의하여 수취인이 계좌이체금액 상당의 예금채권을 취득한 경우에는, 송금의뢰인은 수취인에 대하여 위 금액 상당의 부당이득반환청구권을 가지게 되지만, 수취은행은 이익을 얻은 것이 없으므로 수취은행에 대하여는 부당이득반환청구권을 취득하지 아니한다(대판 2007. 11. 29, 2007다51239).

제10절 조합

Ⅰ. 서설

> 제703조【조합의 의의】
> ① 조합은 2인 이상이 상호출자하여 공동사업을 경영할 것을 약정함으로써 그 효력이 생긴다.
> ② 전항의 출자는 금전 기타 재산 또는 노무로 할 수 있다.
> 제705조【금전출자지체의 책임】
> 금전을 출자의 목적으로 한 조합원이 출자시기를 지체한 때에는 연체이자를 지급하는 외에 손해를 배상하여야 한다.

1. 조합계약 · 조합의 의의

조합계약이란 2인 이상이 상호출자하여 공동사업을 경영할 것을 약정함으로써 성립하는 계약을 말한다(제703조). 이와 같은 조합계약에 의해 성립한 단체를 조합이라 한다. 즉 조합은 공동사업을 경영하기 위해 성립한 단체이다.

▶ **부동산을 공동으로 매수한 매수인들 사이의 법률관계를 민법상 조합으로 보기 위한 요건**(대판 2012. 8. 30, 2010다39918).
수인이 부동산을 공동으로 매수한 경우, 매수인들 사이의 법률관계는 공유관계로서 단순한 공동매수인에 불과할 수도 있고, 수인을 조합원으로 하는 동업체에서 매수한 것일 수도 있는데, 부동산의 공동매수인들이 전매차익을 얻으려는 '공동의 목적 달성'을 위하여 상호 협력한 것에 불과하고 이를 넘어 '공동사업을 경영할 목적'이 있었다고 인정되지 않는 경우 이들 사이의 법률관계는 공유관계에 불과할 뿐 민법상 조합관계에 있다고 볼 수 없다. 공동매수의 목적이 전매차익의 획득에 있을 경우 그것이 공동사업을 위하여 동업체에서 매수한 것이 되려면, 적어도 공동매수인들 사이에서 매수한 토지를 공유가 아닌 동업체의 재산으로 귀속시키고 공동매수인 전원의 의사에 기하여 전원의 계산으로 처분한 후 이익을 분배하기로 하는 명시적 또는 묵시적 의사의 합치가 있어야만 하고, 이와 달리 공동매수 후 매수인별로 토지에 관하여 공유에 기한 지분권을 가지고 각자 자유롭게 지분권을 처분하여 대가를 취득할 수 있도록 한 것이라면 이를 동업체에서 매수한 것으로 볼 수는 없다.[6]

2. 사단과의 구별

사람의 결합체인 단체에는 사단과 조합의 두 가지가 있다. 그 중 사단에서는 사단 자체가 구성원과는 독립하여 존재하고, 독립된 법인격을 가진다. 이에 반해 조합에서는 조합 자체가 구성원(조합원)과는 독립하여 존재하지 못하고, 조합원 모두가 그 주체가 된다. 이에 따라 양자는 ① 통일적 조직과 기관의 유무, ② 의사결정방법, ③ 재산의 소유형태 등에서 차이를 보인다.

Ⅱ. 조합계약의 법적 성질

1. 학설

조합계약의 법적 성질에 대해서는 ① 기본적으로 계약으로 보면서 조합의 공동목적을 위한 제약이 따르는데 불과하다고 보는 견해와 ② 합동행위로서의 성질과 함께 계약의 성질을 모두 갖는 특수한 법률행위로 보는 견해가 대립하고 있다.

이러한 논의실익은 조합계약에 계약법의 일반규정을 어느 정도까지 적용할 것인지의 문제와 결부되지만, 순수한 계약설에 따르더라도 2인 이상이 공동사업의 경영 목적하에 결성된 단체라는 특수성을 고려하여 그 적용 여부를 결정하게 되므로 결론에 있어서 큰 차이가 없다.[7]

2. 계약법의 일반규정의 적용 여부

조합원이 출자를 하는 것은 조합의 결성을 위한 것이고 조합원 상호 간에 급부가 서로 교환되는 관계가 아니라는 특수성에 기하여 일반적으로 다음과 같이 해석한다.

(1) 쌍무계약에 관한 동시이행의 항변권ㆍ위험부담

쌍무계약에 관한 동시이행의 항변권이나 위험부담은 적용되지 않는다. 따라서 조합원은 다른 조합원이 출자를 하지 않았음을 이유로 자신의 출자의무를 거절할 수 없으며, 또 어느 조합원의 출

---

6) 甲, 乙, 丙 등이 전매차익을 얻을 목적으로 각자 매수자금을 출연하고 이에 상응하는 지분을 정하여 乙 명의로 토지를 매수한 다음 乙, 丙과 친인척 관계에 있는 丁 등에게 명의신탁한 사안에서, 각자의 매수지분에 상응하는 대내적 소유지분의 보유를 서로 인정하고 이에 대하여 개별적인 권리행사를 하여 온 점 등에 비추어 볼 때 甲, 乙, 丙 등은 乙 명의로 토지를 공동매수한 후 처분하여 전매차익을 얻으려는 '공동의 목적 달성'을 위하여 상호 협력한 것일 뿐 이를 넘어 '공동사업을 경영할 목적'이 있었다고 할 수 없는데도, 이들 사이의 법률관계를 민법상 조합이라고 본 원심판결에 부동산 공동매수인 상호 간의 법률관계 등에 관한 법리오해의 위법이 있다고 보았다.
7) 조합계약은 조합원 각자가 서로 출자 내지 협력할 채무를 부담한다는 점에서 유상ㆍ쌍무ㆍ낙성ㆍ불요식 계약의 성질을 갖는다고 보는 견해가 일반적이다.

자가 그에게 책임 없는 사유로 이행할 수 없게 된 때에 다른 조합원의 출자의무도 같이 소멸하는 것으로 볼 것이 아니다.

(2) 계약의 해제·해지

계약의 해제·해지에 관한 규정도 적용할 것이 아니다. 따라서 조합의 해산청구를 하거나 조합으로부터 탈퇴를 하거나 또는 다른 조합원을 제명할 수 있을 뿐이지, 어느 조합원이 출자의무를 이행하지 않는 경우 조합계약을 해제하고 상대방에게 원상회복의무를 지울 수 없다(대판 1994.5.13. 94다7157).

(3) 유상계약에 관한 담보책임

유상계약에 기한 매도인의 담보책임을 적용할 것이 아니라(즉 출자에 하자가 있는 경우 다른 조합원은 조합계약을 해제한다거나 그의 출자액의 감액청구를 할 수 없다), 출자의 재평가를 통해 처리하여야 한다.

III. 조합의 성립

1. 계약에 의한 성립

(1) 성립요건

1) 당사자

그 성립에는 적어도 2인 이상의 당사자가 있어야 한다. 이 요건은 조합의 존속요건이기도 하다.

2) 공동사업의 경영

① 공동으로 할 「사업」의 종류나 성질에는 제한이 없다. 따라서 영리적이든 비영리적이든 불문한다. 또 계속적이든 일시적이든 묻지 않는다.

② 사업은 「공동」의 것이어야 한다. 즉 이익은 조합원 모두에게 분배되어야 한다. 따라서 영리사업을 목적으로 하면서 당사자 중의 일부만이 이익을 분배받고 다른 자는 전혀 이익분배를 받지 않는 경우에는 조합관계(동업관계)라고 할 수 없다(대판 2000.7.7. 98다44666).

③ 공동으로 사업을 「경영」하여야 한다. 특정한 사업을 공동경영하는 약정에 한하여 이를 조합계약이라고 할 수 있고, 공동의 목적달성이라는 정도만으로는 조합의 성립요건을 갖추지 못한다(대판 2005.11.10. 2003다18876).

▶ **조합의 성립요건** – 공동사업경영 및 이익분배
조합관계가 있다고 하려면 서로 출자하여 공동사업을 경영할 것을 약정하여야 하며, 영리사업을 목적으로 하면서 당사자 중의 일부만이 이익을 분배받고 다른 자는 전혀 이익분배를 받지 않는 경우에는 조합관계라고 할 수 없다(대판 2000.7.7. 98다44666).

3) 출자

모든 당사자가 출자의무를 부담하여야 한다. 당사자 중 일부가 출자의무를 부담하지 않으면 조합이 아니다. 출자의 종류나 성질에는 제한이 없다. 따라서 금전에 한정되지 않고, 재산 또는 노무로도 할 수 있다(제703조 제2항).

(2) 조합계약의 하자와 조합관계

조합계약도 법률행위이므로, 법률행위의 무효·취소는 조합계약에도 통용되지만, 조합체로서 이미 활동을 시작한 후에는 조합의 특수성과 거래안전을 보호하기 위해서 무효·취소의 소급효를 제한하는 것으로 해석함이 통설·판례이다(대판 1972.4.25. 71다1833).

2. 법률규정에 의한 성립

광업법에서는 '공동광업출원인은 조합계약을 한 것으로 본다'고 정하고 있고, 이를 공동광업권자에 준용하고 있다(광업법 제19조 제6항, 제34조 제1항).

IV. 조합의 업무집행

1. 조합의 대내관계 – 협의의 업무집행

> 제706조【사무집행의 방법】
> ① 조합계약으로 업무집행자를 정하지 아니한 경우에는 조합원의 3분의 2 이상의 찬성으로써 이를 선임한다.
> ② 조합의 업무집행은 조합원의 과반수로써 결정한다. 업무집행자가 수인인 때에는 그 과반수로써 결정한다.
> ③ 조합의 통상사무는 전항의 규정에 불구하고 각 조합원 또는 각 업무집행자가 전행할 수 있다. 그러나 그 사무의 완료 전에 다른 조합원 또는 다른 업무집행자의 이의가 있는 때에는 즉시 중지하여야 한다.
> 제707조【준용규정】
> 조합업무를 집행하는 조합원에는 제681조 내지 제688조의 규정(수임인의 선관의무 등 위임규정)을 준용한다.
> 제708조【업무집행자의 사임, 해임】
> 업무집행자인 조합원은 정당한 사유 없이 사임하지 못하며 다른 조합원의 일치가 아니면 해임하지 못한다.
> 제710조【조합원의 업무, 재산상태 검사권】
> 각 조합원은 언제든지 조합의 업무 및 재산상태를 검사할 수 있다.

(1) 업무집행조합원을 정하지 않은 경우

1) 원칙적으로 모든 조합원이 업무집행권을 갖는데, 조합원간에 의견이 일치하지 않는 때에는 조합원의 과반수로써 결정한다(제706조 제2항). 여기의 과반수는 출자액이나 지분이 아닌 조합원 인원수의 과반수를 말한다.

2) 다만, 통상사무는 각 조합원이 단독으로 전행할 수 있지만(제706조 제3항 본문), 다른 조합원의 이의가 있으면 즉시 이를 중지하여야 한다(제706조 제3항 단서).

3) 어떤 조합원이 조합원 전원을 위하여 업무를 집행하는 경우에는 위임에 관한 규정을 준용한다(제707조). 그리고 각 조합원은 언제든지 조합의 업무 및 재산상태를 검사할 수 있다(제710조).

(2) 일부의 조합원을 업무집행조합원으로 선임한 경우

1) 업무집행조합원의 선임·사임·해임

업무집행자를 정하지 않은 경우에는 조합원의 3분의 2 이상의 찬성으로 업무집행자를 선임할 수 있다(제706조 제1항). 업무집행자인 조합원은 정당한 사유 없이 사임하지 못하며, 다른 조합원의 일치가 아니면 해임하지 못한다(제708조).

▶ **조합의 의결정족수를 정한 제706조 '조합원'의 의미(인원수) 및 위 규정의 성격(임의규정)**
　민법 제706조에서는 조합원 3분의 2 이상의 찬성으로 조합의 업무집행자를 선임하고 조합원 과반수의 찬성으로 조합의 업무집행방법을 결정하도록 규정하고 있는바, 여기서 말하는 조합원은 조합원의 출자가액이나 지분이 아닌 조합원의 인원수를 뜻한다. 다만, 위와 같은 민법의 규정은 임의규정이므로, 당사자 사이의 약정으로 업무집행자의 선임이나 업무집행방법의 결정을 조합원의 인원수가 아닌 그 출자가액 내지 지분의 비율에 의하도록 하는 등 그 내용을 달리 정할 수 있고, 그와 같은 약정이 있는 경우에는 그 정한 바에 따라 업무집행자를 선임하거나 업무집행방법을 결정하여야만 유효하다(대판 2009.4.23, 2008다4247).

▶ **조합재산의 처분·변경행위에 대하여 민법 제706조 제2항이 민법 제272조에 우선하여 적용되는지 여부(적극) 및 조합재산의 처분·변경에 관한 의사결정 방법** *
　민법 제272조에 따르면 합유물을 처분 또는 변경함에는 합유자 전원의 동의가 있어야 하나, 합유물 가운데서도 조합재산의 경우 그 처분·변경에 관한 행위는 조합의 특별사무에 해당하는 업무집행으로서, 이에 대하여는 특별한 사정이 없는 한 민법 제706조 제2항이 민법 제272조에 우선하여 적용되므로, 조합재산의 처분·변경은 업무집행자가 없는 경우에는 조합원의 과반수로 결정하고, 업무집행자가 수인 있는 경우에는 그 업무집행자의 과반수로써 결정하며, 업무집행자가 1인만 있는 경우에는 그 업무집행자가 단독으로 결정한다(대판 2010.4.29, 2007다18911).

2) 업무집행의 방법

① 업무집행자가 수인인 때에는 그 과반수로서 결정한다(제706조 제2항 제2문).
② 다만 통상사무는 각 업무집행자가 단독으로 전행할 수 있지만(제706조 제3항 본문), 다른 업무집행자의 이의가 있으면 즉시 중지하여야 한다(제706조 제3항 단서).
③ 업무집행조합에 대해서도 위임에 관한 규정이 준용되며(제707조), 각 조합원은 언제든지 조합의 업무 및 재산상태를 검사할 수 있다(제710조).

(3) 제3자에게 업무집행을 위임한 경우

이때에는 조합과 그 제3자 사이에 위임계약이 체결될 것이므로 위임의 규정에 의하게 된다.

2. 조합의 대외관계 - 조합대리

> 제709조【업무집행자의 대리권 추정】
> 조합의 업무를 집행하는 조합원은 그 업무집행의 대리권 있는 것으로 추정한다.

(1) 업무집행자의 대리권 추정

1) 조합대리

조합은 법인격이 없으므로 제3자와의 관계에서는 조합 자체가 아닌 조합원 전원이 당사자가 되어 전원의 이름으로 하여야 한다(이 점에서 사단의 경우 대표자를 통해 대외적으로 행위를 하고 그 대표행위는 곧 사단 자체의 행위로 의제되는 점과 다르다). 따라서 어느 조합원이 한 행위가 조합원 모두에게 그 효과가 생기려면 대리의 방식을 통해야 한다. 이와 같이 조합의 대외활동이 보통 대리의 형식에 의하기 때문에 조합의 대외관계를 '조합대리'라고 한다.

▶ **조합대리에서의 현명의 방식**

민법 제114조 제1항은 "대리인이 그 권한 내에서 본인을 위한 것임을 표시한 의사표시는 직접 본인에게 대하여 효력이 생긴다"라고 규정하고 있으므로, 원칙적으로 대리행위는 본인을 위한 것임을 표시하여야 직접 본인에 대하여 효력이 생기는 것이고, 한편 민법상 조합의 경우 법인격이 없어 조합 자체가 본인이 될 수 없으므로, 이른바 조합대리에 있어서는 본인에 해당하는 모든 조합원을 위한 것임을 표시하여야 하나, 반드시 조합원 전원의 성명을 제시할 필요는 없고, 상대방이 알 수 있을 정도로 조합을 표시하는 것으로 충분하다(대판 2009.1.30, 2008다79340).

2) 업무집행자의 대리권 추정

조합의 업무를 집행하는 조합원은 그 업무집행의 대리권이 있는 것으로 추정한다(제709조). 따라서 업무집행자가 정해지지 않은 때에는 각 조합원이, 업무집행자가 정해진 때에는 업무집행자로 된 조합원이 대리권의 추정을 받는다.

▶ **업무집행자의 대리권 추정 규정의 성격**(임의규정)

민법 제709조에 의하면 조합계약으로 업무집행자를 정하였거나 또는 선임한 때에는 그 업무집행조합원은 조합의 목적을 달성하는 데 필요한 범위에서 조합을 위하여 모든 행위를 할 대리권이 있는 것으로 추정되지만, 위 규정은 임의규정이라고 할 것이므로 당사자 사이의 약정에 의하여 조합의 업무집행에 관하여 조합원 전원의 동의를 요하도록 하는 등 그 내용을 달리 정할 수 있고, 그와 같은 약정이 있는 경우에는 조합의 업무집행은 조합원 전원의 동의가 있는 때에만 유효하다 할 것이어서, 조합의 구성원이 위와 같은 약정의 존재를 주장·입증하면 조합의 업무집행자가 조합원을 대리할 권한이 있다는 추정은 깨어지고, 업무집행자와 사이에 법률행위를 한 상대방이 나머지 조합원에게 그 법률행위의 효력을 주장하기 위하여는 그와 같은 약정에 따른 조합원 전원의 동의가 있었다는 점을 주장·입증할 필요가 있다(대판 2002.1.25, 99다62838).

(2) 조합의 당사자능력

1) 조합의 당사자능력

민사소송법 제52조는 법인 아닌 사단이나 재단에 대하여 대표자나 관리인이 있는 경우에 소송의 당사자능력을 인정하고 있다. 그러나 이 규정은 조합에 유추적용 될 수 없으므로, 조합은 당사자능력이 없다(통설·판례).

2) 조합의 소송수행 방법

그 결과 조합은 조합원 전원이 필수적 공동소송으로 당사자가 되거나, 선정당사자제도(민사소송법 제53조)를 이용할 수밖에 없다. 또한 업무집행조합원이 정해진 경우에는 조합재산에 관하여 조합원으로부터 임의적 소송신탁을 받아 자기 이름으로 소송을 수행할 수 있다는 것이 판례이다(대판 2001.2.23, 2000다68924).

V. 조합의 재산관계

1. 조합재산

(1) 의의 및 구성

1) 조합은 단체성이 약하기는 하지만 공동사업의 경영을 위해 독자적으로 경제활동을 하므로 조합재산을 가지게 된다. 이 조합재산은 조합의 구성원인 조합원의 개인재산과는 독립된 조합 자신의 고유 재산이다.

2) 이러한 조합재산은 조합원이 출자한 재산, 조합의 업무집행을 통해 취득한 재산, 조합재산에서 발생한 재산, 조합의 채무(소극적 재산) 등으로 구성된다.

(2) 조합재산의 합유관계

> 제704조 【조합재산의 합유】
> 조합원의 출자 기타 조합재산은 조합원의 합유로 한다.

1) 그러나 조합은 법인격이 없으므로 조합재산이 조합 자체에 귀속될 수는 없고, 모든 조합원의 '(준)합유관계'로 귀속되므로(제704조, 제271조), 민법 제271조 내지 제274조의 규정이 그대로 적용된다. 따라서 조합관계가 존속하는 동안 개개의 합유물이나 전체 조합재산의 분할을 청구할 수 없다(제273조 제2항, 제274조 제2항). 다만 ① 조합원 전원의 합의, ② 조합이 해산되고 청산과정에서의 잔여재산의 분배로서 조합재산에 속하는 합유물분할을 청구할 수 있다. 공유물분할의 자유의 원칙과 비교된다.

▶ 공동수급체에서의 제 문제 1

① 당사자들이 공동이행방식의 공동수급체를 구성하여 도급인으로부터 공사를 수급받는 경우 공동수급체는 원칙적으로 민법상 조합에 해당한다.

② 합유재산의 보존행위는 합유재산의 멸실·훼손을 방지하고 그 현상을 유지하기 위하여 하는 사실적·법률적 행위로서 이러한 합유재산의 보존행위를 각 합유자 단독으로 할 수 있도록 한 취지는 그 보존행위가 긴급을 요하는 경우가 많고 다른 합유자에게도 이익이 되는 것이 보통이기 때문이다. 민법상 조합인 공동수급체가 경쟁입찰에 참가하였다가 다른 경쟁업체가 낙찰자로 선정된 경우, 그 공동수급체의 구성원 중 1인이 그 낙찰자 선정이 무효임을 주장하며 무효확인의 소를 제기하는 것은 그 공동수급체가 경쟁입찰과 관련하여 갖는 법적 지위 내지 법률상 보호받는 이익이 침해

될 우려가 있어 그 현상을 유지하기 위하여 하는 소송행위이므로 이는 <u>합유재산의 보존행위에 해당</u>한다(대판 2013.11.28, 2011다80449).

③ 공동이행방식의 공동수급체와 도급인 사이의 공사도급계약에서 공동수급체의 개별 구성원으로 하여금 공사대금채권에 관하여 지분비율에 따라 직접 도급인에 대하여 권리를 취득하게 하는 약정이 이루어진 경우, 공사도급계약 자체에서 개별 구성원의 실제 공사 수행 여부나 정도를 지분비율에 의한 공사대금채권 취득의 조건으로 약정하거나 일부 구성원의 공사 미이행을 이유로 공동수급체로부터 탈퇴·제명하도록 하여 그 구성원으로서의 자격이 아예 상실되는 것으로 약정하는 등의 특별한 사정이 없는 한, <u>개별 구성원들은 실제 공사를 누가 어느 정도 수행하였는지에 상관없이 도급인에 대한 관계에서 공사대금채권 중 각자의 지분비율에 해당하는 부분을 취득하고, 공사도급계약의 이행에 있어서의 실질적 기여비율에 따른 공사대금의 최종적 귀속 여부는 도급인과는 무관한 공동수급체 구성원들 내부의 정산문제일 뿐이라고 할 것이다. 따라서 공동이행방식의 공동수급체와 도급인 사이에서 공동수급체의 개별 구성원으로 하여금 공사대금채권에 관하여 지분비율에 따라 직접 도급인에 대하여 권리를 취득하게 하는 약정이 이루어진 경우에 있어서는 일부 구성원만이 실제로 공사를 수행하거나 일부 구성원이 그 공사대금채권에 관한 자신의 지분비율을 넘어서 수행하였다고 하더라도 이를 이유로 도급인에 대한 공사대금채권 자체가 그 실제의 공사비율에 따라 그에게 귀속한다고 할 수는 없다</u>(대판 2013.2.28, 2012다107532).

2) 또한 조합원은 조합재산을 구성하는 개개의 합유물에 대한 각 조합원의 지분을 처분하지 못한다(제273조 제1항).

▶ **민법상 조합에서 다른 조합원의 동의 없이 각자 지분을 자유로이 양도할 수 있도록 조합원 상호 간에 약정하거나 사후적으로 지분 양도를 인정하는 합의를 하는 것이 유효한지 여부**(적극)
2인 이상이 상호 출자하여 공동사업을 경영할 것을 약정함에 따라 성립한 <u>민법상 조합에서 조합원 지분의 양도는 원칙적으로 다른 조합원 전원의 동의가 있어야 하지만, 다른 조합원의 동의 없이 각자 지분을 자유로이 양도할 수 있도록 조합원 상호 간에 약정하거나 사후적으로 지분 양도를 인정하는 합의를 하는 것은 유효하다</u>(대판 2016.8.30, 2014다19790).

3) 조합이 소유권 이외의 재산권을 가질 때 조합은 이를 준합유한다(대판 2001.2.23, 2000다68924, 제278조). 따라서 조합채권의 추심이나 채권의 처분은 전 조합원이 공동으로 행사하여야 한다(대결 1991.5.15, 91마186).

4) 그러므로 조합재산침해로 인한 손해배상청구권은 조합원 전원의 합유에 속하므로 조합원의 한 사람이 그 채권을 직접 청구할 수 없고(대판 1963.9.5, 63다330), 2인 조합에서 조합원 1인이 단독으로 한 조합채권양도행위는 무효이다(대판 1990.2.27, 88다카1153).

판례 연구 > 관련판례 정리

1. 조합지분의 양도로 조합원 지위의 상실하는 시기(양도양수 약정 시)

조합원은 다른 조합원 전원의 동의가 있으면 그 지분을 처분할 수 있으나 조합의 목적과 단체성에 비추어 조합원으로서의 자격과 분리하여 그 지분권만을 처분할 수는 없으므로, 조합원이 지분을 양도하면 그로써 조합원의 지위를 상실하게 되며, 이와 같은 조합원 지위의 변동은 조합지분의 양도양수에 관한 약정으로써 바로 효력이 생긴다(대판 2009.3.12, 2006다28454).

2. 조합채권의 귀속관계 - 조합원 전원의 준합유

[1] 조합의 채권은 조합원 전원에게 합유적으로 귀속하는 것이어서 특별한 사정이 없는 한 조합원 중 1인에 대한 채권으로써 그 조합원 개인을 집행채무자로 하여 조합의 채권에 대하여 강제집행을 할 수 없다(대판 2001.2.23, 2000다68924).

[2] (따라서) 조합의 채권은 조합원 전원에게 합유적으로 귀속하는 것이어서, 특별한 사정이 없는 한 조합원 중 1인이 임의로 조합의 채무자에 대하여 출자지분의 비율에 따른 급부를 청구할 수 없는 것이므로, 조합원 중 1인의 채권자가 그 조합원 개인을 집행채무자로 하여 조합의 채권에 대하여 강제집행하는 경우, 다른 조합원으로서는 보존행위로서 제3자이의의 소를 제기하여 그 강제집행의 불허를 구할 수 있다(대판 1997.8.26, 97다4401).

3. 제272조와 제706조의 관계

판례는 조합재산의 처분·변경에 관한 행위는 다른 특별한 사정이 없는 한 조합의 특별사무에 해당하며, 따라서 업무집행자가 없는 경우에는 원칙적으로 조합원의 과반수로써 결정하고(대판 1998.3.13, 95다30345), 업무집행조합원이 수인이 있는 경우에는 업무집행조합원의 과반수로써 결정할 것이라고 한다(대판 2000. 10.10, 2000다28506). 결국 판례는 업무집행조합원이 정해져 있든 없든 제706조 제2항을 제272조의 특별규정으로서 우선 적용하는 입장이다.

4. 업무집행 조합원이 임무에 위배되는 행위로 조합원이 출자한 동업자금을 모두 허비한 경우, 그로 인한 손해에 대하여 조합원이 조합관계를 벗어난 개인의 지위에서 손해배상을 청구할 수 있는지 여부(소극)

일부 조합원이 동업계약에 따라 동업자금을 출자하였는데 업무집행 조합원이 본연의 임무에 위배되거나 혹은 권한을 넘어선 행위를 자행함으로써 끝내 동업체의 동업 목적을 달성할 수 없게끔 만들고, 조합원이 출자한 동업자금을 모두 허비한 경우에 그로 인하여 손해를 입은 주체는 동업자금을 상실하여 버린 조합, 즉 조합원들로 구성된 동업체라 할 것이고, 이로 인하여 결과적으로 동업자금을 출자한 조합원에게 손해가 발생하였다 하더라도 이는 조합과 무관하게 개인으로서 입은 손해가 아니고, 조합체를 구성하는 조합원의 지위에서 입은 손해에 지나지 아니하는 것이므로, 결국 피해자인 조합원으로서는 조합관계를 벗어난 개인의 지위에서 그 손해의 배상을 구할 수는 없다(대판 1999.6.8, 98다60484).

(3) 조합재산과 개인재산의 구별

> 제714조【지분에 대한 압류의 효력】
> 조합원의 지분에 대한 압류는 그 조합원의 장래의 이익배당 및 지분의 반환을 받을 권리에 대하여 효력이 있다.
> 제715조【조합채무자의 상계의 금지】
> 조합의 채무자는 그 채무와 조합원에 대한 채권으로 상계하지 못한다.

1) 지분에 대한 압류

조합원에 대한 채권자는 조합원의 합유지분에 대하여 압류할 수 있지만, 그 압류는 그 조합원의 장래의 이익배당 및 지분의 반환을 받을 권리에 대하여 효력이 있을 뿐이다(제714조). 즉 조합원 1인에 대한 채권자는 '조합의 채권자'는 아니므로 '조합재산'에 대해 강제집행할 수 없다(대판 2001. 2.23. 2000다68924).

▶ **조합재산을 구성하는 개개의 재산에 대한 합유지분에 관하여 압류 기타 강제집행이 가능한지 여부**
(소극)

민법 제714조는 "조합원의 지분에 대한 압류는 그 조합원의 장래의 이익배당 및 지분의 반환을 받을 권리에 대하여 효력이 있다."고 규정하여 조합원의 지분에 대한 압류를 허용하고 있으나, 여기에서의 조합원의 지분이란 '전체로서의 조합재산'에 대한 조합원 지분을 의미하는 것이고, 이와 달리 조합재산을 구성하는 '개개의 재산'에 대한 합유지분에 대하여는 압류 기타 강제집행의 대상으로 삼을 수 없다 할 것이다(대결 2007.11.30. 2005마1130).

2) 조합채무자의 상계금지

조합의 채무자는 그 채무와 조합원에 대한 채권으로 상계하지 못한다(제715조).

▶ **조합재산의 제 문제**(대판 1998.3.13. 97다6919)

[1] 조합채무가 조합원 전원을 위하여 상행위가 되는 행위로 인하여 부담한 것인 경우, 조합원들의 연대책임 여부(적극)

조합의 채무는 조합원의 채무로서 특별한 사정이 없는 한 조합채권자는 각 조합원에 대하여 지분의 비율에 따라 또는 균일적으로 변제의 청구를 할 수 있을 뿐이나, 조합채무가 특히 조합원 전원을 위하여 상행위가 되는 행위로 인하여 부담하게 된 것이라면 상법 제57조 제1항을 적용하여 조합원들의 연대책임을 인정함이 상당하다.

[2] 조합채무자가 그 채무를 조합원 중 1인에 대한 개인 채권과 상계할 수 있는지 여부(소극)

조합에 대한 채무자는 그 채무와 조합원에 대한 채권으로 상계할 수는 없는 것이므로(민법 제715조), 조합으로부터 부동산을 매수하여 잔대금 채무를 지고 있는 자가 조합원 중의 1인에 대하여 개인 채권을 가지고 있다고 하더라도 그 채권과 조합과의 매매계약으로 인한 잔대금 채무를 서로 대등액에서 상계할 수는 없다.

▶ **2인 조합에서 1인 탈퇴 시 조합채권자가 잔존 조합원에게 채무전부의 이행을 청구할 수 있는지 여부**(적극)

조합채무는 조합원들이 조합재산에 의하여 합유적으로 부담하는 채무이고, 두 사람으로 이루어진 조합관계에 있어 그 중 1인이 탈퇴하면 탈퇴자와의 사이에 조합관계는 종료된다 할 것이나 특별한 사정이 없는 한 조합은 해산되지 아니하고, 조합원들의 합유에 속한 조합재산은 남은 조합원에게 귀속하게 되므로, 이 경우 조합채권자는 잔존 조합원에게 여전히 그 조합채무 전부에 대한 이행을 청구할 수 있다(대판 1999.5.11. 99다1284).

(4) 조합채무에 대한 책임

1) 의의

조합의 채무는 조합원 개인의 채무와 구별되어 모든 조합원에게 합유적으로 귀속(분할채무가 아니다)되므로, 원칙적으로는 조합채무에 대해서 조합재산이 책임재산이 된다. 그러나 조합은 권리능력이 없으므로 조합 스스로 채무의 주체가 되지 못하고, 결국 각 조합원 모두가 채무자가 된다. 따라서 조합의 채권자는 조합재산에 대해서도 집행할 수 있지만 조합원 각자의 개인재산에 대해서도 집행이 가능하다. 즉 「조합재산에 의한 조합원 모두의 공동책임」과 「각 조합원의 개인재산에 의한 개별책임」이 병존한다. 이 두 책임은 어느 하나가 우선하는 것이 아니라 상호 병존적이므로, 조합 채권자는 처음부터 각 조합원에게 청구할 수도 있다.

2) 조합재산에 의한 공동책임

조합의 채권자는 조합원 모두를 상대로 하여 채권액 전부에 관한 이행의 소를 제기하고, 그 판결에 기해 조합재산에 대해 강제집행을 할 수 있다.

▶ **민법상 조합에서 조합재산에 대한 강제집행의 보전을 위한 가압류의 경우, 조합원 중 1인만을 가압류채무자로 한 가압류명령으로써 조합재산에 가압류집행을 할 수 있는지 여부**(소극)

민법상 조합에서 조합의 채권자가 조합재산에 대하여 강제집행을 하려면 조합원 전원에 대한 집행권원을 필요로 하고(즉 조합의 채권자는 조합원 '전원'을 상대로 하여 채권액 전액에 관한 이행의 소를 제기하고, 그 판결에 기하여 '조합재산에 대하여 집행할 수 있다), 조합재산에 대한 강제집행의 보전을 위한 가압류의 경우에도 마찬가지로 조합원 전원에 대한 가압류명령이 있어야 하므로, 조합원 중 1인만을 가압류채무자로 한 가압류명령으로써 조합재산에 가압류집행을 할 수는 없다(대판 2015.10.2. 2012다21560).

▶ **조합원 중 1인이 조합채무를 면책시킨 경우, 다른 조합원에 대하여 민법 제425조 제1항에 따라 구상권을 행사할 수 있는지 여부**(적극) *

민법 제425조 제1항은 "어느 연대채무자가 변제 기타 자기의 출재로 공동면책이 된 때에는 다른 연대채무자의 부담부분에 대하여 구상권을 행사할 수 있다."라고 정하고 있다. 조합채무는 모든 조합원에게 합유적으로 귀속되므로, 조합원 중 1인이 조합채무를 면책시킨 경우 그 조합원은 다른 조합원에 대하여 민법 제425조 제1항에 따라 구상권을 행사할 수 있다. 이러한 구상권은 조합의 해산이나 청산 시에 손실을 부담하는 것과 별개의 문제이므로 반드시 잔여재산분배 절차에서 행사해야 하는 것은 아니다(대판 2022.5.26. 2022다211416).

3) 조합원의 개인재산에 의한 책임

> **제712조【조합원에 대한 채권자의 권리행사】**
> 조합채권자는 그 채권발생 당시에 조합원의 손실부담의 비율을 알지 못한 때에는 각 조합원에게 균분하여 그 권리를 행사할 수 있다.
>
> **제713조【무자력조합원의 채무와 타 조합원의 변제책임】**
> 조합원 중에 변제할 자력 없는 자가 있는 때에는 그 변제할 수 없는 부분은 다른 조합원이 균분하여 변제할 책임이 있다.

가) 분할채무의 원칙

'각 조합원'은 조합채무에 관하여 분할채무를 부담한다. 즉, 손실부담의 비율이 미리 조합계약에서 정해져 있었으면 그에 따라서 채무를 부담하고, 그 비율이 정해지지 않은 때에는 균분한 비율로 채무를 부담한다(제408조).

나) 조합 채권자의 보호

손실부담 비율 특약이 있었더라도 그 손실부담비율을 알지 못한 경우에는 각 조합원에게 균등한 비율로 변제할 것을 청구할 수 있다(제712조). 또한 무자력의 조합원이 있는 경우에는 그 부분에 대하여 다른 조합원들이 균분하여 변제할 책임을 진다(제713조).

다) 집행권원

조합채권자는 ① 조합원 각자를 상대로 이행의 소를 제기하고 그 집행권원을 얻어 조합원 각자의 개인재산에 대해 강제집행을 하여야 하나(대판 1991.11.22, 91다30705), ② 조합원 전원에 대한 집행권원을 가지고 각 조합원이 부담하는 책임액을 증명하여 조합원 각자의 개인재산에 대해 집행할 수도 있다는 것이 통설이다.

2. 손익분배

> **제711조【손익분배의 비율】**
> ① 당사자가 손익분배의 비율을 정하지 아니한 때에는 각 조합원의 출자가액에 비례하여 이를 정한다.
> → 손실은 일부의 조합원에게만 귀속되어도 되나, 이익분배는 조합의 필수적 요소이므로 조합원 전원에게 분배되어야 한다.
> ② 이익 또는 손실에 대하여 분배의 비율을 정한 때에는 그 비율은 이익과 손실에 공통된 것으로 추정한다.

(1) 손익비율은 당사자들이 자유로이 정할 수 있으나, 당사자가 손익분배의 비율을 정하지 아니한 때에는 각 조합원의 출자가액에 비례하여 이를 정한다. 또한 이익 또는 손실에 대하여 분배의 비율을 정한 때에는 그 비율은 이익과 손실에 공통된 것으로 추정한다(제711조).

(2) 손실은 일부 조합원만이 부담한다는 약정도 유효하지만, 이익의 분배는 조합의 필수적 요소이므로 조합원 전원에게 분배되어야 한다. 따라서 일부 조합원에게는 이익분배를 하지 않기로 한 경우 그 동업계약은 조합계약이 아니다.

▶ **공동수급체에서의 제 문제 2**(대판 2018.1.24, 2015다69990)

[1] 공동이행방식의 공동수급체를 구성하여 공사를 수급받는 경우, 공동수급체의 법적 성격(민법상 조합)과 공동수급체의 구성원이 출자의무를 이행하지 않은 경우, 공동수급체가 출자의무 불이행을 이유로 이익분배 자체를 거부하거나 이익분배금에서 출자금이나 지연이자를 공제할 수 있는지 여부(원칙적 소극) 및 이 경우 공동수급체의 출자금 채권과 구성원의 이익분배청구권이 상계적상에 있으면 두 채권을 상계할 수 있는지 여부(적극)

당사자들이 공동이행방식의 공동수급체를 구성하여 도급인으로부터 공사를 수급받는 경우 공동수급체는 원칙적으로 민법상 조합에 해당한다. 건설공동수급체 구성원은 공동수급체에 출자의무를 지는 반면 공동수급체에 대한 이익분배청구권을 가지는데, 이익분배청구권과 출자의무는 별개의 권리·의무이다. 따라서 공동수급체의 구성원이 출자의무를 이행하지 않더라도, 공동수급체가 출자의무의 불이행을 이유로 이익분배 자체를 거부할 수도 없고, 그 구성원에게 지급할 이익분배금에서 출자금이나 그 연체이자를 당연히 공제할 수도 없다. 다만 구성원에 대한 공동수급체의 출자금 채권과 공동수급체에 대한 구성원의 이익분배청구권이 상계적상에 있으면 상계에 관한 민법 규정에 따라 두 채권을 대등액에서 상계할 수 있을 따름이다.

[2] 공동수급체 구성원들 사이에 '출자의무와 이익분배를 직접 연계시키는 특약을 하는 것이 허용되는지 여부(적극) / 공동수급체 구성원들이 출자의무를 먼저 이행한 경우에 한하여 이익분배를 받을 수 있다고 약정하거나 출자의무의 불이행 정도에 따라 이익분배금을 삭감하기로 약정한 경우 또는 금전을 출자하기로 한 구성원이 출자를 지연하는 경우 이익분배금에서 출자금과 지연이자를 공제하기로 약정한 경우, 공동수급체가 이익분배를 거부하거나 이익분배금에서 출자금 등을 공제할 수 있는지 여부(적극) / 이러한 '공제'와 민법상 상계의 구별

① 공동수급체의 구성원들 사이에 '출자의무와 이익분배를 직접 연계시키는 특약'을 하는 것도 계약자유의 원칙상 허용된다. 따라서 구성원들이 출자의무를 먼저 이행한 경우에 한하여 이익분배를 받을 수 있다고 약정하거나 출자의무의 불이행 정도에 따라 이익분배금을 전부 또는 일부 삭감하기로 약정할 수도 있다. 나아가 금전을 출자하기로 한 구성원이 출자를 지연하는 경우 그 구성원이 지급받을 이익분배금에서 출자금과 그 연체이자를 '공제'하기로 하는 약정을 할 수도 있다. 이러한 약정이 있으면 공동수급체는 그 특약에 따라 출자의무를 불이행한 구성원에 대한 이익분배를 거부하거나 구성원에게 지급할 이익분배금에서 출자금과 그 연체이자를 공제할 수 있다.

② 이러한 '공제'는 특별한 약정이 없는 한 당사자 쌍방의 채권이 서로 상계적상에 있는지 여부와 관계없이 가능하고 별도의 의사표시도 필요하지 않다. 이 점에서 상계적상에 있는 채권을 가진 채권자가 별도로 의사표시를 하여야 하는 상계(민법 제493조 제1항)와는 구별된다. 물론 상계의 경우에도 쌍방의 채무가 상계적상에 이르면 별도의 의사표시 없이도 상계된 것으로 한다는 특약을 할 수 있다. 그러나 공제 약정이 있으면 별도의 의사표시 없이도 당연히 공제되는 것이 원칙이다.

[3] 공동수급체 구성원들 사이에 작성된 공동수급협정서 등 처분문서에 상계적상 여부나 상계의 의사표시와 관계없이 이익분배금에서 미지급 출자금 등을 공제할 수 있도록 기재하고 있고 처분문서의 진정성립이 인정되는 경우, 공제 약정이 있었던 것으로 보아야 하는지 여부(원칙적 적극)

공동수급체의 구성원들 사이에 작성된 공동수급협정서 등 처분문서에 상계적상 여부나 상계의

의사표시와 관계없이 당연히 이익분배금에서 미지급 출자금 등을 공제할 수 있도록 기재하고 있고 그 처분문서의 진정성립이 인정된다면, 특별한 사정이 없는 한 처분문서에 기재되어 있는 문언대로 공제 약정이 있었던 것으로 보아야 한다.

[4] 출자의무를 이행하지 않은 구성원에 대한 회생절차개시 이전에 이익분배금에서 미지급 출자금을 공제하기로 하는 특약을 한 경우, 이에 따른 공제의 법적 효과가 발생하는지 여부(원칙적 적극)

출자의무를 이행하지 않은 구성원에 대하여 회생절차가 개시되었더라도 그 개시 이전에 이익분배금에서 미지급 출자금을 공제하기로 하는 특약을 하였다면 특별한 사정이 없는 한 그에 따른 공제의 법적 효과가 발생함에는 아무런 영향이 없다.

VI. 조합원의 변동

1. 조합원의 탈퇴

> 제716조【임의탈퇴】
> ① 조합계약으로 조합의 존속기간을 정하지 아니하거나 조합원의 종신까지 존속할 것을 정한 때에는 각 조합원은 언제든지 탈퇴할 수 있다. 그러나 부득이한 사유 없이 조합의 불리한 시기에 탈퇴하지 못한다.
> ② 조합의 존속기간을 정한 때에도 조합원은 부득이한 사유가 있으면 탈퇴할 수 있다.
> 제717조【비임의탈퇴】
> 제716조의 경우 외에 조합원은 다음 각 호의 어느 하나에 해당하는 사유가 있으면 탈퇴된다.
> 1. 사망
> 2. 파산
> 3. 성년후견의 개시
> 4. 제명
> 제718조【제명】
> ① 조합원의 제명은 정당한 사유 있는 때에 한하여 다른 조합원의 일치로써 이를 결정한다.
> ② 전항의 제명결정은 제명된 조합원에게 통지하지 아니하면 그 조합원에게 대항하지 못한다.
> 제719조【탈퇴조합원의 지분의 계산】
> ① 탈퇴한 조합원과 다른 조합원 간의 계산은 탈퇴 당시의 조합재산상태에 의하여 한다.
> ② 탈퇴한 조합원의 지분은 그 출자의 종류 여하에 불구하고 금전으로 반환할 수 있다.
> ③ 탈퇴 당시에 완결되지 아니한 사항에 대하여는 완결 후에 계산할 수 있다.

(1) 임의탈퇴

1) 조합의 존속기간을 정하지 아니하거나 조합원의 종신까지 존속할 것을 정한 때에는 각 조합원은 언제든지 탈퇴할 수 있다(제716조 제1항 본문). 다만 부득이한 사유 없이는 조합에 불리한 시기에 탈퇴하지 못한다(제716조 제1항 단서).

2) 조합의 존속기간을 정한 때에도 조합원은 부득이한 사유가 있는 때에는 탈퇴할 수 있다(제716조 제2항).

▶ **민법상 조합원의 조합탈퇴권이 채권자대위권의 목적이 될 수 있는지 여부**(적극)

민법상 조합원은 조합의 존속기간이 정해져 있는 경우 등을 제외하고는 원칙적으로 언제든지 조합에서 탈퇴할 수 있고(민법 제716조 참조), 조합원이 탈퇴하면 그 당시의 조합재산상태에 따라 다른 조합원과 사이에 지분의 계산을 하여 지분환급청구권을 가지게 되는바(민법 제719조 참조), 조합원이 조합을 탈퇴할 권리는 그 성질상 조합계약의 해지권으로서 그의 일반재산을 구성하는 재산권의 일종이라 할 것이고 채권자대위가 허용되지 않는 일신전속적 권리라고는 할 수 없다. 따라서 채무자의 재산인 조합원 지분을 압류한 채권자는, 해당 채무자가 속한 조합에 존속기간이 정하여져 있다거나 기타 채무자 본인의 조합탈퇴가 허용되지 아니하는 것과 같은 특별한 사유가 있지 않은 한, 채권자대위권에 의하여 채무자의 조합 탈퇴의 의사표시를 대위행사할 수 있다 할 것이고, 일반적으로 조합원이 조합을 탈퇴하면 조합목적의 수행에 지장을 초래할 것이라는 사정만으로는 이를 불허할 사유가 되지 아니한다(대결 2007.11.30, 2005마1130).

▶ **민법상 조합계약의 의미 / 조합원의 임의탈퇴는 다른 조합원에 대한 의사표시로 하여야 하는지 여부**(적극)**와 이를 묵시적으로 할 수 있는지 여부**(적극) **/ 임의탈퇴의 의사표시가 있었는지 판단하는 방법 / 조합원의 임의탈퇴가 적법한 경우, 탈퇴한 조합원의 합유지분이 잔존 조합원에게 귀속되는지 여부**(원칙적 적극)

민법상 조합계약은 2인 이상이 상호 출자하여 공동으로 사업을 경영할 것을 약정하는 계약으로서, 특정한 사업을 공동 경영하는 약정에 한하여 이를 조합계약이라고 할 수 있다(민법 제703조 제1항). 그리고 조합원의 임의탈퇴는 조합계약에 관한 일종의 해지로서 다른 조합원에 대한 의사표시로써 하여야 하나, 그 의사표시가 반드시 명시적이어야 하는 것은 아니고 묵시적으로도 할 수 있으며, 임의탈퇴의 의사표시가 있는지 여부는 법률행위 해석의 일반 원칙에 따라 판단하여야 한다. 조합원의 임의탈퇴가 적법하다면 조합원 사이에 특별한 약정이 없는 한 탈퇴한 조합원의 합유지분은 잔존 조합원에게 귀속된다(대판 2017.7.18, 2015다30206·30213).

(2) 비임의탈퇴

조합원은 사망, 파산, 성년후견의 개시, 제명에 의하여 조합에서 자동적으로 탈퇴된다(제717조).

▶ **민법 제718조 제1항에서 조합원의 제명 요건으로 정한 '정당한 사유가 있는 때'의 의미 및 신뢰관계 파탄을 이유로 조합원을 제명한 것에 정당한 사유가 있는지 판단할 때 고려하여야 할 사항**

민법상 조합에서 조합원의 제명은 정당한 사유가 있는 때에 한하여 다른 조합원의 일치로써 결정한다(제718조 제1항). 여기에서 '정당한 사유가 있는 때'란 특정 조합원이 동업계약에서 정한 의무를 이행하지 않거나 조합업무를 집행하면서 부정행위를 한 경우와 같이 특정 조합원에게 명백한 귀책사유가 있는 경우는 물론이고, 이에 이르지 않더라도 특정 조합원으로 말미암아 조합원들 사이에 반목·불화로 대립이 발생하고 신뢰관계가 근본적으로 훼손되어 특정 조합원이 계속 조합원의 지위를 유지하도록 한다면 조합의 원만한 공동운영을 기대할 수 없는 경우도 포함한다. 신뢰관계 파탄을 이유로 조합원을 제명한 것에 정당한 사유가 있는지를 판단할 때에는 특정 조합원으로 말미암아 조합의 목적 달성에 방해가 계속되었는지 여부와 그 정도, 제명 이외에 다른 방해제거 수단이 있었는지 여부, 조합계약의 내용, 그 존속기간과 만료 여부, 제명에 이르게 된 경위 등을 종합적으로 고려해야 한다(대판 2021.10.28, 2017다200702).

▶ **출자의무 불이행을 이유로 조합원을 제명하는 경우, 상당한 기간을 정하여 그 이행을 최고해야 하는지 여부**(소극)

조합원이 출자의무를 이행하지 않는 것은 민법 제718조 제1항에서 정한 조합원을 제명할 정당한 사유에 해당한다고 할 것인바, 그와 같은 출자의무의 불이행을 이유로 조합원을 제명함에 있어 출자의무의 이행을 지체하고 있는 당해 조합원에게 다시 상당한 기간을 정하여 출자의무의 이행을 최고하여야 하는 것은 아니다(대판 1997.7.25, 96다29816).

(3) 탈퇴의 효과

1) 탈퇴 조합원은 탈퇴에 의하여 조합원으로서의 지위를 상실한다. 그러나 조합 자체는 그대로 존속하며, 조합은 탈퇴 조합원과의 사이에 재산관계를 계산하여야 한다. 탈퇴한 조합원과 다른 조합원 사이의 지분의 계산(지분을 계산하여 환급하는 방법)은 탈퇴 당시의 조합재산상태에 의하여 한다(제719조 제1항).

2) 조합에 있어서 조합원의 1인이 사망한 때에는 민법 제717조에 의하여 그 조합관계로부터 당연히 탈퇴하고 특히 조합계약에서 사망한 조합원의 지위를 그 상속인이 승계하기로 약정한 바 없다면 사망한 조합원의 지위는 상속인에게 승계되지 아니한다(대판 1987.6.23, 86다카2951).
→ 상속을 인정하는 특약은 유효하다.

▶ **2인 조합에 있어 조합원 1인의 탈퇴 시 조합재산 관계**

2인으로 된 조합관계에 있어 그 중 1인이 탈퇴하면 조합관계는 종료되나 특별한 사정이 없는 한 조합은 해산되지 아니하고 따라서 청산이 뒤따르지 아니하며, 다만 조합원의 합유에 속한 조합재산은 남은 조합원의 단독소유에 속하여 탈퇴자와 남은 자 사이에는 탈퇴로 인한 계산을 하는데 불과하다(대판 1972.12.12, 72다1651).

▶ **조합원이 부동산 사용권을 존속기한을 정하지 않고 출자하였다가 탈퇴한 경우 조합재산인 부동산 사용권이 소멸하는지 여부**(소극)

① 조합의 탈퇴란 특정 조합원이 장래에 향하여 조합원으로서의 지위를 벗어나는 것으로서, 이 경우 조합 그 자체는 나머지 조합원에 의해 동일성을 유지하며 존속하는 것이므로 결국 탈퇴는 잔존 조합원이 동업사업을 계속 유지·존속함을 전제로 한다. 2인으로 구성된 조합에서 한 사람이 탈퇴하면 조합관계는 종료되나 특별한 사정이 없는 한 조합은 해산이나 청산이 되지 않고, 다만 조합원의 합유에 속한 조합 재산은 남은 조합원의 단독소유에 속하여 탈퇴 조합원과 남은 조합원 사이에는 탈퇴로 인한 계산을 해야 한다. 탈퇴한 조합원은 탈퇴 당시의 조합재산을 계산한 결과 조합의 재산상태가 적자가 아닌 경우에 지분을 환급받을 수 있다. 따라서 탈퇴 조합원의 지분을 계산할 때 지분을 계산하는 방법에 관해서 별도 약정이 있다는 등 특별한 사정이 없는 한 지분의 환급을 주장하는 사람에게 조합재산의 상태를 증명할 책임이 있다(대판 2021.7.29, 2019다207851). ② 이러한 법리는 부동산 사용권을 출자한 경우에도 적용된다(원고와 피고는 이 사건 주유소 운영에 필수적인 부지와 시설인 이 사건 토지와 건물의 1/2 지분에 대한 사용권을 출자하였다). 조합원이 부동산 사용권을 존속기한을 정하지 않고 출자하였다가 탈퇴한 경우 특별한 사정이 없는 한 탈퇴 시 조합재산인 부동산 사용권이 소멸한다고 볼 수는 없고, 그러한 사용권은 공동사업을 유지할 수 있도록 일정한 기간 동안 존속한다고 보아야 한다. 이때 탈퇴 조합원이 남은 조합원으로 하여금 부동산을 사용·수익할 수 있도록 할 의무를 이행하지 않음으로써 남은 조합원에게 손해가 발생하였다면 탈퇴 조합원은 그 손해를 배상할 책임이 있다(대판 2018.12.13, 2015다72385).

▶ **조합원이 탈퇴하는 경우, 탈퇴자와 잔존자 사이의 탈퇴로 인한 계산방법**

① 조합에서 조합원이 탈퇴하는 경우, 탈퇴자와 잔존자 사이의 탈퇴로 인한 계산은 특별한 사정이 없는 한 <u>민법 제719조 제1항, 제2항에 따라</u> '탈퇴 당시의 조합재산상태'를 기준으로 평가한 조합재산 중 탈퇴자의 지분에 해당하는 금액을 금전으로 반환하여야 하고, 조합원의 지분비율은 조합청산의 경우에 실제 출자한 자산가액의 비율에 의하는 것과는 달리 조합 내부의 손익분배 비율을 기준으로 계산하여야 하는 것이 원칙이다(대판 2023.10.12, 2022다285523).

② 조합에서 조합원이 탈퇴하는 경우, 탈퇴자와 잔존자 사이의 탈퇴로 인한 계산은 특별한 사정이 없는 한 민법 제719조 제1항, 제2항에 따라 '탈퇴 당시의 조합재산상태'를 기준으로 평가한 조합재산 중 탈퇴자의 지분에 해당하는 금액을 금전으로 반환하여야 하고, 조합원의 지분비율은 '조합 내부의 손익 분배비율'을 기준으로 계산하여야 하나, 당사자가 손익분배의 비율을 정하지 아니한 때에는 민법 제711조에 따라 각 조합원의 출자가액에 비례하여 이를 정하여야 한다(대판 2008.9.25, 2008다41529).

▶ **조합계약 당사자 사이에 조합계약을 해제하고 그로 인한 원상회복을 주장할 수 있는지 여부**

동업계약과 같은 조합계약에 있어서는 조합의 해산청구를 하거나 조합으로부터 탈퇴를 하거나 또는 다른 조합원을 제명할 수 있을 뿐이지 일반계약에 있어서처럼 조합계약을 해제하고 상대방에게 그로 인한 원상회복의 의무를 부담지울 수는 없다(대판 1994.5.13, 94다7157).

▶ **공동이행방식의 공동수급체의 구성원들이 상인인 경우, 잔존 조합원들이 연대하여 탈퇴한 조합원에게 지분환급의무를 이행할 책임이 있는지 여부**(적극)

공동이행방식의 공동수급체는 민법상 조합의 성질을 가지는데, 조합의 채무는 조합원의 채무로서 특별한 사정이 없는 한 조합채권자는 각 조합원에 대하여 지분의 비율에 따라 또는 균일적으로 권리를 행사할 수 있지만, 조합채무가 조합원 전원을 위하여 상행위가 되는 행위로 인하여 부담하게 된 것이라면 상법 제57조 제1항을 적용하여 조합원들의 연대책임을 인정함이 타당하므로, 공동수급체의 구성원들이 상인인 경우 탈퇴한 조합원에 대하여 잔존 조합원들이 탈퇴 당시의 조합재산상태에 따라 탈퇴 조합원의 지분을 환급할 의무는 구성원 전원의 상행위에 따라 부담한 채무로서 공동수급체의 구성원들인 잔존 조합원들은 연대하여 탈퇴한 조합원에게 지분환급의무를 이행할 책임이 있다(대판 2016.7.14, 2015다233098).

▶ **조합계약에 따른 법률관계**(대판 2011.1.27, 2008다2807)

[1] 조합이 해산되어 잔무로서 잔여재산의 분배만이 남아 있는 경우 청산절차를 거치지 아니하고 잔여재산의 분배를 청구할 수 있는지 여부(적극) 및 이때 조합재산의 소유권이 곧바로 각 조합원에게 귀속하는지 여부(소극)

조합이 해산된 경우 당사자 사이에 별도의 약정이 없는 이상 조합원들에게 분배할 잔여재산과 그 가액은 청산절차가 종료된 때에 확정되는 것이므로 원칙적으로 청산절차가 종료되지 아니한 상태에서 잔여재산의 분배를 청구할 수는 없고, 다만 조합의 잔무로서 처리할 일이 없고 잔여재산의 분배만이 남아 있을 때에는 따로 청산절차를 밟을 필요가 없이 각 조합원은 자신의 잔여재산분배비율의 범위 내에서 그 분배비율을 초과하여 잔여재산을 보유하고 있는 조합원에 대하여 바로 잔여재산의 분배를 청구할 수 있다(대판 2000.4.21, 99다35713 등 참조). 그러나 조합이 해산되어 청산절차를 거칠 필요가 없는 경우라고 하더라도, 각 조합원은 분배비율을 초과하여 잔여재산을 보유하고 있는 조합원에 대하여 잔여재산을 분배하여 줄 것을 청구할 수 있는 권리만을 가질 뿐이지 그 조합재산의 소유권이 곧바로 각 조합원에게 귀속하는 것은 아니다. 따라서 <u>그 조합재산은 조합원에게 분배되기 전까지는 계속하여 조합원의 합유로 남아 있는 것이라고 보아야 한다</u>(대판 1992.10.9, 92다28075 참조).

[2] 2인 조합에서 조합원 1인이 탈퇴한 경우 조합재산의 귀속관계(=남은 조합원의 단독 소유) 및 그 조합 재산이 부동산인 경우 잔존 조합원의 단독 소유로 하는 내용의 등기를 하여야 소유권 변동의 효력이 발생하는지 여부(적극)

2인 조합에서 조합원 1인이 탈퇴하면 조합관계는 종료되지만 특별한 사정이 없는 한 조합이 해산되지 아니하고, 조합원의 합유에 속하였던 재산은 남은 조합원의 단독 소유에 속하게 되지만, 그 조합 재산이 부동산인 경우에는 그 물권변동의 원인은 '조합관계에서의 탈퇴라고 하는 법률행위'에 의한 것으로서 잔존 조합원의 단독 소유로 하는 내용의 등기를 하여야 비로소 소유권 변동의 효력이 발생한다.

2. 조합원의 가입

조합원의 가입에 관해 규정은 없지만, 조합원 전원과의 가입계약에 의하여 가입할 수 있다고 한다 (통설).

3. 조합원 지위의 양도

조합계약에서 조합원 지위의 양도를 인정하고 있거나, 조합원 전원의 동의가 있는 경우에는 조합원의 지위를 양도할 수 있다(통설).

VII. 조합의 해산과 청산

1. 개관

(1) 조합의 소멸은 그 적극적 활동을 중지하고 청산단계로 넘어가는 '해산절차'와 조합의 재산관계를 정리하는 '청산절차'로 이루어진다.

(2) 민법의 <u>조합의 해산사유와 청산에 관한 규정</u>은 법인에서와 달리 <u>강행규정이 아니므로</u> 당사자가 민법의 조합의 해산사유와 청산에 관한 규정과 <u>다른 내용의 특약을 한 경우,</u> 그 특약은 <u>유효하다</u>(대판 1985.2.26, 84다카1921).

2. 해산

> 제720조 【부득이한 사유로 인한 해산청구】
> 부득이한 사유가 있는 때에는 각 조합원은 조합의 해산을 청구할 수 있다.

(1) 조합의 목적달성 또는 그 목적 달성의 불가능, 존속기간의 만료, 기타 조합계약에서 정한 해산사유가 발생한 때, 조합원 전원의 합의가 있을 때에는 조합원의 해산청구가 없어도 조합은 해산되어 조합관계는 종료한다.

(2) 조합을 존속시킬 수 없는 부득이한 사유가 있는 때에는 각 조합원은 조합의 해산을 청구할 수 있다(제720조).

> **조합원 사이의 반목·불화로 인한 대립으로 신뢰관계가 파괴되어 조합의 원만한 공동운영을 기대할 수 없게 된 경우가 조합의 해산사유에 관한 민법 제720조 소정의 부득이한 사유에 해당되는지 여부(적극) 및 그 경우 유책당사자에게도 조합의 해산청구권이 있는지 여부(적극)**
> 민법 제720조에 규정된 조합의 해산사유인 부득이한 사유에는 경제계의 사정변경이나 조합의 재산상태의 악화 또는 영업부진 등으로 조합의 목적달성이 현저히 곤란하게 되는 객관적 사정이 있는 경우 외에, 조합원사이의 반목·불화로 인한 대립으로 신뢰관계가 파괴되어 조합의 원만한 공동운영을 기대할 수 없게 된 경우도 포함되며, 위와 같이 공동사업의 계속이 현저히 곤란하게 된 이상 신뢰관계의 파괴에 책임이 있는 당사자라고 하여도 조합의 해산청구권이 있다고 보아야 한다(대판 1993.2.9, 92다21098).

3. 청산

(1) 청산인의 선임 등

제721조 【청산인】
① 조합이 해산한 때에는 청산은 총조합원 공동으로 또는 그들이 선임한 자가 그 사무를 집행한다.
② 전항의 청산인의 선임은 조합원의 과반수로써 결정한다.
제722조 【청산인의 업무집행방법】
청산인이 수인인 때에는 제706조 제2항 후단의 규정(과반수에 의한 결정)을 준용한다.
제723조 【조합원인 청산인의 사임, 해임】
조합원 중에서 청산인을 정한 때에는 제708조의 규정(업무집행조합원의 사임·해임제한)을 준용한다.
제724조 【청산인의 직무, 권한과 잔여재산의 분배】
① 청산인의 직무 및 권한에 관하여는 제87조의 규정(법인의 청산인의 직무범위)을 준용한다.
② 잔여재산은 각 조합원의 출자가액에 비례하여 이를 분배한다.

① 청산이란 해산된 조합의 재산관계를 정리하는 것을 말한다. 청산이 완료되는 때에 조합은 소멸한다.
② 원칙적으로 모든 조합원이 청산인이 되나, 조합원의 과반수로 청산인을 선임할 수 있다(제721조).
③ 청산인이 수인인 때에는 청산사무의 집행은 그 과반수로써 결정한다(제722조).
④ 청산인은 조합원 중에서 선임하여야 하는 것은 아니지만, 조합원 중에서 청산인을 정한 때에는 그 청산인은 정당한 사유 없이 사임하지 못하며 다른 조합원의 일치가 아니면 해임하지 못한다(제723조).
⑤ 청산인의 직무 및 권한에 관하여는 제87조의 규정(법인의 청산인의 직무범위)을 준용하므로, 채권의 추심 및 채무의 변제·잔여재산의 분배 등 직무수행을 위해 필요한 모든 행위를 할 수 있고, 잔여재산은 각 조합원의 출자가액에 비례하여 이를 분배한다(제724조).

(2) 조합재산의 청산관계(대판 2019.7.25. 2019다205206)

① 조합관계가 종료된 경우 당사자 사이에 별도의 약정이 없는 이상 청산절차를 밟는 것이 통례이나, 조합의 잔무로서 처리할 일이 없고, 다만 잔여재산의 분배만이 남아 있을 때에는 따로 청산절차를 밟을 필요가 없으며, 잔여재산은 조합원 사이에 별도의 특약이 없는 이상 각 조합원의 출자가액에 비례하여 분배하도록 되어 있으므로, 비록 조합채무의 변제 사무가 완료되지 아니한 사정이 있더라도 채권자가 조합원인 경우에는 동업체 자산을 보유하는 자가 동업체 자산에서 채권자 조합원에 대한 조합채무를 공제하여 분배대상 잔여재산액을 산출한 다음, 다른 조합원들에게 잔여재산 중 각 조합원의 출자가액에 비례한 몫을 반환함과 아울러 채권자 조합원에게 조합채무를 이행함으로써 별도의 청산절차를 거침이 없이 간이한 방법으로 공평한 잔여재산의 분배가 가능하다.

② 별도로 청산절차를 거치지 않고 간이한 방법에 의하여 잔여재산을 분배하는 것은 2인으로 구성된 조합의 조합원 중 1인을 채무자로 하는 조합채권의 추심 사무가 완료되지 아니하는 등의 경우에도 일정 요건하에 허용될 수 있다. 가령 2인으로 구성된 조합의 조합원 중 1인이 선량한 관리자의 주의의무 위반 또는 불법행위 등으로 인하여 조합에 대하여 손해배상책임을 지게 되고 또한 그로 인하여 조합관계마저 그 목적 달성이 불가능하게 되어 종료되고 달리 조합의 잔여업무가 남아 있지 않은 상황에서 조합재산의 분배라는 청산절차만이 남게 된 경우에, 다른 조합원은 조합에 손해를 가한 조합원을 상대로 선량한 관리자의 주의의무 위반 또는 불법행위에 따른 손해배상채권액 중 자신의 출자가액 비율에 의한 몫에 해당하는 돈을 청구하는 형식으로 조합관계의 종료로 인한 잔여재산의 분배를 청구할 수 있다. 나아가 2인으로 구성된 조합의 조합원 중 1인에 대한 조합채권 이외에 다른 동업체 자산이 존재하는 경우에도, 전체 잔여재산의 내역과 그 정당한 분배비율 및 조합원 각자의 현재의 잔여재산 보유내역 등이 정확하게 확정됨으로써 조합원들 사이에서 공평한 잔여재산의 분배가 가능하다면, 동업체 자산을 보유하는 자로서는 채무자 조합원 등에 대한 조합채권을 포함하여 분배대상 잔여재산액을 산출한 다음 잔여재산 중 각 조합원의 출자가액에 비례한 몫을 채무자 조합원을 포함한 다른 조합원들에게 반환함과 아울러, 채무자 조합원으로부터 조합채권을 이행받는 방법으로 별도의 청산절차를 거침이 없이 간이하게 잔여재산을 분배할 수 있다.

③ 이 과정에서 채무자인 조합원과의 관계에서 분배할 잔여재산액과 지급받을 조합채권을 상계하거나 공제하는 것도 조합계약 내지 당사자 간의 별도 약정에서 이를 제한하기로 정하였다는 등의 특별한 사정이 없는 한 허용되고, 2인으로 구성된 조합의 조합원 중 1인으로부터 잔여재산분배청구권을 양수받은 자가 조합채권의 채무자인 경우에도 이와 마찬가지이다.

제11절 화해

Ⅰ. 의의 및 성질

> **제731조 【화해의 의의】**
> 화해는 당사자가 상호양보하여 당사자 간의 분쟁을 종지할 것을 약정함으로써 그 효력이 생긴다.

(1) 화해는 당사자가 서로 양보하여 그들 사이의 분쟁을 종지할 것을 약정함으로써 성립하는 계약이다(제731조).

(2) 낙성·불요식계약이다. 또한 통설적 견해는 당사자가 서로 대가적으로 양보하여 상호 간에 손실을 입는 점에서 유상·쌍무계약으로 파악한다.

(3) 화해계약은 재판 외에서 이루어진다는 점에서 법원의 관여 하에 이루어지는 재판상 화해(소송상 화해와 제소 전 화해)와 구별된다.

Ⅱ. 성립요건

화해가 성립하려면 ① 당사자 사이에 분쟁이 있어야 하고, ② 당사자가 서로 양보하여, ③ 분쟁을 끝내려는 합의가 있어야 한다.

1. 당사자 사이에 분쟁의 존재

분쟁이란 법률관계의 존부·범위·모습 등에 관하여 '당사자의 주장이 일치하지 않는 것'이라고 보는 견해가 통설이다. 분쟁의 종류에는 제한이 없다.

2. 당사자의 상호 양보

상호 양보란 당사자 쌍방이 서로 상대방의 주장을 부분적으로 승인하고 자기주장을 부분적으로 포기하는 것을 말한다. 어느 일방만이 양보하는 것은 화해가 아니라 권리의 승인이나 포기가 된다.

3. 분쟁의 종지에 대한 합의와 처분권한

나중에 사실과 다르다는 것이 드러나도 구속된다는 뜻의 합의가 있어야 한다. 화해는 처분행위이므로 이 합의가 유효하려면 당사자는 처분권한을 가지고 있어야 한다. 따라서 당사자가 임의로 처분할 수 없는 법률관계, 즉 일정한 친족관계의 존부에 관하여는 화해를 하여도 효력이 없다.

▶ 당사자들이 분쟁을 인식하지 못한 상태에서 일방 당사자가 이행해야 할 채무액에 관하여 협의하였다거나 일방 당사자의 채무이행에 대해 상대방 당사자가 이의를 제기하지 않았다는 사정만으로 묵시적 화해계약의 성립을 인정할 수 있는지 여부(소극)

화해계약이 성립하기 위해서는 '분쟁이 된 법률관계'에 관하여 당사자 쌍방이 서로 양보함으로써 분쟁을 끝내기로 하는 의사의 합치가 있어야 하는데, 화해계약이 성립한 이후에는 그 목적이 된 사항에 관하여 나중에 다시 이행을 구하는 등으로 다툴 수 없는 것이 원칙이므로, 당사자가 한 행위나 의사표시의 해석을 통하여 묵시적으로 그와 같은 의사의 합치가 있었다고 인정하기 위해서는 그 당시의 여러 사정을 종합적으로 참작하여 이를 엄격하게 해석하여야 한다. 따라서 당사자들이 분쟁을 인식하지 못한 상태에서 일방 당사자가 이행해야 할 채무액에 관하여 협의하였다거나 일방 당사자의 채무이행에 대해 상대방 당사자가 이의를 제기하지 않았다는 사정만으로는 묵시적 화해계약이 성립하였다고 보기 어렵다(대판 2021.9.9, 2016다203933).

III. 화해의 효력

1. 계약 일반의 효력

당사자는 화해계약에서 정해진 내용을 이행할 의무를 진다. 한편 화해계약도 법률행위이므로 법률행위 및 계약 일반의 법리가 통용된다. 즉 법률행위의 무효(제103조, 제104조), 취소(제5조, 제110조)에 관한 규정과 계약의 해제에 관한 규정이 적용된다. 다만 착오취소는 문제이다.

2. 법률관계의 확정적 효력

분쟁의 대상이 되었던 법률관계는 화해계약에서 합의한 대로 확정된다. 그러나 확정되는 것은 분쟁의 대상이 되어 합의한 사항에 한하며, 당사자가 다투지 않았던 사항이나 화해의 전제로서 서로 양해하고 있었던 사항은 그렇지 않다.

3. 화해의 창설적 효력

> 제732조 【화해의 창설적 효력】
> 화해계약은 당사자 일방이 양보한 권리가 소멸되고 상대방이 화해로 인하여 그 권리를 취득하는 효력이 있다.

화해에 의하여 법률관계를 확정하는 것은 창설적이다(제732조). 즉 종래의 법률관계가 어떠했는가를 묻지 않고 화해에 의하여 새로운 권리의 취득·상실이 발생한다. 다만, 이 규정은 임의규정이므로 당사자가 다른 특약을 하면 그 특약은 유효하다.

4. 착오를 이유로 한 화해계약의 취소

> 제733조 【화해의 효력과 착오】
> 화해계약은 착오를 이유로 하여 취소하지 못한다. 그러나 화해 당사자의 자격 또는 화해의 목적인 분쟁 이외의 사항에 착오가 있는 때에는 그러하지 아니하다.

(1) 착오취소의 제한

1) 화해계약에 관하여도 의사표시의 무효·취소에 관한 일반규정이 적용되나, 화해의 본질상 착오를 이유로는 취소하지는 못한다(제733조 본문). 다만, ① 당사자의 자격 또는 ② 화해의 목적인 분쟁 이외의 사항에 착오가 있는 경우에는 취소할 수 있다(제733조 단서).

2) 화해가 사기나 강박에 의한 경우에는 제733조의 제한을 받지 않고, 제110조에 따라 취소할 수 있다(대판 2008.9.11, 2008다15278).

> ▶ **화해계약의 창설적 효력과 착오취소의 제한**
> 화해계약이 성립되면 특별한 사정이 없는 한 그 창설적 효력에 의하여 종전의 법률관계를 바탕으로 한 권리의무관계는 말소되는 것으로서 계약당사자 간에는 종전의 법률관계가 어떠하였느냐를 묻지 않고 화해계약에 의하여 새로운 법률관계가 생기는 것이고, 화해계약의 의사표시에 착오가 있더라도 이것이 당사자의 자격이나 화해의 목적인 분쟁 이외의 사항에 관한 것이 아니고 분쟁의 대상인 법률관계 자체에 관한 것인 때에는 이를 취소할 수 없다(대판 1989.9.12, 88다카10050).

(2) 분쟁 이외의 사항

'화해의 목적인 분쟁 이외의 사항'이라 함은 분쟁의 대상이 아니라 분쟁의 전제 또는 기초가 된 사항으로서, 쌍방 당사자가 예정한 것이어서 상호 양보의 내용으로 되지 않고 다툼이 없는 사실로 양해된 사항을 말한다(대판 1997.4.11, 95다48414).

IV. 불법행위로 인한 손해배상액의 합의와 후발손해

1. 손해배상액 합의의 성질

교통사고와 같은 불법행위가 발생한 경우 가해자와 피해자간에 일정금액을 손해배상액으로 정하는 합의의 법적 성질은 보통 당사자가 손해배상액에 다툼이 있고 이를 서로 양보하여 행해지는 경우 민법상의 화해계약이라 할 수 있다.[8]

2. 후발손해의 청구 인정 여부

(1) 배상액의 합의가 화해에 해당하는 경우, 그 후 합의 당시에 당사자가 예상치 못한 후발손해가 발생하더라도 피해자는 따로 그 배상청구를 할 수 없는 것이 원칙이다. 그러나 학설·판례는 후발손해에 대해 별도로 청구할 수 있다는 입장이고, 다만 그 이론적 근거에 대한 차이가 있을 뿐이다.

(2) 판례는 ① 합의서의 권리포기 문구가 '단순한 예문'에 불과하여 당사자를 구속하지 않는다고 한 경우(대판 1999.3.23, 98다64301), ② 권리포기에 관한 합의의 성립을 부정한 경우(대판 1977.9.28, 77다1071), ③ 착오를 이유로 취소를 인정한 경우(대판 1981.4.14, 80다2452)도 있다. ④

---

8) 또는 그것과 비슷한 무명계약이라고 할 수 있는 경우도 있겠으나, 이 경우 화해규정을 유추적용하게 되므로 그 법적 성질을 어떻게 보느냐는 실질적인 논의실익이 없다.

현재의 주류적 판례는 화해의 '의사표시 해석'의 문제로 접근하여, 일정한 요건하에 화해 당시 예상하지 못했던 손해배상청구권까지 포기하는 의사표시로 해석하지 않는다. 즉 "불법행위로 인한 손해배상에 관하여 가해자와 피해자 사이에 피해자가 일정한 금액을 지급받고 그 나머지 청구를 포기하기로 합의가 이루어진 때에는 그 후 그 이상의 손해가 발생하였다 하여 다시 그 배상을 청구할 수 없는 것이지만, 그 합의가 손해의 범위를 정확히 확인하기 어려운 상황 에서 이루어진 것이고, 후발손해가 합의 당시의 사정으로 보아 예상이 불가능한 것으로서, 당사자가 후발손해를 예상하였더라면 사회통념상 그 합의금액으로는 화해하지 않았을 것이 라고 보는 것이 상당할 만큼 그 손해가 중대한 것일 때에는 당사자의 의사가 이러한 손해에 대해서까지 그 배상청구권을 포기한 것이라고 볼 수 없으므로 다시 그 배상을 청구할 수 있다 고 보아야 한다"고 하였다(한정해석설 ; 대판 2008.7.10, 2008다21518 등).

판례 연구 **관련판례 정리**

1. '화해의 목적인 분쟁 이외의 사항'의 의미

민법상의 화해계약을 체결한 경우 당사자는 착오를 이유로 취소하지 못하고 다만 화해 당사자의 자격 또는 화해의 목적인 분쟁 이외의 사항에 착오가 있는 때에 한하여 이를 취소할 수 있으며, 여기서 '화해의 목적인 분쟁 이외의 사항'이라 함은 분쟁의 대상이 아니라 분쟁의 전제 또는 기초가 된 사항으로서, 쌍방 당사자가 예정한 것이어서 상호 양보의 내용으로 되지 않고 다툼이 없는 사실로 양해된 사항을 말한다 (대판 1997.4.11, 95다48414).

2. 착오를 이유로 화해계약의 취소를 긍정한 사례

[1] 환자가 의료과실로 사망한 것으로 전제하고 의사가 유족들에게 손해배상금을 지급하기로 하는 합의 가 이루어졌으나, 그 사인이 진료와는 관련이 없는 것으로 판명되었다면, 위 합의는 그 목적이 아닌 망인 의 사인에 관한 착오로 이루어진 화해이므로 착오를 이유로 취소할 수 있다(대판 1990.11.9, 90다카22674).

[2] 교통사고에 가해자의 과실이 경합되어 있는데도 오로지 피해자의 과실로 인하여 발생한 것으로 착각 하고 치료비를 포함한 합의금으로 실제 입은 손해액보다 훨씬 적은 금원만을 받고 일체의 손해배상청 구권을 포기하기로 합의한 경우, 그 사고가 피해자의 전적인 과실로 인하여 발생하였다는 사실은 쌍 방 당사자 사이에 다툼이 없어 양보의 대상이 되지 않았던 사실로서 화해의 목적인 분쟁의 대상이 아니라 그 분쟁의 전제가 되는 사항에 해당하는 것이므로 피해자측은 착오를 이유로 화해계약을 취소할 수 있다(대판 1997.4.11, 95다48414).

3. '화해계약의 착오취소'를 하기 위한 입증책임

화해계약의 의사표시에 착오가 있더라도 이것이 당사자의 자격이나 목적인 분쟁 이외의 사항에 관한 것이 아니고 분쟁의 대상인 법률관계 자체에 관한 것일 때에는 이를 취소할 수 없고, 화해계약의 의사표시에 있어 중요 부분에 관한 착오의 존재 및 이것이 당사자의 자격이나 목적인 분쟁 이외의 사항에 관한 것이라는 점은 착오를 이유로 화해계약의 취소를 주장하는 자가 입증하여야 한다(대판 2004.8.20, 2002다20353).

4. 불법행위로 인한 손해배상에 관하여 일정금액을 지급받고 나머지 청구를 포기하기로 한 약정의 해석

[1] 불법행위로 인한 손해배상에 관하여 가해자와 피해자 사이에 피해자가 일정한 금액을 받고 그 나머지 청구를 포기하기로 약정한 때에는 그 이상의 손해가 사후에 발생했다는 이유로 합의금액을 넘는 손해배상청구를 인용해 줄 수는 없지만 모든 손해가 확실하게 파악되지 않는 상황 아래에서 조급하게 적은 금액을 받고 그와 같은 합의가 이루어진 경우에는 피해자가 포기한 손해배상청구권은 그 당시에 예측이 가능한 손해에 대한 것뿐이지 예상할 수 없었던 적극적 치료비나 후유증이 그 후에 생긴 경우의 그 손해에 대하여서까지 배상청구권을 포기했다고 해석할 것은 아니다(대판 1989.7.25, 89다카968).

[2] 불법행위로 인한 손해배상에 관하여 가해자와 피해자 사이에 피해자가 일정한 금액을 지급받고 그 나머지 청구를 포기하기로 합의가 이루어진 때에는 그 후 그 이상의 손해가 발생하였다 하여 다시 그 배상을 청구할 수 없는 것이지만, 그 합의가 손해발생의 원인인 사고 후 얼마 지나지 아니하여 손해의 범위를 정확히 확인하기 어려운 상황에서 이루어진 것이고, 후발손해가 합의 당시의 사정으로 보아 예상이 불가능한 것으로서, 당사자가 후발손해를 예상하였더라면 사회통념상 그 합의금액으로는 화해하지 않았을 것이라고 보는 것이 상당할 만큼 그 손해가 중대한 것일 때에는 당사자의 의사가 이러한 손해에 대해서까지 그 배상청구권을 포기한 것이라고 볼 수 없으므로 다시 그 배상을 청구할 수 있다고 보아야 한다(대판 2000.3.23, 99다63176).

제12절 ▌ 사무관리

Ⅰ. 의의

> **제734조 【사무관리의 내용】**
> ① 의무 없이 타인을 위하여 사무를 관리하는 자는 그 사무의 성질에 좇아 가장 본인에게 이익되는 방법으로 이를 관리하여야 한다.

1. 개념 및 법적 성질

(1) 사무관리란 관리자가 법률상 또는 계약상의 의무 없이 타인을 위하여 그의 사무를 처리해 주는 행위를 말한다.

(2) 사무관리는 부당이득, 불법행위와 함께 법률규정에 의한 채권발생의 원인으로서 법정채권관계이다.

2. 인정근거

사무관리의 인정근거에 대해서 통설은 사회공동생활에 있어서 타인의 일에 간섭하는 것은 원칙적으로 위법하지만, 경우에 따라서 권리·의무 없는 자의 관리행위로 타인의 이익을 증진하는 것이 사회연대·상호부조의 이상에 부합함을 이유로 그 적법성을 인정해 줄 수 있다는 데에 찾고 있다 (사회부조설).

II. 성립요건

1. 타인의 사무일 것

사무는 적법한 것을 전제로 재산적 이익을 주는 모든 행위를 말한다. 사실행위이거나 법률행위이거나, 계속적인 것이거나 일시적인 것이거나 묻지 않는다. 다만 사무관리의 대상이 되는 사무는 타인의 사무이다. 따라서 자기의 사무는 타인의 사무로 오인하더라도 사무관리가 성립하지 않는다.

> ▶ **혼인 외 출생자를 양육 및 교육한 경우 生父에 대한 사무관리 성립 여부**(소극)
> 제3자인 원고가 피고의 혼인 외 출생자를 양육 및 교육하면서 그 비용을 지출하였다고 하여도 피고가 동 혼인 외의 출생자를 인지하거나 부모의 결혼으로 그 혼인 중의 출생자로 간주되지 않는 한 실부인 피고는 동 혼인 외의 출생자를 부양할 법률상 의무는 없으므로 피고가 원고의 위 행위로 인하여 부당이 득을 하였다거나 원고가 피고의 사무를 관리하였다고 볼 수 없다(대판 1981.5.26, 80다2515).

2. 타인을 위하여 관리할 것 - 관리의사의 존재

(1) 관리의사의 요부 및 의미

1) 사무관리가 성립하기 위하여는 우선 그 사무가 타인의 사무이고 타인을 위하여 사무를 처리하는 의사, 즉 관리의 사실상의 이익을 타인(본인)에게 귀속시키려는 의사가 있어야 하며, 나아가 그 사무의 처리가 본인에게 불리하거나 본인의 의사에 반한다는 것이 명백하지 아니할 것을 요한다. 여기에서 '타인을 위하여 사무를 처리하는 의사'는 관리자 자신의 이익을 위한 의사와 병존할 수 있고, 반드시 외부적으로 표시될 필요가 없으며, 사무를 관리할 당시에 확정되어 있을 필요가 없다(대판 2013.8.22, 2013다30882). 이러한 관리의사가 결여된 경우, 즉 타인의 사무를 자기를 위한 의사로 관리하는 경우를 준사무관리라 하는데, 이 경우에는 사무관리로 보지 않는다.

> ▶ **사무관리의 성립요건 - 사무관리의사**
> [1] 사무관리가 성립하기 위하여는 우선 그 사무가 타인의 사무이고 타인을 위하여 사무를 처리하는 의사, 즉 관리의 사실상의 이익을 타인에게 귀속시키려는 의사가 있어야 함은 물론 나아가 그 사무의 처리가 본인에게 불리하거나 본인의 의사에 반한다는 것이 명백하지 아니할 것을 요한다(대판 1997.10.10, 97다26326).
> [2] 채권자가 자신의 채권을 보전하기 위하여 채무자가 다른 상속인과 공동으로 상속받은 부동산에 관하여 공동상속등기를 대위신청하여 그 등기가 행하여진 경우, 채권자에 의한 채무자 권리의 대위 행사의 직접적인 내용이 제3자의 법적 지위를 보전·유지하는 것이 되어, 채권자는 자신의 채무자가 아닌 제3자에 대하여도 다른 특별한 사정이 없는 한 사무관리에 기하여 그 등기에 소요된 비용의 상환을 청구할 수 있다고 할 것이다(대판 2013.8.22, 2013다30882).

[3] 사무관리가 성립하기 위해서는 관리자가 법적인 의무 없이 타인의 사무를 관리해야 하는바, 관리자가 처리한 사무의 내용이 관리자와 제3자 사이에 체결된 계약상의 급부와 그 성질이 동일하다고 하더라도, 관리자가 위 계약상 약정된 급부를 모두 이행한 후 본인과의 사이에 별도의 계약이 체결될 것을 기대하고 사무를 처리(예 계약한 내용보다 초과한 폐기물의 처리)하였다면 그 사무는 위 약정된 의무의 범위를 벗어나 이루어진 것으로서 법률상 의무 없이 사무를 처리한 것이며, 이 경우 특별한 사정이 없는 한 그 사무처리로 인한 사실상의 이익을 본인에게 귀속시키려는 의사, 즉 타인을 위하여 사무를 처리하는 의사가 있다고 봄이 상당하다(대판 2010.1.14, 2007다55477).

[4] 직업 또는 영업에 의하여 유상으로 타인을 위하여 일하는 사람이 향후 계약이 체결될 것을 예정하여 그 직업 또는 영업의 범위 내에서 타인을 위한 행위를 하였으나 그 후 계약이 체결되지 아니함에 따라 타인을 위한 사무를 관리한 것으로 인정되는 경우에 상법 제61조는 상인이 그 영업범위 내에서 타인을 위하여 행위를 한 때에는 이에 대하여 상당한 보수를 청구할 수 있다고 규정하고 있어 직업 또는 영업의 일환으로 제공한 용역은 그 자체로 유상행위로서 보수 상당의 가치를 가진다고 할 수 있으므로 <u>그 관리자는 통상의 보수를 받을 것을 기대하고 사무관리를 하는 것으로 보는 것이 일반적인 거래 관념에 부합하고</u>, 그 관리자가 사무관리를 위하여 다른 사람을 고용하였을 경우 지급하는 보수는 사무관리 비용으로 취급되어 본인에게 반환을 구할 수 있는 것과 마찬가지로, 다른 사람을 고용하지 않고 자신이 직접 사무를 처리한 것도 통상의 보수 상당의 재산적 가치를 가지는 관리자의 용역이 제공된 것으로서 사무관리 의사에 기한 자율적 재산희생으로서의 비용이 지출된 것이라 할 수 있으므로, 그 통상의 보수에 상응하는 금액을 필요비 내지 유익비로 청구할 수 있다고 봄이 타당하고, 이 경우 통상의 보수의 수준이 어느 정도인지는 거래관행과 사회통념에 의하여 결정하되, 관리자의 노력의 정도, 사무관리에 의하여 처리한 업무의 내용, 사무관리 본인이 얻은 이익 등을 종합적으로 고려하여 판단하여야 한다(대판 2010.1.14, 2007다55477).

▶ **사인이 국가의 사무를 처리한 경우 사무관리의 성립 여부**

사무관리가 성립하기 위하여는 우선 사무가 타인의 사무이고 타인을 위하여 사무를 처리하는 의사, 즉 관리의 사실상 이익을 타인에게 귀속시키려는 의사가 있어야 하며, 나아가 사무의 처리가 본인에게 불리하거나 본인의 의사에 반한다는 것이 명백하지 아니할 것을 요한다. 다만 타인의 사무가 국가의 사무인 경우, 원칙적으로 사인이 법령상 근거 없이 국가의 사무를 수행할 수 없다는 점을 고려하면, 사인이 처리한 국가의 사무가 사인이 국가를 대신하여 처리할 수 있는 성질의 것으로서, 사무 처리의 긴급성 등 국가의 사무에 대한 사인의 개입이 정당화되는 경우에 한하여 사무관리가 성립하고, 사인은 그 범위 내에서 국가에 대하여 국가의 사무를 처리하면서 지출된 필요비 내지 유익비의 상환을 청구할 수 있다(대판 2014.12.11, 2012다15602).[9]

2) 관리란 타인의 사무를 처리하는 것을 말한다. 이러한 관리행위는 보존·이용·개량 행위뿐만 아니라 본인의 의사에 반하지 않는 한 처분행위도 포함되며, 사실행위(예 태풍으로 부서진 이웃집

---

[9] 甲주식회사 소유의 유조선에서 원유가 유출되는 사고가 발생하자 해상 방제업 등을 영위하는 乙주식회사가 피해 방지를 위해 해양경찰의 직접적인 지휘를 받아 방제작업을 보조한 사안에서, 甲회사의 조치만으로는 원유 유출사고에 따른 해양오염을 방지하기 곤란할 정도로 긴급방제조치가 필요한 상황이었고, 위 방제작업은 乙회사가 국가를 위해 처리할 수 있는 국가의 의무 영역과 이익 영역에 속하는 사무이며, 乙회사가 방제작업을 하면서 해양경찰의 지시·통제를 받았던 점 등에 비추어 乙회사는 국가의 사무를 처리한다는 의사로 방제작업을 한 것으로 볼 수 있으므로, 乙회사는 사무관리에 근거하여 국가에 방제비용을 청구할 수 있다고 본 사례이다.

의 지붕을 수선하는 것)일 수도 있고, 법률행위(예 태풍으로 부서진 이웃집의 지붕수선을 위해 수리업자와 수선계약을 맺는 것)의 방식을 이용할 수도 있다.

(2) 이른바 부진정 사무관리의 문제

1) 타인의 사무를 그 타인을 위한다는 관리의사 없이 자신을 위하여 행하는 경우로서, 그 사무를 자신의 사무로 잘못 알고 행하는 때(오신사무관리), 타인의 사무임을 알면서 자기의 사무로 행한 때(불법관리, 이를 특히 준사무관리라 칭함)가 여기에 해당한다.

2) 이들 중 '오신사무관리'는 사무관리가 되지 않고 당사자 간의 이해관계는 부당이득이나 불법행위의 법리가 적용된다. 그러나 '불법관리·무단사무관리'에 대하여는 '준사무관리'라는 개념을 사용하여 사무관리의 법리를 적용할 것인지가 문제된다.

3) 준사무관리 부정설은 이 경우 본인의 보호는 불법행위 또는 부당이득에 의한 손해배상이나 이득반환으로 충분하므로 준사무관리를 인정할 필요가 없다고 한다. 이 견해는 사무관리의 성립에 타인을 위한 의사를 요건으로 한다고 해석하므로 사무관리의 성립을 부정하고, 관리자의 특수한 재능으로 인하여 합리적으로 기대되는 것보다 더 많은 이익을 얻은 경우 이를 관리자에게 귀속시키는 것이 오히려 공평하다고 한다. 판례도 "관리의사가 없는 경우 사무관리가 성립될 수 없다"고 하여 준사무관리개념을 인정하지 않는다(대판 1995.9.15, 94다59943).

3. 법률상 또는 계약상 의무가 없을 것

위임·도급·고용 등의 계약상의 의무나, 친권·후견 등의 법률상의 의무가 있는 경우에는 사무관리는 성립하지 않는다. 본인에 대하여는 의무가 없지만 제3자에 대한 관계에서는 사무를 관리할 의무가 있는 경우에도 사무관리는 성립하지 않는다.

▶ **법률상 의무가 있는 경우**
사용자가 근로자의 업무상 부상에 대한 치료비를 지급하는 것은 근로기준법에 따라 부담하는 사용자 자신의 채무를 이행하는 것으로 이는 자신의 사무처리라 할 것이고, 타인의 사무를 처리하는 것으로 볼 수는 없다(대판 1998.5.12, 97다54222).

▶ **제3자와 약정에 따라 타인의 사무를 처리한 경우, 그 타인과의 관계에서 사무관리가 성립하는지 여부**(원칙적 소극)
의무 없이 타인의 사무를 처리한 자는 그 타인에 대하여 민법상 사무관리 규정에 따라 비용상환 등을 청구할 수 있으나, 제3자와의 약정에 따라 타인의 사무를 처리한 경우에는 의무 없이 타인의 사무를 처리한 것이 아니므로 이는 원칙적으로 그 타인과의 관계에서는 사무관리가 된다고 볼 수 없다(대판 2013.9.26, 2012다43539).

4. 본인의 의사 또는 이익에 반하지 않을 것

사무관리가 본인의 의사에 반하거나 본인에게 불리함이 명백한 때에는 사무관리가 성립되지 않는다(제737조 단서). 다만, 이 경우에 본인의 의사는 강행법규나 사회질서에 위반하는 것이 아니어야 한다. 즉, 이때에는 본인의 의사에 명백히 반하더라도 공공의 이익에 적합하여 사무관리가 성립한다 (제734조 제3항 단서 참조).

> ▶ **사무관리의사와 본인의 의사의 관계**
> 사무관리는 의사표시를 요소로 하는 법률행위가 아니므로 본인이 사무관리의 목적이었던 사무를 본인이 직접 관리하려면 사무관리자에게 그 관리를 종료하여 줄 것을 내용으로 하는 의사표시를 하여야 하는 것이 아니고 본인 자신이 직접 관리하겠다는 의사가 외부적으로 명백히 표현된 경우에는 사무관리는 그 이상 성립할 수 없다(대판 1975.4.8, 75다254).

Ⅲ. 효과

1. 일반적 효과

(1) 위법성의 조각

관리행위로 인해 타인의 재산·권리 영역에 개입하게 되더라도 사무관리가 성립하면 위법성이 조각되어 불법행위가 되지 않는다. 그러나 사무관리가 성립하더라도 관리자와 본인 사이에 위임관계가 성립하는 것은 아니다(법정채권관계).

(2) 사무관리와 대리관계

사무관리자가 사무관리를 위하여 제3자와 행한 법률행위의 효과는 관리자에게만 생기고 본인에게 생기지 않는다. 사무관리가 대리권을 발생시키는 것은 아니기 때문이다. 다만, 관리자가 본인의 명의로 법률행위를 한 경우에는 무권대리가 된다. 따라서 이 경우에는 본인이 추인을 하면 그 효과가 본인에게 귀속할 수 있다.

2. 관리자의 의무

(1) 본인의 의사·이익 존중의무

> **제734조 【사무관리의 내용】**
> ① 의무 없이 타인을 위하여 사무를 관리하는 자는 그 사무의 성질에 좇아 가장 본인에게 이익되는 방법으로 이를 관리하여야 한다.
> ② 관리자가 본인의 의사를 알거나 알 수 있는 때에는 그 의사에 적합하도록 관리하여야 한다.
> ③ 관리자가 전2항의 규정에 위반하여 사무를 관리한 경우에는 과실 없는 때에도 이로 인한 손해를 배상할 책임이 있다. 그러나 그 관리행위가 공공의 이익에 적합한 때에는 중대한 과실이 없으면 배상할 책임이 없다.
> **제735조 【긴급사무관리】**
> 관리자가 타인의 생명, 신체, 명예 또는 재산에 대한 급박한 위해를 면하게 하기 위하여 그 사무를 관리한 때에는 고의나 중대한 과실이 없으면 이로 인한 손해를 배상할 책임이 없다.

▶ **본인의 이익이나 의사에 반하는 사무관리**

피고가 원고를 대신하여 손님이 주문할 음식의 조리를 위한 준비로 위 가스레인지를 점화하여 원고의 사무를 개시한 이상 위 가스레인지의 사용이 필요 없게 된 경우, 스스로 위 가스레인지의 불을 끄거나 위 레스토랑의 종업원으로 하여금 그 불을 끄도록 조치하는 등 원고에게 가장 이익되는 방법으로 이를 관리하여야 함에도 이를 위반하였으므로, 피고는 사무관리자로서 이로 인하여 발생한 이 사건 손해에 대하여 본인인 원고가 입은 손해를 배상할 책임이 있다(대판 1995.5.29, 94다13008).

(2) 통지의무

> **제736조【관리자의 통지의무】**
> 관리자가 관리를 개시한 때에는 지체 없이 본인에게 통지하여야 한다. 그러나 본인이 이미 이를 안 때에는 그러하지 아니하다.

(3) 관리계속의무

> **제737조【관리자의 관리계속의무】**
> 관리자는 본인, 그 상속인이나 법정대리인이 그 사무를 관리하는 때까지 관리를 계속하여야 한다. 그러나 관리의 계속이 본인의 의사에 반하거나 본인에게 불리함이 명백한 때에는 그러하지 아니하다.

(4) 위임에 관한 규정의 준용

> **제738조【준용규정】**
> 제683조 내지 제685조의 규정(위임규정)은 사무관리에 준용한다.

사무관리는 위임은 아니지만 타인의 사무를 관리한다는 점에서 위임과 유사하므로 수임인의 보고의무(제683조), 취득물 인도의무 및 취득한 권리 이전의무(제684조), 금전소비의 책임(제685조)의 규정이 준용된다(제738조).

▶ **채권 양도인이 양도 통지 전에 채무자로부터 채권을 추심하여 금전을 수령한 경우 그 금전의 소유권 귀속(양수인) 및 양도인이 위 금전을 양수인을 위하여 보관하는 지위에 있는지 여부(적극)**

채권양도의 당사자 사이에서는 양도인은 양수인을 위하여 양수채권 보전에 관한 사무를 처리하는 자라고 할 수 있고, 따라서 채권양도의 당사자 사이에는 양도인의 사무처리를 통하여 양수인은 유효하게 채무자에게 채권을 추심할 수 있다는 신임관계가 전제되어 있다고 보아야 할 것이고, 나아가 양도인이 채권양도 통지를 하기 전에 채무자로부터 채권을 추심하여 금전을 수령한 경우, 아직 대항요건을 갖추지 아니한 이상 채무자가 양도인에 대하여 한 변제는 유효하고, 그 결과 양수인에게 귀속되었던 채권은 소멸하지만, 이는 이미 채권을 양도하여 그 채권에 관한 한 아무런 권한도 가지지 아니하는 양도인이 양수인에게 귀속된 채권에 대한 변제로서 수령한 것이므로, 채권양도의 당연한 귀결로서 그 금전을 자신에게 귀속시키기 위하여 수령할 수는 없는 것이고, 오로지 양수인에게 전달해 주기 위하여서만 수령할 수 있을 뿐이어서, 양도인이 수령한 금전은 양도인과 양수인 사이에서 양수인의 소유에 속하고, 여기에다가 위와 같이 양도인이 양수인을 위하여 채권보전에 관한 사무를 처리하는 지위에 있다는 것을 고려하면, 양도인은 이를 양수인을 위하여 보관하는 관계에 있다고 보아야 할 것이다(대판(전) 1999.4.15, 97도666).

3. 관리자의 권리

(1) 비용상환청구권

> 제739조 【관리자의 비용상환청구권】
> ① 관리자가 본인을 위하여 필요비 또는 유익비를 지출한 때에는 본인에 대하여 그 상환을 청구할 수 있다.
> ② 관리자가 본인을 위하여 필요 또는 유익한 채무를 부담한 때에는 제688조 제2항의 규정을 준용한다.
> ③ 관리자가 본인의 의사에 반하여 관리한 때에는 본인의 현존이익의 한도에서 전2항의 규정을 준용한다.

관리자가 본인을 위하여 비용을 지출한 경우에 그것은 통상 본인에 대한 관계에서 부당이득이 되기도 하지만, 민법은 그 비용상환에 대해 따로 정하고 있다. 즉 관리자가 본인을 위하여 필요비 또는 유익비를 지출한 때에는 본인에 대하여 그 상환(전액)을 청구할 수 있다. 그러나 본인의 의사에 반하여 관리한 때에는 본인의 현존이익의 한도에서 청구할 수 있다(제739조).

▶ 의무 없이 타인을 위하여 사무를 관리한 자가 타인에 대하여 민법상 사무관리규정에 따라 비용상환 등을 청구할 수 있는 외에 사무관리에 의하여 사실상 이익을 얻은 제3자에게 직접 부당이득반환을 청구할 수 있는지 여부(소극)
계약상 급부가 계약 상대방뿐 아니라 제3자에게 이익이 된 경우에 급부를 한 계약당사자는 계약 상대방에 대하여 계약상 반대급부를 청구할 수 있는 이외에 제3자에 대하여 직접 부당이득반환청구를 할 수는 없다고 보아야 하고, 이러한 법리는 급부가 사무관리에 의하여 이루어진 경우에도 마찬가지이다(ⓢ 사무관리의 성립과 부당이득반환청구의 보충성). 따라서 의무 없이 타인을 위하여 사무를 관리한 자는 타인에 대하여 민법상 사무관리규정에 따라 비용상환 등을 청구할 수 있는 외에 사무관리에 의하여 결과적으로 사실상 이익을 얻은 다른 제3자에 대하여 직접 부당이득반환을 청구할 수는 없다(대판 2013.6.27, 2011다17106).

(2) 무과실손해보상청구권

> 제740조 【관리자의 무과실손해보상청구권】
> 관리자가 사무관리를 함에 있어서 과실 없이 손해를 받은 때에는 본인의 현존이익의 한도에서 그 손해의 보상을 청구할 수 있다.

(3) 보수청구권

민법은 위임에서와 달리 사무관리자에게 보수청구권이나 비용선급청구권을 인정하고 있지 않다.

제1절 가등기

1. 의의

장차 본등기의 실체법적·절차법적 요건이 완전히 갖추어지게 되면 행하여질 본등기를 위하여 미리 그 본등기의 순위를 보전하기 위하여 행하는 청구권보전의 가등기를 말한다.

판례 연구 ▶ 관련판례 정리

(1) 청구권보전의 가등기와 담보가등기의 구별

해당 가등기가 담보가등기인지 여부는 해당 가등기가 실제상 채권담보를 목적으로 한 것인지 여부에 의하여 결정되는 것이지 해당 가등기의 등기부상 원인이 매매예약으로 기재되어 있는지 아니면 대물변제예약으로 기재되어 있는가 하는 형식적 기재에 의하여 결정되는 것이 아니다(대결 1998.10.7. 98마1333).

(2) 본등기 절차

1) 가등기 후에 제3자에게 소유권이전의 본등기가 된 경우에 가등기권리자는 본등기를 경료하지 아니하고는 가등기 이후의 본등기의 말소를 청구할 수 없다. 이 경우에 가등기권리자는 가등기의무자인 전소유자를 상대로 본등기청구권을 행사할 것이고, 제3자를 상대로 할 것이 아니다. 가등기권리자가 소유권이전의 본등기를 한 경우에는 등기공무원은 부등법 제175조 제1항, 제55조 제2호에 의하여 가등기 이후에 한 제3자의 본등기를 직권말소할 수 있다 (대결(전) 1962.12.24. 4294민재항675). → 현행 부동산등기법·규칙에서는 이와 같은 판례를 반영하여 규정을 신설하였다.

2) 말소된 등기의 회복등기절차의 이행을 구하는 소에서는 회복등기의무자에게만 피고적격이 있는바, 가등기가 이루어진 부동산에 관하여 제3취득자 앞으로 소유권이전등기가 마쳐진 후 그 가등기가 말소된 경우 그와 같이 말소된 가등기의 회복등기절차에서 회복등기의무자는 가등기가 말소될 당시의 소유자인 제3취득자이므로, 그 가등기의 회복등기청구는 회복등기의무자인 제3취득자를 상대로 하여야 한다(대판 2009.10.15. 2006다43903).

(3) 가등기권자가 본등기절차에 의하지 않고 가등기설정자로부터 별도의 소유권이전등기를 받은 경우의 법리

1) ① 채권은 채권과 채무가 동일한 주체에 귀속한 때에 한하여 혼동으로 소멸하는 것이 원칙이고, 어느 특정의 물건에 관한 채권을 가지는 자가 그 물건의 소유자가 되었다는 사정만으로는 채권과 채무가 동일한 주체에 귀속한 경우에 해당한다고 할 수 없어 그 물건에 관한 채권이 혼동으로 소멸하는 것은 아닌바, 매매계약에 따른 소유권이전등기 청구권 보전을 위하여 가등기가 경료된 경우 그 가등기권자가 가등기설정자에게 가지는 가등기에 기한 본등기청구권은 채권으로서 가등기권자가 가등기설정자를 상속하거나 그의 가등기에 기한 본등기절차 이행의 의무를 인수하지 아니하는 이상, 가등기권자가 가등기에 기한 본등기절차에 의하지 아니하고 가등기설정자로부터 별도의 소유권이전등기를 경료받았다고 하여 혼동의 법리에 의하여 가등기권자의 가등기에 기한 본등기청구권이 소멸하지는 않는다 할 것이다. 한편 ② 그와 같이 가등기권자가 별도의 소유권이전등기를 경료받았다 하더라도, 가등기 경료 이후에 가등기된 목적물에 관하여 제3자 앞으로 처분제한의 등기가 되어 있거나 중간처분의 등기가 되어 있지 않고 가등기와 소유권이전등기의 등기원인도 실질상 동일하다면, 가등기의 원인이 된 가등기의무자의 소유권이전등기의무는 그 내용에 좇은 의무이행이 완료되었다 할 것이어서 가등기에 의하여 보전될 소유권이전등기 청구권은 소멸되었다고 보아야 하므로, 가등기권자는 가등기의무자에 대하여 더 이상 그 가등기에 기한 본등기절차의 이행을 구할 수 없는 것이다(대판 2007.2.22, 2004다59546).

2) 그러나 가등기권자가 가등기된 목적물에 관하여 소유권이전등기를 받고 있다 하더라도 가등기 후 그 소유권이전등기 전에 중간처분의 등기(예컨대, 제3자의 가압류등기)가 있는 경우에는, 가등기권자는 그 순위보전을 위하여 가등기에 기한 본등기절차의 이행을 구할 수 있다(대판 1995.12.26, 95다29888).

2. 가등기의 요건

부동산물권과 이에 준하는 권리에 관한 권리의 설정·이전·변경·소멸의 청구권을 보전할 때, 보전할 청구권이 시기부 또는 정지조건부인 때, 청구권이 장래에 있어서 확정될 것인 때(예 예약완결권)에 할 수 있다(부등법 제88조 참조).

▶ 부동산등기법 제3조에서 말하는 청구권이란 동법 제2조에 규정된 물권 또는 부동산임차권의 변동을 목적으로 하는 청구권을 말하는 것이라 할 것이므로 부동산등기법상의 가등기는 위와 같은 청구권을 보전하기 위해서만 가능하고 이같은 청구권이 아닌 물권적 청구권을 보존하기 위해서는 할 수 없다 (대판 1982.11.23, 81다카1110).

3. 가등기의 효력

(1) 본등기 전의 효력

가등기 자체에는 아무런 실체법상의 효력이 없다(판례). 판례에 의하면, 본등기가 없는 한 가등기 설정자의 처분행위를 저지할 수 없고, 가등기를 가지고 제3취득자에게 대항할 수도 없다. 또한 소유권이전등기 청구권의 보전을 위한 가등기가 있다고 하여 소유권이전등기를 청구할 어떤 법률관계가 있다고 추정되지 아니한다(대판 1975.5.22, 79다239). 다만, 해당 가등기가 위법하게 말소된 경우에는 가등기권리자는 그 회복등기를 청구할 수 있다.

> ▶ 가등기는 부동산등기법 제6조 제2항의 규정에 의하여 그 본등기 시에 본등기의 순위를 가등기의 순위에 의하도록 하는 순위보전적 효력만이 있을 뿐이고, 가등기만으로는 아무런 실체법상 효력을 갖지 아니하고 그 본등기를 명하는 판결이 확정된 경우라도 본등기를 경료하기까지는 마찬가지이므로, 중복된 소유권보존등기가 무효이더라도 가등기권리자는 그 말소를 청구할 권리가 없다(대판 2001.3.23, 2000다51285).
>
> ▶ 소유권이전등기청구권 보전의 가등기보다 후순위로 마쳐진 근저당권의 실행을 위한 경매절차에서 매각허가결정에 따라 매각대금이 완납된 경우에도, 선순위인 가등기는 소멸하지 않고 존속하는 것이 원칙이다. 다만 그 가등기보다 선순위로 기입된 가압류등기는 근저당권의 실행을 위한 경매절차에서 매각으로 인하여 소멸하고, 이러한 경우에는 가압류등기보다 후순위인 가등기 역시 민사집행법 제144조 제1항 제2호에 따라 매수인이 인수하지 아니한 부동산의 부담에 관한 기입에 해당하여 말소촉탁의 대상이 된다(대판 2022.5.12, 2019다265376).

(2) 본등기 후의 효력(순위보전의 효력)

가등기에 기해 본등기를 하면 본등기의 순위는 가등기의 순위에 의한다(부등법 제91조). 그러나 가등기는 본등기의 순위를 보전하는 효력을 지닐 뿐이고 후일 본등기가 경료된 때에는 본등기의 순위가 가등기한 때로 소급함으로써 가등기 후 본등기 전에 이루어진 중간처분이 본등기보다 후순위로 되어 실효될 뿐이며 물권변동의 효력발생은 본등기 시에 발생하고 가등기한 때로 소급하지 않는다(대판 1982.6.22, 81다1298·1299).

4. 가등기의 가등기

가등기는 원래 순위를 확보하는 데에 그 목적이 있으나, 순위보전의 대상이 되는 물권변동의 청구권은 그 성질상 양도될 수 있는 재산권일 뿐만 아니라 가등기로 인하여 그 권리가 공시되어 결과적으로 공시방법까지 마련된 셈이므로, 이를 양도한 경우에는 양도인과 양수인의 공동신청으로 그 가등기상의 권리의 이전등기를 가등기에 대한 부기등기의 형식으로 경료할 수 있다고 보아야 한다(대판(전) 1998.11.19, 98다24105).

제2절 혼동

1. 의의

> 제191조 【혼동으로 인한 물권의 소멸】
> ① 동일한 물건에 대한 소유권과 다른 물권이 동일한 사람에게 귀속한 때에는 다른 물권은 소멸한다. 그러나 그 물권이 제3자의 권리의 목적이 된 때에는 소멸하지 아니한다.
> ② 전항의 규정은 소유권 이외의 물권과 그를 목적으로 하는 다른 권리가 동일한 사람에게 귀속한 경우에 준용한다.
> ③ 점유권에 관하여는 전2항의 규정을 적용하지 아니한다.
> 제507조 【혼동의 요건, 효과】
> 채권과 채무가 동일한 주체에 귀속한 때에는 채권은 소멸한다. 그러나 그 채권이 제3자의 권리의 목적인 때에는 그러하지 아니하다.

(1) 혼동이란 서로 대립하는 두 개의 법률상 지위나 자격이 동일인에게 귀속하는 것을 말한다. 민법은 물권간의 혼동으로 제191조에서 규정하고 있으며, 채권·채무간의 혼동에 관하여는 제507조에서 규정하고 있다.

(2) 혼동으로 물권이 소멸하기 위해서는 ① 양립될 수 없는 물권이, ② 동일인에게 귀속되는 경우이어야 한다. 따라서 점유권에 대해서는 혼동의 법리가 적용되지 않는다. 점유권은 다른 물권과 양립할 수 있기 때문이다.

2. 소유권과 제한물권의 혼동

(1) 원칙(제191조 제1항 본문)

동일한 물건에 대한 소유권과 제한물권이 동일인에게 귀속한 때에는 제한물권이 소멸하는 것이 원칙이다. 가령 지상권자가 토지소유권을 취득하면 지상권은 소멸한다.

(2) 예외(제191조 제1항 단서)

1) **소멸할 권리가 제3자의 권리의 목적인 때**

① 지상권이 저당권의 목적인 때 지상권자가 토지소유권을 양수하더라도 지상권은 소멸하지 않는다.

② 나아가 판례는 부동산에 대한 소유권과 임차권이 동일인에게 귀속하게 되는 경우 임차권은 혼동에 의하여 소멸하는 것이 원칙이지만, 그 임차권이 대항요건을 갖추고 있고 또한 그 대항요건을 갖춘 후에 저당권이 설정된 때에는 혼동으로 인한 물권소멸 원칙의 예외 규정인 민법 제191조 제1항 단서를 준용하여 임차권은 소멸하지 않는다고 하였다(대판 2001.5.15, 2000다12693).

2) **본인의 이익을 위하여 필요한 경우**

① 통설과 판례는 명문의 규정은 없지만 제191조 제1항 단서를 유추하여 본인의 이익을 위해 필요한 경우에도 혼동으로 물권은 소멸하지 않는다고 본다.

② 어떠한 물건에 대한 소유권과 다른 물권이 동일한 사람에게 귀속한 경우 그 제한물권은 혼동에 의하여 소멸하는 것이 원칙이지만, '본인' 또는 제3자의 이익을 위하여 그 제한물권을 존속시킬 필요가 있다고 인정되는 경우에는 민법 제191조 제1항 단서의 해석에 의하여 혼동으로 소멸하지 않는다(대판 1998.7.10, 98다18643).

3) 1번, 2번 저당권이 존재하는 경우

① 채권의 혼동이 있는 경우에는 후순위자의 순위 승진을 저지시키지 못한다. 즉, 채무자 소유의 부동산에 1번·2번 저당권자가 존재하고 1번 저당권자가 채무자 소유의 부동산을 상속한 경우 채권·채무의 혼동으로 1번 저당권이 말소등기 없이 소멸하고 2번 저당권은 순위 승진된다(제369조, 제507조 참조).

② 그러나, 물상보증인 소유의 1번·2번 저당권자가 존재하고 1번 저당권자가 물상보증인 소유의 부동산을 상속한 경우 물상보증인은 채무없이 책임만을 지는 자이므로 채권·채무의 혼동은 없으며, 저당권자가 부동산소유권을 취득하였으므로 저당권은 소멸해야 하나, 후순위자의 순위승진을 저지해야 하므로 저당권은 혼동으로 소멸하지 않는다.

3. 제한물권과 그 제한물권을 목적으로 하는 다른 권리(제한물권)와의 혼동

그 제한물권을 목적으로 하는 다른 권리가 소멸함이 원칙이다. 지상권 위에 저당권을 가지는 자가 지상권을 취득한 경우 그 저당권은 혼동으로 소멸한다. 다만 제3자의 이익을 위하여 필요한 경우, 즉 그 물권이 제3자의 권리목적인 경우에는 그러하지 아니하다. 가령 甲이 乙 소유의 토지 위에 지상권을 가지고 있고 그 지상권이 丙의 저당권의 목적인 때에는 甲이 토지소유권을 취득하더라도 甲의 지상권은 소멸하지 않는다.

4. 효과

혼동에 의해 물권은 절대적으로 소멸하므로 그 후 어떤 이유로 혼동 전의 상태로 복귀하더라도 일단 소멸한 물권은 부활하지 않는다. 그러나 혼동의 원인행위가 부존재하거나 무효 또는 취소 등으로 효력이 없으면 혼동으로 소멸한 권리는 당연히 부활한다.

▶ **혼동으로 인해 소멸한 권리의 부활**

저당권자가 담보부동산의 소유권을 취득하게 되면 근저당권은 혼동에 의해 소멸하지만, 그 소유권취득이 원인무효로 인하여 무효가 되면 소멸한 근저당권은 당연히 부활한다(대판 1971.8.31, 71다1386).

제3절 점유자와 회복자의 관계

Ⅰ. 서설

제201조부터 제203조는 소유자와 물건의 반환의무를 부담하는 점유자, 즉 불법점유자 혹은 무단 점유자 사이의 이해조정에 관한 법률관계를 규율하고 있다. 즉 제213조에 기한 소유물반환관계가 존재하는 경우를 전제로 하여 소유자와 점유자의 권리를 정하고 있다(민법주해 Ⅳ).

Ⅱ. 과실의 취득 및 반환

> **제201조【점유자와 과실】**
> ① 선의의 점유자는 점유물의 과실을 취득한다. → 여기서의 과실은 사용이익을 포함한다(판례).
> ② 악의의 점유자는 수취한 과실을 반환하여야 하며 소비하였거나 과실로 인하여 훼손 또는 수취하지 못한 경우에는 그 과실의 대가를 보상하여야 한다.
> ③ 전항의 규정은 폭력 또는 은비에 의한 점유자에 준용한다.

1. 선의 점유자의 과실취득권

(1) 의의

선의의 점유자는 점유물의 과실을 취득할 권리가 있다(제201조 제1항). 즉 점유할 권리가 없이 타인의 물건을 점유한 자는 원칙적으로 과실을 취득할 수 없는 것인데, 본조는 선의의 점유자에게도 수취한 과실을 반환케 함은 그에게 가혹하다는 점에서 예외적으로 선의의 점유자에 한해서는 과실을 취득할 권리가 있음을 정하고 있다.

> ▶ **점유가 권원 없는 것임이 밝혀진 경우, 바로 그동안의 점유에 대한 선의의 추정이 깨어지는지 여부**
> (소극) 등(대판 2019.1.31, 2017다216028)
> 선의의 점유자는 점유물의 과실을 취득하고(민법 제201조 제1항), 악의의 점유자는 수취한 과실을 반환하여야 한다(민법 제201조 제2항). 점유자는 선의로 점유한 것으로 추정되고(민법 제197조 제1항), 권원 없는 점유였음이 밝혀졌다고 하여 바로 그동안의 점유에 대한 선의의 추정이 깨어졌다고 볼 것은 아니지만, 선의의 점유자라도 본권에 관한 소에서 패소한 때에는 그 소가 제기된 때부터 악의의 점유자로 본다(민법 제197조 제2항).

(2) 요건

① 선의란 과실수취권을 가지는 본권(소유권, 지상권, 임차권 등)이 있다고 오신하는 것을 의미하므로 오신유치권자, 오신질권자에게는 선의점유자의 과실수취권이 인정되지 않는다. 나아가 그와 같이 오신함에는 오신할 만한 정당한 근거가 있어야 한다는 것이 판례이다(대판 2000.3.10, 99다63350). 또한 ② 위 점유는 자주·타주점유를 불문한다.

(3) 효과

1) 선의의 점유자는 점유물의 과실을 취득하는데, 여기의 과실은 천연과실과 법정과실을 포함하고, 물건을 현실적으로 사용하여 얻는 이익인 사용이익도 과실에 준하는 것으로 취급된다(대판 1996.1.26, 95다44290).

2) 이미 소비한 과실은 반환의무를 면하고 아직 소비하지 않은 과실도 취득할 수 있다(대판 1996.1.26, 95다44290).

3) 과실을 취득할 수 있는 범위 내에서 부당이득은 성립하지 않는다. 판례도 선의의 점유자는 점유물로부터 생기는 과실을 취득할 수 있으므로 비록 선의의 점유자가 과실을 취득함으로 인하여 타인에게 손해를 입혔다 할지라도 그 과실취득으로 인한 이득을 그 타인에게 반환할 의무는 없다고 한다(대판 1978.5.23, 77다2169).

4) 그러나 선의 점유자가 과실을 취득한 경우에도 불법행위로 인한 손해배상책임은 발생할 수 있다(대판 1966.7.19, 66다994).

▶ **선의의 점유자의 과실 취득권과 불법행위로 인한 손해배상책임과의 관계**
피고가 본건 토지의 선의의 점유자로 그 과실을 취득할 권리가 있어 경작한 농작물의 소유권을 취득할 수 있다 하더라도, 법령의 부지로 상속인이 될 수 없는 사람을 상속인이라고 생각하여 본건 토지를 점유하였다면 피고에게 과실이 있다고 아니할 수 없고, 따라서 피고의 본건 토지의 점유는 진정한 소유자에 대하여 불법행위를 구성하는 것이라 아니할 수 없는 것이고, 피고에게는 그 불법행위로 인한 손해배상의 책임이 있는 것이며 선의의 점유자도 과실취득권이 있다 하여 불법행위로 인한 손해배상책임이 배제되는 것은 아니다(대판 1966.7.19, 66다994).

(4) 적용범위

1) 매매계약의 무효·취소를 이유로 한 건물 명도청구와 함께 그 사용이익의 반환을 청구하는 경우 선의의 매수인에게 제201조 제1항이 적용된다(대판 1966.9.20, 66다939; 대판 1981.9.22, 81다233).

2) 그러나 매도인의 경우에 매매대금 반환 의무는 성질상 부당이득 반환의무로서 그 반환 범위에 관하여는 민법 제748조가 적용된다 할 것이고, 명문의 규정이 없는 이상 그에 관한 특칙인 민법 제548조 제2항이 당연히 유추적용 또는 준용된다고 할 수 없다(대판 1997.9.26, 96다54997).[1]

3) 다만 선의의 매수인에게 제201조가 적용되어 과실취득권이 인정되는 이상, 선의의 매도인에게도 민법 제587조의 유추적용에 의하여 대금의 운용이익 내지 법정이자의 반환을 부정함이 형평에 맞다.

4) 계약해제에 있어서는 제548조 제2항이 원상회복의 범위에 관해 별도로 규정을 두고 있으므로 선의점유자의 과실수취권에 관한 제201조 제1항의 적용은 배제된다(대판 1998.12.23, 98다43175; 대판 1962.3.29, 4294민상1338).

---

1) 토지거래허가를 받지 못해 매매계약이 무효로 된 사안에서, 민법 제548조 제2항을 준용하여 매도인은 매매대금을 받은 날로부터의 이자를 가산하여 지급하여야 한다는 매수인의 주장을 배척한 사례이다.

▶ **쌍무계약이 취소된 경우 선의 매도인의 대금에 대한 운용이익 내지 법정이자의 반환 요부**
쌍무계약이 취소된 경우 선의의 매수인에게 민법 제201조가 적용되어 과실취득권이 인정되는 이상 선의의 매도인에게도 민법 제587조의 유추적용에 의하여 대금의 운용이익 내지 법정이자의 반환을 부정함이 형평에 맞다(대판 1993.5.4, 92다45025).

2. 악의 점유자의 과실반환의무

(1) 악의의 점유자는 수취한 과실을 반환하여야 하며 소비하였거나 과실로 인하여 훼손 또는 수취하지 못한 경우에는 그 과실의 대가를 보상하여야 한다. 이것은 폭력 또는 은비에 의한 점유자에 준용한다(제201조 제2항, 제3항).

(2) 한편 선의의 점유자가 본권에 관한 소에서 패소한 때에는 그 소가 제기된 때부터 악의의 점유자로 간주된다(제197조 제2항).

(3) 악의의 점유자의 구체적 반환범위에 대해서는 제201조 제2항이 아니라 제748조 제2항이라고 하는 것이 판례이다.

▶ **타인 소유물을 무단점유한 자의 사용이익 반환에 대한 제748조 제2항과 제201조 제2항의 반환범위의 관계**
타인 소유물을 권원 없이 점유함으로써 얻은 사용이익을 반환하는 경우 민법은 선의점유자를 보호하기 위하여 제201조 제1항을 두어 선의점유자에게 과실수취권을 인정함에 대하여, 이러한 보호의 필요성이 없는 악의점유자에 관하여는 민법 제201조 제2항을 두어 과실수취권이 인정되지 않는다는 취지를 규정하는 것으로 해석되는바, 따라서 악의수익자가 반환하여야 할 범위는 민법 제748조 제2항에 따라 정하여지는 결과, 그는 받은 이익에 이자를 붙여 반환하여야 하며, 위 이자의 이행지체로 인한 지연손해금도 지급하여야 한다(대판 2003.11.14, 2001다61869).

III. 점유물의 멸실·훼손에 대한 책임

> **제202조【점유자의 회복자에 대한 책임】**
> 점유물이 점유자의 책임 있는 사유로 인하여 멸실 또는 훼손한 때에는 악의의 점유자는 그 손해의 전부를 배상하여야 하며 선의의 점유자는 이익이 현존하는 한도에서 배상하여야 한다. 소유의 의사가 없는 점유자는 선의인 경우에도 손해의 전부를 배상하여야 한다.

① 권원 없는 점유자가 점유물을 멸실, 훼손한 경우 불법행위가 되어 손해배상책임을 진다.

② 선의이며 자주점유인 경우에만 이익이 현존하는 한도에서 반환할 의무가 있다.

③ 판례는 민법 제202조는 점유물 자체에 관하여 생긴 손해배상에 관한 것이므로 불법행위의 규정의 적용을 배제하지 않으며, 서로 경합한다고 한다(대판 1961.6.29, 4293민상704).

IV. 점유자의 비용상환청구권

> **제203조 【점유자의 상환청구권】**
> ① 점유자가 점유물을 반환할 때에는 회복자에 대하여 점유물을 보존하기 위하여 지출한 금액 기타 필요비의 상환을 청구할 수 있다. 그러나 점유자가 과실을 취득한 경우에는 통상의 필요비는 청구하지 못한다.
> ② 점유자가 점유물을 개량하기 위하여 지출한 금액 기타 유익비에 관하여는 그 가액의 증가가 현존한 경우에 한하여 회복자의 선택에 좇아 그 지출금액이나 증가액의 상환을 청구할 수 있다.
> ③ 전항의 경우에 법원은 회복자의 청구에 의하여 상당한 상환기간을 허여할 수 있다.

1. 의의

점유자가 점유물을 보존하기 위하여 지출한 필요비와 점유물을 개량하기 위하여 지출한 유익비는 회복자에게 부당이득이 된다는 점에서, 본조는 점유자의 선의·악의 및 자주점유·타주점유를 불문하고 그 상환을 청구할 수 있도록 규정하고 있다(제203조).

2. 내용

(1) 필요비란 물건을 통상 사용하는데 적합한 상태로 보존하고 관리하는 데에 지출되는 비용으로서 통상필요비(예 보존·수선 등)와 특별필요비(예 태풍으로 인한 가옥의 대수선이나 심각한 누수의 수선 등)가 있는데, 점유자는 선의·악의나 소유의사를 묻지 않고 회복자에 대하여 필요비의 상환을 청구할 수 있다. 다만 점유자가 과실을 취득한 경우에 통상의 필요비는 청구하지 못한다(제203조 제1항 단서). 판례는 목적물을 이용한 경우에도 과실에 준해 통상의 필요비는 청구하지 못한다고 한다(대판 1964.7.14, 63다1119).

▶ **민법 제203조 제1항 단서에서 말하는 '점유자가 과실을 취득한 경우'의 의미 및 과실수취권이 없는 악의의 점유자에 대하여 위 단서 규정이 적용되는지 여부(소극) ★★**

민법 제201조 제1항은 "선의의 점유자는 점유물의 과실을 취득한다."라고 정하고, 제2항은 "악의의 점유자는 수취한 과실을 반환하여야 하며 소비하였거나 과실로 인하여 훼손 또는 수취하지 못한 경우에는 그 과실의 대가를 보상하여야 한다."라고 정하고 있다. 민법 제203조 제1항은 "점유자가 점유물을 반환할 때에는 회복자에 대하여 점유물을 보존하기 위하여 지출한 금액 기타 필요비의 상환을 청구할 수 있다. 그러나 점유자가 과실을 취득한 경우에는 통상의 필요비는 청구하지 못한다."라고 정하고 있다. 위 규정을 체계적으로 해석하면 민법 제203조 제1항 단서에서 말하는 '점유자가 과실을 취득한 경우'란 점유자가 선의의 점유자로서 민법 제201조 제1항에 따라 과실수취권을 보유하고 있는 경우를 뜻한다고 보아야 한다. 선의의 점유자는 과실을 수취하므로 물건의 용익과 밀접한 관련을 가지는 비용인 통상의 필요비를 스스로 부담하는 것이 타당하기 때문이다. 따라서 과실수취권이 없는 악의의 점유자에 대해서는 위 단서 규정이 적용되지 않는다(대판 2021.4.29, 2018다261889).

→ [사실관계 및 해설] : 건물 소유자는 무단으로 점유한 자에게 소유권에 기한 반환청구와 부당이득 반환을 구할 수 있는데, 이 경우 무단점유자는 민법 제203조 제1항 본문에 따라 필요비 상당액을

소유자에게 청구할 수 있다고 본 사례이다. 이에 따르면 무단점유자의 부당이득금에서 필요비 상당액은 공제된다.

(2) 유익비란 물건의 개량이나 물건의 가치를 증가시키기 위해 지출된 비용을 말한다. 선의·악의를 불문하고 점유자가 유익비를 지출하였다면 가액의 증가가 현존하는 경우에 한하여, 회복자의 선택에 따라 그 지출금액이나 증가액의 상환을 청구할 수 있다.

▶ 유익비상환청구가 있는 경우 실제 지출한 비용과 현존하는 증가액을 모두 산정하여야 하는지 여부 (적극)

유익비상환청구에 관하여 민법 제203조 제2항은 점유자가 점유물을 개량하기 위하여 지출한 금액 기타 유익비에 관하여는 그 가액의 증가가 현존한 경우에 한하여 회복자의 선택에 좇아 그 지출금액이나 증가액의 상환을 청구할 수 있다고 규정하고 있고, 민법 제626조 제2항은 임차인이 유익비를 지출한 경우에는 임대인은 임대차종료시에 그 가액의 증가가 현존한 때에 한하여 임차인의 지출한 금액이나 그 증가액을 상환하여야 한다고 규정하고 있으므로, 유익비의 상환범위는 점유자 또는 임차인이 유익비로 지출한 비용과 현존하는 증가액 중 회복자 또는 임대인이 선택하는 바에 따라 정하여진다고 할 것이고, 따라서 유익비상환의무자인 회복자 또는 임대인의 선택권을 위하여 그 유익비는 실제로 지출한 비용과 현존하는 증가액을 모두 산정하여야 할 것이다(대판 2002.11.22, 2001다40381).

▶ 민법 제203조 제2항에서 정한 유익비의 상환범위 및 이에 관한 증명책임의 소재(유익비의 상환을 구하는 점유자) 등

① 유익비상환청구에 관하여 민법 제203조 제2항은 "점유자가 점유물을 개량하기 위하여 지출한 금액 기타 유익비에 관하여는 그 가액의 증가가 현존한 경우에 한하여 회복자의 선택에 좇아 그 지출금액이나 증가액의 상환을 청구할 수 있다."라고 규정하고 있다. 즉 유익비의 상환범위는 '점유자가 유익비로 지출한 금액'과 '현존하는 증가액' 중에서 회복자가 선택하는 것으로 정해진다. 위와 같은 실제 지출금액 및 현존 증가액에 관한 증명책임은 모두 유익비의 상환을 구하는 점유자에게 있다. ② 따라서 점유자의 증명을 통해 실제 지출금액 및 현존 증가액이 모두 산정되지 아니한 상태에서 회복자가 '점유자가 주장하는 지출금액과 감정 결과에 나타난 현존 증가액 중 적은 금액인 현존 증가액을 선택한다'는 취지의 의사표시를 하였다고 하더라도, 특별한 사정이 없는 한 이를 곧바로 '실제 증명된 지출금액이 현존 증가액보다 적은 금액인 경우에도 현존 증가액을 선택한다'는 뜻까지 담긴 것으로 해석하여서는 아니 된다. 일반적으로 회복자의 의사는 실제 지출금액과 현존 증가액 중 적은 금액을 선택하겠다는 것으로 보아야 하기 때문이다(대판 2018.6.15, 2018다206707).

(3) 점유자의 필요비 또는 유익비상환청구권은 점유자가 회복자로부터 점유물의 반환을 청구받거나 회복자에게 점유물을 반환하는 때에 비로소 발생하고, 또 그때 변제기에 이르러 회복자에 대하여 이를 행사할 수 있다(대판 1994.9.9, 94다4592).

3. 관련문제

(1) 비용상환청구권은 '물건에 관하여 생긴 채권'이므로, 필요비·유익비에 대하여 유치권을 행사할 수 있다(제320조).

(2) 계약관계가 존재한 경우 제203조는 적용되지 않는다(대판 2003. 7. 25, 2001다64752). 따라서 유효한 도급계약에 기하여 수급인이 도급인으로부터 제3자 소유 물건의 점유를 이전받아 이를 수리한 결과 그 물건의 가치가 증가한 경우, 간접점유자인 도급인이 비용상환청구권자가 되고 수급인은 도급인에게 계약상의 권리를 행사해야 한다(대판 2002. 8. 23, 99다66564 · 66571).

판례 연구 ▶ **관련판례 정리**

1. 비용상환청구의 상대방

민법 제203조 제2항에 의한 점유자의 회복자에 대한 유익비상환청구권은 점유자가 계약관계 등 적법하게 점유할 권리를 가지지 않아 소유자의 소유물반환청구에 응하여야 할 의무가 있는 경우에 성립되는 것으로서, 이 경우 점유자는 그 비용을 지출할 당시의 소유자가 누구이었는지 관계없이 점유회복 당시의 소유자 즉 회복자에 대하여 비용상환청구권을 행사할 수 있는 것이나, 점유자가 유익비를 지출할 당시 계약관계 등 적법한 점유의 권원을 가진 경우에 그 지출비용의 상환에 관하여는 그 계약관계를 규율하는 법조항이나 법리 등이 적용되는 것이어서, 점유자는 그 계약관계 등의 상대방에 대하여 해당 법조항이나 법리에 따른 비용상환청구권을 행사할 수 있을 뿐 계약관계 등의 상대방이 아닌 점유회복 당시의 소유자에 대하여 민법 제203조 제2항에 따른 지출비용의 상환을 구할 수는 없다(대판 2003. 7. 25, 2001다64752).

→ 대항력 없는 임대차의 경우, 임차인이 임대차계약에 의하여 건물을 적법하게 점유하고 있으면서 건물에 유익비를 지출한 경우, 임차인은 임대인에 대하여 민법 제626조 제2항에 의한 임대차계약상의 유익비상환청구를 할 수 있을 뿐이고, 매각허가결정에 의하여 소유권을 취득한 매수인(경락인)에 대하여 그와 별도로 민법 제203조 제2항에 의한 유익비의 상환청구를 할 수는 없다.

2. 계약에 따른 급부가 제3자의 이익으로 된 경우, 급부를 한 계약당사자가 그 제3자에 대하여 직접 부당이득반환을 청구할 수 있는지 여부(소극)

계약당사자 사이에서 그 계약의 이행으로 급부된 것은 그 급부의 원인관계가 적법하게 실효되지 아니하는 한 부당이득이 될 수 없는 것이고, 한편 계약에 따른 어떤 급부가 그 계약의 상대방 아닌 제3자의 이익으로 된 경우에도 급부를 한 계약당사자는 계약상대방에 대하여 계약상의 반대급부를 청구할 수 있을 뿐이고 그 제3자에 대하여 직접 부당이득을 주장하여 반환을 청구할 수 없다(대판 2005. 4. 15, 2004다49976).

제4절 점유의 보호

Ⅰ. 점유보호청구권

제204조【점유의 회수】
① 점유자가 점유의 침탈을 당한 때에는 그 물건의 반환 및 손해의 배상을 청구할 수 있다. → 점유자가 점유를 침탈(그 의사에 의하지 않고 사실적 지배를 상실하는 것)당한 경우이어야 하므로, 기망당한 자나 유실한 자는 청구권자가 아니다(판례).
② 전항의 청구권은 침탈자의 특별승계인에 대하여는 행사하지 못한다. 그러나 승계인이 악의인 때에는 그러하지 아니하다.
③ 제1항의 청구권은 침탈을 당한 날로부터 1년 내에 행사하여야 한다.

제205조【점유의 보유】
① 점유자가 점유의 방해를 받은 때에는 그 방해의 제거 및 손해의 배상을 청구할 수 있다.
② 전항의 청구권은 방해가 종료한 날로부터 1년 내에 행사하여야 한다.
③ 공사로 인하여 점유의 방해를 받은 경우에는 공사착수 후 1년을 경과하거나 그 공사가 완성한 때에는 방해의 제거를 청구하지 못한다.

제206조【점유의 보전】
① 점유자가 점유의 방해를 받을 염려가 있는 때에는 그 방해의 예방 또는 손해배상의 담보를 청구할 수 있다. → 손해배상의 담보청구권 행사에 있어서는 침해자의 귀책사유를 요하지 않으나, 실제 손해가 발생하여 불법행위에 기한 손해배상청구를 함에 있어서는 귀책사유를 요한다.
② 공사로 인하여 점유의 방해를 받을 염려가 있는 경우에는 전조 제3항의 규정을 준용한다.

제207조【간접점유의 보호】
① 전3조의 청구권은 제194조의 규정에 의한 간접점유자도 이를 행사할 수 있다.
② 점유자가 점유의 침탈을 당한 경우에 간접점유자는 그 물건을 점유자에게 반환할 것을 청구할 수 있고 점유자가 그 물건의 반환을 받을 수 없거나 이를 원하지 아니하는 때에는 자기에게 반환할 것을 청구할 수 있다.

1. 의의

(1) 점유의 침해가 있는 경우 (종전)점유자에게는 그 침해를 배척할 수 있는 청구권이 인정되는데, 점유침해의 모습에 따라 점유물반환청구권, 점유물방해제거청구권, 점유물방해예방청구권의 세 가지가 있다. 이들을 통상 점유보호청구권이라고 한다.

(2) 한편 민법은 점유보호청구권의 내용에 「손해배상청구」를 포함시키고 있다. 그러나 이는 점유보호청구 외에 손해배상을 청구할 수 있게 한 편의적인 것에 불과하고, 그 성질은 불법행위에 기한 손해배상청구에 속하는 것이다. 따라서 점유의 침해 외에 불법행위의 요건을 갖추는 것을 전제로 그 배상을 청구할 수 있으며, 또 제척기간이 경과하였더라도 불법행위를 이유로 손해배상을 청구할 수 있는 것이다(통설).

2. 점유물반환청구권

(1) 본권의 유무와 관계없이 점유 그 자체, 즉 사실적 지배의 상태를 보호하고자 하는 제도가 점유
보호청구권이다. 이러한 점유보호청구권의 주체는 점유자이다. 직접점유자는 물론 간접점유
자도 포함된다. 그러나 점유보조자는 점유자가 아니므로 주체가 될 수 없다.

▶ **점유회수의 소에서 말하는 '점유'의 의미 및 간접점유의 경우 점유매개관계 인정 여부** ✱

점유자가 점유의 침탈을 당한 때에는 그 물건의 반환 등을 청구할 수 있다(민법 제204조 제1항 참조).
이러한 점유회수의 소는 점유를 침탈당하였다고 주장하는 당시에 점유하고 있었는지만을 살피면 되는
것이고, 여기서 점유란 물건이 사회통념상 사람의 사실적 지배에 속한다고 보이는 객관적 관계에
있는 것을 말하고 사실상의 지배가 있다고 하기 위하여는 반드시 물건을 물리적·현실적으로 지배하는
것만을 의미하는 것이 아니고 물건과 사람 사이의 시간적·공간적 관계와 본권관계, 타인지배의 배제가능
성 등을 고려하여 사회관념에 따라 합목적적으로 판단하여야 한다. 그리고 점유회수의 소의 점유에는
직접점유뿐만 아니라 간접점유도 포함되나, 간접점유를 인정하기 위해서는 간접점유자와 직접점유를 하는
자 사이에 일정한 법률관계, 즉 점유매개관계가 필요하다. 이러한 점유매개관계는 직접점유자가 자신의
점유를 간접점유자의 반환청구권을 승인하면서 행사하는 경우에 인정된다(대판 2012.2.23, 2011다61424).

→ [사실관계 및 해설] : 甲 등이 乙 주식회사가 소유하는 건물 정문과 후문 입구 등에 '甲 등이 점유,
유치 중인 건물임. 관계자 외 출입을 금함'이라는 내용의 경고문을 부착하였는데, 그 중 건물 2층
일부는 직접점유하고 나머지 부분은 乙 회사와 임대차계약을 체결한 임차인 丙 등이 직접점유하였
던 사안에서, 제반 사정에 비추어 임차 부분의 직접점유자인 丙 등에게 반환청구권을 갖는 자는
丙 등과 임대차계약을 체결하였던 乙 회사뿐이므로 위 임대차계약은 甲 등과 丙 등 사이의 점유매
개관계를 인정할 기초가 될 수 없는데도, 甲 등이 乙 회사와 함께 건물 관리에 관여하였다는 사정
등을 들어 점유매개관계를 인정하면서 임차 부분에 관하여도 甲 등의 점유회수청구를 인용한 원심
판결에 간접점유의 성립요건인 점유매개관계에 관한 법리오해 등의 위법이 있다고 한 사례이다.

(2) 점유물반환청구의 경우에는 침탈자의 고의·과실은 요구되지 않는다.[2]
(3) 반환청구권은 1년의 제척기간에 걸리며, 이는 출소기간이라고 함이 판례이다(대판 2002.4.26,
2001다8097).
(4) 직접점유자가 임의로 점유를 타에 양도한 경우에는 점유이전이 간접점유자의 의사에 반한다
하더라도 간접점유자의 점유가 침탈된 경우에 해당하지 않는다(대판 1993.3.9, 92다5300).

3. 점유물방해제거청구권

(1) 침탈 이외의 방법으로 점유의 방해를 받을 것을 요하며, 방해에는 방해자의 고의·과실 등
귀책사유를 요하지 않는다.
(2) 판례는 점유권에 의한 방해배제청구권, 점유보유청구권은 물건자체에 대한 사실상의 지배상태
를 점유침탈 이외의 방법으로 침해하는 불법행위가 있을 때 성립되고(대판 1987.6.9, 86다카2942),
제205조 제2항의 행사기간을 출소기간으로 본다(대판 2002.4.26, 2001다8097).

---

[2] 이하의 방해제거청구권에서도 마찬가지이고, 점유의 침탈이나 방해를 원인으로 하는 손해배상청구권에 있어서는 상
대방의 고의·과실이 있어야 한다.

▶ **제204조 제3항과 제205조 제2항의 점유보호청구권의 행사기간이 출소기간인지 여부**(적극)
민법 제204조 제3항과 제205조 제2항에 의하면 점유를 침탈당하거나 방해를 받은 자의 침탈자 또는 방해자에 대한 청구권은 그 점유를 침탈당한 날 또는 점유의 방해행위가 종료된 날로부터 1년 내에 행사하여야 하는 것으로 규정되어 있는데, 여기에서 제척기간의 대상이 되는 권리는 형성권이 아니라 통상의 청구권인 점과 점유의 침탈 또는 방해의 상태가 일정한 기간을 지나게 되면 그대로 사회의 평온한 상태가 되고 이를 복구하는 것이 오히려 평화질서의 교란으로 볼 수 있게 되므로, 일정한 기간을 지난 후에는 원상회복을 허용하지 않는 것이 점유제도의 이상에 맞고 여기에 점유의 회수 또는 방해제거 등 청구권에 단기의 제척기간을 두는 이유가 있는 점 등에 비추어 볼 때, 위의 제척기간은 재판 외에서 권리행사하는 것으로 족한 기간이 아니라 반드시 그 기간 내에 소를 제기하여야 하는 이른바 출소기간으로 해석함이 상당하다(대판 2002.4.26, 2001다8097).

(3) 1년의 제척기간(출소기간)의 기산점이 되는 '방해가 종료한 날'은 방해행위가 종료한 날을 의미한다(대판 2016.7.29, 2016다214483 · 214490).

▶ **민법 제204조 제3항에서 말하는 1년의 행사기간의 의미**(=소를 제기하여야 하는 제척기간) **및 점유를 침탈당한 자가 본권인 유치권 소멸에 따른 손해배상청구권을 행사하는 경우, 위 조항이 적용되는지 여부**(소극) ***
민법 제204조에 따르면, 점유자가 점유의 침탈을 당한 때에는 그 물건의 반환 및 손해의 배상을 청구할 수 있고(제1항), 위 청구권은 점유를 침탈당한 날부터 1년 내에 행사하여야 하며(제3항), 여기서 말하는 1년의 행사기간은 제척기간으로서 소를 제기하여야 하는 기간을 말한다. 그런데 민법 제204조 제3항은 본권 침해로 발생한 손해배상청구권의 행사에는 적용되지 않으므로 점유를 침탈당한 자가 본권인 유치권 소멸에 따른 손해배상청구권을 행사하는 때에는 민법 제204조 제3항이 적용되지 아니하고, 점유를 침탈당한 날부터 1년 내에 행사할 것을 요하지 않는다(대판 2021.8.19, 2021다213866).
  → [사실관계 및 해설] : 甲이 건물에 유치권을 행사하고 있었는데 건물의 낙찰인 乙이 잠금장치를 임의로 교체하고 적법한 부동산의 인도명령을 받았다고 협박하면서 甲의 점유를 빼앗았는데, 점유를 침탈당한 유치권자 甲은 1년 이내에 점유회수청구권을 행사하지 않음으로써 결국 유치권이 종국적으로 침해된 경우 점유침탈자를 상대로 하여 유치권 침해에 따른 손해배상청구를 할 수 있는지가 문제되었다. 원심은 이 경우에도 제204조 제3항이 적용됨을 전제로 1년의 출소기간을 지나 제기되었으므로 부적법하다고 보았으나, 이에 대해 대법원은 유치권 침해에 따른 손해배상청구에는 제204조 제3항이 적용되지 않되 일반불법행위에 대한 소멸시효가 적용된다고 본 사례이다.

4. 점유물방해예방청구권

(1) 방해의 예방 또는 손해배상의 담보를 청구할 수 있다. 손해배상의 담보는 장래의 손해배상에 대비하여 미리 제공하게 하는 것으로 상대방의 고의 · 과실을 요하지 않는다.

(2) 이 청구권은 방해의 염려가 있는 경우에는 언제든지 행사할 수 있으나, 공사로 방해를 받을 염려가 있는 경우에는 공사착수 후 1년을 경과하거나 공사가 완성되면 방해예방을 청구하지 못한다(제205조 제3항).

Ⅱ. 자력구제권

> **제209조 【자력구제】**
> ① 점유자는 그 점유를 부정히 침탈 또는 방해하는 행위에 대하여 자력으로써 이를 방위할 수 있다.
> ② 점유물이 침탈되었을 경우에 부동산일 때에는 점유자는 침탈 후 직시 가해자를 배제하여 이를 탈환할 수 있고 동산일 때에는 점유자는 현장에서 또는 추적하여 가해자로부터 이를 탈환할 수 있다.

(1) 직접점유자뿐만 아니라 점유보조자에게도 자력구제권이 인정되지만, 간접점유자에게는 인정되지 않는다(통설).

(2) 점유를 침탈·방해하는 자뿐만 아니라 그 승계인에 대하여도 행사할 수 있다. 그리고 위법한 강제집행에 의하여 점유를 침탈당한 경우에도 자력구제권을 행사할 수 있다(대판 1987.6.9, 86다카1683).

(3) 위법한 강제집행으로 점유를 강탈당한 자가 강제집행 종료 후 2시간 이내에 점유를 탈환한 경우에 즉시성이 인정된다(대판 1987.6.9, 86다카1683).

Ⅲ. 점유의 소와 본권의 소와의 관계

> **제208조 【점유의 소와 본권의 소와의 관계】**
> ① 점유권에 기인한 소와 본권에 기인한 소는 서로 영향을 미치지 아니한다.
> ② 점유권에 기인한 소는 본권에 관한 이유로 재판하지 못한다.

(1) 점유권에 기인한 소는 본권에 관한 이유로 재판하지 못한다(제208조 제2항). 점유자로부터 점유물반환청구의 소를 제기당한 소유자는 그 소송에서 방어방법으로 본권을 주장할 수 없다.

(2) 점유권에 기인한 소와 본권에 기인한 소는 서로 영향을 미치지 아니한다(제208조 제1항). 점유의 소와 본권의 소는 전혀 별개의 것으로서 민사소송법상의 중복제소금지의 적용도 없고 기판력도 서로 미치지 아니한다. 따라서 본권의 소와 점유의 소를 동시에 제기하여도 되고 따로 제기할 수도 있다.

(3) 점유의 소에 대해 본권에 관한 소를 별소로서 제기하지 않고 반소로서 제기하여도 무방하다(대판 1957.11.14, 4290민상454·455).

▶ **점유권에 기한 소와 본권에 기한 소의 관계**(대판 2021.2.4, 2019다202795) ***

[1] 점유회수의 청구 요건 및 여기서 '점유'의 의미와 판단 기준 / 점유권에 기한 본소에 대하여 본권자가 본소청구 인용에 대비하여 본권에 기한 예비적 반소를 제기하고 양 청구가 모두 이유 있는 경우, 법원은 위 본소와 반소를 모두 인용하여야 하는지 여부(적극) 및 점유권에 기한 본소를 본권에 관한 이유로 배척할 수 있는지 여부(소극)

　① 점유자가 점유의 침탈을 당한 때에는 그 물건의 반환 등을 청구할 수 있고 이러한 점유회수의 청구에 있어서는 점유를 침탈당하였다고 주장하는 당시에 점유하고 있었는지의 여부만을 살피면 된다(민법 제204조 제1항). 여기서 점유란 물건이 사회통념상 그 사람의 사실적 지배에 속한다고 보여지는

객관적 관계에 있는 것을 말하고 사실상의 지배가 있다고 하기 위하여는 반드시 물건을 물리적, 현실적으로 지배하는 것만을 의미하는 것이 아니고 물건과 사람과의 시간적, 공간적 관계와 본권 관계, 타인지배의 배제가능성 등을 고려하여 사회관념에 따라 합목적적으로 판단하여야 한다.

② 점유권에 기인한 소와 본권에 기인한 소는 서로 영향을 미치지 아니하고, 점유권에 기인한 소는 본권에 관한 이유로 재판하지 못하므로 점유회수의 청구에 대하여 점유침탈자가 점유물에 대한 본권이 있다는 주장으로 점유회수를 배척할 수 없다(민법 제208조). 그러므로 점유권에 기한 본소에 대하여 본권자가 본소청구 인용에 대비하여 본권에 기한 예비적 반소를 제기하고 양 청구가 모두 이유 있는 경우, 법원은 점유권에 기한 본소와 본권에 기한 예비적 반소를 모두 인용해야 하고 점 유권에 기한 본소를 본권에 관한 이유로 배척할 수 없다.

[2] 점유회수의 본소에 대하여 본권자가 소유권에 기한 인도를 구하는 반소를 제기하여 본소청구와 예비적 반소청구가 모두 인용되어 확정된 경우, 점유자는 본소 확정판결에 의하여 집행문을 부여받아 강제집행으로 물건의 점유를 회복할 수 있는지 여부(적극) / 이때 본권자는 위 본소 집행 후 집행문을 부여받아 비로소 반소 확정판결에 따른 강제집행으로 물건의 점유를 회복할 수 있는지 여부(적극) 및 점유자가 제기하여 승소한 본소 확정판결에 대한 청구이의의 소를 통해서 점유권에 기한 강제집행을 저지할 수 있는 경우

① 점유회수의 본소에 대하여 본권자가 소유권에 기한 인도를 구하는 반소를 제기하여 본소청구와 예비적 반소청구가 모두 인용되어 확정되면, 점유자가 본소 확정판결에 의하여 집행문을 부여받아 강제집행으로 물건의 점유를 회복할 수 있다. ② 본권자의 소유권에 기한 반소청구는 본소의 의무 실현을 정지조건으로 하므로, 본권자는 위 본소 집행 후 집행문을 부여받아 비로소 반소 확정판결에 따른 강제집행으로 물건의 점유를 회복할 수 있다. ③ 이러한 과정은 애당초 본권자가 허용되지 않는 자력구제로 점유를 회복한 데 따른 것으로 그 과정에서 본권자가 점유 침탈 중 설치한 장애물 등이 제거될 수 있다. 다만 점유자의 점유회수의 집행이 무의미한 점유상태의 변경을 반복하는 것에 불과할 뿐 아무런 실익이 없거나 본권자로 하여금 점유회수의 집행을 수인하도록 하는 것이 명백히 정의에 반하여 사회생활상 용인할 수 없다고 인정되는 경우, 또는 점유자가 점유권에 기한 본소 승소 확정판결을 장기간 강제집행하지 않음으로써 본권자의 예비적 반소 승소 확정판결까지 조건불성취로 강제집행에 나아갈 수 없게 되는 등 특별한 사정이 있다면 본권자는 점유자가 제기하여 승소한 본소 확정판결에 대한 청구이의의 소를 통해서 점유권에 기한 강제집행을 저지할 수 있다.

▶ 점유권을 기초로 한 본소에 대하여 본권자가 본소청구 인용에 대비하여 본권에 기초한 장래이행의 소로서 예비적 반소를 제기하고 양 청구가 모두 이유 있는 경우, 법원은 위 본소와 예비적 반소를 모두 인용하여야 하는지 여부(적극) 및 점유권에 기초한 본소를 본권에 관한 이유로 배척할 수 있는지 여부(소극) / 점유를 침탈당한 자가 점유권에 기한 점유회수의 소를 제기하고, 본권자가 그 점유회수의 소가 인용될 것에 대비하여 본권에 기초한 장래이행의 소로서 별소를 제기한 경우에도 같은 법리가 적용되는지 여부(적극) ★★★

① 점유권을 기초로 한 본소에 대하여 본권자가 본소청구의 인용에 대비하여 본권에 기초한 장래이행의 소로서 예비적 반소를 제기하고 양 청구가 모두 이유 있는 경우, 법원은 점유권에 기초한 본소와 본권에 기초한 예비적 반소를 모두 인용해야 하고 점유권에 기초한 본소를 본권에 관한 이유로 배척할 수 없다. ② 이러한 법리는 점유를 침탈당한 자가 점유권에 기한 점유회수의 소를 제기하고, 본권자가 그 점유회수의 소가 인용될 것에 대비하여 본권에 기초한 장래이행의 소로서 별소를 제기한 경우에도 마찬가지로 적용된다(대판 2021.3.25, 2019다208441).

제5절 주위토지통행권

판례 연구 ▶ 관련판례 정리

(1) 주위토지통행권의 성질과 그 범위

1) 소극적·비배타적 권리로서 통행하는 범위에서 그 토지를 사용할 수 있을 뿐이므로, 통행권자가 소유 토지를 전적으로 점유하면 소유자가 인도청구를 할 수 있다(대판 1993.8.24, 93다25479).

2) 주위토지통행권자가 민법 제219조 제1항 본문에 따라 통로를 개설하는 경우 통행지 소유자는 원칙적으로 통행권자의 통행을 수인할 소극적 의무를 부담할 뿐 통로개설 등 적극적인 작위의무를 부담하는 것은 아니다(대판 2006.10.26, 2005다30993).

3) ① 민법 제219조에 규정된 주위토지통행권은 공로와의 사이에 그 용도에 필요한 통로가 없는 토지의 이용이라는 공익목적을 위하여 피통행지 소유자의 손해를 무릅쓰고 특별히 인정되는 것이므로, 그 통행로의 폭이나 위치 등을 정함에 있어서는 피통행지의 소유자에게 가장 손해가 적게 되는 방법이 고려되어야 할 것이고, 어느 정도를 필요한 범위로 볼 것인가는 구체적인 사안에서 사회통념에 따라 쌍방 토지의 지형적·위치적 형상 및 이용관계, 부근의 지리상황, 상린지 이용자의 이해득실 기타 제반 사정을 기초로 판단하여야 하며, 토지의 이용방법에 따라서는 자동차 등이 통과할 수 있는 통로의 개설도 허용되지만 단지 토지이용의 편의를 위해 다소 필요한 상태라고 여겨지는 정도에 그치는 경우까지 자동차의 통행을 허용할 것은 아니다.

② 주위토지통행권의 확인을 구하기 위해서는 통행의 장소와 방법을 특정하여 청구취지로써 이를 명시하여야 하고, 또한 민법 제219조에 정한 요건을 주장·입증하여야 하며, 따라서 주위토지통행권이 있음을 주장하여 확인을 구하는 특정의 통로 부분이 민법 제219조에 정한 요건을 충족한다고 인정되지 아니할 경우에는 다른 토지 부분에 주위토지통행권이 인정된다고 할지라도 원칙적으로 그 청구를 기각할 수밖에 없으나, 이와 달리 통행권의 확인을 구하는 특정의 통로 부분 중 일부분이 민법 제219조에 정한 요건을 충족하여 주위토지통행권이 인정된다면, 그 일부분에 대해서만 통행권의 확인을 구할 의사는 없음이 명백한 경우가 아닌 한 그 청구를 전부 기각할 것이 아니라, 그 부분에 한정하여 청구를 인용함이 상당하다.

③ 주위토지통행권의 본래적 기능발휘를 위해서는 그 통행에 방해가 되는 담장과 같은 축조물도 위 통행권의 행사에 의하여 철거되어야 한다(대판 2006.6.2, 2005다70144). 그 담장이 비록 당초에는 적법하게 설치되었던 것이라 하더라도 그 철거의 의무에는 영향이 없다(대판 1990.11.13, 90다5238).

4) ① 주위토지통행권이 인정된다고 하더라도 통로를 상시적으로 개방하여 제한 없이 이용할 수 있도록 하거나 피통행지 소유자의 관리권이 배제되어야만 하는 것은 아니므로, 쌍방 토지의 용도 및 이용 상황, 통행로 이용의 목적 등에 비추어 토지의 용도에 적합한 범위에서 통행 시기나 횟수, 통행방법 등을 제한하여 인정할 수도 있다. (중략) ② 통행권의 확인을 구하는 특정의 통로 부분 중 일부분이 민법 제219조에 정한 요건을 충족하거나 특정의 통로 부분에 대하여 일정한 시기나 횟수를 제한하여 주위토지통행권을 인정하는 것이 가능한 경우라면, 그와 같이 한정된 범위에서만 통행권의 확인을 구할 의사는 없음이 명백한 경우가 아닌 한, 청구를 전부 기각할 것이 아니라, 그렇게 제한된 범위에서 청구를 인용함이 타당하다(대판 2017.1.12, 2016다39422).

(2) 기존 통로가 있는 경우

1) 공로에 통할 수 있는 자기의 공유토지를 두고 공로에의 통로라 하여 남의 토지를 통행한다는 것은 민법 제219조, 제220조에 비추어 허용될 수 없다. 설령 위 공유토지가 구분소유적 공유관계에 있고 공로에 접하는 공유 부분을 다른 공유자가 배타적으로 사용, 수익하고 있다고 하더라도 마찬가지이다(대판 2021.9.30, 2021다245443·245450).

2) 주위토지통행권은 어느 토지가 타인 소유의 토지에 둘러싸여 공로에 통할 수 없는 경우뿐만 아니라, 이미 기존의 통로가 있더라도 그것이 해당 토지의 이용에 부적합하여 실제로 통로로서의 충분한 기능을 하지 못하고 있는 경우에도 인정된다. (그러나) 주거지역에서 공로에 이르는 길로 폭 2미터의 우회도로가 있다면 주위토지를 이용하여 공로에 이르는 것이 보다 편리하다는 이유만으로 주위토지통행권을 주장할 수 없다(대판 1991.4.23, 90다15167).

(3) 주위토지통행권의 성립과 소멸

1) 주위토지통행권은 어느 토지와 공로 사이에 그 토지의 용도에 필요한 통로가 없어서 주위의 토지를 통행하거나 통로를 개설하지 않고서는 공로에 출입할 수 없는 경우 또는 통로가 있더라도 해당 토지의 이용에 부적합하여 실제로 통로로서의 충분한 기능을 하지 못하는 경우에 인정되는 것이므로, 일단 주위토지통행권이 발생하였다고 하더라도 나중에 그 토지에 접하는 공로가 개설됨으로써 주위토지통행권을 인정할 필요성이 없어진 때에는 그 통행권은 소멸한다(대판 1998.3.10, 97다47118).

2) 주위토지통행권은 법정의 요건을 충족하면 당연히 성립하고 요건이 없어지게 되면 당연히 소멸한다. 따라서 포위된 토지가 사정변경에 의하여 공로에 접하게 되거나 포위된 토지의 소유자가 주위의 토지를 취득함으로써 주위토지통행권을 인정할 필요성이 없어지게 된 경우에는 통행권은 소멸한다(대판 2014.12.24, 2013다11669).

(4) 주위토지통행권의 인정범위

주위토지통행권의 범위는 통행권을 가진 자에게 필요할 뿐 아니라 이로 인한 주위토지소유자의 손해가 가장 적은 장소와 방법의 범위 내에서 인정되어야 하며, 그 범위는 결국 사회통념에 비추어 쌍방 토지의 지형적, 위치적 형상 및 이용관계, 부근의 지리상황, 상린지 이용자의 이해득실 기타 제반 사정을 참작한 뒤 구체적 사례에 응하여 판단하여야 하는 것인바, 통상적으로는 사람이 주택에 출입하여 다소의 물건을 공로로 운반하는 등의 일상생활을 영위하는 데 필요한 범위의 노폭까지 인정되고, 또 현재의 토지의 용법에 따른 이용의 범위에서 인정되는 것이지 더 나아가 장차의 이용상황까지 미리 대비하여 통행로를 정할 것은 아니다(대판 1996.11.29, 96다33433·33440).

(5) 주위토지통행권의 내용

다른 사람의 소유토지에 대하여 상린관계로 인한 통행권을 가지고 있는 사람은 그 통행권의 범위 내에서 그 토지를 사용할 수 있을 뿐이고 그 통행지에 대한 통행지 소유자의 점유를 배제할 권능까지 있는 것은 아니므로, 그 통행지 소유자는 그 통행지를 전적으로 점유하고 있는 주위토지통행권자에 대하여 그 통행지의 인도를 구할 수 있다고 할 것이나, 주위토지통행권자는 필요한 경우에는 통행지상에 통로를 개설할 수 있으므로, 모래를 깔거나, 돌계단을 조성하거나, 장해가 되는 나무를 제거하는 등의 방법으로 통로를 개설할 수 있으며, 통행지 소유자의 이익을 해하지 않는다면 통로를 포장하는 것도 허용된다고 할 것이고, 주위토지통행권자가 통로를 개설하였다고 하더라도 그 통로에 대하여 통행지 소유자의 점유를 배제할 정도의 배타적인 점유를 하고 있지 않다면, 통행지 소유자가 주위토지통행권자에 대하여 주위토지통행권이 미치는 범위 내의 통로 부분의 인도를 구하거나 그 통로에 설치된 시설물의 철거를 구할 수 없다(대판 2003.8.19, 2002다53469).

(6) 손해보상청구의 상대방

1) 민법 제219조는 어느 토지와 공로 사이에 그 토지의 용도에 필요한 통로가 없는 경우에 그 토지소유자에게 그 주위의 토지통행권을 인정하면서 그 통행권자로 하여금 통행지 소유자의 손해를 보상하도록 규정하고 있는 것이므로, 통행권자의 허락을 얻어 사실상 통행하고 있는 자에게는 그 손해의 보상을 청구할 수 없다(대판 1991.9.10, 91다19623).

2) 주위토지통행권자가 통행지 소유자에게 보상해야 할 손해액은 주위토지통행권이 인정되는 당시의 현실적 이용 상태에 따른 통행지의 임료 상당액을 기준으로 하여, 구체적인 사안에서 사회통념에 따라 쌍방 토지의 토지소유권 취득 시기와 가격, 통행지에 부과되는 재산세, 본래 용도에의 사용 가능성, 통행지를 공동으로 이용하는 사람이 있는지를 비롯하여 통행 횟수·방법 등의 이용태양, 쌍방 토지의 지형적·위치적 형상과 이용관계, 부근의 환경, 상린지 이용자의 이해득실 기타 제반 사정을 고려하여 이를 감경할 수 있고, 단지 주위토지통행권이 인정되어 통행하고 있다는 사정만으로 통행지를 '도로'로 평가하여 산정한 임료 상당액이 통행지 소유자의 손해액이 된다고 볼 수 없다(대판 2014.12.24, 2013다11669).

(7) 민법 제220조의 무상주위통행권

1) 적용범위 – 피통행지의 특정승계에게 승계되는지 여부

① 분할 또는 토지의 일부 양도로 인하여 공로에 통하지 못하는 토지가 생긴 경우의 무상주위통행권에 관한 민법 제220조의 규정은 직접 분할자 또는 일부 양도의 당사자 사이에만 적용되고 포위된 토지 또는 피통행지의 특정승계인에게는 적용되지 않는다(대판 1990.8.28, 90다카10091·10107).

② 분할 또는 토지의 일부 양도로 인하여 공로에 통하지 못하는 토지가 생긴 경우에 분할 또는 일부 양도 전의 종전 토지소유자가 그 포위된 토지를 위하여 인정한 통행사용권은 직접 분할자, 일부 양도의 당사자 사이에만 적용되므로, 포위된 토지 또는 피통행지의 특정승계인의 경우에는 주위토지통행권에 관한 일반원칙으로 돌아가 그 통행권의 범위를 따로 정하여야 한다. (또한) 이러한 법리는 분할자 또는 일부 양도의 당사자가 무상주위통행권에 기하여 이미 통로를 개설해 놓은 다음 특정승계가 이루어진 경우라 하더라도 마찬가지라 할 것이다(대판 1991.9.10, 91다19623).

2) 일부양도와 무상주위통행권

동일인 소유 토지의 일부가 양도되어 공로에 통하지 못하는 토지가 생긴 경우에 포위된 토지를 위한 주위토지통행권은, 일부 양도 전의 양도인 소유의 종전 토지에 대하여만 생기고, 다른 사람 소유의 토지에 대하여는 인정되지 아니하며, 또 무상의 주위토지통행권이 발생하는 토지의 일부 양도라 함은 1필의 토지의 일부가 양도된 경우뿐만 아니라 일단으로 되어 있던 동일인 소유의 수 필지의 토지 중의 일부가 양도된 경우도 포함된다(대판 1995.2.10, 94다45869·45875).

(8) 주위토지의 현황이나 구체적 이용상황에 변동이 생긴 경우, 기존의 확정판결 등이 인정한 통행장소와 다른 곳을 통행로로 삼아 다시 통행권확인 등의 소를 제기하는 것이 위 확정판결 등의 기판력에 저촉된다고 할 것인지 여부(소극)

주위토지통행권은 통행을 위한 지역권과는 달리 통행로가 항상 특정한 장소로 고정되어 있는 것은 아니고, 주위토지의 현황이나 사용방법이 달라졌을 때에는 주위토지 통행권자는 주위토지소유자를 위하여 보다 손해가 적은 다른 장소로 옮겨 통행할 수밖에 없는 경우도 있으므로, 일단 확정판결이나 화해조서 등에 의하여 특정의 구체적 구역이 위 요건에 맞는 통행로로 인정되었더라도 그 이후 그 전제가 되는 포위된 토지나 주위토지 등의 현황이나 구체적 이용상황에 변동이 생긴 경우에는 민법 제219조의 입법 취지나 신의성실의 원칙 등에 비추어 구체적 상황에 맞게 통행로를 변경할 수 있는 것이고, 그 과정에서 포위된 토지와 주위토지의 각 소유자 간에 원만한 합의가 이루어지지 아니하는 경우 일방이 상대방에 대하여 기존의 확정판결이나 화해조서 등이 인정한 통행장소와 다른 곳을 통행로로 삼아 주위토지통행 권의 확인이나 통행방해의 배제·예방 또는 통행 금지 등을 소로써 구하더라도 그 청구가 위 확정판결 이나 화해조서 등의 기판력에 저촉된다고 볼 수 없다(대판 2004.5.13, 2004다10268).

제6절 ▌ 부합

1. 의의

> 제256조 【부동산에의 부합】
> 부동산의 소유자는 그 부동산에 부합한 물건의 소유권을 취득한다. 그러나 타인의 권원에 의하여 부속된 것은 그러하지 아니하다.
> 제257조 【동산 간의 부합】
> 동산과 동산이 부합하여 훼손하지 아니하면 분리할 수 없거나 그 분리에 과다한 비용을 요할 경우에는 그 합성물의 소유권은 주된 동산의 소유자에게 속한다. 부합된 동산의 주종을 구별할 수 없는 때에는 동산의 소유자는 부합 당시의 가액의 비율로 합성물을 공유한다.
> 제260조 【첨부의 효과】
> ① 전4조의 규정에 의하여 동산의 소유권이 소멸한 때에는 그 동산을 목적으로 한 다른 권리도 소멸한다.
> ② 동산의 소유자가 합성물, 혼화물 또는 가공물의 단독소유자가 된 때에는 전항의 권리는 합성물, 혼화물 또는 가공물에 존속하고 그 공유자가 된 때에는 그 지분에 존속한다.
> 제261조 【첨부로 인한 구상권】
> 전5조의 경우에 손해를 받은 자는 부당이득에 관한 규정에 의하여 보상을 청구할 수 있다.

부합·혼화·가공의 3가지를 첨부라 하는데, 첨부란 소유자를 달리하는 물건이 결합되어 하나의 물건으로 되거나(부합·혼화), 어떤 물건에 타인의 노력이 가해져 새로운 물건으로 되는 것(가공)을 말한다. 민법은 부동산에의 부합과 동산간의 부합을 인정하고 있다.

2. 성질

① 첨부에 의하여 생긴 물건은 1개의 물건으로서 존속하고 그 복구는 인정되지 않는다. 이는 강행규정의 성질을 갖는다. 이에 반하여 ② 첨부에 의하여 생긴 새 물건에는 새로운 소유자가 결정되며, 이에 관한 민법규정은 임의규정으로서 당사자 간의 특약으로 자유로이 정할 수 있다.

3. 부동산에의 부합

(1) 부합의 주물(피부합물)은 부동산이어야 하고, 토지·건물 모두 피부합물이 된다.

(2) 부합물은 동산뿐만 아니라 부동산도 포함된다(대판 1962.1.13, 4294민상445).

(3) 부합의 정도는 훼손하지 않으면 분리할 수 없거나 분리에 과다한 비용을 요하는 경우는 물론, 분리하면 경제적 가치가 심히 감소되는 정도에 이르러야 한다.

(4) 부동산의 소유자가 그의 부동산에 부합하는 물건의 소유권을 취득하는 것이므로, 부합하는 동산의 가격이 부동산의 가격을 초과하는 경우에도 물건소유자는 부동산의 소유권을 취득하지 못한다(제256조 본문).

(5) 그러나 부합한 물건이 타인의 권원에 의하여 부속된 때에는 부속시킨 자의 소유로 되고, 여기서 권원이라 함은 지상권, 전세권, 임차권 등을 의미한다(제256조 단서). 결국 제256조에 의하여 부속시킨 자의 소유가 되려면 권원과 구조상·기능상 독립성이라는 두 가지 요건이 요구된다.

▶ **부합과 부속의 구별**

① 부동산에 부합된 물건이 사실상 분리복구가 불가능하여 거래상 독립한 권리의 객체성을 상실하고 그 부동산과 일체를 이루는 부동산의 구성부분이 된 경우에는 타인이 권원에 의하여 이를 부합시킨 경우에도 그 물건의 소유권은 부동산의 소유자에게 귀속된다(대판 1985.12.24, 84다카2428).

② 부합물에 관한 소유권귀속의 예외를 규정한 민법 제256조 단서의 규정은 타인이 그 권원에 의하여 부속시킨 물건이라 할지라도 그 부속된 물건이 분리하여 경제적 가치가 있는 경우에 한하여 부속시킨 타인의 권리에 영향이 없다는 취지이지, 분리하여도 경제적 가치가 없는 경우에는 원래의 부동산 소유자의 소유에 귀속되는 것이고, 경제적 가치의 판단은 부속시킨 물건에 대한 일반 사회통념상의 경제적 효용의 독립성 유무를 그 기준으로 하여야 한다(대판 2007.7.27, 2006다39270).

→ [사실관계] : 가스공급시설은 이 사건 아파트에 설치되었을 때 그 대지와 일체를 이루는 구성부분으로 부합됨으로써, 그 대지에 대한 지분권을 양수한 이 사건 아파트 구분소유자들의 소유로 되었다고 봄이 상당하다고 본 사례이다.

▶ **제256조 단서의 해당 여부**

① 민법 제256조 단서 소정의 "권원"이라 함은 지상권, 전세권, 임차권 등과 같이 타인의 부동산에 자기의 동산을 부속시켜서 그 부동산을 이용할 수 있는 권리를 뜻하므로, 그와 같은 권원이 없는 자가 토지소유자의 승낙을 받음이 없이 그 임차인의 승낙만을 받아 그 부동산 위에 나무를 심었다면 특별한 사정이 없는 한 토지소유자에 대하여 그 나무의 소유권을 주장할 수 없다(대판 1989.7.11, 88다카9067).

② 민법 제256조는 "부동산의 소유자는 그 부동산에 부합한 물건의 소유권을 취득한다. 그러나 타인의 권원에 의하여 부속된 것은 그러하지 아니하다."라고 규정하고 있다. 위 조항 단서에서 말하는 '권원'이라 함은 지상권, 전세권, 임차권 등과 같이 타인의 부동산에 자기의 동산을 부속시켜서 부동산

을 이용할 수 있는 권리를 뜻하므로, 그와 같은 권원이 없는 자가 타인의 토지 위에 나무를 심었다면 특별한 사정이 없는 한 토지소유자에 대하여 나무의 소유권을 주장할 수 없다. 지상권자는 타인의 토지에 건물 기타 공작물이나 수목을 소유하기 위하여 그 토지를 사용하는 권리가 있으므로, 지상권설정등기가 경료되면 토지의 사용·수익권은 지상권자에게 있고, 지상권을 설정한 토지소유자는 지상권이 존속하는 한 토지를 사용·수익할 수 없다. 따라서 지상권을 설정한 토지소유자로부터 토지를 이용할 수 있는 권리를 취득하였다고 하더라도 지상권이 존속하는 한 이와 같은 권리는 원칙적으로 민법 제256조 단서가 정한 '권원'에 해당하지 아니한다(대판 2018.3.15, 2015다69907).

③ 그러나 금융기관이 대출금 채권의 담보를 위하여 토지에 저당권과 함께 지료 없는 지상권을 설정하면서 채무자 등의 사용·수익권을 배제하지 않은 경우, 지상권은 저당권이 실행될 때까지 제3자가 용익권을 취득하거나 목적 토지의 담보가치를 하락시키는 침해행위를 하는 것을 배제함으로써 저당부동산의 담보가치를 확보하는 데에 목적이 있으므로, 토지소유자는 저당 부동산의 담보가치를 하락시킬 우려가 있는 등의 특별한 사정이 없는 한 토지를 사용·수익할 수 있다고 보아야 한다. 따라서 그러한 토지소유자로부터 토지를 사용·수익할 수 있는 권리를 취득하였다면 이러한 권리는 민법 제256조 단서가 정한 '권원'에 해당한다고 볼 수 있다(대판 2018.3.15, 2015다69907).

▶ 밭으로 사용되는 토지 일부를 통행로로 사용할 것을 허가받은 제3자가 통행로를 아스콘으로 포장한 경우, 이후 토지의 소유권을 취득한 사람이 제3자를 상대로 아스콘의 철거를 구함에 있어 아스콘이 토지에 부합되어 제3자가 철거의무를 면하는지 여부(소극) ★

① 부동산에 부합된 물건이 사실상 분리복구가 불가능하여 거래상 독립한 권리의 객체성을 상실하고 그 부동산과 일체를 이루는 부동산의 구성부분이 된 경우에는 타인이 권원에 의하여 이를 부합시켰더라도 그 물건의 소유권은 부동산의 소유자에게 귀속되어 부동산의 소유자는 방해배제청구권에 기하여 부합물의 철거를 청구할 수 없지만, ② 부합물이 위와 같은 요건을 충족하지 못해 그 물건의 소유권이 부동산의 소유자에게 귀속되었다고 볼 수 없는 경우에는 부동산의 소유자는 방해배제청구권에 기하여 부합물의 철거를 청구할 수 있다(대판 2020.4.9, 2018다264307).

→ [사실관계 및 해설] : 피고가 사적인 통행을 위해 종래 밭으로 사용되던 이 사건 도로부지에 가볍게 아스콘(아스팔트 콘크리트)을 씌운 것이어서 토지와 아스콘의 구분이 명확하고, 아스콘 제거에 과다한 비용이 소요되지 아니하므로, 포장은 이 사건 도로부지로부터 사실적·물리적으로 충분히 분리복구가 가능한 상태로 봄이 타당하고, 그 포장은 원고가 이 사건 도로부지를 당초 용도에 따라 밭으로 사용하고자 할 경우에는 불필요하고 오히려 원고의 소유권 행사를 방해하는 것으로서 이 사건 도로부지와 일체를 이루는 토지의 구성부분이 되었다고 볼 수 없으므로, 원고의 철거청구를 인정한 사례이다.

4. 동산 간의 부합

동산과 동산이 부합하여 훼손하지 아니하면 분리할 수 없거나, 그 분리에 과다한 비용을 요할 경우에는 그 합성물의 소유권은 주된 동산의 소유자에게 속한다. 단 주·종을 구별할 수 없는 때에는 각 동산의 소유자는 부합 당시의 가액의 비율로 합성물을 공유한다(제257조 후문).

5. 구 물건 위에 존재하였던 제3자의 권리(지위)

(1) 원칙

첨부에 의하여 동산의 소유권이 소멸하면 그 동산 위에 존재하는 제3자의 권리도 소멸함이 원칙이다(제260조 제1항). 다만 다음과 같이 제3자의 권리를 보호하기 위한 규정을 마련하고 있다. 제3자의 권리보호규정은 강행규정이다.

(2) 동산의 소유자가 단독소유자가 된 때

그 동산을 목적으로 한 제3자의 권리는 첨부에 의하여 발생한 물건 위에 존속한다(제260조 제2항 후단).

(3) 동산의 소유자가 공유자가 된 때

그 동산을 목적으로 한 제3자의 권리는 첨부에 의하여 발생한 물건의 공유지분에 존속한다(제260조 제2항 후단).

6. 보상청구권

부합으로 인하여 손해를 받은 자는 부당이득에 관한 규정에 의하여 보상을 청구할 수 있다(제261조).

판례 연구 ▶ 관련판례 정리

부합에 관한 판례의 정리

1) 어떠한 동산이 민법 제256조에 의하여 부동산에 부합된 것으로 인정되기 위해서는 그 동산을 훼손하거나 과다한 비용을 지출하지 않고서는 분리할 수 없을 정도로 부착·합체되었는지 여부 및 그 물리적 구조, 용도와 기능면에서 기존 부동산과는 독립한 경제적 효용을 가지고 거래상 별개의 소유권의 객체가 될 수 있는지 여부 등을 종합하여 판단하여야 하고, 이러한 부동산에의 부합에 관한 법리는 건물의 증축의 경우는 물론 건물의 신축의 경우에도 그대로 적용될 수 있다고 한다(대판 2009.9.24, 2009다15602).

2) ① 타인 소유의 건물을 증축 또는 개축한 경우 증·개축 부분이 독립성을 가지고, 임차인이 건물소유자의 승낙을 얻어 증개축한 경우에는 증개축 부분은 임차인의 소유에 귀속한다(대판 1977.5.24, 76다464).
② 임차인이 임차한 건물에 그 권원에 의하여 증축을 한 경우에 증축된 부분이 부합으로 인하여 기존 건물의 구성부분이 된 때에는 증축된 부분에 별개의 소유권이 성립할 수 없으나, 증축된 부분이 구조상으로나 이용상으로 기존 건물과 구분되는 독립성이 있는 때에는 구분소유권이 성립하여 증축된 부분은 독립한 소유권의 객체가 된다(대판 1999.7.27, 99다14518).

3) 건물소유자가 증·개축한 부분의 부합판단기준에 관하여 건물의 증·개축 부분이 종래건물과 독립적인 경우 부합이 성립되지 않는다(대판 1994.6.10, 94다11606).

4) 건물의 증축 부분이 기존건물에 부합하여 기존건물과 분리하여서는 별개의 독립물로서의 효용을 갖지 못하는 이상 기존건물에 대한 근저당권은 민법 제358조에 의하여 부합된 증축 부분에도 효력이 미치는 것이므로 기존건물에 대한 경매절차에서 경매목적물로 평가되지 아니하였다고 할지라도 경락인은 부합된 증축 부분의 소유권을 취득한다(대판 2002.10.25, 2000다63110).

5) 경매법원이 기존건물의 종물이라거나 부합된 부속건물이라고 볼 수 없는 건물에 대하여 경매신청된 기존건물의 부합물이나 종물로 보고서 경매를 같이 진행하여 경락허가를 하였다 하더라도 그 독립된 건물에 대한 경락은 당연무효이고, 따라서 그 경락인은 위 독립된 건물에 대한 소유권을 취득할 수 없다(대판 1988.2.23, 87다카600).

6) 권원 없이 재배한 농작물이라 하더라도 그 농작물이 성숙성이 있다면 명인방법을 갖추지 않더라도 토지에 부합하지 않고 경작자에게 그 소유권이 있다(대판 1968.6.4, 68다613).

7) 민법 제261조는 첨부에 관한 민법 규정에 의하여 어떤 물건의 소유권 또는 그 물건 위의 다른 권리가 소멸한 경우 이로 인하여 손해를 받은 자는 '부당이득에 관한 규정에 의하여 보상을 청구할 수 있다'고 규정하고 있는데, 여기서 '부당이득에 관한 규정에 의하여 보상을 청구할 수 있다'는 것은 법률효과만이 아니라 법률요건도 부당이득에 관한 규정이 정하는 바에 따른다는 의미이다(대판 2016.4.28, 2012다19659).

8) 부당이득반환청구에서 이득이란 실질적인 이익을 의미하는데, 동산에 대하여 양도담보권을 설정하면서 양도담보권설정자가 양도담보권자에게 담보목적인 동산의 소유권을 이전하는 이유는 양도담보권자가 양도담보권을 실행할 때까지 스스로 담보물의 가치를 보존할 수 있게 함으로써 만약 채무자가 채무를 이행하지 않더라도 채권자인 양도담보권자가 양도받은 담보물을 환가하여 우선변제받는 데에 지장이 없도록 하기 위한 것이고, 동산양도담보권은 담보물의 교환가치 취득을 목적으로 하는 것이다. 이러한 양도담보권의 성격에 비추어 보면, 양도담보의 목적인 주된 동산에 다른 동산이 부합되어 부합된 동산에 관한 권리자가 권리를 상실하는 손해를 입은 경우 주된 동산이 담보물로서 가치가 증가된 데 따른 실질적 이익은 주된 동산에 관한 양도담보권설정자에게 귀속되는 것이므로, 이 경우 부합으로 인하여 권리를 상실하는 자는 양도담보권설정자를 상대로 민법 제261조에 따라 보상을 청구할 수 있을 뿐 양도담보권자를 상대로 보상을 청구할 수는 없다(대판 2016.4.28, 2012다19659).

9) 민법 제261조에서 첨부로 법률규정에 의한 소유권 취득(민법 제256조 내지 제260조)이 인정된 경우에 "손해를 받은 자는 부당이득에 관한 규정에 의하여 보상을 청구할 수 있다"라고 규정하고 있는바, 이러한 보상청구가 인정되기 위해서는 민법 제261조 자체의 요건뿐만 아니라, 부당이득 법리에 따른 판단에 의하여 부당이득의 요건이 모두 충족되었다고 인정되어야 한다. 매도인에게 소유권이 유보된 자재가 제3자와 매수인 사이에 이루어진 도급계약의 이행으로 제3자 소유 건물의 건축에 사용되어 부합된 경우 보상청구를 거부할 법률상 원인이 있다고 할 수 없지만, 제3자가 도급계약에 의하여 제공된 자재의 소유권이 유보된 사실에 관하여 과실 없이 알지 못한 경우라면 선의취득의 경우와 마찬가지로 제3자가 그 자재의 귀속으로 인한 이익을 보유할 수 있는 법률상 원인이 있다고 봄이 상당하므로, 매도인으로서는 그에 관한 보상청구를 할 수 없다. 이러한 법리는 매도인에게 소유권이 유보된 자재가 본인에게 효력이 없는 계약에 기초하여 매도인으로부터 무권대리인에게 이전되고, 무권대리인과 본인 사이에 이루어진 도급계약의 이행으로 본인 소유 건물의 건축에 사용되어 부합된 경우에도 마찬가지로 적용된다(대판 2018.3.15, 2017다282391).

→ [보충] : 건축자재가 직접 매수인으로부터 제3자에게 교부된 것은 아니지만 도급계약에 따른 이행에 의하여 제3자에게 제공된 것으로서 거래에 의한 동산 양도와 유사한 실질을 가지므로, 그 부합에 의한 보상청구에 대하여도 선의취득에서의 이익보유에 관한 법리가 유추적용된다고 봄이 상당하다(대판 2009. 9.24, 2009다15602).

10) ① 민법 제261조에서 첨부로 법률규정에 의한 소유권 취득(민법 제256조 내지 제260조)이 인정된 경우에 "손해를 받은 자는 부당이득에 관한 규정에 의하여 보상을 청구할 수 있다."라고 규정하고 있는데, 이러한 보상청구가 인정되기 위해서는 민법 제261조 자체의 요건뿐만 아니라, 부당이득 법리에 따른 판단에 의하여 부당이득의 요건이 모두 충족되었다고 인정되어야 한다. ② 한편 원래 계약당사자 사이에서 그 계약의 이행으로 급부된 것은 그 급부의 원인관계가 적법하게 실효되지 아니하는 한 부당이득이 될 수 없고, 계약에 따른 어떤 급부가 그 계약의 상대방 아닌 제3자의 이익으로 된 경우에도 급부를 한 계약당사자는 계약상대방에 대하여 계약상의 반대급부를 청구할 수 있는 것이지 그 제3자에 대하여 직접 부당이득을 주장하여 반환을 청구할 수 없다(대판 2023.4.27, 2022다304189).

제7절 공동소유

I. 공유

제262조 【물건의 공유】
① 물건이 지분에 의하여 수인의 소유로 된 때에는 공유로 한다.
② 공유자의 지분은 균등한 것으로 추정한다.

1. 의의

(1) 개념

공유란 물건이 지분에 의하여 수인의 소유로 된 것, 즉 공동목적을 위한 인적 결합관계 없는 수인이 물건을 공동으로 소유하는 것을 말한다.

(2) 법적 성질

공유는 1개의 소유권이 분량적으로 분할되어 수인에게 속하는 상태라는 양적 분할설이 통설로서 일물일권주의를 근거로 한다. 이에 따르면 지분은 1개의 소유권의 분량적 일부분이 된다.

2. 성립

(1) 계약에 의한 성립

하나의 물건을 수인이 공유로 한다는 뜻의 명시적 또는 묵시적 의사의 합치에 의해 성립할 수 있다. 다만 부동산에 관하여는 공유의 등기와 지분의 등기가 모두 있어야 한다.

(2) 법률의 규정에 의한 성립

1) 매장물 발견(제254조), 주종을 구별할 수 없는 동산의 부합(제257조), 혼화(제258조), 건물 구분소유에 있어서의 공용부분(제215조 제1항), 경계에 설치된 경계표, 담, 구거 등(제239조) 등이 이에 해당한다.

2) 공동상속재산은 상속인의 공유에 속하는데(제1006조), 이에 대해 견해의 대립이 있으나 통설·판례는 공유설의 입장이다(대판 1996.2.9, 94다61649).

3. 공유의 지분

(1) 의의

지분의 의미에 관하여 통설인 양적 분할설에 의하면 1개의 소유권의 분량적 일부분이라고 한다. 즉 지분은 그 성질이나 효력에서 소유권과 동일하다.

(2) 지분의 비율

① 지분의 비율은 공유자의 의사표시 또는 법률의 규정(제254조 단서, 제257조, 제258조, 제1009조, 집합건물법 제12조)에 의하여 정해진다. 그러나 그것이 불분명한 때에는 공유자의 지분은 균등한 것으로 추정된다(제262조 제2항). ② 등기부상의 지분과 실제의 지분이 다른 경우 원래의 공유자들 사이에서는 실제의 지분이 기준으로 된다(대판 2001.3.9, 98다51169).

(3) 지분의 처분

> **제263조【공유지분의 처분과 공유물의 사용, 수익】**
> 공유자는 그 지분을 처분할 수 있고 공유물 전부를 지분의 비율로 사용, 수익할 수 있다.

① 지분은 하나의 소유권과 같은 성질을 가지기 때문에 공유자는 그 지분을 자유로이 처분(양도, 담보제공 등)할 수 있다. 즉, 지분을 처분함에는 다른 공유자의 동의를 요하지 않으며(대판 1972. 5.23, 71다2760), 지분처분금지의 특약이 있더라도 이는 당사자간에 채권적 효력을 가질 뿐이며, 그러한 특약을 등기할 방법도 없다.

② 지분이 양도된 경우에 종래 다른 공유자와의 공유관계는 그대로 양수인에게 승계된다.

(4) 지분의 주장

각 공유자는 단독으로 다른 공유자 및 제3자에 대하여 지분을 주장할 수 있다. 따라서 지분권의 확인청구, 지분의 이전 또는 말소등기청구, 지분권에 기한 취득시효중단 등을 단독으로 할 수 있다.

▶ 공유자의 지분은 다른 공유자의 지분에 의하여 일정한 비율로 제한을 받는 것을 제외하고는 독립한 소유권과 같은 것으로 공유자는 그 지분을 부인하는 제3자에 대하여 각자 그 지분권을 주장하여 지분의 확인을 소구하여야 하는 것이고, 공유자 일부가 제3자를 상대로 다른 공유자의 지분의 확인을 구하는 것은 타인의 권리관계의 확인을 구하는 소에 해당한다고 보아야 할 것이므로 그 타인 간의 권리관계

가 자기의 권리관계에 영향을 미치는 경우에 한하여 확인의 이익이 있다고 할 것이며, 공유물 전체에 대한 소유관계 확인도 이를 다투는 제3자를 상대로 공유자 전원이 하여야 하는 것이지 공유자 일부만 이 그 관계를 대외적으로 주장할 수 있는 것이 아니므로, 아무런 특별한 사정이 없이 다른 공유자의 지분의 확인을 구하는 것은 확인의 이익이 없다(대판 1994.11.11, 94다35008).

(5) 지분의 탄력성

> **제267조【지분포기 등의 경우의 귀속】**
> 공유자가 그 지분을 포기하거나 상속인 없이 사망한 때에는 그 지분은 다른 공유자에게 각 지분의 비율로 귀속한다.

① 지분은 하나의 독립된 소유권과 같은 것이므로 탄력성이 있다. 즉 공유자가 그 지분을 포기하거나 상속인이 없이 사망한 때에는 그 지분은 다른 공유자에게 각 지분의 비율로 귀속한다(제267조).

② 여기서 공유지분의 포기는 법률행위로서 상대방 있는 단독행위에 해당하므로, 부동산 공유자의 공유지분 포기의 의사표시가 다른 공유자에게 도달하더라도 이로써 곧바로 공유지분 포기에 따른 물권변동의 효력이 발생하는 것은 아니고, 다른 공유자는 자신에게 귀속될 공유지분에 관하여 소유권이전등기청구권을 취득하며, 이후 민법 제186조에 의하여 등기를 하여야 공유지분 포기에 따른 물권변동의 효력이 발생한다. 그리고 부동산 공유자의 공유지분 포기에 따른 등기는 해당 지분에 관하여 다른 공유자 앞으로 소유권이전등기를 하는 형태가 되어야 한다(대판 2016.10.27, 2015다52978).

4. 공유자 사이의 법률관계

(1) 공유물의 사용 · 수익

> **제263조【공유지분의 처분과 공유물의 사용, 수익】**
> 공유자는 그 지분을 처분할 수 있고 공유물 전부를 지분의 비율로 사용, 수익할 수 있다.

각 공유자는 공유물 전부를 지분의 비율로 사용 · 수익할 수 있다(제263조 후단).

▶ **공유자 간의 공유물에 대한 사용 · 수익 · 관리에 관한 특약이 특정승계인에게 승계되는지 여부**(원칙적 적극) **및 위 특약 후 특약사항을 변경할 수 있는지 여부**(적극) *

① 공유자 간의 공유물에 대한 사용 · 수익 · 관리에 관한 특약은 공유자의 특정승계인에 대하여도 당연히 승계된다고 할 것이나, 민법 제265조는 "공유물의 관리에 관한 사항은 공유자의 지분의 과반수로써 결정한다"라고 규정하고 있으므로, 위와 같은 특약 후에 공유자에 변경이 있고 특약을 변경할 만한 사정이 있는 경우에는 공유자의 지분의 과반수의 결정으로 기존 특약을 변경할 수 있다 (대판 2005.5.12, 2005다1827).

② 공유자는 공유물 전부를 지분의 비율로 사용 · 수익할 수 있으며(민법 제263조), 공유물의 관리에 관한 사항은 공유자의 지분의 과반수로써 결정된다(민법 제265조). 그리고 공유물의 사용 · 수익 · 관리

에 관한 공유자 사이의 특약은 유효하며 그 특정승계인에 대하여도 승계되지만, 그 특약이 지분권자로서의 사용·수익권을 사실상 포기하는 등으로 공유지분권의 본질적 부분을 침해하는 경우에는 특정승계인이 그러한 사실을 알고도 공유지분권을 취득하였다는 등의 특별한 사정이 없다면 특정승계인에게 당연히 승계된다고 볼 수 없다. 그리고 위와 같은 특약의 존재 및 그 특약을 알면서 공유지분권을 취득하였다는 등의 특별한 사정이 있는지에 관하여는 구체적인 공유물의 사용·수익·관리의 현황, 이에 이르게 된 경위 및 공유자들의 의사, 현황대로 사용·수익된 기간, 공유지분권의 취득 경위 및 그 과정에서 특약 등의 존재가 드러나 있었거나 이를 쉽게 알 수 있었는지 여부 등 여러 사정을 종합하여 판단하여야 한다(대판 2013.3.14, 2011다58701).

→ [해설] : 甲은 3/5, 乙과 丙은 각 1/5의 지분비율로 X 토지를 공유하고 있는데, 甲, 乙, 丙이 합의하여 甲, 乙은 X 토지의 사용·수익권을 영구히 포기하고 丙이 X 토지 전체를 무기한 무상으로 사용하기로 하였다면, 그 특약의 효력은 甲으로부터 공유지분을 취득한 丁이 그 사실을 알지 못한 경우에는 丁에 대하여 효력이 없다.

▶ 공유자 중 1인이 자신의 지분 중 일부를 다른 공유자에게 양도하기로 하는 공유자 간의 약정이 특정승계인에게 당연히 승계되는지 여부(소극) *

공유자 간의 공유물에 대한 사용수익·관리에 관한 특약은 공유자의 특정승계인에 대하여도 당연히 승계된다고 할 것이나(대판 2005.5.12, 2005다1827 참조), 공유자 중 1인이 자신의 지분 중 일부를 다른 공유자에게 양도하기로 하는 공유자 간의 지분의 처분에 관한 약정까지 공유자의 특정승계인에게 당연히 승계되는 것으로 볼 수는 없다(대판 2007.11.29, 2007다64167).

(2) 공유물의 관리·보존

> **제265조【공유물의 관리, 보존】**
> 공유물의 관리에 관한 사항은 공유자의 지분의 과반수로써 결정한다. 그러나 보존행위는 각자가 할 수 있다.

1) 의의

① 보존행위는 각자가 단독으로 할 수 있고(제265조 단서), 관리행위는 지분의 과반수로 결정한다(제265조 본문). 여기서 보존행위란 목적물의 멸실·훼손을 방지하고 그 현상을 유지하기 위하여 하는 행위를 말하고, 관리란 처분 및 변경에 이르지 않은 것으로서 공유물을 이용·개량하는 행위를 말한다. 보존행위의 형태는 수선·유지·보관뿐만 아니라 공유물에 관한 원인무효의 등기에 대하여 말소등기를 청구하는 것도 보존행위에 해당한다(대판 1993.5.11, 92다52870).

▶ 공동상속인 중 1인이 피상속인과 체결하였다는 매매 등 효력 없는 계약을 원인으로 공동상속한 부동산 전부에 관하여 소유권이전등기를 마친 경우, 다른 공동상속인이 등기명의인의 상속분을 제외한 나머지 공유지분 전부에 관하여 소유권이전등기의 말소등기절차 이행을 구할 수 있는지 여부(적극)와 공유자 1인의 보존권 행사 결과가 다른 공유자의 이해와 충돌되는 경우, 보존권 행사를 공유물의 보존행위로 볼 수 있는지 여부(소극)(대판 2015.1.29, 2014다49425)

[1] 부동산의 공유자 중 1인은 해당 부동산에 관하여 무효의 소유권이전등기가 경료되어 있는 경우에

민법 제265조 단서에서 정하는 공유물에 관한 보존행위로서 자신의 공유지분을 넘어서 그 무효인 등기 전부의 말소를 청구할 수 있다. 따라서 공동상속에 의하여 여러 사람의 공유로 된 부동산에 관하여 공동상속인 중 1인이 피상속인과의 사이에 행하여졌다는 매매 등 효력 없는 계약(필자 ✪ 치매로 인하여 망 소외 1에게 의사능력이 없어서 이 사건 증여계약 등이 무효인 경우에 해당)을 원인으로 하여 공유물 전부에 관하여 소유권이전등기를 경료한 경우에도, 다른 상속인은 공유물에 관한 보존행위로서 등기명의인의 상속분을 제외한 나머지 공유지분 전부에 관하여 그 소유권이전등기의 말소등기절차를 이행할 것을 청구할 수 있다.

[2] 한편 공유물의 보존행위는 공유물의 멸실·훼손을 방지하고 그 현상을 유지하기 위하여 하는 사실적 법률적 행위로서 이러한 공유물의 보존행위를 각 공유자가 단독으로 할 수 있도록 한 취지는 그 보존행위가 긴급을 요하는 경우가 많고 다른 공유자에게도 이익이 되는 것이 보통이기 때문이므로, 어느 공유자가 보존권을 행사하는 때에 그 행사의 결과가 다른 공유자의 이해와 충돌될 때에는 그 행사는 보존행위로 될 수 없다고 보아야 한다.[3]

② 공유자가 공유물을 타인에게 임대하는 행위 및 그 임대차계약을 해지하는 행위는 공유물의 관리행위에 해당하므로, 공유자의 지분의 과반수로써 결정하여야 한다(대판 2010.9.9. 2010다37905).

▶ 공유자가 공유물을 타인에게 임대하는 행위 및 그 임대차계약을 해지하는 행위는 공유물의 관리행위에 해당하므로 민법 제265조 본문에 의하여 공유자의 지분의 과반수로써 결정하여야 한다. 상가건물 임대차보호법이 적용되는 상가건물의 공유자인 임대인이 같은 법 제10조 제4항에 의하여 임차인에게 갱신 거절의 통지를 하는 행위는 실질적으로 임대차계약의 해지와 같이 공유물의 임대차를 종료시키는 것이므로 공유물의 관리행위에 해당하여 공유자의 지분의 과반수로써 결정하여야 한다(대판 2010. 9.9. 2010다37905).

③ 다만 다수지분권자라 하여 나대지에 새로이 건물을 건축한다든지 하는 것은 '관리'의 범위를 넘는 것이 된다(대판 2001.11.27. 2000다33638·33645).

2) 공유자 1인이 공유물을 배타적으로 점유하고 있는 경우의 법률관계

가) 다수지분권자의 배타적 점유

① 과반수 지분의 공유자는 공유자와 사이에 미리 공유물의 관리방법에 관하여 협의가 없었다 하더라도 공유물의 관리에 관한 사항을 단독으로 결정할 수 있으므로 과반수 지분의 공유자는 그 공유물의 관리방법으로서 그 공유토지의 특정된 한 부분을 배타적으로 사용·수익할 수 있으나, 그로 말미암아 지분은 있되 그 특정 부분의 사용·수익을 전혀 하지 못하여

---

3) 예컨대 甲의 상속인으로 A, B, C, D, E가 있었고, 甲의 제사를 지내는 B가 생전에 甲으로부터 X 부동산을 증여받았음을 원인으로 X 부동산 전부에 관하여 소유권이전등기를 경료하였는데, C와 D는 수사기관에서, E는 이 사건 제1심 법정에서, 甲이 B에게 정상적인 절차에 의해서 그의 유효한 의사에 따라 이 사건 증여를 한 것이라는 취지로 B의 주장에 부합하는 진술·증언을 한 사실과 또한 제1심법원에 위와 같은 취지의 내용이 기재된 탄원서 및 준비서면을 제출하여 B 명의의 지분이전등기에 이의가 없다는 입장을 밝힌 사실을 기초로 살펴보건대, 甲으로부터 증여받은 것이라는 B의 주장이 받아들여지지 않는 경우에도 자신들은 이를 인정하거나 자신들의 상속분을 B에게 새롭게 증여하여 그 현상을 유지하겠다는 취지라면, A가 C, D, E의 각 상속분에 해당하는 부분까지 말소를 구하는 것은 C, D, E의 이해와 충돌되어 공유물의 보존행위로 될 수 없다고 본 사례이다.

손해를 입고 있는 소수지분권자에 대하여 그 지분에 상응하는 임료 상당의 부당이득을 하고 있다 할 것이므로 이를 반환할 의무가 있다.

② 다만 그 과반수 지분의 공유자로부터 다시 그 특정 부분의 사용·수익을 허락받은 제3자의 점유는 다수지분권자의 공유물관리권에 터잡은 적법한 점유이므로 그 제3자는 소수지분권자에 대하여도 그 점유로 인하여 법률상 원인 없이 이득을 얻고 있다고는 볼 수 없다(대판 2002.5.14, 2002다9738). 이때에는 과반수 지분을 가지고 있었던 자가 임대료 상당의 이익을 얻고 있다면 타공유자는 과반수지분을 소유하고 있는 공유자에게 자신의 지분상당의 부당이득반환청구를 할 수 있을 뿐이다.

판례 연구 관련판례 정리 ═══════════════════════════════════

(1) 과반수 지분의 공유자가 공유물의 특정 부분을 배타적으로 사용·수익할 것을 정하는 것이 공유물의 관리 방법으로서 적법한지 여부(적극)(대판 2001.11.27, 2000다33638·33645)

1) 공유자 사이에 공유물을 사용·수익할 구체적인 방법을 정하는 것은 공유물의 관리에 관한 사항으로서 공유자의 지분의 과반수로써 결정하여야 할 것이고, 과반수의 지분을 가진 공유자는 다른 공유자와 사이에 미리 공유물의 관리방법에 관한 협의가 없었다 하더라도 공유물의 관리에 관한 사항을 단독으로 결정할 수 있으므로, 과반수의 지분을 가진 공유자가 그 공유물의 특정 부분을 배타적으로 사용·수익하기로 정하는 것은 공유물의 관리방법으로서 적법하며, 다만 그 사용·수익의 내용이 공유물의 기존의 모습에 본질적 변화를 일으켜 '관리' 아닌 '처분'이나 '변경'의 정도에 이르는 것이어서는 안 될 것이고, 예컨대 다수지분권자라 하여 나대지에 새로이 건물을 건축한다든지 하는 것은 '관리'의 범위를 넘는 것이 될 것이다.

2) 공유토지에 관하여 점유취득시효가 완성된 후 취득시효 완성 당시의 공유자들 일부로부터 과반수에 미치지 못하는 소수 지분을 양수 취득한 제3자는 나머지 과반수 지분에 관하여 취득시효에 의한 소유권이전등기를 경료받아 과반수 지분권자가 될 지위에 있는 시효취득자(점유자)에 대하여 지상건물의 철거와 토지의 인도 등 점유배제를 청구할 수 없다.

(2) 과반수 지분을 갖지 못한 공유자가 부동산을 임의로 타에 임대한 경우 타공유자에 대한 부당이득 또는 불법 행위의 성부

부동산의 1/7 지분 소유권자가 타공유자의 동의없이 그 부동산을 타에 임대하여 임대차보증금을 수령하였다면, 이로 인한 수익 중 자신의 지분을 초과하는 부분에 대하여는 법률상 원인없이 취득한 부당이득이 되어 이를 반환할 의무가 있고, 또한 위 무단임대행위는 다른 공유지분권자의 사용, 수익을 침해한 불법행위가 성립되어 그 손해를 배상할 의무가 있다. 이 경우 반환 또는 배상해야 할 범위는 위 부동산의 임대차로 인한 차임 상당액이라 할 것으로서 타공유자는 그 임대보증금 자체에 대한 지분비율 상당액의 반환 또는 배상을 구할 수는 없다(대판 1991.9.24, 91다23639). → 소수지분권자 스스로 사용·수익하는 경우와 다름에 주의를 요한다.

(3) 과반수 지분의 공유자로부터 사용·수익을 허락받은 점유자에 대하여 소수 지분의 공유자가 점유배제를 구할 수 있는지 여부(소극)

공유자 사이에 공유물을 사용·수익할 구체적인 방법을 정하는 것은 공유물의 관리에 관한 사항으로서 공유자의 지분의 과반수로써 결정하여야 할 것이고, 과반수 지분의 공유자는 다른 공유자와 사이에 미리 공유물의 관리방법에 관한 협의가 없었다 하더라도 공유물의 관리에 관한 사항을 단독으로 결정할 수 있으므로, 과반수 지분의 공유자가 그 공유물의 특정 부분을 배타적으로 사용·수익하기로 정하는 것은 공유물의 관리방법으로서 적법하다고 할 것이므로, 과반수 지분의 공유자로부터 사용·수익을 허락받은 점유자에 대하여 소수 지분의 공유자는 그 점유자가 사용·수익하는 건물의 철거나 퇴거 등 점유배제를 구할 수 없다(대판 2002.5.14, 2002다9738).

(4) 과반수 지분의 공유자로부터 공유물의 특정 부분의 사용·수익을 허락받은 점유자는 소수지분권자에 대하여 그 점유로 인하여 법률상 원인 없이 이득을 얻고 있다고 볼 수 있는지 여부(소극)

과반수 지분의 공유자는 공유자와 사이에 미리 공유물의 관리방법에 관하여 협의가 없었다 하더라도 공유물의 관리에 관한 사항을 단독으로 결정할 수 있으므로 과반수 지분의 공유자는 그 공유물의 관리방법으로서 그 공유토지의 특정된 한 부분을 배타적으로 사용·수익할 수 있으나, 그로 말미암아 지분은 있으되 그 특정 부분의 사용·수익을 전혀 하지 못하여 손해를 입고 있는 소수지분권자에 대하여 그 지분에 상응하는 임료 상당의 부당이득을 하고 있다 할 것이므로 이를 반환할 의무가 있다 할 것이나, 그 과반수 지분의 공유자로부터 다시 그 특정 부분의 사용·수익을 허락받은 제3자의 점유는 다수지분권자의 공유물관리권에 터잡은 적법한 점유이므로 그 제3자는 소수지분권자에 대하여도 그 점유로 인하여 법률상 원인 없이 이득을 얻고 있다고는 볼 수 없다(대판 2002.5.14, 2002다9738).

나) 소수지분권자의 배타적 점유

① 다수지분권자의 권리

다수지분자권자는 ⅰ) 제265조의 관리방법의 일환으로 소수지분권자에 대하여 공유물 전부의 인도를 청구할 수 있고(대판 1981.10.13, 81다653), ⅱ) 소수지분권자의 공유물에 대한 배타적 지배는 제265조의 관리방법으로서도 위법하다고 할 것이므로 다수지분권자는 자신의 지분권 침해를 이유로 손해배상을 청구할 수 있다. 나아가 ⅲ) 부당이득반환청구도 가능하다.

② 다른 소수지분권자의 권리

ⅰ) 판례는 종래 보존행위를 근거로 공유자 자신의 지분이 과반수에 미달되더라도 배타적으로 공유물을 점유하는 다른 과반수미달의 공유자에게 공유물의 인도를 청구할 수 있다고 하였으나(대판(전) 1994.3.22, 93다9392: 다수의견), 최근 입장을 변경하여 보존행위를 근거로는 공유물의 인도를 청구할 수 없고, 공유자는 자신의 지분권 행사를 방해하는 행위에 대해서 민법 제214조에 따른 방해배제청구권을 행사할 수 있으며, 공유물에 대한 지분권은 공유자 각자가 행사할 수 있다고 하였다(대판(전) 2020.5.21, 2018다287522). 나아가 ⅱ) 토지의 공유자는 각자의 지분 비율에 따라 토지 전체를 사용·수익할 수 있지만, 그 구체적인 사용·수익 방법에 관하여 공유자들 사이에 지분 과반수의 합의가 없는 이상, 1인이 특정 부분을 배타적으로 점유·

사용할 수 없는 것이므로, 공유자 중의 일부가 특정 부분을 배타적으로 점유·사용하고 있다면, 그들은 비록 그 특정 부분의 면적이 자신들의 지분 비율에 상당하는 면적 범위 내라고 할지라도, 다른 공유자들 중 지분은 있으나 사용·수익은 전혀 하지 않고 있는 자에 대하여는 그 자의 지분에 상응하는 부당이득을 하고 있다고 보아야 할 것인바, 이는 모든 공유자는 공유물 전부를 지분의 비율로 사용·수익할 권리가 있기 때문이다(대판 2001.12.11, 2000다13948).

(3) 공유물의 처분·변경

> 제264조 【공유물의 처분, 변경】
> 공유자는 다른 공유자의 동의 없이 공유물을 처분하거나 변경하지 못한다. → 처분이란 법률상·사실상의 처분을 포함한다.

1) 공유물의 처분·변경을 위해서는 공유자 전원의 동의가 있어야 한다(제264조).
2) 공유자 중 1인이 다른 공유자의 동의 없이 그 공유토지의 특정부분을 매도하여 타인명의로 소유권이전등기가 마쳐졌다면 그 특정부분에 대한 소유권이전등기는 처분공유자의 공유지분 범위 내에서는 실체관계에 부합하는 유효인 등기이다(대판 2008.4.24, 2008다5073).

(4) 공유물에 관한 부담

> 제266조 【공유물의 부담】
> ① 공유자는 그 지분의 비율로 공유물의 관리비용 기타 의무를 부담한다.
> ② 공유자가 1년 이상 전항의 의무이행을 지체한 때에는 다른 공유자는 상당한 가액으로 지분을 매수할 수 있다.

1) 관리비용의 부담의무는 공유자의 내부관계에 있어서 부담을 정하는 것일 뿐, 제3자와의 관계는 당해 법률관계에 따라 결정된다. 판례도 "공유토지의 과반수지분권자는 다른 공유자와 협의 없이 단독으로 관리행위를 할 수가 있으며 그로 인한 관리비용은 공유자의 지분비율에 따라 부담할 의무가 있으나, 위와 같은 관리비용의 부담의무는 공유자의 내부관계에 있어서 부담을 정하는 것일 뿐, 제3자와의 관계는 당해 법률관계에 따라 결정된다고 할 것이고, 따라서 과반수지분권자가 관리행위가 되는 공사를 시행함에 있어 시공회사에 대하여 공사비용은 자신이 정산하기로 약정하였다면 그 공사비를 직접 부담해야 할 사람은 과반수지분권자만이라 할 것이고, 다만 그가 그 공사비를 지출하였다면 다른 공유자에게 그의 지분비율에 따른 공사비만을 상환청구할 수 있을 뿐이다."라고 하였다(대판 1991.4.12, 90다20220).
2) 민법 제266조 제2항의 규정에 의하여 공유자가 다른 공유자의 의무이행지체를 이유로 그 지분의 매수청구권을 행사함에 있어서는 매수대상이 되는 지분 '전부'의 매매대금을 제공한 다음 매수청구권을 행사하여야 한다(대판 1992.10.9, 92다25656).[4]

---

4) 공유자가 다른 공유자의 의무이행지체를 이유로 그 지분의 매수청구권을 행사함에 있어서 매수대상이 되는 지분 '일부'의 매매대금을 제공한 경우에도 가능한 것은 아님에 주의를 요한다.

5. 공유관계의 대외적 주장

판례는 공유관계의 확인청구나 공유관계 자체에 기하여 방해배제를 청구하는 경우 모든 공유자에게 합일확정이 필요하다는 점을 논거로 공유자 전원의 공동청구가 필요하다는 입장으로 정리되어 가고 있다.5)

판례 연구 ▶ 관련판례 정리

1) [대판(전) 2012.2.16. 2010다82530]

[1] 수인의 채권자가 각기 그 채권을 담보하기 위하여 채무자와 채무자 소유의 부동산에 관하여 수인의 채권자를 공동매수인으로 하는 1개의 매매예약을 체결하고 그에 따라 수인의 채권자 공동명의로 그 부동산에 가등기를 마친 경우, 수인의 채권자가 공동으로 매매예약완결권을 가지는 관계인지 아니면 채권자 각자의 지분별로 별개의 독립적인 매매예약완결권을 가지는 관계인지는 매매예약의 내용에 따라야 하고, 매매예약에서 그러한 내용을 명시적으로 정하지 않은 경우에는 수인의 채권자가 공동으로 매매예약을 체결하게 된 동기 및 경위, 그 매매예약에 의하여 달성하려는 담보의 목적, 담보 관련 권리를 공동 행사하려는 의사의 유무, 채권자별 구체적인 지분권의 표시 여부 및 그 지분권 비율과 피담보채권 비율의 일치 여부, 가등기담보권 설정의 관행 등을 종합적으로 고려하여 판단하여야 한다.

[2] 이와 달리 1인의 채무자에 대한 수인의 채권자의 채권을 담보하기 위하여 그 수인의 채권자와 채무자가 채무자 소유의 부동산에 관하여 수인의 채권자를 권리자로 하는 1개의 매매예약을 체결하고 그에 따른 가등기를 마친 경우에, 매매예약의 내용이나 매매예약완결권 행사와 관련한 당사자의 의사와 관계없이 언제나 수인의 채권자가 공동으로 매매예약완결권을 가진다고 보고, 매매예약완결의 의사표시도 수인의 채권자 전원이 공동으로 행사하여야 한다는 취지의 대법원 1984.6.12. 83다카2282 판결, 대법원 1985.5.28. 84다카2188 판결, 대법원 1985.10.8. 85다카604 판결, 대법원 1987. 5.26. 85다카2203 판결 등은 이 판결의 견해와 저촉되는 한도에서 변경하기로 한다.

[3] 원심은, 원고가 2005.3.11. 피고에게 1억원을 대여하면서 이를 담보하기 위하여 피고에 대한 다른 채권자들인 소외 1, 소외 2, 소외 3, 소외 4, 소외 5와 공동명의로 피고와 이 사건 부동산 중 피고 소유의 1,617분의 1,607 지분(이하 '이 사건 담보목적물'이라고 한다)에 관하여 매매예약을 체결한 사실, 이에 따라 이 사건 담보목적물에 관하여 원고는 2,498,265분의 241,050 지분(이하 '이 사건 지분'이라 한다), 소외 1은 2,498,265분의 1,205,250 지분, 소외 2는 2,498,265분의 795,465 지분, 소외 3은 2,498,265분의 120,525 지분, 소외 4는 2,498,265분의 72,315 지분, 소외 5는 2,498,265분의 48,210 지분(위 각 지분은 원고 등 6인 각자의 채권액의 비율에 따라 산정되었다)으로 특정하여 이 사건 가등기를 마친 사실을 인정한 다음, 원고를 포함한 6인의 채권자가 각자의 지분별로 별개의 독립적인 매매예약완결권을 갖는 것으로 보아, 채권자 중 1인인 원고는 단독으로 이 사건 담보목적물 중 이 사건 지분에 관하여 매매예약완결권을 행사할 수 있고, 이에 따라 단독으로 이 사건 지분에 관하여 가등기에 기한 본등기절차의 이행을 구할 수 있다고 판단하였다.

---

5) 공동상속인이 다른 공동상속인을 상대로 어떤 재산이 상속재산임의 확인을 구하는 소는 이른바 고유필수적 공동소송이라고 할 것이고, 고유필수적 공동소송에서는 원고들 일부의 소 취하 또는 피고들 일부에 대한 소취하는 특별한 사정이 없는 한 그 효력이 생기지 않는다(대판 2007.8.24. 2006다40980).

앞서 본 법리에 비추어 보면 원심의 이러한 판단은 정당하고, 거기에 상고이유에서 주장하는 바와 같이 매매예약완결권의 행사와 필수적 공동소송에 관한 법리를 오해한 위법은 없다.

2) 건물의 공유지분권자는 동 건물 전부에 대하여 보존행위로서 방해배제 청구를 할 수 있다(대판 1968.9.17, 68다1142·1143).

3) ① 부동산의 공유자의 1인은 해당 부동산에 관하여 제3자 명의로 원인무효의 소유권이전등기가 경료되어 있는 경우 공유물에 관한 보존행위로서 제3자에 대하여 그 등기 전부의 말소를 구할 수 있다(대판 1993.5. 11, 92다52870). 다만 ② 공유자가 다른 공유자의 지분권을 대외적으로 주장하는 것을 공유물의 멸실·훼손을 방지하고 공유물의 현상을 유지하는 사실적·법률적 행위인 공유물의 보존행위에 속한다고 할 수 없고(대판 1994.11.11, 94다35008; 대판 2009.2.26, 2006다72802 同旨), ③ 부동산의 공유자의 1인은 해당 부동산에 관하여 제3자 명의로 원인무효의 소유권보존등기가 경료되어 있는 경우 공유물에 관한 보존행위로서 제3자에 대하여 그 등기 전부의 말소를 구할 수 있다고 할 것이나, 그 제3자가 해당 부동산의 공유자 중의 1인인 경우에는 그 소유권보존등기는 동인의 공유지분에 관하여는 실체관계에 부합하는 등기라고 할 것이므로, 이러한 경우 공유자의 1인은 단독 명의로 등기를 경료하고 있는 공유자에 대하여 그 공유자의 공유지분을 제외한 나머지 공유지분 전부에 관하여만 소유권보존등기 말소등기절차의 이행을 구할 수 있다 할 것이다(대판 2006.8.24, 2006다32200). ④ 부동산 공유자 중의 한 사람은 해당 부동산에 관하여 제3자 명의로 원인무효의 소유권이전등기가 경료되어 있는 경우 공유물에 관한 보존행위로서 그 제3자에 대하여 그 등기 전부의 말소를 구할 수 있으나, 공유자의 한 사람이 공유물의 보존행위로서 그 공유물의 일부 지분에 관하여서만 재판상 청구를 하였으면 그로 인한 시효중단의 효력은 그 공유자와 그 청구한 소송물에 한하여 발생한다(대판 1999.8.20, 99다15146).

4) 부동산의 공유자 중 한 사람은 공유물에 경료된 원인무효의 등기에 관하여 각 공유자에게 해당 지분별로 진정명의회복을 원인으로 한 소유권이전등기를 이행할 것을 단독으로 청구할 수 있다(대판 2005.9.29, 2003다40651).

5) 원고가 피고에 대하여 피고 명의로 마쳐진 소유권보존등기의 말소를 구하려면 먼저 원고에게 그 말소를 청구할 수 있는 권원이 있음을 적극적으로 주장·증명하여야 하며, 만일 원고에게 이러한 권원이 있음이 인정되지 않는다면 설사 피고 명의의 소유권보존등기가 말소되어야 할 무효의 등기라고 하더라도 원고의 청구를 인용할 수 없다 할 것인바, 부동산의 공유자의 1인은 해당 부동산에 관하여 제3자 명의로 원인무효의 소유권이전등기가 경료되어 있는 경우 공유물에 관한 보존행위로서 제3자에 대하여 그 등기 전부의 말소를 구할 수 있으나, 공유자가 다른 공유자의 지분권을 대외적으로 주장하는 것을 공유물의 멸실·훼손을 방지하고 공유물의 현상을 유지하는 사실적·법률적 행위인 공유물의 보존행위에 속한다고 할 수 없으므로, 자신의 소유지분을 침해하는 지분 범위를 초과하는 부분('다른 공유자'의 지분)에 대하여 공유물에 관한 보존행위로서 무효라고 주장하면서 그 부분 등기의 말소를 구할 수는 없다(대판 2010. 1.14, 2009다67429).[6]

---

6) 대판 2010.1.14, 2009다67429 판례는, 공유자의 지분이 등기부에 표시된 공유부동산에 관하여 자신의 지분이 침해되지 아니한 공유자가 원인 없이 마쳐진 다른 공유자의 소유지분에 관한 이전등기의 말소를 구하는 경우에 대한 것이다.

6. 공유물의 분할

(1) 분할의 자유와 제한

> **제268조【공유물의 분할청구】**
> ① 공유자는 공유물의 분할을 청구할 수 있다. 그러나 5년 내의 기간으로 분할하지 아니할 것을 약정할 수 있다.
> ② 전항의 계약을 갱신한 때에는 그 기간은 갱신한 날로부터 5년을 넘지 못한다.
> ③ 전2항의 규정은 제215조, 제239조의 공유물에는 적용하지 아니한다.

1) 각 공유자는 원칙적으로 언제든지 공유물의 분할을 청구할 수 있다. 이 점에서 합유나 총유와 크게 구별된다. 이와 같은 공유물분할청구권의 법적 성격은 형성권에 해당한다. 따라서 분할 청구라는 일방적 의사표시에 의하여 분할의 법률관계로 변경된다.

2) 그러나 ① 공유자는 5년 내의 기간으로 분할하지 아니할 것을 약정할 수 있다(분할금지의 특약). 이 특약은 등기되어 있는 때에만 지분의 양수인에게 그 효력이 미친다(부등법 제67조 제1항). 또한 ② 건물을 구분소유하는 경우의 공용부분(제215조), 경계선상의 경계표(제239조) 등에 관하여는 분할이 인정되지 않는다. ③ 그 밖에 구분소유적 공유자간의 공유물분할청구도 허용되지 않는다.

▶ **공동상속인이 상속재산의 분할에 관하여 공동상속인 사이에 협의가 성립되지 아니하거나 협의할 수 없는 경우, 상속재산에 속하는 개별 재산에 관하여 민법 제268조의 규정에 따라 공유물분할청구의 소를 제기할 수 있는지 여부**(소극)

공동상속인은 상속재산의 분할에 관하여 공동상속인 사이에 협의가 성립되지 아니하거나 협의할 수 없는 경우에 가사소송법이 정하는 바에 따라 가정법원에 상속재산분할심판을 청구할 수 있을 뿐이고, 상속재산에 속하는 개별 재산에 관하여 민법 제268조의 규정에 따라 공유물분할청구의 소를 제기하는 것은 허용되지 않는다(대판 2015.8.13, 2015다18367).

▶ **공유물분할 및 분할금지의 약정이 공유지분권의 특정승계인에게 당연히 승계되는지 여부**(소극)

공유물을 분할한다는 공유자간의 약정이 공유와 서로 분리될 수 없는 공유자간의 권리관계라 할지라도 그것이 그 후 공유지분권을 양수받은 특정승계인에게 당연히 승계된다고 볼 근거가 없을 뿐 아니라 공유물을 분할하지 아니한다는 약정(민법 제268조 제1항 단서) 역시 공유와 서로 분리될 수 없는 공유자간의 권리관계임에도 불구하고 이 경우엔 부동산등기법 제89조에 의하여 등기하도록 규정하고 있는 점을 대비하여 볼 때 다 같은 분할에 관한 약정이면서 분할특약의 경우에만 특정승계인에게 당연승계된다고 볼 수 없다(대판 1975.11.11, 75다82).

▶ **공유물분할청구권이 공유관계와는 별도로 시효소멸하는지 여부**(소극)

공유물분할청구권은 공유관계에서 수반되는 형성권이므로 공유관계가 존속하는 한 그 분할청구권만이 독립하여 시효소멸될 수 없다(대판 1981.3.24, 80다1888·1889).

---

(2) 분할의 방법

> **제269조【분할의 방법】**
> ① 분할의 방법에 관하여 협의가 성립되지 아니한 때에는 공유자는 법원에 그 분할을 청구할 수 있다.
> ② 현물로 분할할 수 없거나 분할로 인하여 현저히 그 가액이 감손될 염려가 있는 때에는 법원은 물건의 경매를 명할 수 있다.

1) 협의에 의한 분할

① 공유물의 분할은 우선 공유자의 협의에 의한다. 즉 협의분할이 원칙이다(제269조 제1항). 이 경우 공유자 전원이 참여하여야 하고, 공유자의 일부를 제외한 채 분할절차를 진행하면 그 분할은 효력이 없다.

② 구체적인 분할방법으로는 공유물을 있는 그대로 현실적으로 분할하는 방법인 '현물분할'(실질상 지분의 교환에 해당)과, 공유물을 타인에게 매각하여 그 대금을 분할하는 방법인 '대금분할', 공유자 1인이 단독소유권을 취득하고 다른 자는 그 자로부터 지분의 가격의 지급을 받는 방법인 '가격배상'(실질상 지분의 매매에 해당)이 있다.

2) 재판상 분할

가) 의의 및 소의 성질 : 분할의 협의가 이루어지지 않을 경우에는 법원에 그 분할을 청구할 수 있다. 이는 법원의 재량에 의해 분할의 법률관계를 형성하는 것을 내용으로 하므로 「형식적 형성의 소」이고, 고유필수적 공동소송에 해당한다. 따라서 공유자 전원을 소송의 당사자로 하여야 한다(대판 2003. 12. 12. 2003다44615·44622).

▶ **공유물분할청구의 소가 고유필수적 공동소송인지 여부**(적극)
공유물분할청구의 소는 분할을 청구하는 공유자가 원고가 되어 다른 공유자 전부를 공동피고로 하여야 하는 고유필수적 공동소송이다(대판 2014. 1. 29. 2013다78556).
→ [소송과정] : 공유물분할에 관한 소송계속 중 변론종결일 전에 공유자 중 1인인 甲의 공유지분의 일부가 乙 및 丙 주식회사 등에게 이전된 사안에서, 변론종결 시까지 민사소송법 제81조에서 정한 승계참가나 민사소송법 제82조에서 정한 소송인수 등의 방식으로 일부 지분권을 이전받은 자가 소송의 당사자가 되었어야 함에도 그렇지 못하였으므로 위 소송 전부가 부적법하게 되었다고 한 사례이다.

나) 분할의 방법 : ① 분할방법은 현물분할을 원칙으로 한다(제269조 제2항 참조). 다만, 분할로 인하여 그 가액이 현저히 감소될 염려가 있는 때에는 공유물을 경매하여 그 대금을 분할한다(대판 1991. 11. 12. 91다27228). 가격배상에 의한 분할은 규정이 없으나 현물분할의 일종으로서 인정된다. ② 판례도 공유자 상호 간에 금전으로 경제적 가치의 과부족을 조정하게 하여 분할을 하는 것도 현물분할의 한 방법으로 허용되고, 여러 사람이 공유하는 물건을 현물분할하는 경우에는 분할을 원하지 않는 나머지 공유자는 공유로 남는 방법도 허용된다고 하며(대판 1993. 12. 7. 93다27819; 대판 2004. 7. 22. 2004다10183; 대판 1997. 9. 9. 97다18219), 또한 甲과 乙의 공유인 공유물을 분할함

에 있어서, 제반사정을 고려하여 공유물을 甲 1인의 단독소유로 하고 甲으로 하여금 乙에 대하여 그 지분의 적정하고도 합리적인 가액을 배상시키는 방법에 의한 분할을 할 수도 있다고 한다(대판 2004.10.14, 2004다30583).

▶ **공유물분할청구의 소에 있어서 공유물분할의 방법**

[1] ① 공유물분할의 소는 형성의 소로서 공유자 상호 간의 지분의 교환 또는 매매를 통하여 공유의 객체를 단독 소유권의 대상으로 하여 그 객체에 대한 공유관계를 해소하는 것을 말하므로, 법원은 공유물분할을 청구하는 자가 구하는 방법에 구애받지 아니하고 자유로운 재량에 따라 공유관계나 그 객체인 물건의 제반 상황에 따라 공유자의 지분 비율에 따른 합리적인 분할을 하면 된다.

② 공유관계의 발생원인과 공유지분의 비율 및 분할된 경우의 경제적 가치, 분할 방법에 관한 공유자의 희망 등의 사정을 종합적으로 고려하여 해당 공유물을 특정한 자에게 취득시키는 것이 상당하다고 인정되고, 다른 공유자에게는 그 지분의 가격을 취득시키는 것이 공유자 간의 실질적인 공평을 해치지 않는다고 인정되는 특별한 사정이 있는 때에는 공유물을 공유자 중의 1인의 단독소유 또는 수인의 공유로 하되 현물을 소유하게 되는 공유자로 하여금 다른 공유자에 대하여 그 지분의 적정하고 합리적인 가격을 배상시키는 방법에 의한 분할도 현물분할의 하나로 허용된다(대판 2004.10.14, 2004다30583).

[2] 공유물분할청구의 소는 형성의 소로서 법원은 공유물분할을 청구하는 원고가 구하는 방법에 구애받지 않고 재량에 따라 합리적 방법으로 분할을 명할 수 있으므로, 여러 사람이 공유하는 물건을 현물분할하는 경우에는 분할청구자의 지분 한도 안에서 현물분할을 하고 분할을 원하지 않는 나머지 공유자는 공유로 남게 하는 방법도 허용되지만, 그렇다고 하더라도 공유물분할을 청구한 공유자의 지분한도 안에서는 공유물을 현물 또는 경매·분할함으로써 공유관계를 해소하고 단독소유권을 인정하여야지, 그 분할청구자「지분의 일부」에 대하여만 공유물 분할을 명하고 일부 지분에 대하여는 이를 분할하지 아니하거나, 공유물의 지분비율만을 조정하는 등의 방법으로 공유관계를 유지하도록 하는 것은 허용될 수 없다(대판 2011.3.10, 2010다92506).

[3] 공유물의 분할은 공유자 간에 협의가 이루어지는 경우에는 방법을 임의로 선택할 수 있으나 협의가 이루어지지 아니하여 재판에 의하여 공유물을 분할하는 경우에는 법원은 현물로 분할하는 것이 원칙이고, 현물로 분할할 수 없거나 현물로 분할을 하게 되면 현저히 가액이 감손될 염려가 있는 때에 비로소 물건의 경매를 명하여 대금분할을 할 수 있는 것이므로, 위와 같은 사정이 없는 한 법원은 각 공유자의 지분비율에 따라 공유물을 현물 그대로 수 개의 물건으로 분할하고 분할된 물건에 대하여 각 공유자의 단독소유권을 인정하는 판결을 하여야 한다. 그리고 분할의 방법은 당사자가 구하는 방법에 구애받지 아니하고 법원의 재량에 따라 공유관계나 객체인 물건의 제반 상황에 따라 공유자의 지분비율에 따른 합리적인 분할을 하면 되는데, 여러 사람이 공유하는 물건을 현물분할하는 경우에는 분할청구자의 지분한도 안에서 현물분할을 하고 분할을 원하지 않는 나머지 공유자는 공유로 남는 방법도 허용된다. 그러나 분할청구자가 상대방들을 공유로 남기는 방식의 현물분할을 청구하고 있다고 하여, 「상대방들이 그들 사이만의 공유관계의 유지를 원하고 있지 아니한데도」 상대방들을 여전히 공유로 남기는 방식으로 현물분할을 하여서는 아니 된다(대판 2015.3.26, 2014다233428).

[4] 공유물분할청구의 소는 형성의 소로서 법원은 공유물분할을 청구하는 원고가 구하는 방법에 구애받지 않고 재량에 따라 합리적 방법으로 분할을 명할 수 있으므로, 여러 사람이 공유하는 물건을 현물분할하는 경우에는 분할청구자의 지분 한도 안에서 현물분할을 하고 분할을 원하지 않는 나머지 공유자는 공유로 남게 하는 방법도 허용되나, 그렇다고 하더라도 공유물분할을 청구한 공유자의 지분 한도 안에서는 공유물을 현물 또는 경매·분할함으로써 공유관계를 해소하고 단독소유권을 인정하여야지, 「분할청구자들이 그들 사이의 공유관계의 유지를 원하고 있지 아니한데도」 분할청구자들과 상대방 사이의 공유관계만 해소한 채 분할청구자들을 여전히 공유로 남기는 방식으로 현물분할을 하는 것은 허용될 수 없다(대판 2015.7.23, 2014다88888).

▶ **공유물분할청구소송의 제 문제** ★★

[1] 甲이 乙을 상대로 제기한 공유물분할청구의 소에 관하여 선고한 원심판결의 주문에서 '1. 가. (가), (나) 부분 토지는 乙의 소유로, (다) 부분 토지는 甲의 소유로 각 분할한다. 나. 甲은 乙로부터 가액보상금을 지급받음과 동시에, 乙에게 (가), (나) 부분 토지 중 甲의 지분에 관하여 공유물분할을 원인으로 한 소유권이전등기절차를 이행하라'고 한 사안에서, 원심판결의 주문 제1의 가항과 나항은 효과 면에서 서로 모순되는지 여부(적극)

甲이 乙을 상대로 제기한 공유물분할청구의 소에 관하여 선고한 원심판결의 주문에서 '1. 가. (가), (나) 부분 토지는 乙의 소유로, (다) 부분 토지는 甲의 소유로 각 분할한다. 나. 甲은 乙로부터 가액보상금을 지급받음과 동시에, 乙에게 (가), (나) 부분 토지 중 甲의 지분에 관하여 공유물분할을 원인으로 한 소유권이전등기절차를 이행하라'고 한 사안에서, ① 원심판결의 주문 제1의 가항은 형성판결로서 그대로 확정될 경우, 乙은 (가), (나) 부분 토지에 관한 단독소유권을 취득하고, 甲은 (다) 부분 토지에 관한 단독소유권을 취득하게 되므로, 乙이 단독소유권을 취득하게 될 (가), (나) 부분 토지와 관련하여, 甲이 乙에게 (가), (나) 부분 토지 중 甲의 지분에 관하여 소유권이전등기신청에 대한 의사표시를 별도로 할 필요가 없고, ② 반면에 원심판결의 주문 제1의 나항은 이행판결로서 그대로 확정될 경우, 乙이 반대의무인 가액보상금 지급의무를 이행한 사실을 증명하여 재판장의 명령에 의하여 집행문을 받아야만 (가), (나) 부분 토지 중 甲의 지분에 관하여 甲의 소유권이전등기신청에 대한 의사표시 의제의 효과가 발생하므로, ③ 향후 (가), (나) 부분 토지 중 甲의 지분에 관하여 甲의 소유권이전등기신청에 대한 의사표시가 필요하지 않음을 전제로 하는 원심판결의 주문 제1의 가항과 향후 (가), (나) 부분 토지 중 甲의 지분에 관하여 甲의 소유권이전등기신청에 대한 의사표시가 필요함을 전제로 하는 원심판결의 주문 제1의 나항은 효과 면에서 서로 모순되므로, 원심판결에는 이유모순 등의 잘못이 있다(대판 2020.8.20, 2018다241410).

[2] 공유물분할청구의 소에서 법원이 등기의무자가 아닌 자를 상대로 등기의 말소절차 이행을 명할 수 있는지 여부(소극)

공유물분할청구의 소는 형성의 소로서 법원은 공유물분할을 청구하는 원고가 구하는 방법에 구애받지 않고 재량에 따라 합리적 방법으로 분할을 명할 수 있다. 그러나 법원은 등기의무자, 즉 등기부상의 형식상 그 등기에 의하여 권리를 상실하거나 기타 불이익을 받을 자(등기명의인이거나 그 포괄승계인)가 아닌 자를 상대로 등기의 말소절차 이행을 명할 수는 없다(대판 2020.8.20, 2018다241410).

[3] 대금분할을 명한 공유물분할 확정판결의 당사자인 공유자가 신청하여 진행된 공유물분할을 위한 경매절차에서 매수인이 매각대금을 완납한 경우, 위 판결의 변론이 종결된 뒤(또는 변론 없이 한 판결의 경우에는 판결을 선고한 뒤) 해당 공유자의 공유지분에 마쳐진 소유권이전청구권의 순위보전을 위한

가등기상 권리가 소멸하는지 여부(원칙적 적극)

대금분할을 명한 공유물분할 확정판결의 당사자인 공유자가 공유물분할을 위한 경매를 신청하여 진행된 경매절차에서 공유물 전부에 관하여 매수인에 대한 매각허가결정이 확정되고 매각대금이 완납된 경우, 매수인은 공유물 전부에 대한 소유권을 취득하게 되고, 이에 따라 각 공유지분을 가지고 있던 공유자들은 지분소유권을 상실하게 된다. 그리고 대금분할을 명한 공유물분할판결의 변론이 종결된 뒤 (변론 없이 한 판결의 경우에는 판결을 선고한 뒤) 해당 공유자의 공유지분에 관하여 소유권이전청구권의 순위보전을 위한 가등기가 마쳐진 경우, 대금분할을 명한 공유물분할 확정판결의 효력은 민사소송법 제218조 제1항이 정한 변론종결 후의 승계인에 해당하는 가등기권자에게 미치므로, 특별한 사정이 없는 한 위 가등기상의 권리는 매수인이 매각대금을 완납함으로써 소멸한다(대판 2021.3.11, 2020다253836).

(3) 분할의 효과

1) 소유권의 변동 및 담보책임

> **제270조 【분할로 인한 담보책임】**
> 공유자는 다른 공유자가 분할로 인하여 취득한 물건에 대하여 그 지분의 비율로 매도인과 동일한 담보책임이 있다.

① 분할에 의하여 공유관계는 종료하고 지분의 교환 또는 매매가 있게 된다.

② 공유물분할의 효과는 원칙적으로 소급하지 아니한다. 다만, 예외적으로 공동상속재산의 분할에 있어서는 상속법상의 원칙에 따라 분할의 효과가 상속개시 시로 소급한다(제1015조).

③ 공유자는 다른 공유자가 분할로 인하여 취득한 물건에 대하여 그 지분의 비율로 매도인과 동일한 담보책임을 부담한다(제270조).

2) 지분상의 담보물권에 대한 영향

예컨대 甲·乙·丙이 각 1/3 지분으로 토지를 공유하고, 甲의 지분상에 A의 저당권이 설정되었는데, 그 후 공유물의 분할이 이루어진 경우 A의 저당권은 어떤 영향을 받는지가 문제이다. 이에 대해서는 ① 현물분할로 甲·乙·丙이 각각 공유토지의 일부를 취득한 경우, A의 저당권은 종전 1/3 지분 범위에서 甲·乙·丙이 취득한 토지에 각각 존속한다(대판 1989.8.8, 88다카24868). 즉 甲·乙·丙의 부동산은 저당권의 공동담보가 된다. 이로써 가령 乙의 부동산에 대해 저당권을 실행하여 경매가 이루어진 경우, 그 경매대금 중 지분비율인 1/3 범위에서는 저당권자가 피담보채권을 기준으로 우선변제권을 갖는다(대판 2012.3.29, 2011다74932). 한편 乙과 丙의 토지에 대한 저당권의 실행으로 인한 가액감손에 대해서는 甲이 乙과 丙에게 이를 보상할 담보책임을 진다(대판 1993.1.19, 92다30603). ② 甲이 가격배상의 방법으로 공유토지 전부를 취득한 경우, A의 저당권은 종전 1/3 지분 범위에서 토지에 존속한다. ③ 乙이 가격배상의 방법으로 또는 제3자가 대금분할의 방법으로 공유토지 전부를 취득한 경우, A의 저당권은 종전 1/3 지분 범위에서 乙 또는 제3자의 토지에 존속한다.

판례 연구 관련판례 정리

구분소유적 공유관계

◈ ① 1필지의 토지의 특정부분을 매수하면서 그 등기는 그 토지 전체에 관하여 공유지분이전등기를 한 경우처럼 등기상으로는 공유등기가 되어 있으나, 내부적으로는 각자가 특정부분을 구분하여 단독소유하는 형태를 구분소유적 공유라 한다. 일명 상호명의신탁이라고도 한다(대판 1989.4.25, 88다카7184; 대판 1994.2.8, 93다42986 등). ② 1동의 건물 중 위치 및 면적이 특정되고 구조상·이용상 독립성이 있는 일부분씩을 2인 이상이 구분소유하기로 하는 약정을 하고 등기만은 편의상 각 구분소유의 면적에 해당하는 비율로 공유지분등기를 하여 놓은 경우, 구분소유자들 사이에 공유지분등기의 상호명의신탁관계 내지 건물에 대한 구분소유적 공유관계가 성립하지만, 1동 건물 중 각 일부분의 위치 및 면적이 특정되지 않거나 구조상·이용상 독립성이 인정되지 아니한 경우에는 공유자들 사이에 이를 구분소유하기로 하는 취지의 약정이 있다 하더라도 일반적인 공유관계가 성립할 뿐, 공유지분등기의 상호명의신탁관계 내지 건물에 대한 구분소유적 공유관계가 성립한다고 할 수 없다(대판 2014.2.27, 2011다42430).

1) 구분소유적 공유관계의 성립요건으로서 특정부분을 각 공유자에게 귀속시키려는 합의가 필요하다(대판 2005.4.29, 2004다71409).

2) 공유자 내부관계에서 상호명의신탁관계에 있다(대판 1989.4.25, 88다카7184).

3) 甲과 乙은 대지를 매수하는 과정에서, 甲은 A지역, 乙은 B지역을 각각 특정하여 매수하였다. 甲은 B지역에 건물을 신축하였는데 후에 상호명의신탁이 해지되어 甲은 A지역·乙은 B지역의 토지를 각각 취득하였다. 乙이 취득한 B지역의 甲소유 건물의 철거를 청구하자 甲은 관습상의 법정지상권이 발생하였다고 주장하였다. 甲의 주장은 부당하다(대판 1994.1.28, 93다49871).

4) 지분권자는, ① 내부관계에 있어서는 특정부분에 한하여 소유권을 취득하고 이를 배타적으로 사용·수익할 수 있고, 다른 구분소유자의 방해행위에 대하여는 소유권에 터 잡아 그 배제를 구할 수 있으나, ② 외부관계에 있어서는 1필지 전체에 관하여 공유관계가 성립되고 공유자로서의 권리만을 주장할 수 있는 것이므로, 제3자의 방해행위가 있는 경우에는 자기의 구분소유 부분뿐 아니라 전체토지에 대하여 공유물의 보존행위로서 그 배제를 구할 수 있다(대판 1994.2.8, 93다42986).

5) 구분소유적 공유지분에 설정된 근저당권의 실행에 의하여 공유지분을 취득한 경락인은 그 구분소유적 공유지분을 그대로 취득한다(대판 1991.8.27, 91다3703).

6) ① 공유관계해소시 공유물분할의 소를 제기할 수 없고, 상호명의신탁해지를 원인으로 한 지분이전등기절차이행의 소를 제기해야 한다(대판 1989.9.12, 88다카10517). ② 상호명의신탁관계 내지 구분소유적 공유관계에서 건물의 특정 부분을 구분소유하는 자는 그 부분에 대하여 신탁적으로 지분등기를 가지고 있는 자를 상대로 하여 그 특정 부분에 대한 명의신탁 해지를 원인으로 한 지분이전등기절차의 이행을 구할 수 있을 뿐 그 건물 전체에 대한 공유물분할을 구할 수는 없다(대판 2010.5.27, 2006다84171).

7) 구분소유적 공유관계가 해소되는 경우 공유지분권자 상호 간의 지분이전등기의무는 그 이행상 견련관계에 있다고 봄이 공평의 관념 및 신의칙에 부합하고, 또한 각 공유지분권자는 특별한 사정이 없는 한 제한이나 부담이 없는 완전한 지분소유권이전등기의무를 지므로, 그 구분소유권 공유관계를 표상하는 공유지분에 근저당권설정등기 또는 압류, 가압류등기가 경료되어 있는 경우에는 그 공유지분권자로서는 그러한 각 등기도 말소하여 완전한 지분소유권이전등기를 해 주어야 한다. 따라서 구분소유적 공유관계가 해소되는 경우 쌍방의 지분소유권이전등기의무와 아울러 그러한 근저당권설정등기 등의 말소의무

또한 동시이행의 관계에 있다. 그리고 구분소유적 공유관계에서 어느 일방이 그 명의신탁을 해지하고 지분소유권이전등기를 구함에 대하여 상대방이 자기에 대한 지분소유권이전등기 절차의 이행이 동시에 이행되어야 한다고 항변하는 경우, 그 동시이행의 항변에는 특별한 사정이 없는 한 명의신탁 해지의 의사표시가 포함되어 있다고 보아야 한다(대판 2008.6.26, 2004다32992).

8) ① 외부관계에 있어서는 1필지 전체에 관하여 공유관계가 성립되고 공유자로서의 권리만을 주장할 수 있다(대판 1994.2.8, 93다42986). ② 공유자들 사이에 상호명의신탁이 해지되었더라도 지분에 관한 소유권이전등기를 하지 않았다면 외부관계에서 해당 지분에 관한 소유권은 명의수탁자에게 있고 명의수탁자로부터 소유권(지분)을 승계취득한 제3자가 소유자라 할 것이므로, 명의신탁자는 대외관계(외부관계)에서 소유권을 주장할 수 없다(대판 2023.12.28, 2023다260972).

9) 제3자가 구분소유권자 1인의 토지만을 불법점유 사용하고 있는 경우 그 구분소유권자는 자기의 지분 범위 내에서 권리를 주장할 수 있다(대판 1993.11.23, 93다22326). → 제3자가 구분소유적 공유관계에 있는 특정부분을 권원 없이 점유함으로써 법률상 원인 없이 그 임료상당의 이익을 얻고 이로 인하여 특정부분의 소유자에게 동액상당의 손해를 입힌 경우, 무단점유자는 특정부분 소유자에 대한 관계에서 그 자의 지분에 상응한 만큼의 부당이득반환의무가 있는 것이므로, 토지 전부에 대한 부당이득반환의 청구는 인정될 수 없다고 본 사례이다.

10) 부동산의 위치나 면적을 특정하여 2인 이상이 구분소유하기로 하는 약정을 하고, 그 구분소유자의 공유로 등기하는 경우(소위 상호명의신탁)는 부동산 실권자명의 등기에 관한 법률이 금지하는 명의신탁약정에서 제외된다(부동산실명법 제2조 제1호). → [보충] : 1필의 토지의 일부를 특정하여 양도받고 편의상 그 전체에 관하여 공유지분등기를 경료한 경우에는 상호 명의신탁에 의한 수탁자의 등기로서 유효하고, 위 특정부분이 전전 양도되고 그에 따라 공유지분등기도 전전 경료되면 위와 같이 상호 명의신탁한 지위도 전전 승계 되어 최초의 양도인과 위 특정부분의 최후의 양수인과의 사이에 명의신탁 관계가 성립한다 할 것이다(대판 1990.6.26, 88다카14366).

11) 경락에 의한 소유권취득은 성질상 승계취득이므로 하나의 토지 중 특정부분에 대한 구분소유적 공유관계를 표상하는 공유지분등기에 근저당권이 설정된 후 그 근저당권의 실행에 의하여 위 공유지분을 취득한 경락인은 구분소유적 공유지분을 그대로 (승계)취득한다고 할 것이다(대판 1991.8.27, 91다3703; 대판 2006.9.28, 2004다53050 同旨).

12) 1필지의 토지의 위치와 면적을 특정하여 2인 이상이 구분소유하기로 하는 약정을 하고 그 구분소유자의 공유로 등기하는 이른바 구분소유적 공유관계에 있어서, 각 구분소유적 공유자가 자신의 권리를 타인에게 처분하는 경우 중에는 ① 구분소유의 목적인 특정 부분을 처분하면서 등기부상의 공유지분을 그 특정 부분에 대한 표상으로서 이전하는 경우와 ② 등기부의 기재대로 1필지 전체에 대한 진정한 공유지분으로서 처분하는 경우가 있을 수 있고, 이 중 ⅰ) 전자의 경우에는 그 제3자에 대하여 구분소유적 공유관계가 승계되나, ⅱ) 후자의 경우에는 제3자가 그 부동산 전체에 대한 공유지분을 취득하고 구분소유적 공유관계는 소멸한다. 이는 경매에서도 마찬가지이므로, 전자에 해당하기 위하여는 집행법원이 공유지분이 아닌 특정 구분소유 목적물에 대한 평가를 하게 하고 그에 따라 최저경매가격을 정한 후 경매를 실시하여야 하며, 그러한 사정이 없는 경우에는 1필지에 관한 공유자의 지분에 대한 경매목적물은 원칙적으로 1필지 전체에 대한 공유지분이라고 봄이 상당하다(대판 2008.2.15, 2006다68810).

13) 1필지의 토지의 위치와 면적을 특정하여 2인 이상이 구분소유하기로 하는 약정을 하고 구분소유자의 공유로 등기하는 이른바 구분소유적 공유관계에 있어서, 1필지의 토지 중 특정 부분에 대한 구분소유적 공유관계를 표상하는 공유지분을 목적으로 하는 근저당권이 설정된 후 구분소유하고 있는 특정 부분별로 독립한 필지로 분할되고 나아가 구분소유자 상호 간에 지분이전등기를 하는 등으로 구분소유적 공유관계가 해소되더라도 그 근저당권은 종전의 구분소유적 공유지분의 비율대로 분할된 토지들 전부의 위에 그대로 존속하는 것이고, 근저당권설정자의 단독소유로 분할된 토지에 당연히 집중되는 것은 아니다(대판 2014.6.26, 2012다25944).

II. 합유

> 제271조【물건의 합유】
> ① 법률의 규정 또는 계약에 의하여 수인이 조합체로서 물건을 소유하는 때에는 합유로 한다. 합유자의 권리는 합유물 전부에 미친다.
> ② 합유에 관하여는 전항의 규정 또는 계약에 의하는 외에 다음 3조의 규정에 의한다.
> 제272조【합유물의 처분, 변경과 보존】
> 합유물을 처분 또는 변경함에는 합유자 전원의 동의가 있어야 한다. 그러나 보존행위는 각자가 할 수 있다.
> 제273조【합유지분의 처분과 합유물의 분할금지】
> ① 합유자는 전원의 동의 없이 합유물에 대한 지분을 처분하지 못한다.
> ② 합유자는 합유물의 분할을 청구하지 못한다.
> 제274조【합유의 종료】
> ① 합유는 조합체의 해산 또는 합유물의 양도로 인하여 종료한다.
> ② 전항의 경우에 합유물의 분할에 관하여는 공유물의 분할에 관한 규정을 준용한다.

(1) 수인이 조합체를 이루어 물건을 소유하는 공동소유의 형태를 합유라고 한다. 제271조는 조합체의 성립원인으로 "법률의 규정 또는 계약"을 들고 있다. 계약으로 조합체가 성립하는 경우로는 조합계약이 있고, 그 대표적인 예가 '동업계약'이다.

(2) 합유자는 합유물 분할을 청구하지 못하고 합유물에 대한 지분은 단독으로 처분할 수 없으며, 합유자의 권리는 합유물 전부에 미치고, 합유물을 처분 또는 변경함에는 합유자 전원의 동의가 있어야 하나 보존행위는 각자가 할 수 있으며, 합유관계는 조합체의 해산 또는 합유물의 양도로 인하여 종료한다(제271조 제1항 후단, 제2항, 제272조~제274조).

(3) 합유재산을 합유자 1인 명의로 소유권보존등기를 하면 그 등기는 원인 없는 무효의 등기이다. 부동산등기법은 등기권리자가 다수인 경우에 그 권리가 합유인 때에는 등기신청서에 그 취지를 기재해야 한다고 규정한다(동법 제48조 제4항).

(4) 합유자 중 일부가 사망한 경우, 사망한 합유자의 상속인은 합유자로서의 지위를 승계하는 것이 아니므로 해당 부동산은 잔존 합유자의 합유 혹은 단독소유로 귀속된다(대판 1994.2.25, 93다39225).

(5) 민법 제272조에 따르면 합유물을 처분 또는 변경함에는 합유자 전원의 동의가 있어야 하나, 합유물 가운데서도 조합재산의 경우 그 처분·변경에 관한 행위는 조합의 특별사무에 해당하는 업무집행으로서, 이에 대하여는 특별한 사정이 없는 한 민법 제706조 제2항이 민법 제272조에 우선하여 적용되므로, 조합재산의 처분·변경은 업무집행자가 없는 경우에는 조합원의 과반수로 결정하고, 업무집행자가 수인 있는 경우에는 그 업무집행자의 과반수로써 결정하며, 업무집행자가 1인만 있는 경우에는 그 업무집행자가 단독으로 결정한다(대판 2010.4.29, 2007다18911).

(6) 합유지분 포기가 적법하다면 그 포기된 합유지분은 나머지 잔존 합유지분권자들에게 균분으로 귀속하게 되지만, 그와 같은 물권변동은 합유지분권의 포기라고 하는 법률행위에 의한 것이므로 등기하여야 효력이 있고 지분을 포기한 합유지분권자로부터 잔존 합유지분권자들에게 합유지분권 이전등기가 이루어지지 아니하는 한 지분을 포기한 지분권자는 제3자에 대하여 여전히 합유지분권자로서의 지위를 가지고 있다고 보아야 한다(대판 1997.9.9, 96다16896).

(7) 합유재산을 합유자 1인의 단독소유로 소유권보존등기를 한 경우에는 소유권보존등기가 실질관계에 부합하지 않는 원인무효의 등기이므로, 다른 합유자는 등기명의인인 합유자를 상대로 소유권보존등기 말소청구의 소를 제기하는 등의 방법으로 원인무효의 등기를 말소시킨 다음 새로이 합유의 소유권보존등기를 신청할 수 있다(대판 2017.8.18, 2016다6309).

판례 연구 │ 관련판례 정리

1) 수인이 부동산을 공동으로 매수한 경우, 매수인들 사이의 법률관계는 공유관계로서 단순한 공동매수인에 불과하여 매도인은 매수인 수인에게 그 지분에 대한 소유권이전등기의무를 부담하는 경우도 있을 수 있고, 그 수인을 조합원으로 하는 조합체에서 매수한 것으로서 매도인이 소유권 전부의 이전의무를 그 조합체에 대하여 부담하는 경우도 있을 수 있으나, 매수인들이 상호 출자하여 공동사업을 경영할 것을 목적으로 하는 조합이 조합재산으로서 부동산의 소유권을 취득하였다면 민법 제271조 제1항의 규정에 의하여 당연히 그 조합체의 합유물이 되고, 다만 그 조합체가 합유등기를 하지 아니하고 그 대신 조합원 1인의 명의로 소유권이전등기를 하였다면 이는 조합체가 그 조합원에게 명의신탁한 것으로 보아야 한다(대판 2006.4.13, 2003다25256). 이 경우에는 부동산 실권리자명의 등기에 관한 법률 제4조 제2항 본문이 적용되어 명의수탁자인 조합원들 명의의 소유권이전등기는 무효이어서 그 부동산 지분은 조합원들의 소유가 아니기 때문에 이를 일반채권자들의 공동담보에 공하여지는 책임재산이라고 볼 수 없고, 따라서 조합원들 중 1인이 조합에서 탈퇴하면서 나머지 조합원들에게 그 지분에 관한 소유권이전등기를 경료하여 주었다 하더라도 그로써 채무자인 그 해당 조합원의 책임재산에 감소를 초래한 것이라고 할 수 없으므로, 이를 들어 일반채권자를 해하는 사해행위라고 볼 수는 없으며, 그에게 사해의 의사가 있다고 볼 수도 없다(대판 2002.6.14, 2000다30622).

2) 공유자들 사이에 조합관계가 성립하여 각자가 부동산을 조합재산으로 출연하였음에도 그 조합체 재산에 관한 소유권등기를 함에 있어서 이를 합유로 하지 아니하고 공유로 한 경우에는 제3자에 대한 관계에서는 공유관계임을 전제로 한 법률관계만이 적용될 뿐이므로 조합원들이 공유자로서 소유권행사를 할 수 있을 것임은 별론으로 하고, 조합원들 상호 간 및 조합원과 조합체 상호 간의 내부관계에서는 조합계약에 따른 효력으로 인하여 그 재산은 조합계약상의 공동사업을 위해 출자된 합유물인 특별재산으로 취급될 것이므로 조합원들로서는 그 지분의 회수방법으로서 조합을 탈퇴하여 조합지분 정산금을 청구하거나 일정한 경우 조합체의 해산청구를 할 수 있는 등의 특별한 사정이 없는 한 그 합유물에 대하여 곧바로 분할청구를 할 수는 없다(대판 2009.12.24, 2009다57064).

3) 동업약정에 따라 동업자 공동으로 토지를 매수하였다면 그 토지는 동업자들을 조합원으로 하는 동업체에서 토지를 매수한 것이므로 그 동업자들은 토지에 대한 소유권이전등기 청구권을 준합유하는 관계에 있고, 합유재산에 관한 소는 이른바 고유필요적공동소송이라 할 것이므로 그 매매계약에 기하여 소유권이전등기의 이행을 구하는 소를 제기하려면 동업자들이 공동으로 하지 않으면 안 된다(대판 1994.10.25, 93다54064).

4) 합유물에 관하여 경료된 원인 무효의 소유권이전등기의 말소를 구하는 소송은 합유물에 관한 보존행위로서 합유자 각자가 할 수 있다(대판 1997.9.9, 96다16896).

5) 민법상 조합인 공동수급체가 경쟁입찰에 참가하였다가 다른 경쟁업체가 낙찰자로 선정된 경우, 그 공동수급체의 구성원 중 1인이 그 낙찰자 선정이 무효임을 주장하며 무효확인의 소를 제기하는 것은 그 공동수급체가 경쟁입찰과 관련하여 갖는 법적 지위 내지 법률상 보호받는 이익이 침해될 우려가 있어 그 현상을 유지하기 위하여 하는 소송행위이므로 이는 합유재산의 보존행위에 해당한다(대판 2013.11.28, 2011다80449).

Ⅲ. 총유

제275조 【물건의 총유】
① 법인이 아닌 사단의 사원이 집합체로서 물건을 소유할 때에는 총유로 한다.
② 총유에 관하여는 사단의 정관 기타 규약에 의하는 외에 다음 2조의 규정에 의한다.
제276조 【총유물의 관리, 처분과 사용, 수익】
① 총유물의 관리 및 처분은 사원총회의 결의에 의한다.
② 각 사원은 정관 기타의 규약에 좇아 총유물을 사용, 수익할 수 있다.
제277조 【총유물에 관한 권리의무의 득상】
총유물에 관한 사원의 권리의무는 사원의 지위를 취득상실함으로써 취득상실된다.

(1) 법인 아닌 사단의 사원이 집합체로서 물건을 소유하는 공동소유의 형태를 가리켜 총유라고 한다(제275조 제1항).

(2) 총유물의 관리, 처분은 사원총회의 결의에 의하고, 보존행위도 마찬가지이다(제276조 제1항). 판례는 본 조항을 강행규정으로 파악하고 본 조항에 위배된 법률행위에 관하여 표현대리에 의한 보호는 있을 수 없다고 한다(대판 2003.7.11, 2001다73626).

(3) 재건축조합의 조합장이 특정 조합원에게 그가 출자한 대지에 관하여 다른 조합원들과는 달리 실제면적 이상의 할증보상을 하여 주겠다는 내용의 약정을 체결한 행위는 재건축조합이 가지고 있는 총유물 그 자체에 관한 관리 및 처분행위에 해당하므로 이에 관하여 별도의 정관이나 규약을 가지고 있지 않고 재건축조합의 총회결의도 없었다면 위 약정은 무효이다(대판 2006.1.27, 2004다45349).

(4) 비법인사단이 타인 간의 금전채무를 보증하는 행위에 총회결의를 요하도록 하는 것은 총유물 자체의 처분행위로 보지 않고 채무부담행위로서 대표권의 제한에 해당하는 것으로 본다. 판례는 ① 비법인사단이 타인 간의 금전채무를 보증하는 행위는 총유물 그 자체의 관리·처분이 따르지 아니하는 단순한 채무부담행위에 불과하여 이를 총유물의 관리·처분행위라고 볼 수는 없고(대판(전) 2007.4.19, 2004다60072·60089), 비법인사단인 재건축조합의 조합장이 채무보증계약을 체결하면서 조합규약에서 정한 조합 임원회의 결의를 거치지 아니하였다거나 조합원총회 결의를 거치지 않았다고 하더라도 그것만으로 바로 그 보증계약이 무효라고 할 수는 없다고 하였다(대판(전) 2007.4.19, 2004다60072·60089). ② 재건축조합이 설계용역계약을 체결하는 행위도 마찬가지이다(대판 2003.7.22, 2002다64780).

▶ 구 주택건설촉진법에 의하여 설립된 재건축조합은 민법상의 비법인사단에 해당하고, 총유물의 관리 및 처분에 관하여는 정관이나 규약에 정한 바가 있으면 이에 따라야 하고, 그에 관한 정관이나 규약이 없으면 사원총회의 결의에 의하여 하는 것이므로 정관이나 규약에 정함이 없는 이상 사원총회의 결의를 거치지 않은 총유물의 관리 및 처분행위는 무효라고 할 것이나, 총유물의 관리·처분행위라 함은 총유물 그 자체에 관한 법률적·사실적 처분행위와 이용·개량행위를 말하는 것으로서 재건축조합이 재건축사업 시행을 위해 설계용역계약을 체결하는 것은 단순한 채무부담행위에 불과하여 총유물 그 자체에 대한 관리·처분행위라고 볼 수 없다(대판 2003.7.22, 2002다64780).

▶ 총유물의 처분이라 함은 '총유물을 양도하거나 그 위에 물권을 설정한 등의 행위'를 말하므로, 그에 이르지 않은 단순히 '총유물의 사용권을 타인에게 부여하거나 임대하는 행위'는 원칙적으로 총유물의 처분이 아닌 관리행위에 해당한다고 보아야 한다. 한편 민법 제619조에 의하면 처분의 능력 또는 권한 없는 사람도 석조, 석회조, 연와조 및 그와 유사한 건축물을 목적으로 한 토지의 임대차의 경우에는 10년, 그 밖의 토지의 임대차의 경우에는 5년의 범위 안에서 다른 사람에게 토지를 임대할 수 있으므로, 종중이 종중총회의 결의에 의하지 않고 타인에게 기한을 정하지 않은 채 건축물을 목적으로 하는 토지의 사용권을 부여하였다고 하더라도 이를 곧 처분행위로 단정하여 전체가 무효라고 볼 것이 아니라 관리권한에 기하여 사용권의 부여가 가능한 범위 내에서는 관리행위로서 유효할 여지가 있다고 봄이 타당하다(대판 2012.10.25, 2010다56586).

▶ 비법인사단에 있어서 총유물의 관리 및 처분은 정관 기타 계약에 정함이 없으면 사원총회의 결의에 의해야 하고, 비법인사단의 사원이 총유자의 한 사람으로서 총유물인 임야를 사용·수익할 수 있다 하여도 위 임야에 대한 분묘설치행위는 단순한 사용·수익에 불과한 것이 아니고 관습에 의한 지상권 유사의 물권을 취득하게 되는 처분행위에 해당된다 할 것이므로 사원총회의 결의가 필요하다(대판 2007.6.28, 2007다16885).

(5) 비법인사단이 총유물에 관한 매매계약을 체결하는 행위는 총유물 그 자체의 처분이 따르는 채무부담행위로서 총유물의 처분행위에 해당하나, 그 매매계약에 의하여 부담하고 있는 채무의 존재를 인식하고 있다는 뜻을 표시하는 데 불과한 소멸시효 중단사유로서의 승인은 총유물 그 자체의 관리·처분이 따르는 행위가 아니어서 총유물의 관리·처분행위라고 볼 수 없다(대판 2009.11.26, 2009다64383). 따라서 피고의 대표자가 매매계약에 따른 소유권이전등기의무에 대하여 소멸시효 중단의 효력이 있는 승인을 하는 경우에 있어 주민총회의 결의를 거치지 않았다고 하더라도 그것만으로 그 승인이 무효라고 할 수 없다(대판 2009.11.26, 2009다64383).

(6) 총유재산에 관한 소송은 법인 아닌 사단이 그 명의로 사원총회의 결의를 거쳐 하거나 또는 그 구성원 전원이 당사자가 되어 필수적 공동소송의 형태로 할 수 있을 뿐 그 사단의 구성원은 설령 그가 사단의 대표자라거나 사원총회의 결의를 거쳤다 하더라도 그 소송의 당사자가 될 수 없고, 이러한 법리는 총유재산의 보존행위로서 소를 제기하는 경우에도 마찬가지이다(대판(전) 2005.9.15, 2004다44971).

(7) 총유물의 보존에 있어서는 공유물의 보존에 관한 민법 제265조의 규정이 적용될 수 없고, 특별한 사정이 없는 한 민법 제276조 제1항의 규정에 따라 사원총회의 결의를 거쳐야 하므로, 법인 아닌 사단인 종중이 그 총유재산에 대한 보존행위로서 소송을 하는 경우에도 특별한 사정이 없는 한 종중 총회의 결의를 거쳐야 한다(대판 2010.2.11, 2009다83650).

Ⅳ. 준공동소유

> 제278조【준공동소유】
> 본절의 규정은 소유권 이외의 재산권에 준용한다. 그러나 다른 법률에 특별한 규정이 있으면 그에 의한다.

(1) 준공동소유란 소유권 이외의 재산권을 수인이 공동으로 소유하는 법률관계를 의미하며, 이에는 준공유·준합유·준총유의 세 가지가 있다. 준공동소유가 인정되는 것으로는 지상권·지역권·전세권·저당권과 같은 민법상의 물권이 있다.

(2) 수인의 채권자가 돈을 빌려주면서 그 채권담보를 위해 채무자 소유의 부동산에 대하여 매매예약을 하고 그에 기한 청구권의 순위를 보존하기 위해 가등기를 경료한 경우, 판례는 수인의 채권자는 매매예약완결권을 준공유하는 관계에 있다고 한다.

(3) 준공동소유에 관해서는 다른 법률에 특별한 규정이 없는 한, 공유·합유·총유의 민법규정이 준용된다.

제8절 ┃ 지상권

Ⅰ. 총설

> **제279조 【지상권의 내용】**
> 지상권자는 타인의 토지에 건물 기타 공작물이나 수목을 소유하기 위하여 그 토지를 사용하는 권리가
> 있다.

1. 의의

타인의 토지에 건물 기타 공작물이나 수목을 소유하기 위하여 그 토지를 사용할 수 있는 권리를
말한다(제279조).

2. 법적 성질

(1) 타 물권

① 지상권은 타인의 토지에 대한 권리로서(자기의 토지에 대한 지상권은 혼동으로 소멸), 1필의 토지
전부뿐만 아니라 그 일부라도 무방하며, 지상에 한하지 않고 지하의 사용도 그 내용으로 할
수 있다.

② 토지소유자에 대한 채권이 아니라 토지를 직접 지배하는 물권으로서, 당연히 양도성과 상속성이
있다. 지상권자는 지상권을 유보한 채 지상물 소유권만을 양도할 수도 있고 지상물 소유권을
유보한 채 지상권만을 양도할 수도 있는 것이어서 지상권자와 그 지상물의 소유권자가 반드시
일치하여야 하는 것은 아니며, 또한 지상권설정시에 그 지상권이 미치는 토지의 범위와 그 설정
당시 매매되는 지상물의 범위를 다르게 하는 것도 가능하다(대판 2006.6.15, 2006다6126 · 6133).[7]

(2) 용익물권

① 지상권은 타인의 토지를 사용하는 권리이다. 즉, 토지를 점유할 수 있는 권리이며, 상린관계의
규정이 준용된다.

② 지상권은 본질이 용익물권이므로, 현재 공작물이나 수목이 없더라도 지상권은 유효하게 성립
하며, 기존의 공작물이나 수목이 멸실하더라도 지상권은 계속 존속할 수 있다. 또한 이미 건
물이 있는 토지상에 건물소유 목적의 지상권 설정도 가능하다(대판 1978.3.14, 77다2379).

---

7) 토지의 일정 부분 위의 일부 수목들의 소유를 위해 지상권을 설정한 사안을 고려하면 이해할 수 있을 것이다. 나아가
지상권의 양도는 소유자의 의사에 반하여도 자유롭게 할 수 있다(제282조). 그리고 지상권의 양도금지 특약은 지상권자
에게 불리한 것으로서 무효이다(제289조). 이처럼 지상권은 독립된 물권으로서 다른 권리에 부종함이 없이 그 자체로서
양도될 수 있으며, 대상판결은 이와 취지를 같이 하면서 양도의 자유를 한층 더 강화하여 보장하려는 태도라고 보인다.

▶ 지상권은 타인의 토지에서 건물 기타의 공작물이나 수목을 소유하는 것을 본질적 내용으로 하는 것이 아니라 타인의 토지를 사용하는 것을 본질적 내용으로 하고 있으므로, 지상권 설정계약 당시 건물 기타의 공작물이나 수목이 없더라도 지상권은 유효하게 성립할 수 있고, 또한 기존의 건물 기타의 공작물이나 수목이 멸실되더라도 존속기간이 만료되지 않는 한 지상권이 소멸되지 아니한다(대판 1996.3. 22, 95다49318 참조).

③ 지상권이 저당권의 담보가치를 유지하기 위해 보조수단으로 활용되는 경우(예 보통 은행 실무에서 은행이 대출하면서 토지를 담보로 받을 때 설정자의 건물 건축 등으로 인해 토지의 담보가치가 떨어질 염려가 있으므로 지상권을 아울러 설정받는다), 즉 담보목적의 지상권(담보지상권)의 효력이 인정될 수 있는지가 문제이다. 이에 대해 판례는 그 유효성을 인정함을 전제로 하는 입장이다. 다만 이와 같은 판례의 태도는 물권법정주의에 반한다는 문제가 있다.

(3) 건물 기타 공작물이나 수목을 「소유」하기 위한 권리

건물 기타 공작물이나 수목의 소유를 토지사용의 주된 목적으로 하는 권리이다.

(4) 지료의 지급 여부

토지사용의 대가인 지료는 지상권의 성립요건이 아니다(제279조, 임대차의 경우 차임은 성립요건이다). 따라서 지료에 관한 약정이 없는 무상의 지상권도 가능하다. 다만 법정지상권의 경우에는 당연히 지료지급의무가 발생한다.

3. 토지임차권과의 비교

구분	지상권	(토지)임차권
법적 성질	토지에 대한 배타적 물권(대세권)	임대인에 대한 채권(대인권)
설정방법	지상권설정계약 + 등기	임대차계약만으로 성립
토지소유자의 의무	토지사용을 용인할 소극적 의무	사용적합 하도록 유지할 적극적 의무 (제623조)
양도·상속성	양도·임대 등의 자유(제282조, 제371조)	임대인의 동의 없는 양도·전대 불가능 (제629조)
대항력 여부	물권이기 때문에 제3자에게도 대항 가능	제3자에게 대항 불가능, 다만 등기된 임대차 (제621조)·주택임대차(주임법 제3조)는 대항력 있음
지료·차임	지료는 지상권의 요소 아님(제279조)	차임은 임차권의 요소(제618조)
존속기간의 제한	• 30년·15년·5년의 최단존속기간의 제한 (제280조) • 존속기간의 약정이 없는 경우 최단존속기간(제281조) • 법정갱신 불가	• 존속기간의 약정이 없는 경우 해지통고 할 수 있고(제635조), 일정기간의 경과로 해지의 효력 발생 • 법정갱신 가능(제639조)

소멸청구권 및 해지	2년 이상 지료연체시 소멸청구(제287조)	차임연체액이 2기에 달하면 해지가능 (제640조)
매수청구권 등	• 지상권자의 갱신청구권, 매수청구권 　(제283조) • 지상권자의 수거의무와 지상권설정자의 　매수청구권(제285조) • 지료증감청구권(286조)	• 임차인의 갱신청구권과 매수청구권 　(제643조) • 임차인의 원상회복의무(제654조) • 차임증감청구권(제628조)
비용상환 청구권	지상권자의 비용상환청구권 부정 But 유익비상환청구권은 인정(통설)	임차인의 필요비·유익비 상환청구권 모두 인 정(제626조)

Ⅱ. 지상권의 취득

1. 법률행위에 의한 취득

지상권설정계약에 의해 취득하는 경우가 일반적인 예이다. 그 밖에 유언 또는 지상권의 양도에 의해 지상권을 취득할 수 있다. 이러한 법률행위에 의한 지상권의 취득은 등기하여야 그 효력이 생긴다(제186조).

2. 법률에 의한 취득 - 법정지상권

(1) 일반론

상속·판결·경매·공용징수 기타 법률의 규정에 의한 지상권의 취득은 등기 없이 그 효력이 생긴다(제187조). 다만 취득시효로 인한 지상권의 취득은 등기하여야 효력이 생긴다.

(2) 법정지상권

1) 의의

① 우리 법제에서는 토지와 건물이 별개의 부동산으로 취급되므로, 동일인 소유에 속하던 토지와 건물이 나중에 그 소유자를 달리 하게 되는 경우, 지상건물 소유를 위해 임차권이나 지상권 등 토지의 이용관계를 설정하여야 한다. 그러나 이러한 기회를 갖지 못하는 등의 사유로 건물 소유자가 대지이용권을 가지지 못한다면 그 건물을 철거하여야 하는바, 이는 사회경제적으로도 바람직하지 못하다. 이러한 결과를 막기 위해 인정되는 것이 바로 법정지상권이다.

② 법정지상권도 법률규정에 의한 취득이므로 등기를 요하지 않는다.

2) 명문의 규정에 의해 법정지상권이 인정되는 경우

가) 민법 제305조 제1항 : 토지와 그 지상건물이 동일소유자에게 속하는 상태에서 건물에 대해서만 전세권을 설정하였는데, 나중에 토지소유자의 변경이 있는 경우 전세권설정자(건물의 소유자)는 법정지상권을 취득한다.

나) 민법 제366조 : 토지와 그 지상건물이 동일소유자에게 속한 상태에서 토지와 건물 중 어느 한 쪽에 저당권을 설정한 후, 나중에 저당권이 실행(임의경매)됨으로써 토지와 건물의 소유자가 다르게 된 경우 건물소유자는 법정지상권을 취득한다.

다) 가등기담보등에 관한 법률 : 토지와 그 지상건물이 동일소유자에게 속한 상태에서 토지와 건물 중 어느 한 쪽에 가등기담보권이 설정된 후, 담보권의 실행으로 토지와 건물의 소유자가 다르게 된 경우 건물소유자는 법정지상권을 취득한다(동법 제10조).

라) 입목법 : 토지와 입목이 동일소유자에게 속한 상태에서 경매 기타의 사유로 토지와 입목이 각각 다른 소유자에게 속하게 된 경우 입목의 소유자는 법정지상권을 취득한다(입목법 제6조).

3) 관습법에 의해 인정되는 법정지상권

판례는 분묘기지권과 관습상의 법정지상권을 인정하고 있다.

III. 지상권의 존속기간

1. 존속기간을 약정한 지상권

> **제280조 【존속기간을 약정한 지상권】**
> ① 계약으로 지상권의 존속기간을 정하는 경우에는 그 기간은 다음 연한보다 단축하지 못한다.
>   1. 석조, 석회조, 연와조 또는 이와 유사한 견고한 건물이나 수목의 소유를 목적으로 하는 때에는 30년
>   2. 전호 이외의 건물의 소유를 목적으로 하는 때에는 15년
>   3. 건물 이외의 공작물의 소유를 목적으로 하는 때에는 5년
> ② 전항의 기간보다 단축한 기간을 정한 때에는 전항의 기간까지 연장한다.

(1) 최단기간(제280조)

지상물의 구조에 따라 30년, 15년, 5년이다. 민법 제280조 제1항 제1호가 견고한 건물이나 수목의 소유를 목적으로 하는 지상권의 경우에 그 존속기간은 30년보다 단축할 수 없다고 규정하고 있음에 비추어 볼 때, 지상권자가 그 소유의 건물을 건축하거나 수목을 식재하여 토지를 이용할 목적으로 지상권을 설정한 경우에만 그 적용이 있고, 기존 건물의 사용을 목적으로 지상권이 설정된 경우에는 적용되지 않는다(대판 1996.3.22, 95다49318).

(2) 최장기간

지상권의 존속기간을 영구무한으로 할 수 있는가의 문제에 대하여, 판례는 민법상 지상권의 존속기간은 최단기간만이 규정되어 있을 뿐 최장기에 관하여는 아무런 제한이 없으며, 존속기간이 영구인 지상권을 인정할 실제의 필요성도 있고, 이러한 지상권을 인정한다고 하더라도 지상권의 제한이 없는 토지의 소유권을 회복할 방법이 있을 뿐만 아니라, 특히 구분지상권의 경우에는 존속기간이 영구하다

고 할지라도 대지의 소유권을 전면적으로 제한하지 아니한다는 점 등에 비추어 보면 지상권의 존속기간을 영구로 약정하는 것도 허용된다는 입장이다(대판 2001.5.29, 99다66410).

2. 존속기간을 약정하지 아니한 지상권

> 제281조 【존속기간을 약정하지 아니한 지상권】
> ① 계약으로 지상권의 존속기간을 정하지 아니한 때에는 그 기간은 전조의 최단존속기간으로 한다.
> ② 지상권설정 당시에 공작물의 종류와 구조를 정하지 아니한 때에는 지상권은 전조 제2호의 건물의 소유를 목적으로 한 것으로 본다.

(1) 지상물의 종류와 구조에 따라 제280조의 최단존속기간이 지상권의 존속기간이 된다. 따라서 그 기간은 지상물의 종류에 따라 30년, 15년, 5년이 된다(제281조 제1항).

(2) 단 공작물의 종류와 구조를 정하지 않은 경우에는 견고하지 않은 건물의 소유를 목적으로 한 것으로 간주되므로 그 존속기간은 15년이 된다(제281조 제2항). 수목인 경우에 존속기간은 언제나 30년이다.

3. 계약의 갱신과 존속기간

> 제283조 【지상권자의 갱신청구권, 매수청구권】
> ① 지상권이 소멸한 경우에 건물 기타 공작물이나 수목이 현존한 때에는 지상권자는 계약의 갱신을 청구할 수 있다.
> ② 지상권설정자가 계약의 갱신을 원하지 아니하는 때에는 지상권자는 상당한 가액으로 전항의 공작물이나 수목의 매수를 청구할 수 있다.
> 제284조 【갱신과 존속기간】
> 당사자가 계약을 갱신하는 경우에는 지상권의 존속기간은 갱신한 날로부터 제280조의 최단존속기간보다 단축하지 못한다. 그러나 당사자는 이보다 장기의 기간을 정할 수 있다.

(1) 계약갱신의 자유

지상권의 존속기간이 만료한 경우 당사자는 계약자유의 원칙상 자유로이 지상권설정계약을 갱신할 수 있다.

(2) 지상권자의 갱신청구권(제283조 제1항)

1) 성립요건

① 건물 기타 공작물이나 수목이 현존하여야 하고, ② 지상권이 그 존속기간의 만료로 소멸하여야 한다. 존속기간 만료 시 지체 없이 행사 당시의 토지소유자에게 행사하여야 하고, 지체 없이 행사하지 않은 경우에는 갱신청구권은 소멸한다(통설).

▶ 지상권의 존속기간 만료 후 지체 없이 행사하지 않아 지상권갱신청구권이 소멸한 경우, 민법 제283
조 제2항의 지상물매수청구권이 발생하는지 여부(소극) *
민법 제283조 제2항에서 정한 지상물매수청구권은 지상권이 존속기간의 만료로 인하여 소멸하는 때
에 지상권자에게 갱신청구권이 있어 갱신청구를 하였으나 지상권설정자가 계약갱신을 원하지 아니할
때 비로소 행사할 수 있는 권리이다. 한편 지상권갱신청구권의 행사는 지상권의 존속기간 만료 후 지체
없이 하여야 한다. 따라서 지상권의 존속기간 만료 후 지체 없이 행사하지 아니하여 지상권갱신청구권
이 소멸한 경우에는, 지상권자의 적법한 갱신청구권의 행사와 지상권설정자의 갱신 거절을 요건으로
하는 지상물매수청구권은 발생하지 않는다(대판 2023.4.27, 2022다306642).

2) 행사의 효과

① 갱신청구권은 형성권이 아니므로, 지상권자의 갱신청구로 인해 곧바로 계약갱신의 효과가 발
생하는 것은 아니다. 즉 갱신청구권은 청구권이므로 지상권설정자가 이에 응하여 갱신계약이 체
결됨으로써 갱신의 효과가 생긴다. 그러나 ② 지상권설정자가 갱신청구를 거절하는 때에는 지상
권자는 상당한 가액으로 공작물이나 수목의 매수를 청구할 수 있다(제283조 제2항).

3) 존속기간

계약갱신의 경우 존속기간은 갱신한 날로부터 최단존속기간(제280조)보다 단축하지는 못하지만, 이
보다 장기의 기간을 약정할 수 있다. 계약갱신 당시에 존속기간 등의 내용에 관하여 특별한 약정이
없으면 갱신된 계약의 내용은 종전의 계약과 동일한 것으로 추정한다(통설).

4. 편면적 강행규정성

지상권의 존속기간과 갱신에 관한 규정은 이른바 편면적 강행규정으로서, 이들 규정에 위반하여
지상권자에게 불리한 약정은 효력이 없다(제289조).

IV. 지상권의 효력

1. 지상권자의 토지사용권

제290조【준용규정】
① 제213조, 제214조, 제216조 내지 제244조의 규정은 지상권자 간 또는 지상권자와 인지소유자 간에
이를 준용한다.
② 제280조 내지 제289조 및 제1항의 규정은 제289조의2의 규정에 의한 구분지상권에 관하여 이를 준
용한다.

1) 토지사용권의 내용

지상권을 설정한 목적에 의하여 제한을 받으며, 지상권설정자는 소극적인 인용의무만을 지므로 사
용에 필요한 비용은 지상권자가 부담하므로 지상권자는 필요비 상환청구권을 갖지 못한다.

2) 상린관계 규정의 준용(제290조 제1항)

상린관계에 관한 규정은 인접하는 토지이용자인 지상권자와 지상권자 사이, 지상권자와 인지소유자 사이에 준용된다.

3) 물권적 청구권

지상권 침해 시 지상권에 기한 물권적 청구권이 인정된다(제290조 제1항).

> ▶ **지상권설정자인 토지소유자의 권리**(대판 1974.11.12, 74다1150) ★★
> ① 토지소유권은 그 토지에 대한 지상권설정이 있어도 이로 인하여 그 권리의 전부 또는 일부가 소멸하는 것도 아니고 단지 지상권의 범위에서 그 권리행사가 제한되는 것에 불과하며, 일단 지상권이 소멸되면 토지소유권은 다시 자동적으로 완전한 제한 없는 권리로 회복되는 법리라 할 것이므로 소유자가 그 소유토지에 대하여 지상권을 설정하여도 그 소유자는 그 토지를 불법으로 점유하는 자에게 대하여 방해배제를 구할 수 있는 물권적 청구권이 있다고 해석함이 상당하다.
> ② 그러나 지상권을 설정한 토지소유권자는 지상권이 존속하는 한 토지를 사용 수익할 수 없으므로 특별한 사정이 없는 한 불법점유자에게 손해배상을 청구할 수 없다.

2. 지상권의 처분

지상권자의 토지사용은 자본의 투하를 수반하므로, 민법은 이러한 자본을 회수할 수 있도록 하기 위해 다음과 같은 규정을 두고 있다.

(1) 지상권의 양도 · 임대 · 저당권설정

> **제282조 【지상권의 양도, 임대】**
> 지상권자는 타인에게 그 권리를 양도하거나 그 권리의 존속기간 내에서 그 토지를 임대할 수 있다.
> **제289조 【강행규정】**
> 제280조 내지 제287조의 규정에 위반되는 계약으로 지상권자에게 불리한 것은 그 효력이 없다.

① 지상권은 독립된 물권으로서 다른 권리에 부종함이 없이 그 자체로서 양도될 수 있으며 그 양도성은 민법 제282조, 제289조에 의하여 절대적으로 보장되고 있으므로 소유자의 의사에 반하여도 자유롭게 타인에게 양도할 수 있고(대판 1991.11.8, 90다15716), 지상건물과 법정지상권의 분리처분이 가능하다(대판 2001.12.27, 2000다1976). 그 양도 또는 임대를 금지하는 특약은 지상권자에게 불리한 것으로서 무효이다.

② 나아가 지상권자는 지상권 위에 저당권을 설정할 수 있다(제371조).

(2) 지상물의 양도 시 지상권의 이전여부

종물은 주물의 처분에 따른다는 제100조 제2항의 규정은 권리 사이에도 준용되므로, 지상물을 양도하는 경우에는 그 지상물 소유를 위한 지상권도 함께 처분한 것으로 본다. 그러나 지상물 양수인이 지상권을 취득하기 위하여는 지상물에 대한 이전등기 외에 지상권에 대하여도 이전등기를 하여야 한다(대판(전) 1985.4.9, 84다카1131).

3. 지상권자의 지료지급의무

(1) 지료

1) 지료는 지상권의 요소가 아니지만, 당사자가 지료의 지급을 약정한 때에는 지료지급의무가 발생한다. 따라서 무상의 지상권을 설정하는 것도 가능하다. 이와 같은 지료는 일시급이든 정기급이든 상관없으며 또한 반드시 금전에 한하지 않는다.

2) 지료액이나 지료의 지급시기에 관한 약정은 등기할 수 있고 등기를 하여야 제3자에게 대항할 수 있다(부등법 제69조).

3) 한편 법정지상권의 경우에는 당사자의 청구에 의하여 법원이 지료를 결정한다(제305조 제1항 단서, 제366조). 법원에 의한 지료결정은 형식적 형성소송인 지료결정판결로 이루어져야 제3자에게도 그 효력이 미친다.

(2) 지상권 또는 토지소유권의 이전과 지료

1) 지상권이 이전된 경우

① 지료에 관한 등기가 있는 경우에는 지상권이 이전하면 장래의 지료도 새로운 지상권자에게 이전한다(통설). 다만 ② 등기가 없으면 토지소유자는 새로운 지상권자에 대해 지료채권을 가지고 대항하지 못한다.

> ▶ **지료에 관한 약정을 등기하지 않은 경우, 토지소유자가 구 지상권자의 지료연체 사실을 지상권 양수인에게 대항할 수 있는지 여부**(소극)
> 지료액 또는 그 지급시기 등 지료에 관한 약정은 이를 등기하여야만 제3자에게 대항할 수 있으므로, 지료의 등기를 하지 않은 이상 토지소유자는 구 지상권자의 지료연체 사실을 들어 지상권을 이전받은 자에게 대항하지 못한다(대판 1996.4.26, 95다52864).

2) 토지소유권이 이전된 경우

① 토지소유권이 이전된 때에는 지료에 관한 등기가 없더라도 지료채권은 토지소유권에 수반하므로, 새로운 토지의 소유자(토지양수인)는 지료를 청구할 수 있다(통설). ② 한편 지상권의 지료지급연체가 토지소유권의 양도 전후에 걸쳐 이루어진 경우, 양도인에 대하여 2년 이상의 지료를 연체하더라도 양수인에 대한 연체가 2년 이상이 아니라면 양수인은 지상권의 소멸을 청구할 수 없다(대판 2001.3.13, 99다17142).

(3) 지료증감청구권

> 제286조【지료증감청구권】
> 지료가 토지에 관한 조세 기타 부담의 증감이나 지가의 변동으로 인하여 상당하지 아니하게 된 때에는 당사자는 그 증감을 청구할 수 있다.
> 제289조【강행규정】
> 제280조 내지 제287조의 규정에 위반되는 계약으로 지상권자에게 불리한 것은 그 효력이 없다.

사정변경의 원칙을 규정한 조항으로서 지료증감청구권은 채권적 청구권이 아니라 형성권이다.

판례 연구 ▶ **관련판례 정리**

1. 법정지상권의 지료결정의 기준

법정지상권자가 지급할 지료를 정함에 있어서 법정지상권 설정 당시의 제반 사정을 참작하여야 하나, 법정지상권이 설정된 건물이 건립되어 있음으로 인하여 토지의 소유권이 제한을 받는 사정은 참작·평가하여서는 안 된다(대판 1995.9.15, 94다61144).

2. 지료지급약정에 대한 대항요건으로서의 등기

지상권에 있어서 지료의 지급은 그의 요소가 아니어서 지료에 관한 유상 약정이 없는 이상 지료의 지급을 구할 수 없다. (또한) 지상권에 있어서 유상인 지료에 관하여 지료액 또는 그 지급시기 등의 약정은 이를 등기하여야만 그 뒤에 토지소유권 또는 지상권을 양수한 사람 등 제3자에게 대항할 수 있고, 지료에 관하여 등기되지 않은 경우에는 무상의 지상권으로서 지료증액청구권도 발생할 수 없다(대판 1999.9.3, 99다24874).

Ⅴ. 지상권의 소멸

1. 지상권의 소멸사유

토지의 멸실, 존속기간의 만료, 혼동, 소멸시효, 지상권에 우선하는 저당권이 실행으로 인한 경매, 토지수용 등으로 소멸한다. 단 지상물이 소멸한다고 해서 지상권이 소멸하지는 않는다.

2. 지상권에 특유한 소멸사유

> **제287조【지상권 소멸청구권】**
> 지상권자가 2년 이상의 지료를 지급하지 아니한 때에는 지상권설정자는 지상권의 소멸을 청구할 수 있다.
> **제288조【지상권 소멸청구와 저당권자에 대한 통지】**
> 지상권이 저당권의 목적인 때 또는 그 토지에 있는 건물, 수목이 저당권의 목적이 된 때에는 전조의 청구는 저당권자에게 통지한 후 상당한 기간이 경과함으로써 그 효력이 생긴다.
> **제289조【강행규정】**
> 제280조 내지 제287조의 규정에 위반되는 계약으로 지상권자에게 불리한 것은 그 효력이 없다.

(1) 지상권설정자의 소멸청구

지상권자가 2년 이상의 지료를 지급하지 아니한 때에는 지상권설정자는 지상권의 소멸을 청구할 수 있다.

1) 성질

지상권소멸청구권은 형성권이다. 따라서 지상권설정자가 지상권의 소멸을 청구하면 (말소)등기 없이도 지상권은 소멸한다(다수설, 제187조).

2) 2년 이상의 의미

판례는 연속해서 2년 이상일 필요가 없고(단속적 무방), 특정당사자 간 2년분 이상이면 요건을 충족하며, 전소유자에게 연체된 부분의 합산을 신소유자는 주장하지 못한다고 하였다(대판 2001.3.13, 99다17142).

3) 지료약정이 없는 경우

관습상의 법정지상권에 관하여 지료가 결정된 바 없다면 법정지상권자가 지료를 지급하지 아니하였다 하더라도 지료지급을 지체한 것으로 볼 수 없으므로 법정지상권자가 2년 이상의 지료를 지급하지 아니하였음을 이유로 하는 토지소유자의 지상권소멸청구는 이유가 없다(대판 1994.12.2, 93다52297).

> ▶ 지상권설정자가 지상권의 소멸을 청구하지 않고 있는 동안 지상권자로부터 연체된 지료 일부를 받고 이의 없이 수령하여 연체된 지료가 2년 미만으로 된 경우, 지상권설정자가 종전에 2년분의 지료를 연체하였다는 사유를 들어 지상권의 소멸을 청구할 수 있는지 여부(소극) 및 이러한 법리가 토지소유자와 법정지상권자 사이에도 마찬가지인지 여부(적극)
>
> 지상권자가 2년 이상의 지료를 지급하지 아니한 때에는 지상권설정자는 지상권의 소멸을 청구할 수 있으나(민법 제287조), 지상권설정자가 지상권의 소멸을 청구하지 않고 있는 동안 지상권자로부터 연체된 지료의 일부를 지급받고 이를 이의 없이 수령하여 연체된 지료가 2년 미만으로 된 경우에는 지상권설정자는 종전에 지상권자가 2년분의 지료를 연체하였다는 사유를 들어 지상권자에게 지상권의 소멸을 청구할 수 없으며, 이러한 법리는 토지소유자와 법정지상권자 사이에서도 마찬가지이다 (대판 2014.8.28, 2012다102384).

> ▶ 법정지상권의 지료액수가 판결에 의하여 정하여 졌지만 지체된 지료가 판결확정 전후에 걸쳐 2년분 이상일 경우 토지소유자의 지상권소멸청구의 가부(적극)
>
> 법정지상권이 성립되고 지료액수가 판결에 의하여 정해진 경우 지상권자가 판결확정 후 지료의 청구를 받고도 책임 있는 사유로 상당한 기간 동안 지료의 지급을 지체한 때에는 지체된 지료가 판결확정의 전후에 걸쳐 2년분 이상일 경우에도 토지소유자는 민법 제287조에 의하여 지상권의 소멸을 청구할 수 있다(대판 1993.3.12, 92다44749).

(2) 지상권의 포기

무상의 지상권에서는 기간약정의 유무를 묻지 않고 언제든지 지상권을 포기할 수 있다. 그러나 유상의 지상권에서는 그 포기로 인하여 토지소유자에게 손해가 생길 때에는 그 손해를 배상하여야 하고(제153조 제2항), 지상권이 저당권의 목적인 때에는 저당권자의 동의 없이 포기할 수 없다.

(3) 약정소멸사유

당사자 간에 약정한 소멸사유가 발생하면 지상권이 소멸한다. 다만 이러한 약정사유가 존속기간·지료체납 등인 경우에는 편면적 강행규정(제289조)에 의해 약정자체가 무효로 될 수는 있다.

3. 지상권 소멸의 효과

> **제283조 【지상권자의 갱신청구권, 매수청구권】**
> ① 지상권이 소멸한 경우에 건물 기타 공작물이나 수목이 현존한 때에는 지상권자는 계약의 갱신을 청구할 수 있다.
> ② 지상권설정자가 계약의 갱신을 원하지 아니하는 때에는 지상권자는 상당한 가액으로 전항의 공작물이나 수목의 매수를 청구할 수 있다.
>
> **제285조 【수거의무, 매수청구권】**
> ① 지상권이 소멸한 때에는 지상권자는 건물 기타 공작물이나 수목을 수거하여 토지를 원상에 회복하여야 한다.
> ② 전항의 경우에 지상권설정자가 상당한 가액을 제공하여 그 공작물이나 수목의 매수를 청구한 때에는 지상권자는 정당한 이유없이 이를 거절하지 못한다.
>
> **제289조 【강행규정】**
> 제280조 내지 제287조의 규정에 위반되는 계약으로 지상권자에게 불리한 것은 그 효력이 없다.

(1) 지상물수거권(제285조 제1항)

지상권자는 지상권이 소멸하면 지상물을 철거하고 원상회복해야 할 의무가 있다.

(2) 지상물매수청구권

1) 지상권설정자의 매수청구권(제285조 제2항)

지상물매수청구권은 형성권이며 상당가액의 제공을 요한다. 판례는 지상권이 소멸한 때에 지상권설정자는 상당한 가액을 제공하여 그 공작물이나 수목의 매수를 청구할 수 있는데 여기서 상당한 가액이란 매수청구권 행사 당시의 시가상당액을 의미한다고 한다(대판 1972.7.25. 72다653).

2) 지상권자의 매수청구권(제283조 제2항)

존속기간만료 후 갱신청구권를 하였지만 지상권설정자로부터 거절당한 경우 지상권자는 지상물의 매수를 청구할 수 있다. ① 민법 제283조 제2항 소정의 지상물매수청구권은 지상권이 존속기간의 만료로 인하여 소멸하는 때에 지상권자에게 갱신청구권이 있어 그 갱신청구를 하였으나 지상권설정자가 계약갱신을 원하지 아니할 경우 행사할 수 있는 권리이므로, 지상권자의 지료연체를 이유로 토지소유자가 그 지상권소멸청구를 하여 이에 터 잡아 지상권이 소멸된 경우에는 매수청구권이 인정되지 않는다(대판 1993.6.22. 92다29030). ② 이와 같은 지상물매수청구권의 법적 성질은 형성권이며 그 행사로 인하여 법률상 매매계약이 성립한다. 이는 지상권자의 매수청구권은 갱신을 강제하는 기능을 하며, 본 규정은 강행규정이므로 당사자의 특약에 의하여 배제할 수 없다(제289조).

(3) 유익비상환청구권(제626조 제2항 유추적용)

지상권자는 사용수익에 필요한 상태를 스스로 만들어야 하므로 필요비상환청구권이 없다.

(4) 강행규정(제289조)

지상권자의 갱신청구권, 지료증감청구권, 지료체납의 효과, 지상물수거권, 지상권의 최단존속기간, 지상물매수청구권, 지상권의 양도, 임대에 관한 규정은 지상권자를 위한 편면적 강행규정으로, 이에 위반하여 지상권자에게 불리한 약정은 무효이다.

Ⅵ. 특수지상권

특수한 지상권의 종류로는 분묘기지권, 구분지상권, 관습상의 법정지상권이 있다. 이 가운데 관습상의 법정지상권에 대해서는 항을 바꿔서 살펴본다.

1. 분묘기지권

(1) 의의

1) 분묘기지권이란 타인의 토지 위에 분묘를 소유하기 위하여 분묘의 기지부분인 토지를 사용할 수 있는 권리로서, 지상권 유사의 물권을 말한다.

2) 이러한 분묘기지권을 시효취득할 수 있다 함은 토지소유자의 소유권을 극도로 제한하고 장묘문화가 매장문화에서 화장문화로 변화한 점에서 헌법을 최상위 규범으로 하는 전체 법질서에 부합하지 않아서 정당성과 합리성을 인정할 수 없고 사회구성원들의 법적 구속력에 대한 확신이 소멸되었다는 점에서 부정할 것인지가 문제되었는데, 최근 판례는 타인 소유의 토지에 분묘를 설치한 경우에 20년간 평온·공연하게 분묘의 기지를 점유하면 지상권과 유사한 관습상의 물권인 분묘기지권을 시효로 취득한다는 점은 오랜 세월 동안 지속되어 온 관습 또는 관행으로서 법적 규범으로 승인되어 왔고, 이러한 법적 규범이 장사법(법률 제6158호) 시행일인 2001. 1. 13. 이전에 설치된 분묘에 관하여 현재까지 유지되고 있다고 보아야 한다고 하였다(대판(전) 2017. 1. 19, 2013다17292).

(2) 취득유형 및 요건

1) 판례에 의하면 ① 타인의 소유지 내에 토지소유자의 승낙을 얻어 분묘를 설치한 경우(대판 1962. 4. 26, 4294민상451), ② 타인 소유의 토지에 토지소유자의 승낙 없이 분묘를 설치한 후 20년간 평온·공연하게 그 분묘의 기지를 점유하여 분묘기지권을 시효취득한 경우(대판 1969. 1. 28, 68다1927·68다1928), 다만 이 경우는 점유취득시효에 의해 취득하는 경우이지만, 그 분묘기지에 대해 소유의 의사가 요구되지 않고(대판 2000. 11. 14, 2000다35511), 또 등기가 필요 없는 점에서 보통의 점유취득시효와는 다르다. 또한 ③ 자기 소유의 토지에 분묘를 설치한 자가 후에 이 토지를 타인에게 양도한 경우에 성립한다.

2) 다만 현재 시신이 안장되어 있지 아니한 장래 묘소로서 외형상 분묘의 형태만 갖추었을 뿐인 경우에는 실제 분묘라 할 수 없으니 그 소유를 위하여 지상권 유사의 물권이 생길 수 없다(대판 1976. 10. 26, 76다1359·1360). 또한 시신이 안장되어 있더라도 외부에서 분묘임을 인식할 수 없는 평장·암장의 형태는 분묘라 할 수 없고 분묘기지권을 취득할 수 없다(대판 1996. 6. 14, 96다14036).

3) 봉분 등 외부에서 분묘의 존재를 인식할 수 있는 형태를 갖추고 있는 경우 분묘의 외형 자체가 공시방법으로서의 구실을 하므로 등기는 필요하지 않다(대판 1996.6.14, 96다14036 참조).

(3) 권리의 내용

1) 분묘기지권의 효력이 미치는 범위

판례는 ① 분묘기지권이 미치는 범위는 분묘를 수호하고 봉사하는 목적을 달성하는데 필요한 범위이므로 분묘가 설치된 기지뿐만 아니라 분묘의 보호 및 제사에 필요한 주위의 빈 땅에도 미친다고 하고(대판 1965.3.23, 65다17), ② 분묘기지권은 분묘의 기지 자체(봉분의 기저 부분)뿐만 아니라 그 분묘의 설치 목적인 분묘의 수호 및 제사에 필요한 범위 내에서 분묘의 기지 주위의 공지를 포함한 지역에까지 미치는 것이고, 그 확실한 범위는 각 구체적인 경우에 개별적으로 정하여야 하며(대판 2007.6.14, 2006다84423), ③ 분묘기지권에 그 효력이 미치는 지역적 범위 내에서 기존의 분묘에 단분(單墳)형태나 쌍분형태로 합장하여 새로운 분묘를 설치할 권능이 포함되어 있지 않다고 한다(대판 1958.6.12, 4290민상771). 또한, ④ 분묘의 부속시설인 비석 등 제구를 설치관리할 권한은 제사주재자에게 있으며, 제사주재자 아닌 다른 후손들이 비석 등 시설물을 설치하고 그것이 제사주재자의 의사에 반하는 경우, 분묘가 위치한 토지의 소유권자가 토지소유권에 기하여 방해배제청구로서 당연히 그 철거를 구할 수 있는 권리는 없다고 한다(대판 2000.9.26, 99다14006).

2) 지료의 지급문제

① 토지소유자의 승낙을 얻어 분묘를 설치한 경우에는 당사자 간의 약정에 따르되 약정이 없으면 무상으로 한다. ② 시효취득으로 분묘기지권을 취득한 경우 종래 판례는 지상권에 있어서 지료의 지급은 그 요소가 아니어서 지료에 관한 약정이 없는 한 지료의 지급을 구할 수 없는 점에 비추어 보면, 분묘기지권을 시효취득하는 경우에도 지료를 지급할 필요가 없다고 하였다(대판 1995.2.28, 94다37912). 그러나 최근 판례는 종래 판례를 변경하여 분묘기지권을 시효로 취득하였더라도, 분묘기지권자는 토지소유자가 분묘기지에 관한 지료를 청구하면 그 청구한 날부터의 지료를 지급할 의무가 있다고 하였다(대판(전) 2021.4.29, 2017다228007).

▶ **분묘기지권을 시효로 취득한 경우 분묘기지권자가 토지 소유자에게 지료를 지급할 의무가 있는지 여부**(한정 적극)(대판(전) 2021.4.29, 2017다228007) *

① 장사법 시행일 이전에 타인의 토지에 분묘를 설치한 다음 20년간 평온·공연하게 그 분묘의 기지를 점유함으로써 분묘기지권을 시효로 취득하였더라도, 분묘기지권자는 토지소유자가 분묘기지에 관한 지료를 청구하면 그 청구한 날부터의 지료를 지급할 의무가 있다고 보아야 한다. 관습법으로 인정된 권리의 내용을 확정함에 있어서는 그 권리의 법적 성질과 인정취지, 당사자 사이의 이익형량 및 전체 법질서와의 조화를 고려하여 합리적으로 판단하여야 하고, 취득시효형 분묘기지권은 당사자의 합의에 의하지 않고 성립하는 지상권 유사의 권리이고, 그로 인하여 토지 소유권이 사실상 영구적으로 제한될 수 있다. 따라서 시효로 분묘기지권을 취득한 사람은 일정한 범위에서 토지소유자에게 토지 사용의 대가를 지급할 의무를 부담한다고 보는 것이 형평에 부합하기 때문이다. 따라서 취득시효형 분묘기지권이 관습법으로 인정되어 온 역사적·사회적 배경, 분묘를 둘러싸고

형성된 기존의 사실관계에 대한 당사자의 신뢰와 법적 안정성, 관습법상 권리로서의 분묘기지권의 특수성, 조리와 신의성실의 원칙 및 부동산의 계속적 용익관계에 관하여 이러한 가치를 구체화한 민법상 지료증감청구권 규정의 취지 등을 종합하여 볼 때, 분묘기지권자가 토지 소유자의 이의 없이 대가를 지급하지 않고 장기간 분묘기지를 평온·공연하게 점유하여 분묘기지권을 시효로 취득한 경우 분묘기지권자는 토지 소유자가 토지사용의 대가를 청구하면 그때부터 지료 지급의무를 부담한다고 보아야 한다.

② 이와 달리 분묘기지권을 시효로 취득하는 경우 분묘기지권자의 지료 지급의무가 분묘기지권이 성립됨과 동시에 발생한다는 취지의 대법원 1992.6.26. 선고 92다13936 판결 및 분묘기지권자가 지료를 지급할 필요가 없다는 취지로 판단한 대법원 1995.2.28. 선고 94다37912 판결 등은 이 판결의 견해에 배치되는 범위 내에서 이를 변경하기로 한다.

→ [사실관계] : ① 이 사건 임야에는 1940년과 1961년 각각 설치된 분묘 2기가 있고 피고는 현재까지 위 분묘를 수호·관리하고 있었다. 이에 원고들은 2014년 이 사건 임야의 일부 지분을 경매로 취득한 다음 분묘기지에 대한 소유권 취득일 이후의 지료를 피고에게 청구하였다. 원심은 분묘기지권을 시효로 취득한 경우 토지 소유자가 지료를 청구한 때부터 지료를 지급할 의무가 있다고 보아 원고들의 지료 청구를 일부 받아들였고, 이에 대해 피고가 상고하였는데, 대법원은 분묘기지권자는 토지 소유자가 분묘기지에 관한 지료를 청구하면 그 청구한 날부터의 지료를 지급할 의무가 있다고 보아, 상고를 기각하였다. ② 이러한 다수의견에 대하여 ⅰ) 분묘기지권을 시효취득한 경우 분묘기지권자는 분묘를 설치하여 토지를 점유하는 기간 동안 토지 소유자에게 지료를 지급할 의무가 있다고 보아야 하고, 토지 소유자의 지료 청구가 있어야만 그때부터 지료 지급의무가 발생한다고 볼 수 없다는 별개의견과 ⅱ) 특별한 사정이 없는 한 분묘기지권자는 토지 소유자에게 지료를 지급할 의무가 없다는 반대의견이 있었다.

▶ **분묘기지권의 취득 유형별 지료지급의무**(대판 2021.9.16. 2017다271834) *

[1] 분묘의 기지인 토지가 분묘의 수호·관리권자가 아닌 다른 사람의 소유인 경우, 토지 소유자가 분묘의 설치를 승낙한 때 분묘기지권를 설정한 것으로 보아야 하는지 여부(적극) 및 위 분묘기지권 성립 당시 토지 소유자와 분묘의 수호·관리자가 지료 지급의무의 존부나 범위 등에 관하여 약정한 경우, 그 약정의 효력이 분묘 기지의 승계인에 미치는지 여부(적극)

분묘의 기지인 토지가 분묘의 수호·관리권자 아닌 다른 사람의 소유인 경우에 그 토지 소유자가 분묘 수호·관리권자에 대하여 분묘의 설치를 승낙한 때에는 그 분묘의 기지에 관하여 분묘기지권을 설정한 것으로 보아야 한다. 이와 같이 승낙에 의하여 성립하는 분묘기지권의 경우 성립 당시 토지 소유자와 분묘의 수호·관리자가 지료 지급의무의 존부나 범위 등에 관하여 약정을 하였다면 그 약정의 효력은 분묘 기지의 승계인에 대하여도 미친다.

[2] 자기 소유 토지에 분묘를 설치한 사람이 토지를 양도하면서 분묘를 이장하겠다는 특약을 하지 않음으로써 분묘기지권을 취득한 경우, 분묘기지권이 성립한 때부터 분묘 기지에 대한 지료 지급의무를 지는지 여부(원칙적 적극)

자기 소유 토지에 분묘를 설치한 사람이 그 토지를 양도하면서 분묘를 이장하겠다는 특약을 하지 않음으로써 분묘기지권을 취득한 경우, 특별한 사정이 없는 한 분묘기지권자는 분묘기지권이 성립한 때부터 토지 소유자에게 그 분묘의 기지에 대한 토지사용의 대가로서 지료를 지급할 의무가 있다(대판 2021.5.27. 2020다295892).

▶ 자기 소유의 토지 위에 분묘를 설치한 후 토지의 소유권이 경매 등으로 타인에게 이전되면서 분묘기지권을 취득한 자가, 판결에 따라 분묘기지권에 관한 지료의 액수가 정해졌음에도 책임 있는 사유로 판결확정 전후에 걸쳐 2년분 이상의 지료지급을 지체한 경우, 새로운 토지소유자가 분묘기지권의 소멸을 청구할 수 있는지 여부(적극) 및 이 경우 분묘기지권자가 판결확정 후 지료지급 청구를 받았음에도 지료지급을 지체한 경우에만 분묘기지권의 소멸을 청구할 수 있는지 여부(소극)

자기 소유의 토지 위에 분묘를 설치한 후 토지의 소유권이 경매 등으로 타인에게 이전되면서 분묘기지권을 취득한 자가, 판결에 따라 분묘기지권에 관한 지료의 액수가 정해졌음에도 판결확정 후 책임 있는 사유로 상당한 기간 동안 지료의 지급을 지체하여 지체된 지료가 판결확정 '전후'에 걸쳐 2년분 이상이 되는 경우에는 민법 제287조를 유추적용하여 새로운 토지소유자는 분묘기지권자에 대하여 분묘기지권의 소멸을 청구할 수 있다. 분묘기지권자가 판결확정 후 지료지급 청구를 받았음에도 책임 있는 사유로 상당한 기간 지료의 지급을 지체한 경우에만 분묘기지권의 소멸을 청구할 수 있는 것은 아니다(대판 2015.7.23, 2015다206850).

3) 존속기간

분묘수호를 위한 분묘기지권의 존속기간은 민법의 지상권에 관한 규정에 따를 것이 아니라 당사자 사이의 특약 등 특별한 사정이 있으면 그에 따를 것이고, 그런 사정이 없으면 권리자가 분묘의 수호와 봉사를 계속하며, 그 분묘가 존속하고 있는 동안은 분묘기지권이 존속한다고 해석함이 타당하므로 민법 제281조에 따라 5년간이라고 보아야 할 것은 아니다(대판 1982.1.26, 81다1220; 대판 2007.6.28, 2005다44114).

(4) 분묘기지권의 소멸

1) 분묘기지권은 권리자가 의무자에 대하여 그 권리를 포기하는 의사표시를 하면 되고, 점유까지도 포기하여야만 그 권리가 소멸하는 것은 아니다(대판 1992.6.23, 92다14762).

2) 분묘가 멸실된 경우라고 하더라도 유골이 존재하여 분묘의 원상회복이 가능하여 일시적인 멸실에 불과하다면 분묘기지권은 소멸하지 않고 존속하고 있다고 해석함이 상당하다(대판 2007.6.28, 2005다44114).

2. 구분지상권

제289조의2 【구분지상권】
① 지하 또는 지상의 공간은 상하의 범위를 정하여 건물 기타 공작물을 소유하기 위한 지상권의 목적으로 할 수 있다. 이 경우 설정행위로써 지상권의 행사를 위하여 토지의 사용을 제한할 수 있다.
② 제1항의 규정에 의한 구분지상권은 제3자가 토지를 사용·수익할 권리를 가진 때에도 그 권리자 및 그 권리를 목적으로 하는 권리를 가진 자 전원의 승낙이 있으면 이를 설정할 수 있다. 이 경우 토지를 사용·수익할 권리를 가진 제3자는 그 지상권의 행사를 방해하여서는 아니된다.

(1) 의의

구분지상권은 건물 기타 공작물을 소유할 목적으로 타인 토지의 지하 또는 지상의 공간을 그 상하의 범위를 정하여 사용하는 지상권을 말한다(제289조의2). 구분지상권도 일반 지상권과 질적인 차이는 없으므로 상린관계에 관한 규정이 준용된다(제290조 제2항).

(2) 설정

1) 구분지상권은 당사자 사이의 구분지상권설정계약과 등기에 의하여 성립된다. 구분지상권의 객체는 어떤 층에 한정되므로 층의 한계, 즉 토지의 상하의 범위를 반드시 정해서 등기해야 한다.

2) 구분지상권을 설정하려는 토지에 이미 배타성 있는 용익권이 존재하는 경우, 즉 제3자가 그 토지를 사용·수익할 권리(**예** 지상권·지역권·등기된 임차권 등)를 가지고 있는 경우에 그 권리자 및 그 권리를 목적으로 하는 권리(지상권·전세권을 목적으로 하는 저당권)를 가진 자 전원의 승낙이 있어야만 구분지상권을 설정할 수 있다(제289조의2 제2항).

제9절 질권

Ⅰ. 질권의 의의 및 성질

1. 의의

질권이란 채권자가 그 채권의 담보로 채무자 또는 제3자(물상보증인)가 제공한 동산 또는 재산권을 점유하고, 그 동산 또는 재산권에 대하여 다른 채권자보다 자기채권을 우선적으로 변제를 받을 수 있는 권리를 말한다(제329조, 제345조).

2. 법적 성질

① 질권은 목적물의 교환가치를 직접적·배타적으로 지배하는 물권으로서, 원칙적으로 질권자와 질권설정자 사이의 약정에 의하여 성립하고, 법정질권은 예외적으로 인정된다(제648조, 제650조).
② 채권의 변제가 있을 때까지 목적물을 유치(점유)할 수 있는 권능(단, 사용·수익 권능은 없다)과 우선변제를 받을 수 있는 권능이 있다. ③ 질권은 담보물권이므로 담보물권의 일반적 성질, 즉 부종성·수반성·불가분성·물상대위성을 갖는다.

Ⅱ. 동산질권

> **제329조【동산질권의 내용】**
> 동산질권자는 채권의 담보로 채무자 또는 제3자가 제공한 동산을 점유하고 그 동산에 대하여 다른 채권자보다 자기채권의 우선변제를 받을 권리가 있다.
> **제330조【설정계약의 요물성】**
> 질권의 설정은 질권자에게 목적물을 인도함으로써 그 효력이 생긴다.
> **제331조【질권의 목적물】**
> 질권은 양도할 수 없는 물건을 목적으로 하지 못한다.

> **제332조【설정자에 의한 대리점유의 금지】**
> 질권자는 설정자로 하여금 질물의 점유를 하게 하지 못한다.

1. 성립

질권설정계약[당사자 : 질권자(채권자)와 질권설정자(채무자 또는 제3자로서 물상보증인)]과 동산의 인도 및 피담보채권의 존재로 성립한다.

(1) 질권설정계약

1) 계약의 당사자

① 질권설정계약의 당사자는 질권을 취득하게 되는 질권자와 목적동산에 질권을 설정하는 질권설정자이다. ⅰ) 질권자는 피담보채권의 채권자에 한한다. 반면, ⅱ) 질권설정자는 피담보채권의 채무자뿐만 아니라, 제3자(물상보증인)라도 무방하다(제329조). 다만, 질권설정자는 목적물을 처분할 권리 또는 처분 권한(예 대리권 등)을 가지는 자이어야 한다.

② 질권설정자에게 목적물에 관한 처분권이 없는 경우에도 채권자(질권자)가 선의취득의 요건을 갖춘 경우에는 질권을 선의취득한다(제343조, 제249조).

2) 물상보증인

> **제341조【물상보증인의 구상권】**
> 타인의 채무를 담보하기 위한 질권설정자가 그 채무를 변제하거나 질권의 실행으로 인하여 질물의 소유권을 잃은 때에는 보증채무에 관한 규정에 의하여 채무자에 대한 구상권이 있다.

물상보증인은 타인의 채무를 담보하기 위하여 자기 소유의 재산 위에 질권 또는 저당권을 설정해 준 자를 말한다(제341조, 제370조). 물상보증인은 담보로 제공한 동산의 한도에서 책임을 질 뿐 피담보채무를 부담하지 않는다.

(2) 목적동산의 인도

1) 설정계약의 요물성(제330조)

동산의 인도(점유의 이전)는 동산물권변동의 효력발생요건이므로 질권설정계약은 낙성계약이라는 견해가 다수설이다.

2) 점유개정의 금지(제332조)

제330조의 「인도」에는 현실의 인도, 간이 인도, 목적물반환청구권의 양도가 포함되나, 유치적 효력의 확보를 위하여 점유개정에 의한 질권설정을 금지한다. 질권에 있어 목적물의 점유는 질권의 존속요건이기도 하다. 따라서 질권자가 질물을 임의로 반환할 경우 질권은 소멸한다(질권소멸설).

3) 동산질권의 목적물

① 양도할 수 없는 동산(예 문화재, 아편)은 질권의 목적이 될 수 없다(제331조). 또한 ② 압류금지된 동산 중에서 압류금지사유가 양도까지 금한다는 이유를 포함하는 때에는 질권의 목적이 되지 못한다. 다만, 채무자 보호를 위하여 그 의사에 반한 압류가 금지되는 동산은 소유자의 의사에 의하여 질권의 목적물이 될 수 있다(예 침구, 의복 등).

(3) 동산질권을 설정할 수 있는 채권(피담보채권)

동산질권의 피담보채권에는 법률상 아무런 제한이 없다. 따라서 ① 장래의 특정채권인 조건부채권이나 기한부채권을 위한 질권의 설정도 유효하고, ② 장래의 증감변동하는 불특정의 채권을 담보하는 근질도 유효하다(통설).

▶ 근질권이 설정된 금전채권에 대하여 제3자의 압류로 강제집행절차가 개시된 경우, 근질권의 피담보채권의 확정 시기

근질권의 목적이 된 금전채권에 대하여 근질권자가 아닌 제3자의 압류로 강제집행절차가 개시된 경우, 제3채무자가 그 절차의 전부명령이나 추심명령에 따라 전부금 또는 추심금을 제3자에게 지급하거나 채권자의 경합 등을 사유로 위 금전채권의 채권액을 법원에 공탁하게 되면 그 변제의 효과로서 위 금전채권은 소멸하고 그 결과 바로 또는 그 후의 절차진행에 따라 종국적으로 근질권도 소멸하게 되므로, 근질권자는 위 강제집행절차에 참가하거나 아니면 근질권을 실행하는 방법으로 그 권리를 행사할 것이 요구된다. 이런 까닭에 위 강제집행절차가 개시된 때로부터 위와 같이 근질권이 소멸하게 되기까지의 어느 시점에서인가는 근질권의 피담보채권도 확정된다고 하지 않을 수 없다. 근질권자가 제3자의 압류 사실을 알고서도 채무자와 거래를 계속하여 추가로 발생시킨 채권까지 근질권의 피담보채권에 포함시킨다고 하면 그로 인하여 근질권자가 얻을 수 있는 실익은 별 다른 것이 없는 반면 제3자가 입게 되는 손해는 위 추가된 채권액만큼 확대되고 이는 사실상 채무자의 이익으로 귀속될 개연성이 높아 부당할 뿐 아니라, 경우에 따라서는 근질권자와 채무자가 그러한 점을 남용하여 제3자 등 다른 채권자의 채권 회수를 의도적으로 침해할 수 있는 여지도 제공하게 된다. 따라서 이러한 여러 사정을 적정·공평이란 관점에 비추어 보면, 근질권이 설정된 금전채권에 대하여 제3자의 압류로 강제집행절차가 개시된 경우 근질권의 피담보채권은 근질권자가 위와 같은 강제집행이 개시된 사실을 알게 된 때에 확정된다고 봄이 타당하다(대판 2009.10.15. 2009다43621).

2. 효력

(1) 동산질권의 효력이 미치는 범위

1) 피담보채권의 범위

> 제334조 【피담보채권의 범위】
> 질권은 원본, 이자, 위약금, 질권실행의 비용, 질물보존의 비용 및 채무불이행 또는 질물의 하자로 인한 손해배상의 채권을 담보한다. 그러나 다른 약정이 있는 때에는 그 약정에 의한다. → 임의규정

① 질권은 원본, 이자, 위약금, 질권실행의 비용, 질물보존의 비용, 채무불이행에 의한 손해배상, 질물의 하자로 생긴 손해배상을 담보한다(제334조 본문). 그러나 이 범위는 당사자의 특약으로 변경할 수 있다(제334조 단서).

② 피담보채권 전부의 변제를 받을 때까지 목적물 전부에 질권의 효력이 미친다(불가분성 – 제343조, 제321조).

2) 목적물의 범위

① **종물과 과실** : 질권의 목적으로 인도된 물건 전부에 그 효력이 미치는데, 종물이 인도된 경우에 한하여 질권의 효력이 미치고, 과실(천연과실, 법정과실)에도 질권의 효력이 미친다.

② **물상대위**(제342조) : 질권은 목적물의 교환가치를 취득하는 것이므로, 질물의 멸실·훼손·공용징수로 질권이 소멸하더라도 그 교환가치를 대표하는 것이 존재하면, 질권은 그 대표물 위에 존속한다(제342조).

(2) 유치적 효력

> 제335조【유치적 효력】
> 질권자는 전조의 채권의 변제를 받을 때까지 질물을 유치할 수 있다. 그러나 자기보다 우선권이 있는 채권자에게 대항하지 못한다.

질권자는 피담보채권의 전부를 변제받을 때까지 질물을 유치할 수 있다(불가분성). 그러나 질권자보다 우선권이 있는 채권자(예 선순위질권자 등)에게는 대항할 수 없으므로, 유치권에서처럼 질물의 인도를 거절하지 못하고 배당에 참가할 수 있을 뿐이다(제335조). 그 외는 유치권의 규정이 준용되므로(제343조), 질권자는 과실수취권(제323조)·비용상환청구권(제325조) 등을 갖는다.

(3) 우선변제적 효력

> 제333조【동산질권의 순위】
> 수 개의 채권을 담보하기 위하여 동일한 동산에 수 개의 질권을 설정한 때에는 그 순위는 설정의 선후에 의한다.
>
> 제338조【경매, 간이변제충당】
> ① 질권자는 채권의 변제를 받기 위하여 질물을 경매할 수 있다.
> ② 정당한 이유 있는 때에는 질권자는 감정인의 평가에 의하여 질물로 직접변제에 충당할 것을 법원에 청구할 수 있다. 이 경우에는 질권자는 미리 채무자 및 질권설정자에게 통지하여야 한다.
>
> 제340조【질물 이외의 재산으로부터의 변제】
> ① 질권자는 질물에 의하여 변제를 받지 못한 부분의 채권에 한하여 채무자의 다른 재산으로부터 변제를 받을 수 있다.
> ② 전항의 규정은 질물보다 먼저 다른 재산에 관한 배당을 실시하는 경우에는 적용하지 아니한다. 그러나 다른 채권자는 질권자에게 그 배당금액의 공탁을 청구할 수 있다.

동산질권자는 질물로부터 다른 채권자보다 먼저 우선변제를 받을 권리가 있고(제329조), 질권설정 자가 파산한 경우에는 별제권에 의해 우선변제를 받는다(파산법 제84조).

(4) 동산질권의 침해에 대한 구제

1) 점유보호청구권 및 물권적 청구권

질권은 질물을 점유할 권리를 포함하므로 ① 점유보호청구권(제204조 ~ 제206조)이 가능하고, ② 질권 자체에 기한 물권적 청구권에 관해서는 명문규정은 없지만, 통설은 질권 그 자체에 기한 물 권적 청구권을 인정하고 있다.

2) 질물훼손에 따른 효과

① 질권설정자(채무자)가 질물을 훼손한 경우에는 기한의 이익이 상실된다(제388조). 따라서 질권자 는 즉시 피담보채권의 이행을 청구할 수 있고, 잔존물이 있으면 질권을 실행할 수 있으며, 손해배 상을 청구(→ 침해행위 시 즉시 청구가능)할 수도 있다. ② 제3자가 질물을 훼손한 경우에는 불법행위 로 인한 손해배상청구권이 발생한다(제750조).

3. 동산질권자의 전질권

(1) 의의

전질이란 질권자가 채권의 담보로서 인도받아 유치하고 있는 질물을 이용하여 다시 자신의 제3자 에 대한 채무의 담보를 위해 질권을 설정하는 것을 말한다. 이에는 책임전질(제336조)과 승낙전질 (제343조, 제324조 제2항)이 있다.

(2) 책임전질

제336조 【전질권】
질권자는 그 권리의 범위 내에서 자기의 책임으로 질물을 전질할 수 있다. 이 경우에는 전질을 하지 아니하였 으면 면할 수 있는 불가항력으로 인한 손해에 대하여도 책임을 부담한다.

제337조 【전질의 대항요건】
① 전조의 경우에 질권자가 채무자에게 전질의 사실을 통지하거나 채무자가 이를 승낙함이 아니면 전질 로써 채무자, 보증인, 질권설정자 및 승계인에게 대항하지 못한다.
② 채무자가 전항의 통지를 받거나 승낙을 한 때에는 전질권자의 동의 없이 질권자에게 채무를 변 제하여도 이로써 전질권자에게 대항하지 못한다.

---

1) 법적 성질

책임전질은 질권과 함께 피담보채권도 입질하는 것이라고 보는 채권질권공동입질설이 다수설이 다. 이에 따르면 질권은 원질권에 기초하여 성립하는 것이므로 원질권이 소멸하면 전질권도 소멸 한다고 본다(부종성).

2) 요건

① 원질권자와 전질권자 사이에 물권적 합의와 질물의 인도가 있어야 한다.

② 전질권은 원질권의 범위 내이어야 한다(제336조 전단). 즉, 전질권의 경우 피담보채권은 원질권의 피담보채권을 초과할 수 없고, 초과한 경우 초과부분만 무효가 된다(통설).

③ 질권자가 채무자에게 전질의 사실을 통지하거나 채무자가 승낙하여야 제3자에게 대항할 수 있다(제337조 제1항).

3) 효과

가) 전질권설정자의 책임 가중(제336조 후단)

질권자는 전질을 하지 않았더라면 생기지 않았을 불가항력에 의한 손해도 배상할 책임이 있다.

나) 전질권자의 권리

① 인도거절권 : 질권에는 유치적 효력이 있으므로, 자기채권의 변제를 받을 때까지 질물을 유치할 수 있다.

② 변제수령 : 전질권자는 원질권자로부터 변제를 수령할 수 있으며, 또한 원질권자의 피담보채권을 원질권설정자에게 직접 청구하고 급부목적물을 수령할 수 있다(제353조 유추적용). 채무자가 통지를 받거나 승낙을 한 때에는 전질권자의 동의 없이 질권자에게 채무를 변제하여도 이로써 전질권자에게 대항하지 못한다(제337조 제2항).

③ 전질권실행요건(경매권 및 간이변제충당) : 전질권자가 전질권을 실행하려면 자기의 채권 외에 원질권자의 채권도 변제기가 도래해야 한다.

(3) 승낙전질(제343조, 제324조 제2항의 반대해석)

> **제343조 【준용규정】**
> 제249조 내지 제251조, 제321조 내지 제325조의 규정은 동산질권에 준용한다.
> **제324조 제2항 【유치권자의 선관의무】**
> 유치권자는 채무자의 승낙없이 유치물의 사용, 대여 또는 담보제공을 하지 못한다. 그러나 유치물의 보존에 필요한 사용은 그러하지 아니하다.

1) 의의

질물소유자의 승낙을 얻어 그 질물 위에 다시 질권을 설정하는 것을 말한다.

2) 법적 성질

승낙전질권은 원질권과는 전혀 별개로서 독립적으로 설정되는 것이므로 질물의 재입질이라고 봄이 통설이다(질물재입질설).

3) 요건

질물소유자의 승낙이 있으면 족하다. 승낙전질은 원질권자의 질권이나 피담보채권과 무관하므로 원질권의 범위에 의한 제한이 없으며, 승낙이 있었으므로 책임전질에서와 같이 통지를 할 필요가 없다.

4) 효과

질권자는 불가항력에 의한 손해배상의무를 부담하지 않고, 승낙전질은 원질권과는 무관계한 새로운 질권이므로 원질권설정자는 자기의 채무를 원질권자에게 변제해서 질권을 소멸시킬 수 있다. 그러나 원질권이 소멸하여도 전질권은 새로운 권리이므로 영향이 없다.

III. 권리질권

1. 의의

> **제345조 【권리질권의 목적】**
> 질권은 재산권을 그 목적으로 할 수 있다. 그러나 부동산의 사용, 수익을 목적으로 하는 권리는 그러하지 아니하다.

(1) 동산을 제외한 채권 기타 재산권을 목적으로 하는 질권을 말한다(제345조). 양도성을 가지는 재산권일 것을 요하기 때문에 채권·주식·무체재산권 등은 권리질권의 목적이 될 수 있다. 그러나 인격권·친족권·상속권·부양청구권 등은 권리질권의 목적이 될 수 없다.

(2) 양도성이 있는 재산권인 경우에도 부동산의 사용·수익을 목적으로 하는 권리는 목적이 될 수 없다(제345조 단서). 즉, 지상권, 전세권, 부동산임차권 등은 권리질권의 목적이 될 수 없고, 저당권의 목적이 된다(제371조).

2. 채권질권

(1) 채권질권의 설정

1) 채권질권의 목적

① 통상의 채권은 원칙적으로 양도할 수 있으므로(제449조) 질권의 목적이 될 수 있다. 그리고 질권자 자신에 대한 채권이라도 무방하며(예 A은행이 甲에 대한 대출금채권의 담보를 위해 甲의 A은행 자신에 대한 예금채권을 질권의 목적으로 하는 것), 장래의 채권·조건부채권·선택채권 등도 목적이 될 수 있다.

② 법률상 담보에 제공하는 것이 금지된 채권(예 공무원, 군인의 연금청구권), 성질상 양도금지채권(예 특정인에게 강의하는 것을 내용으로 하는 채권, 부작위채권), 법률상 양도금지채권(예 부양청구권, 재해보상청구권), 양도금지의 특약이 있는 채권(다만, 선의의 제3자에게 대항하지 못함. 제449조 제2항) 등은 채권질권의 목적이 될 수 없다.

2) 채권질권의 설정방법

> **제346조【권리질권의 설정방법】**
> 권리질권의 설정은 법률에 다른 규정이 없으면 그 권리의 양도에 관한 방법에 의하여야 한다.
>
> **제347조【설정계약의 요물성】**
> 채권을 질권의 목적으로 하는 경우에 채권증서가 있는 때에는 질권의 설정은 그 증서를 질권자에게 교부함으로써 그 효력이 생긴다.
>
> **제348조【저당채권에 대한 질권과 부기등기】**
> 저당권으로 담보한 채권을 질권의 목적으로 한 때에는 그 저당권등기에 질권의 부기등기를 하여야 그 효력이 저당권에 미친다.
>
> **제349조【지명채권에 대한 질권의 대항요건】**
> ① 지명채권을 목적으로 한 질권의 설정은 설정자가 제450조의 규정에 의하여 제3채무자에게 질권설정의 사실을 통지하거나 제3채무자가 이를 승낙함이 아니면 이로써 제3채무자 기타 제3자에게 대항하지 못한다.
> ② 제451조의 규정은 전항의 경우에 준용한다.
>
> **제350조【지시채권에 대한 질권의 설정방법】**
> 지시채권을 질권의 목적으로 한 질권의 설정은 증서에 배서하여 질권자에게 교부함으로써 그 효력이 생긴다.
>
> **제351조【무기명채권에 대한 질권의 설정방법】**
> 무기명채권을 목적으로 한 질권의 설정은 증서를 질권자에게 교부함으로써 그 효력이 생긴다.

① 권리질권의 설정방법은 그 권리의 양도방법에 의하므로 지명채권질권의 경우 본조와 같이 지명채권양도방법에 의한다. 다만 채권증서가 있는 때에는 질권의 설정은 그 증서를 질권자에게 교부함으로써 그 효력이 생긴다.

▶ **민법 제347조에서 채권질권의 설정을 위하여 교부하도록 정한 '채권증서'의 의미 및 임대차계약서 등 계약 당사자 雙方의 권리의무관계 내용을 정한 서면이 위 '채권증서'에 해당하는지 여부**(소극)
민법 제347조는 채권을 질권의 목적으로 하는 경우에 채권증서가 있는 때에는 질권의 설정은 그 증서를 질권자에게 교부함으로써 효력이 생긴다고 규정하고 있다. 여기에서 말하는 '채권증서'는 채권의 존재를 증명하기 위하여 채권자에게 제공된 문서로서 특정한 이름이나 형식을 따라야 하는 것은 아니지만, 장차 변제 등으로 채권이 소멸하는 경우에는 민법 제475조에 따라 채무자가 채권자에게 그 반환을 청구할 수 있는 것이어야 한다. 이에 비추어 임대차계약서와 같이 계약 당사자 雙方의 권리의무관계의 내용을 정한 서면은 그 계약에 의한 권리의 존속을 표상하기 위한 것이라고 할 수는 없으므로 위 채권증서에 해당하지 않는다(대판 2013.8.22, 2013다32574).

② 채권질권설정의 경우 설정자는 제3채무자에게 통지하거나 제3채무자가 승낙해야 양수인·권리질권자가 대항력을 갖는다.

▶ 질권의 목적인 채권에 대하여 질권설정자의 일반채권자의 신청으로 압류·전부명령이 내려졌고, 위 명령이 송달된 날보다 먼저 질권자가 확정일자 있는 문서에 의해 대항요건을 갖춘 경우, 제3채무자가 질권자의 동의 없이 질권의 목적인 채무를 변제하였음을 이유로 질권자에게 대항할 수 있는지 여부(소극) *

질권설정자가 민법 <u>제349조 제1항</u>에 따라 제3채무자에게 질권이 설정된 사실을 통지하거나 제3채무자가 이를 승낙한 때에는 제3채무자가 질권자의 동의 없이 질권의 목적인 채무를 변제하더라도 질권자에게 대항할 수 없고, 질권자는 여전히 제3채무자에게 직접 채무의 변제를 청구할 수 있다. 질권의 목적인 채권에 대하여 질권설정자의 일반채권자의 신청으로 압류·전부명령이 내려진 경우에도 그 명령이 송달된 날보다 먼저 질권자가 확정일자 있는 문서에 의해 민법 제349조 제1항에서 정한 대항요건을 갖추었다면, 전부채권자는 질권이 설정된 채권을 이전받을 뿐이고 제3채무자는 전부채권자에게 변제했음을 들어 질권자에게 대항할 수 없다(대판 2022.3.31. 2018다21326).

▶ 질권자가 제3채무자에게 질권설정계약의 해지 사실을 통지하였으나 아직 해지되지 않은 경우, 선의인 제3채무자가 질권설정자에게 대항할 수 있는 사유로 질권자에게 대항할 수 있는지 여부(적극) 및 해지 통지를 믿은 제3채무자의 선의가 추정되는지 여부(적극)와 그 통지의 효력발생시기(=제3채무자에게 도달한 때)

① 제3채무자가 질권설정 사실을 승낙한 후 질권설정계약이 합의해지된 경우 질권설정자가 해지를 이유로 제3채무자에게 원래의 채권으로 대항하려면 질권자가 제3채무자에게 해지 사실을 통지하여야 하고, 만일 질권자가 제3채무자에게 질권설정계약의 해지 사실을 통지하였다면, 설사 아직 해지가 되지 아니하였다고 하더라도 선의인 제3채무자는 질권설정자에게 대항할 수 있는 사유로 질권자에게 대항할 수 있다고 봄이 타당하다. 그리고 위와 같은 해지 통지가 있었다면 해지 사실은 추정되고, 그렇다면 해지 통지를 믿은 제3채무자의 선의 또한 추정된다고 볼 것이어서 제3채무자가 악의라는 점은 선의를 다투는 질권자가 증명할 책임이 있다. 또한 ② 위와 같은 해지 사실의 통지는 질권자가 질권설정계약이 해제되었다는 사실을 제3채무자에게 알리는 이른바 관념의 통지로서, 통지는 제3채무자에게 도달됨으로써 효력이 발생하고, 통지에 특별한 방식이 필요하지는 않다(대판 2014.4.10. 2013다76192).[8]

③ 채권의 양도나 질권의 설정에 대하여 이의를 보류하지 아니하고 승낙을 하였더라도 양수인 또는 질권자가 악의 또는 중과실의 경우에 해당하는 한 채무자의 승낙 당시까지 양도인 또는 질권설정자에 대하여 생긴 사유로써 양수인 또는 질권자에게 대항할 수 있다(대판 2002.3.29. 2000다13887).

④ 지시채권의 경우 질권설정의 합의와 증서에 배서하여 질권자에게 교부함으로써 그 효력이 생긴다(제350조).

⑤ 무기명채권의 경우에는 질권설정의 합의와 증서를 질권자에게 교부함으로써 효력이 발생한다(제351조, 제523조).

---

8) 甲은행에 대한 예금채권자인 A는 甲의 승낙을 받아 甲은행에 대한 예금채권을 乙에게 질권설정하였는데, 그 후 甲은행은 질권자인 乙로부터 질권해제통지서를 받은 직후 丙에게 예금을 지급한 사안이다. 이에 대법원은 지명채권에 대한 질권설정의 경우 제451조의 규정을 준용하고 있고, 제452조 제1항 역시 유추적용됨을 전제로 하여 위와 같이 판시하였다.

⑥ 저당권부채권의 경우 질권설정의 합의와 저당권등기에 질권을 설정하였다는 질권의 부기등기를 하여야 질권의 효력이 저당권에도 미친다(제348조). 따라서 부기등기를 하지 않으면 저당권에 의해 담보되지 않는 채권에 대해서만 질권을 취득하는 것이 된다.

▶ **근저당권부 질권자의 지위와 변제자대위**(대판 2023.1.12. 2020다296840)

[1] 채권의 지연손해금을 별도로 등기부에 기재하지 않았을 경우, 근저당권부 질권의 피담보채권의 범위가 등기부에 기재된 약정이자에 한정되는지 여부(소극)

민법 제335조의 규정에 의하여 권리질권에 준용되는 민법 제334조 전문은 '질권은 원본, 이자, 위약금, 질권실행의 비용, 질물보존의 비용 및 채무불이행 또는 질물의 하자로 인한 손해배상의 채권을 담보한다.'고 정하고 있다. 부동산등기법 제76조 제1항은 등기관이 민법 제348조에 따라 저당권부채권에 대한 질권의 등기를 할 때에는 부동산등기법 제48조에서 규정한 사항 외에 '채권액 또는 채권최고액, 채무자의 성명 또는 명칭과 주소 또는 사무소 소재지, 변제기와 이자의 약정이 있는 경우에는 그 내용'을 기록하여야 한다고 정하고 있어 채권의 지연손해금을 등기사항으로 정하고 있지 않다. 이러한 사정에 비추어 보면, 채권의 지연손해금을 별도로 등기부에 기재하지 않았더라도 근저당권부 질권의 피담보채권의 범위가 등기부에 기재된 약정이자에 한정된다고 볼 수 없다.

[2] 제3자가 채무자를 위하여 채무를 변제함으로써 채무자에 대하여 구상권을 취득하는 경우, 그 구상권의 범위 내에서 종래 채권자가 가지고 있던 채권과 그 담보에 관한 권리가 변제자에게 이전하는지 여부(적극)

채무자를 위하여 변제한 자는 변제와 동시에 채권자의 승낙을 얻어 채권자를 대위할 수 있다(민법 제480조 제1항). 제3자가 채무자를 위하여 채무를 변제함으로써 채무자에 대하여 구상권을 취득하는 경우, 그 구상권의 범위 내에서 종래 채권자가 가지고 있던 채권과 그 담보에 관한 권리는 동일성을 유지한 채 법률상 당연히 변제자에게 이전한다.

→ [사실관계] : 근저당권자인 甲 주식회사가 乙 주식회사와 제1 대출 약정을 체결하면서 乙 회사에 근저당권부 질권을 설정해 주었고, 그 후 丙 주식회사가 甲 회사 등과 제2 대출 약정을 체결하면서, 甲 회사를 대신하여 乙 회사에 제1 대출 약정 채무 잔액을 대위변제하고 乙 회사로부터 근저당권부 질권을 이전받았는데, 근저당권의 목적 부동산이 임의경매절차에서 매각되어 丙 회사가 근저당권부 질권자로서 배당받게 되자, 후순위 근저당권부 질권자인 丁 등이 丙 회사를 상대로 배당이의의 소를 제기한 사안에서, 丙 회사는 甲 회사를 위하여 제1 대출 약정 채무 잔액을 乙 회사에 대위변제함으로써 채무자 甲 회사에 대하여 구상권을 취득하였고, 그 범위에서 종래 乙 회사가 가지고 있던 제1 대출 약정 채권과 담보에 관한 권리가 동일성을 유지한 채 법률상 당연히 丙 회사에 이전하므로, 丙 회사가 이전받은 근저당권부 질권의 피담보채권은 대위변제자의 변제에 의하여 소멸하는 제1 대출 약정 채권이고, 丙 회사의 구상금 채권을 초과하여 근저당권부 질권이 甲 회사의 丙 회사에 대한 채무인 제2 대출 약정 채권을 담보한다고 볼 근거가 없는데도, 이와 달리 본 원심판결에 법리오해 등의 잘못이 있다고 한 사례이다.

채권질권의 설정방법

종류	설정방법
지명채권	질권설정의 합의 및 채권증서(예 예금증서, 예금통장, 보험증권, 차용증서 등)가 있으면 그 교부를 요하지만(제347조), 그 교부방식은 점유개정으로 족하다. 만약 증서가 없으면 교부하지 않아도 질권설정의 효력이 있다. 다만 대항요건으로서 통지나 승낙이 요구된다(제349조, 이를 갖추지 못하면 채무자 또는 제3자에게 대항할 수 없다).
지시채권	증서의 배서 및 교부를 요한다(제350조, 제508조). → 효력요건
무기명 채권	증서의 교부를 요한다(제351조, 제523조). → 효력요건
저당권부 채권	저당권등기에 질권설정의 부기등기를 하여야 저당권에도 권리질권의 효력이 미친다(제348조). → 효력요건

(2) 채권질권의 효력

> 제352조【질권설정자의 권리처분제한】
> 질권설정자는 질권자의 동의 없이 질권의 목적된 권리를 소멸하게 하거나 질권자의 이익을 해하는 변경을 할 수 없다.
> 제353조【질권의 목적이 된 채권의 실행방법】
> ① 질권자는 질권의 목적이 된 채권을 직접 청구할 수 있다.
> ② 채권의 목적물이 금전인 때에는 질권자는 자기채권의 한도에서 직접 청구할 수 있다.
> ③ 전항의 채권의 변제기가 질권자의 채권의 변제기보다 먼저 도래한 때에는 질권자는 제3채무자에 대하여 그 변제금액의 공탁을 청구할 수 있다. 이 경우에 질권은 그 공탁금에 존재한다.
> ④ 채권의 목적물이 금전 이외의 물건인 때에는 질권자는 그 변제를 받은 물건에 대하여 질권을 행사할 수 있다.
> 제354조【동전】
> 질권자는 전조의 규정에 의하는 외에 민사소송법에 정한 집행방법에 의하여 질권을 실행할 수 있다.
> 제355조【준용규정】
> 권리질권에는 본절의 규정 외에 동산질권에 관한 규정을 준용한다.

1) 효력의 범위

① 피담보채권의 범위와 관련해서는 제334조가 준용되므로 동산질권에서와 같다(제355조).

② 질권이 설정된 채권 즉 입질채권 전부에 미친다. 특히 피담보채권액이 입질채권액보다 적은 경우에도 담보물권의 불가분성 때문에 입질채권 전부에 미친다(대판 1972.12.26, 72다1941 → 예컨대, 100만원의 채무를 담보하기 위해 채무자가 제3자에 대해 갖고 있는 130만원의 채권에 대해 질권을 설정한 경우 질권자가 제3채무자에게 채권 100만원을 전부 직접 추심하여 변제받기 전까지 채무자는 제3채무자에 대해 피담보채권 100만원을 제외한 나머지 30만원에 대해서도 추심할 수 없다).

③ 나아가 입질채권에 이자가 있는 경우에는 그 이자에도 미치고(제100조 제2항), 입질채권의 지연손해금과 같은 부대채권에도 미친다(대판 2005.2.25, 2003다40668).

2) 질권설정자의 권리처분제한

질권설정자가 제3채무자로부터 채권의 변제를 받거나 상계, 경개, 채무면제 등으로 그 채권을 소멸하게 할 수 있다면 질권자의 이익이 부당하게 침해되므로, 질권자의 동의 없이 질권설정자가 질권의 목적이 되는 권리를 소멸하게 하거나 질권자의 이익을 해하는 변경행위(예 이자부채권을 무이자채권으로 만드는 것)를 할 수 없다(제352조). 다만 이는 상대적 효력만 있으므로 질권의 목적인 권리를 소멸시키는 행위는 질권자에 대한 관계에서만 무효이다.

▶ **민법 제352조에 위반한 질권설정자의 행위의 효력**

① 민법 제352조의 규정은 질권자가 질권의 목적인 채권의 교환가치에 대하여 가지는 배타적 지배권능을 보호하기 위한 것이므로, 질권설정자와 제3채무자가 질권의 목적된 권리를 소멸하게 하는 행위를 하였다고 하더라도 이는 질권자에 대한 관계에 있어 무효일 뿐이어서 특별한 사정이 없는 한 질권자 아닌 제3자가 그 무효의 주장을 할 수는 없다(대판 1997.11.11. 97다35375).

② 질권설정자가 제3채무자에게 질권설정의 사실을 통지하거나 제3채무자가 이를 승낙한 때에는 제3채무자가 질권자의 동의 없이 질권의 목적인 채무를 변제하더라도 이로써 질권자에게 대항할 수 없고, 질권자는 민법 제353조 제2항에 따라 여전히 제3채무자에 대하여 직접 채무의 변제를 청구할 수 있다. 제3채무자가 질권자의 동의 없이 질권설정자와 상계합의를 함으로써 질권의 목적인 채무를 소멸하게 한 경우에도 마찬가지로 질권자에게 대항할 수 없고, 질권자는 여전히 제3채무자에 대하여 직접 채무의 변제를 청구할 수 있다(대판 2018.12.27. 2016다265689).

▶ **질권의 목적인 채권의 양도에 있어서 질권자의 동의가 필요한지 여부**(소극)

질권의 목적인 채권의 양도행위는 민법 제352조 소정의 질권자의 이익을 해하는 변경에 해당되지 않으므로 질권자의 동의를 요하지 아니한다(대판 2005.12.22. 2003다55059).

---

3) 우선변제적 효력

가) 실행방법

질권설정자는 질권의 목적이 된 채권의 추심이 금지되고, 질권자는 채권질권의 실행방법으로 제353조의 채권의 직접청구(입질채권과 피담보채권의 변제기가 모두 도래한 경우)와 제354조의 민사집행법에 의한 집행방법으로서 추심·환가·교환 등을 통해 질권을 실행하고, 우선변제를 받는다.

나) 직접청구권

① 질권자는 질권의 목적인 채권을 직접 청구할 수 있다(제353조 제1항). 여기서 직접 청구할 수 있다는 것은 제3채무자에 대한 집행권원이나 질권설정자의 추심위임 등을 요하지 않고, 또한 질권설정자의 대리인으로서가 아니라 질권자 자신의 이름으로 추심할 수 있다는 의미이다.

② 질권의 목적이 된 채권이 금전채권인 때에는 질권자는 자기채권의 한도에서 질권의 목적이 된 채권을 직접 청구할 수 있고, 채권질권의 효력은 질권의 목적이 된 채권의 지연손해금 등과 같은 부대채권에도 미치므로, 채권질권자는 질권의 목적이 된 채권과 그에 대한 지연손해금채권을 피담보채권의 범위에 속하는 자기채권액에 대한 부분에 한하여 직접 추심하여 자기채권의 변제에 충당할 수 있다(대판 2005.2.25. 2003다40668).

③ 따라서 질권자가 피담보채권을 초과하여 질권의 목적이 된 금전채권을 추심하였다면 그 중 피담보채권을 초과하는 부분은 특별한 사정이 없는 한 법률상 원인이 없는 것으로서 질권설정자에 대한 관계에서 부당이득이 된다(대판 2011.4.14, 2010다5694).

4) 유치적 효력

채권질권자는 피담보채권 전부의 변제를 받을 때까지 교부받은 채권증서 또는 증권을 유치할 수 있다(제355조, 제335조).

제10절 물상보증인

1. 의의

> **제341조【물상보증인의 구상권】**
> 타인의 채무를 담보하기 위한 질권설정자가 그 채무를 변제하거나 질권의 실행으로 인하여 질물의 소유권을 잃은 때에는 보증채무에 관한 규정에 의하여 채무자에 대한 구상권이 있다.

물상보증인은 타인의 채무를 담보하기 위하여 자기 소유의 재산 위에 질권 또는 저당권을 설정해 준 자를 말한다(제341조, 제370조). 물상보증인은 담보로 제공한 동산의 한도에서 책임을 질 뿐 피담보채무를 부담하지 않는다. 이 점에서 (연대)보증인과 다르다. 이러한 제도에 의해서 담보재산이 없는 자도 금융제공을 받을 수 있는 장점이 있다.

2. 성립

(1) 물상보증계약에 의한 성립

물상보증은 물상보증인과 채권자와의 계약에 의해 성립된다. 물론 채무자가 물상보증인의 대리인으로서 체결할 수도 있다.

(2) 선의취득에 따른 성립

채무자가 타인의 물건을 담보로 제공하고 채권자가 선의취득의 규정에 의해 질권을 유효하게 취득한 경우, 목적물의 소유자는 질권설정자는 아니지만 자신의 소유물 위에 담보물권의 부담을 받게 되므로 물상보증인과 같은 입장에 서게 된다.

3. 물상보증인과 채권자와의 관계

(1) 물적 유한책임

물상보증인은 채권자에 대하여 채무를 부담하지 않으며 담보로 제공한 물건의 한도 내에서 책임을 부담할 뿐이다.

(2) 채권자의 채무이행청구의 불가

물상보증인은 채무 없는 책임만을 부담하는 자로서 원칙적으로 채권자는 물상보증인을 피고로 하여 이행의 소를 제기할 수는 없다.

(3) 물상보증인의 변제 가능

채무자가 변제하지 않는 경우 물상보증인은 채권자의 담보권실행에 의해 자신의 소유권을 상실할 염려가 있으므로, 이해관계 있는 제3자로서 채무자의 의사에 반하여도 변제할 수 있다(제469조).

4. 물상보증인과 채무자와의 관계

(1) 보증채무규정에 의한 구상권 인정

물상보증인은 이해관계 있는 제3자로서 담보된 채무를 변제하거나 질권 실행으로 소유권을 상실한 경우에 보증인이 가지는 것과 같은 구상권을 갖는다(제341조). 물상보증인이 경락인이 되어 자신의 소유권을 보전한 때에도 마찬가지로 취급해야 한다.

▶ 금융기관으로부터 대출을 받으면서 형식상의 주채무자로서 자신의 명의를 사용하도록 한 제3자가 연대보증인에 대하여 주채무자로서 구상의무를 부담하는 경우 및 이는 물상보증의 경우에도 마찬가지인지 여부(적극)
금융기관으로부터 대출을 받으면서 제3자가 자신의 명의를 사용하도록 한 경우에는 그가 채권자인 금융기관에 대하여 주채무자로서 책임을 지는지와 관계없이 내부관계에서는 실질상의 주채무자가 아닌 한 연대보증책임을 이행한 연대보증인에 대하여 당연히 주채무자로서의 구상의무를 부담한다고 할 수는 없고, 연대보증인이 제3자가 실질적 주채무자라고 믿고 보증을 하였거나 보증책임을 이행하였고, 그와 같이 믿은 데에 제3자에게 귀책사유가 있어 제3자에게 책임을 부담시키는 것이 구체적으로 타당하다고 보이는 경우 등에 한하여 제3자가 연대보증인에 대하여 주채무자로서의 전액 구상의무를 부담하며, 이는 물상보증의 경우에도 마찬가지로 보아야 한다(대판 2014.4.30, 2013다80429・80436).

▶ 물상보증인이 담보권의 실행으로 타인의 채무를 담보하기 위하여 제공한 부동산의 소유권을 잃은 경우, 물상보증인이 채무자에게 구상할 수 있는 범위는 담보권의 실행으로 부동산의 소유권을 잃게 된 때의 부동산 시가를 기준으로 하여야 하는지 여부(원칙적 적극)
① 물상보증은 채무자 아닌 사람이 채무자를 위하여 담보물권을 설정하는 행위이고 물상보증인은 담보물로 물적 유한책임만을 부담할 뿐 채권자에 대하여 채무를 부담하지 않는다. 보증인은 '변제 기타의 출재로 주채무를 소멸하게 한 때' 주채무자에 대한 구상권이 있는 반면(민법 제441조 제1항, 제444조 제1항, 제2항), 물상보증인은 '그 채무를 변제'한 경우 외에 '담보권의 실행으로 인하여 담보물의 소유권을 잃은 때'에도 채무자에 대한 구상권이 있다(민법 제341조). ② 물상보증인이 담보권의 실행으로 타인

의 채무를 담보하기 위하여 제공한 부동산의 소유권을 잃은 경우 물상보증인이 채무자에게 구상할 수 있는 범위는 특별한 사정이 없는 한 담보권의 실행으로 부동산의 소유권을 잃게 된 때, 즉 매수인이 매각대금을 다 낸 때의 부동산 시가를 기준으로 하여야 하고, 매각대금을 기준으로 할 것이 아니다. 경매절차에서 유찰 등의 사유로 소유권 상실 당시의 시가에 비하여 낮은 가격으로 매각되는 경우가 있는데, 이 경우 소유권 상실로 인한 부동산 시가와 매각대금의 차액에 해당하는 손해는 채무자가 채무를 변제하지 못한 데 따른 담보권의 실행으로 물상보증인에게 발생한 손해이므로, 이를 채무자에게 구상할 수 있어야 하기 때문이다(대판 2018.4.10, 2017다283028).

(2) 구상권의 성질

물상보증은 채무자 아닌 사람이 채무자를 위하여 담보물권을 설정하는 행위이고 채무자를 대신해서 채무를 이행하는 사무의 처리를 위탁받는 것이 아니므로, 물상보증인이 변제 등에 의하여 채무자를 면책시키는 것은 위임사무의 처리가 아니고 법적 의미에서는 의무 없이 채무자를 위하여 사무를 관리한 것에 유사하다. 따라서 물상보증인의 채무자에 대한 구상권은 그들 사이의 물상보증위탁계약의 법적 성질과 관계없이 민법에 의하여 인정된 별개의 독립한 권리이고, 그 소멸시효에 있어서는 민법상 일반채권에 관한 규정이 적용된다(대판 2001.4.24, 2001다6237).

(3) 사전구상권 인정 여부

최근 판례는 물상보증인은 사전구상권을 행사할 수 없다고 한다. 민법 제370조에 의하여 민법 제341조가 저당권에 준용되는데, 민법 제341조는 타인의 채무를 담보하기 위한 저당권설정자가 그 채무를 변제하거나 저당권의 실행으로 인하여 저당물의 소유권을 잃은 때에 채무자에 대하여 구상권을 취득한다고 규정하여 물상보증인의 구상권 발생 요건을 보증인의 경우와 달리 규정하고 있는 점, 물상보증은 채무자 아닌 사람이 채무자를 위하여 담보물권을 설정하는 행위이고 채무자를 대신해서 채무를 이행하는 사무의 처리를 위탁받는 것이 아니므로 물상보증인은 담보물로서 물적 유한책임만을 부담할 뿐 채권자에 대하여 채무를 부담하는 것이 아닌 점, 물상보증인이 채무자에게 구상할 구상권의 범위는 특별한 사정이 없는 한 채무를 변제하거나 담보권의 실행으로 담보물의 소유권을 상실하게 된 시점에 확정된다는 점 등을 종합하면, 원칙적으로 수탁보증인의 사전구상권에 관한 민법 제442조는 물상보증인에게 적용되지 아니하고 물상보증인은 사전구상권을 행사할 수 없다는 것이다(대판 2009.7.23, 2009다19802).

5. 물상보증인의 변제자대위

(1) 개관

물상보증인은 변제할 정당한 이익이 있는 자로서 채무자의 채무를 변제한 경우라면 채무자에 대한 구상권을 담보(확보)하기 위하여 당연 변제자대위가 인정된다(제481조). 이는 담보권실행에 의해 소유권을 상실한 경우에도 마찬가지이다(통설).

> ▶ **물상보증인이 채무를 변제하였으나 다른 사정에 의하여 채무자에 대하여 구상권이 없는 경우, 물**
> **상보증인이 채권자를 대위하여 채권자의 채권 및 담보에 관한 권리를 행사할 수 있는지 여부**(소극)
> 타인의 채무를 담보하기 위하여 근저당권을 설정한 물상보증인이 채무를 변제한 때에는 채무자에 대한
> 구상권이 있고, 물상보증인은 변제할 정당한 이익이 있으므로 변제로 당연히 채권자를 대위하여 채권자
> 의 채권 및 그 담보에 관한 권리를 행사할 수 있다. 다만 물상보증인은 자기의 권리에 의하여 구상할
> 수 있는 범위에서 그와 같은 권리를 행사할 수 있으므로, 물상보증인이 채무를 변제한 때에도 다른 사정
> 에 의하여 채무자에 대하여 구상권이 없는 경우에는 채권자를 대위하여 채권자의 채권 및 담보에 관한
> 권리를 행사할 수 없다고 해석하여야 한다(대판 2014.4.30, 2013다80429·80436).

(2) 일부 대위변제의 경우 채권자와의 관계

채권의 일부에 대위변제가 있는 때에는, 대위자는 그 변제한 가액에 비례하여 채권자와 함께 그
권리를 행사한다(제483조 제1항). '함께'의 의미에 대해서 판례는 대위할 권리가 가분채권인 경우에도
변제자가 단독으로 담보권을 행사할 수 있는 것이 아니라 채권자가 담보권을 행사하는 경우에만
변제자가 함께 그 권리를 행사할 수 있고, 또 그때에도 배당에 관해서 채권자가 우선하는 것으로
보는 입장이다. 즉 권리행사 및 배당의 순서에 대해서 채권자가 우선한다고 한다(채권자 우위 긍정설
: 대판 1988.9.27, 88다카1797). 따라서 일부대위자는 채권자의 의사에 반하여 저당권을 실행할 수 없고,
또한 배당절차에서 채권자가 우선하여 배당받고 그 잔액에 대하여 일부대위자가 배당받게 된다.

> ▶ **일부 대위변제자와 채권자의 관계**
> 변제할 정당한 이익이 있는 자가 채무자를 위하여 채권의 일부를 대위변제할 경우에 대위변제자는
> 변제한 가액의 범위 내에서 종래 채권자가 가지고 있던 채권 및 담보에 관한 권리를 취득하게 되고
> 따라서 채권자가 부동산에 대하여 저당권을 가지고 있는 경우에는 채권자는 대위변제자에게 일부
> 대위변제에 따른 저당권의 일부이전의 부기등기를 경료해 주어야 할 의무가 있다 할 것이나 이 경우에
> 도 채권자는 일부 대위변제자에 대하여 우선변제권을 가지고 있다(대판 1988.9.27, 88다카1797).

(3) 물상보증인 상호 간의 관계

물상보증인이 수인 있는 경우에는 각 담보목적물의 가액에 비례하여 대위한다(제482조 제2항 제4호).

(4) 물상보증인과 보증인 상호 간의 관계

물상보증인과 보증인 간에는 그 인원수에 비례해서 대위한다. 이 경우 물상보증인이 수인인 때에
는 보증인의 부담부분을 제외하고 그 잔액에 대하여 각 재산가액에 비례해서 대위한다(제482조
제2항 제5호).

(5) 물상보증인과 후순위저당권자와의 관계[9]

1) 문제점

공동저당권자는 목적물의 소유자와 채무자가 서로 다른 경우에도 아무런 영향 없이 공동저당권을 실행할 수 있다. 이러한 공동저당권의 실행으로 인하여 목적물의 소유자였던 물상보증인은 변제자대위규정(제481조, 제482조)에 의하여 다른 목적물 위의 공동저당권자를 대위한다. 그리하여 물상보증인에 의한 변제자대위와 공동저당권의 후순위저당권자 상호 간에 이해관계의 충돌이 생기는데, 이 중 누구를 우선 보호할 것인지 여부가 문제된다.

2) 판례의 태도

이에 대해 판례는 물상보증인(변제자)을 우선시켜 보호한다(물상보증인 우선설 : 변제자대위 우선설). 즉 이시배당에서 후순위저당권자의 대위권은 채무자 소유의 부동산에만 저당권이 설정된 경우에 인정되고, 공동저당의 목적인 채무자 소유의 부동산과 물상보증인 소유의 부동산에 각각 채권자를 달리하는 후순위저당권이 설정되어 있는 경우, 물상보증인 소유의 부동산에 대하여 먼저 경매가 이루어져 그 경매대금의 교부에 의하여 1번 저당권자가 변제를 받은 때에는 물상보증인은 채무자에 대하여 구상권을 취득함과 동시에, 민법 제481조, 제482조의 규정에 의한 변제자대위에 의하여 채무자 소유의 부동산에 대한 1번 저당권을 취득하고, 이러한 경우 물상보증인 소유의 부동산에 대한 후순위저당권자는 1번 저당권에 대하여 물상대위에 의하여 물상보증인에게 이전한 1번 저당권으로부터 우선하여 변제를 받을 수 있다고 한다.

제11절 ▎ 비전형담보물권

민법이 규정하고 있는 전형적인 담보물권이 아니면서 실제 거래계에서 담보적 기능을 수행하고 있는 새로운 물적 담보방법을 비전형담보라 한다. 여기에는 소비대차계약 체결과 동시에 목적물의 소유권을 채권자에게 이전하는 형식을 취하는 좁은 의미의 양도담보와 소비대차계약을 체결하면서 대물변제의 예약이나 매매예약을 함과 동시에, 장차 채무불이행시 목적물의 소유권을 채권자에게 이전할 것을 약정하고, 미리 그 소유권이전등기 청구권을 보전하기 위하여 가등기의 형식을 취하는 가등기담보의 유형이 중요하다.

---

9) 상세한 설명은 후술하는 공동저당편을 참조하기 바란다.

제1관 가등기담보

Ⅰ. 서설

1. 의의

피담보채권을 담보하기 위하여 채권자와 채무자(또는 제3자) 사이에서 채무자(또는 제3자) 소유의 부동산을 목적으로 하는 대물변제예약 또는 매매예약 등을 하고, 이와 동시에 채무자의 채무불이행이 있는 경우에 채권자가 그 목적물의 소유권을 확보할 수 있도록 미리 소유권이전등기 청구권을 보전하기 위하여 가등기를 하는 담보방법을 가등기담보라 한다.

2. 법적 규제

(1) 필요성

종래 민법 제104조, 제607조 및 제608조에 의해 규율하였으나 실효성이 없었고, 또한 판례는 양도담보의 성질에 대하여 신탁적 소유권이전설(대내적 소유권 보유, 대외적 소유권 이전)의 법리로 구성하여 왔으므로, 채권자가 경제적 약자에 대해 폭리를 취득하는 문제점이 발생하여 가등기담보 등에 관한 법률이 제정되기에 이르렀다.

(2) 민법 제607조 및 제608조(대물변제의 예약)

> 제607조 【대물반환의 예약】
> 차용물의 반환에 관하여 차주가 차용물에 갈음하여 다른 재산권을 이전할 것을 예약한 경우에는 그 재산의 예약 당시의 가액이 차용액 및 이에 붙인 이자의 합산액을 넘지 못한다.
> 제608조 【차주에 불이익한 약정의 금지】
> 전2조의 규정에 위반한 당사자의 약정으로서 차주에 불리한 것은 환매 기타 여하한 명목이라도 그 효력이 없다.

1) 제607조 및 제608조에 위반한 대물변제예약에 대하여 채권자는 바로 소유권을 취득할 수 없고 정산을 하여야만 한다(약한 의미의 양도담보로의 전환).
2) 결국 양도담보를 비롯하여 모든 비전형담보는 제607조와 제608조의 적용을 받게 되어 '정산형'으로만 존속할 수 있게 되었다.
3) 다만, 변제기 이후의 약정인 대물변제에는 제607조, 제608조가 적용되지 않는다(대판 1992.2.28, 91다25574).

(3) 가등기담보 등에 관한 법률

1) 유담보 특약형 양도담보가 민법 제607조 및 제608조의 적용에 의해 정산형으로만 존속한다고 하더라도 채무자의 보호에 충분하지 않다는 문제점이 지적되었다.

2) 즉, 변제기가 지나면 곧바로 채권자는 목적물을 처분할 수 있고 그에 의하여 제3자가 유효하게 소유권을 취득하므로 채무자는 더 이상 목적물을 회수할 수 없는 문제가 있다. 또한 담보권실행의 처분을 하고 난 후에야 비로소 정산금반환채권이 발생하므로(이를 고유한 의미의 처분청산이라 한다. 즉, 목적물에 대한 등기 및 인도청구와 정산금지급이 동시이행관계에 있지 않다), 채권자로부터 정산금을 받지 못하는 사실상의 문제점도 있다.

3) 이러한 문제들을 해결하기 위해 '가등기담보 등에 관한 법률'이 제정되었다.

3. 법적 성질

1) 채권자가 가등기에 기하여 본등기를 청구하려면 청산기간이 경과하여야 하고(가담법 제4조 제2항), 청산금을 지급하여야 하므로 가등기담보권의 법적 성질은 담보물권이다(다수설). 따라서 가등기담보권에도 담보물권의 통유성(부종성·수반성·불가분성·물상대위성)이 당연히 인정된다.

2) 가등기담보 등에 관한 법률은 강행법규이다. 따라서 가담법에 정한 절차에 위반된 본등기는 무효가 된다. 다만, 청산절차를 거치지 않아 무효가 되더라도 후에 청산절차를 거치면 실체관계에 부합하여 유효로 될 수 있다(대판 2002.12.10, 2002다42001).

▶ **가담법에 정한 절차에 위반된 본등기의 효력**

① 가등기담보 등에 관한 법률 제3조, 제4조의 각 규정에 비추어 볼 때 위 각 규정을 위반하여 담보가등기에 기한 본등기가 이루어진 경우에는 그 본등기는 무효라고 할 것이고, 설령 그와 같은 본등기가 가등기권리자와 채무자 사이에 이루어진 특약에 의하여 이루어졌다고 할지라도 만일 그 특약이 채무자에게 불리한 것으로서 무효라고 한다면 그 본등기는 여전히 무효일 뿐, 이른바 약한 의미의 양도담보로서 담보의 목적 내에서는 유효하다고 할 것이 아니다(대판 1994.1.25, 92다20132).

② 다만 가등기권리자가 가등기담보 등에 관한 법률 제3조, 제4조에 정한 절차에 따라 청산금의 평가액을 채무자 등에게 통지한 후 채무자에게 정당한 청산금을 지급하거나 지급할 청산금이 없는 경우에는 채무자가 그 통지를 받은 날로부터 2월의 청산기간이 경과하면 위 무효인 본등기는 실체적 법률관계에 부합하는 유효한 등기가 될 수 있다(대판 2002.12.10, 2002다42001; 대판 2017.5.17, 2017다202296).

③ 그러므로 가등기담보법의 규정을 위반하여 무효인 본등기가 마쳐진 후 가등기에 기한 본등기를 이행한다는 내용의 화해권고결정이 확정되었다고 하더라도, 그러한 화해권고결정의 내용이 가등기담보법 제3조, 제4조가 정한 청산절차를 갈음하는 것으로 채무자 등에게 불리하지 않다고 볼 만한 특별한 사정이 없는 한, 위와 같이 확정된 화해권고결정이 있다는 사정만으로는 무효인 본등기가 실체관계에 부합하는 유효한 등기라고 주장할 수 없다. 나아가 그러한 화해권고결정에 기하여 다시 본등기를 마친다고 하더라도 본등기는 가등기담보법의 위 각 규정을 위반하여 이루어진 것이어서 여전히 무효라고 할 것이다(대판 2017.8.18, 2016다30296).

Ⅱ. 가등기담보권의 성립

> **가담법 제1조【목적】**
> 이 법은 차용물의 반환에 관하여 차주가 차용물을 갈음하여 다른 재산권을 이전할 것을 예약할 때 그 재산의 예약 당시 가액이 차용액과 이에 붙인 이자를 합산한 액수를 초과하는 경우에 이에 따른 담보계약과 그 담보의 목적으로 마친 가등기 또는 소유권이전등기의 효력을 정함을 목적으로 한다. → 적용범위 : 소비대차(준소비대차) + 대물변제예약 + 가등기(소유권이전등기)
>
> **가담법 제2조【정의】**
> 이 법에서 사용하는 용어의 뜻은 다음과 같다.
> 1. '담보계약'이란 '민법' 제608조에 따라 그 효력이 상실되는 대물반환의 예약(환매, 양도담보 등 명목이 어떠하든 그 모두를 포함한다)에 포함되거나 병존하는 채권담보 계약을 말한다.
> 2. '채무자 등'이란 다음 각 목의 자를 말한다.
>   가. 채무자
>   나. 담보가등기목적 부동산의 물상보증인
>   다. 담보가등기 후 소유권을 취득한 제3자
> 3. '담보가등기'란 채권담보의 목적으로 마친 가등기를 말한다.
> 4. '강제경매 등'이란 강제경매와 담보권의 실행 등을 위한 경매를 말한다.
> 5. '후순위권리자'란 담보가등기 후에 등기된 저당권자·전세권자 및 담보가등기권리자를 말한다.

1. 가등기담보계약

(1) 당사자

가등기담보권자는 채권자이고, 가등기담보설정자는 채무자 또는 제3자(물상보증인)이다. 채권담보를 목적으로 가등기를 하는 경우에는 원칙적으로 채권자와 가등기 명의자가 동일인이 되어야 하지만, 제3자 명의의 가등기가 유효하다고 볼 수 있는 특별한 경우에는 그 가등기는 부동산 실권리자명의 등기에 관한 법률이 금지하고 있는 실권리자 아닌 자의 등기라고 할 수 없다(대판 2002.12.24, 2002다50484).

(2) 성립요건

1) 전제요건

가담법이 적용되기 위해서는, 제607조와 제608조가 적용됨을 전제로 한다. 즉, 대물변제예약 당시의 목적물 가액이 피담보채권액을 초과하여야 한다.

▶ **가담법의 적용 여부**(대판 2006.8.24, 2005다61140)
① 가담법은 재산권 이전의 예약에 의한 가등기담보에 있어서 재산의 예약 당시의 가액이 차용액 및 이에 붙인 이자의 합산액을 초과하는 경우에 적용되는바, 재산권 이전의 예약 당시 재산에 대하여 선순위 근저당권이 설정되어 있는 경우에는 재산의 가액에서 피담보채무액을 공제한 나머지 가액이 차용액 및 이에 붙인 이자의 합산액을 초과하는 경우에만 적용된다. 따라서 가등기담보부동산에 대한 예약 당시의 시가가 그 피담보채무액에 미치지 못하는 경우에 있어서는 같은 법 제3, 제4조가 정하는 청산금평가액의 통지 및 청산금지급 등의 절차를 이행할 여지가 없다(대판 1993.10.26, 93다27611).

② 가담법이 적용되지 않는 경우에도 채권자가 채권담보의 목적으로 부동산에 가등기를 경료하였다가 그 후 변제기까지 변제를 받지 못하여 위 가등기에 기한 소유권이전의 본등기를 경료한 경우에는, 당사자들 사이에 채무자가 변제기에 피담보채무를 변제하지 아니하면 채권채무관계는 소멸하고 부동산의 소유권이 확정적으로 채권자에게 귀속된다는 명시의 특약이 없는 한, 그 본등기도 채권담보의 목적으로 경료된 것으로서 정산절차를 예정하고 있는 이른바 '약한 의미의 양도담보'가 된다. 그리고 이와 같이 약한 의미의 양도담보가 된 경우에는 채무의 변제기가 도과한 후에도 채권자가 담보권을 실행하여 정산절차를 마치기 전에는 채무자는 언제든지 채무를 변제하고 채권자에게 위 가등기 및 그 가등기에 기한 본등기의 말소를 청구할 수 있다.

2) 소비대차에 기한 피담보채권일 것

판례는 소비대차에 의한 채권만으로 한정시키고 있다(제한설의 입장. 단, 금전채권에 한하지는 않음). 따라서 매매대금채권(대판 2002.12.24, 2002다50484), 물품대금선급금채권(대판 1992.10.27, 92다22879), 매매계약해제에 따른 대금반환채무(대판 1996.11.29, 96다31895), 공사대금채권(대판 1992.4.10, 91다45356), 채무불이행에 기한 손해배상(대판 1990.6.26, 88다카20392), 불하대금채권(대판 1995.4.21, 94다26080) 등의 경우에는 담보목적의 가등기가 존재하더라도 가담법이 적용되지 않는다.

▶ **가등기담보법의 적용 여부**

① 가등기의 주된 목적이 매매대금채권의 확보에 있고, 대여금채권의 확보는 부수적 목적인 경우 가등기담보 등에 관한 법률이 적용되지 않는다(대판 2002.12.24, 2002다50484).
② 가등기나 소유권이전등기가 금전소비대차나 준소비대차에 기한 차용금반환채무와 그 외의 원인으로 발생한 채무를 동시에 담보할 목적으로 경료되었으나 그 후 금전소비대차나 준소비대차에 기한 차용금반환채무만이 남게 된 경우, 그 가등기 담보나 양도담보에 가등기담보 등에 관한 법률이 적용된다(대판 2004.4.27, 2003다29968).

3) 채무불이행 시에 일정한 권리를 채권자에게 이전한다는 내용일 것

대물변제의 예약이나 재매매의 예약, 환매 기타 명목 여하를 불문한다. 즉, 모든 비전형담보에 적용된다.

4) 가등기할 수 있는 것일 것

등기나 등록으로 공시가 가능한 소유권, 지상권, 지역권, 임차권 등과 각종 특별법에 의한 권리여야 한다. 다만, 질권·저당권·전세권은 가등기담보의 목적이 될 수 없다(가담법 제18조). 또한 주식, 동산 등의 양도담보에는 가담법이 적용되지 않는다.

2. 가등기(또는 소유권이전등기)

(1) 가등기가 성립요건이므로, 대물변제예약만을 하고 가등기를 하지 않은 때에는 가담법이 적용되지 않는다.

(2) 담보가등기를 경료한 부동산을 인도받아 점유하더라도 담보가등기의 피담보채권의 소멸시효가 중단되는 것은 아니지만, 채무의 일부를 변제하는 경우에는 채무 전부에 관하여 시효중단의 효력이 발생하는 것이므로, 채무자가 채권자에게 담보가등기를 경료하고 부동산을 인도하여 준 다음 피담보채권에 대한 이자 또는 지연손해금의 지급에 갈음하여 채권자로 하여금 부동산을 사용수익할 수 있도록 한 경우라면, 채권자가 부동산을 사용수익하는 동안에는 채무자가 계속하여 이자 또는 지연손해금을 채권자에게 변제하고 있는 것으로 볼 수 있으므로 피담보채권의 소멸시효가 중단된다고 보아야 한다(대판 2009.11.12. 2009다51028).

III. 가등기담보권의 이전

1. 가등기의 부기등기

부동산물권변동의 일반원칙(제186조)에 따라 양도가 가능한데, 이 경우 가등기의 가등기(가등기의 이전을 공시하는 부기등기형식의 이전등기)를 허용할 것인지에 관해, 판례는 기존의 가등기에 권리이전의 부기등기를 하는 형식으로 가등기의 가등기를 인정하고 있다(대판(전) 1998.11.19. 98다24105).

2. 피담보채권의 양도

또한 피담보채권의 양도도 포함하고 있으므로 채권양도에 관한 규정(제449조~제452조)이 적용된다.

IV. 가등기담보권의 효력

1. 일반적 효력

(1) 효력이 미치는 범위

피담보채권의 범위에 대해서는 저당권에 관한 제360조가 적용된다. 다만, 약정에 의해 그 외의 채무도 포함시킬 수 있다. 그리고 목적물의 범위에 대해서는 저당권에 관한 제358조 및 제342조가 적용된다.

(2) 대내적 효력

1) 가등기담보권을 실행할 때까지는 담보목적물의 소유권은 대내적이든 대외적이든 가등기담보권설정자에게 있으므로, 설정자는 목적물을 자유로이 점유·사용할 수 있고 제3자를 위한 용익권설정도 가능하다.

2) 가등기담보권설정자가 목적물의 담보가치를 감소시킨 경우 가등기담보권자는 손해배상을 청구할 수 있으며, 그 배상액은 피담보채권을 한도로 한다.

(3) 대외적 효력

① 가등기담보권자(채권자)는 피담보채권과 함께 가등기담보권을 제3자에게 양도할 수 있다(제361조 참조).

② 국세기본법·국세징수법 등의 적용에 있어서 가등기담보권은 저당권으로 본다(가담법 제17조 제3항).

③ 가등기담보권설정자가 파산한 경우에 가등기담보권자는 별제권을 가진다(동법 제17조 제1항).

2. 가등기담보권의 실행 - 귀속청산과 처분청산

(1) 권리취득에 의한 실행(귀속청산)

1) 실행통지와 청산기간(가담법 제3조)

> **가담법 제3조 【담보권 실행의 통지와 청산기간】**
> ① 채권자가 담보계약에 따른 담보권을 실행하여 그 담보목적부동산의 소유권을 취득하기 위하여는 그 채권의 변제기 후에 제4조의 청산금의 평가액을 채무자 등에게 통지하고, 그 통지가 채무자 등에게 도달한 날부터 2개월(이하 '청산기간'이라 한다)이 지나야 한다. 이 경우 청산금이 없다고 인정되는 경우에는 그 뜻을 통지하여야 한다.
> ② 제1항에 따른 통지에는 통지 당시의 담보목적부동산의 평가액과 「민법」 제360조에 규정된 채권액을 밝혀야 한다. 이 경우 부동산이 둘 이상인 경우에는 각 부동산의 소유권이전에 의하여 소멸시키려는 채권과 그 비용을 밝혀야 한다.

가) 통지사항

① 채권자가 가등기담보권을 실행하여 목적부동산의 소유권을 취득하기 위하여는 그 채권의 변제기 후에 '청산금의 평가액'(통지 당시의 목적부동산의 가액에서 제360조에 규정된 채권액, 그리고 선순위담보권 등의 권리가 있을 때에는 그 채권액을 공제한 금액)을 통지하고, 이 경우 청산금이 없다고 인정되는 때에는 그 뜻을 통지하여야 한다(다만, 가등기 당시에 부동산의 시가가 피담보채권액보다 적은 경우엔 통지할 필요가 없다).

▶ **귀속정산에서 부동산 평가액이 피담보채권액에 미달하는 경우 통지의 내용**
채권의 담보 목적으로 양도된 재산에 관한 담보권의 실행은 다른 약정이 없는 한 처분정산이나 귀속정산 중 채권자가 선택하는 방법에 의할 수 있는바, 그 재산에 관한 담보권이 귀속정산의 방법으로 실행되어 채권자에게 확정적으로 이전되기 위해서는 채권자가 이를 적정한 가격으로 평가한 후 그 가액으로 피담보채권의 원리금에 충당하고 그 잔액을 반환하거나, 평가액이 피담보채권액에 미달하는 경우에는 채무자에게 그와 같은 내용의 통지를 하는 등 정산절차를 마쳐야 하며, 귀속정산의 통지방법에는 아무런 제한이 없어 구두로든 서면으로든 가능하고, 담보부동산의 평가액이 피담보채권액에 미달하는 경우에는 청산금이 있을 수 없으므로 귀속정산의 통지방법으로 부동산의 평가액 및 채권액을 구체적으로 언급할 필요 없이 그 미달을 이유로 채무자에 대하여 담보권의 실행으로 그 부동산을 확정적으로 채권자의 소유로 귀속시킨다는 뜻을 알리는 것으로 족하다(대판 2001.8.24, 2000다15661).

② 이러한 통지를 하지 않으면 가등기담보권자는 가등기에 기한 본등기를 청구할 수 없으며, 설령 당사자 사이의 합의에 의해 본등기를 경료하거나, 기타 편법으로 본등기를 마쳤다고 하더라도 그 소유권을 취득하지 못하며, 약한 의미의 양도담보로서의 효력도 생기지 않는다(대판 2002.4.23, 2001다81856). 다만, 청산절차를 거치지 않고 경료된 본등기도 후에 청산절차를 거치면, 실체관계에 부합하는 것으로 유효하게 될 수 있다(대판 2002.12.10, 2002다42001).

▶ 채권자와 채무자가 담보계약을 체결하였지만 담보목적부동산에 관하여 가등기나 소유권이전등기를 마치지 아니한 상태에서 채권자가 귀속정산 절차에 의하지 않고 담보목적부동산을 타에 처분하여 채권을 회수할 수 있도록 약정한 경우, 그러한 약정이 가등기담보 등에 관한 법률을 위반하여 무효인지 여부(원칙적 소극)

가등기담보 등에 관한 법률(이하 '가등기담보법'이라 한다) 제3조, 제4조는 채권자가 가등기담보법 제2조 제1호에 정한 담보계약에 따른 '담보권'을 실행하는 방법으로서 귀속정산 절차를 규정한 것이므로, 가등기담보법 제3조, 제4조가 적용되기 위해서는 채권자가 담보목적부동산에 관하여 가등기나 소유권이전 등기 등을 마침으로써 '담보권'을 취득하였음을 요한다. 이와 달리 채권자가 채무자와 담보계약을 체결 하였지만, 담보목적부동산에 관하여 가등기나 소유권이전등기를 마치지 아니한 경우에는 '담보권'을 취득하였다고 할 수 없으므로, 이러한 경우에는 가등기담보법 제3조, 제4조는 원칙적으로 적용될 수 없다. 따라서 채권자와 채무자가 담보계약을 체결하였지만, 담보목적부동산에 관하여 가등기나 소유 권이전등기를 마치지 아니한 상태에서 채권자로 하여금 귀속정산 절차에 의하지 않고 담보목적부동산 을 타에 처분하여 채권을 회수할 수 있도록 약정하였다 하더라도, 그러한 약정이 가등기담보법의 규제 를 잠탈하기 위한 탈법행위에 해당한다는 등의 특별한 사정이 없는 한 가등기담보법을 위반한 것으로 보아 무효라고 할 수는 없다(대판 2013.9.27, 2011다106778).

▶ 공동명의로 담보가등기를 마친 수인의 채권자가 각자의 지분별로 별개의 독립적인 매매예약완결권 을 가지는 경우, 채권자 중 1인이 단독으로 자신의 지분에 관한 청산절차를 이행한 후 소유권이전 의 본등기절차 이행을 구할 수 있는지 여부(적극) ★★

공동명의로 담보가등기를 마친 수인의 채권자가 각자의 지분별로 별개의 독립적인 매매예약완결권을 가지는 경우, 채권자 중 1인은 단독으로 자신의 지분에 관하여 가등기담보 등에 관한 법률이 정한 청산 절차를 이행한 후 소유권이전의 본등기절차 이행청구를 할 수 있다(대판(전) 2012.2.16, 2010다82530).

▶ 가등기담보법(대판 2019.6.13, 2018다300661)

[1] 가등기담보 등에 관한 법률 제3조, 제4조를 위반하여 청산절차를 거치지 않고 이루어진 담보가등기에 기한 본등기의 효력(무효)과 그 본등기가 약한 의미의 양도담보로서의 효력이 있는지 여부(소극) 및 이 경우 나중에 청산절차를 마치면 무효인 본등기가 실체적 법률관계에 부합하는 유효한 등기가 되는지 여부(적극)

가등기담보 등에 관한 법률(이하 '가등기담보법'이라고 한다) 제3조는 채권자가 담보계약에 의한 담보 권을 실행하여 그 담보목적 부동산의 소유권을 취득하기 위해서는 그 채권의 변제기 후에 같은 법 제4조의 청산금의 평가액을 채무자 등에게 통지하여야 하고, 이 통지에는 통지 당시 부동산의 평가액과 민법 제360조에 규정된 채권액을 밝혀야 하며, 그 통지를 받은 날부터 2월의 청산기간이 지나야 한다고 규정하고 있다. 가등기담보법 제4조는 채권자는 위 통지 당시 부동산의 가액에서 피담보채권의 가액을 공제한 청산금을 지급하여야 하고, 부동산에 관하여 이미 소유권이전등기를 마친 경우에는 청산기간이 지난 후 청산금을 채무자 등에게 지급한 때에 부동산의 소유권을 취득 하고, 담보가등기를 마친 경우에는 청산기간이 지나야 그 가등기에 따른 본등기를 청구할 수 있으 며, 이에 반하는 특약으로서 채무자 등에게 불리한 것은 효력이 없다고 규정하고 있다. 위 규정들 은 강행법규에 해당하여 이를 위반하여 담보가등기에 기한 본등기가 이루어진 경우 본등기는 무효 라고 할 것이고, 설령 그와 같은 본등기가 가등기권리자와 채무자 사이에 이루어진 특약에 의하여 이루어졌다고 할지라도 만일 특약이 채무자에게 불리한 것으로서 무효라고 한다면 본등기는 여전히 무효일 뿐, 이른바 약한 의미의 양도담보로서 담보의 목적 내에서는 유효하다고 할 것이 아니다. 다만 가등기권리자가 가등기담보법 제3조, 제4조에 정한 절차에 따라 청산금의 평가액을 채무자 등에게 통지한 후 채무자에게 정당한 청산금을 지급하거나 지급할 청산금이 없는 경우에는 채무자가 통지를 받은 날부터 2월의 청산기간이 지나면 위와 같이 무효인 본등기는 실체적 법률관계에 부합하는 유효한 등기로 될 수 있을 뿐이다.

[2] 담보가등기에 기하여 마쳐진 본등기가 무효인 경우, 담보가등기 설정자인 채무자 등이 담보목적 부동산에 대한 소유권 내지 사용수익권을 보유하는지 여부(적극) 및 채무자가 담보목적 부동산에 관하여 채권자와 임대차계약을 체결하고 채권자에게 차임을 지급하거나 채무자가 자신과 임대차계약을 체결하고 있는 임차인으로 하여금 채권자에게 차임을 지급하도록 하여 채권자가 차임을 수령한 경우, 차임이 피담보채무의 변제에 충당된 것으로 보아야 하는지 여부(원칙적 적극)

담보가등기에 기하여 마쳐진 본등기가 무효인 경우, 담보목적 부동산에 대한 소유권은 담보가등기 설정자인 채무자 등에게 있고 소유권의 권능 중 하나인 사용수익권도 당연히 담보가등기 설정자가 보유한다. 따라서 채무자가 자신이 소유하는 담보목적 부동산에 관하여 채권자와 임대차계약을 체결하고 채권자에게 차임을 지급하거나 채무자가 자신과 임대차계약을 체결하고 있는 임차인으로 하여금 채권자에게 차임을 지급하도록 하여 채권자가 차임을 수령하였다면, 채권자와 채무자 사이에 위 차임을 피담보채무의 변제와는 무관한 별개의 것으로 취급하기로 약정하였거나 달리 차임이 피담보채무의 변제에 충당되었다고 보기 어려운 특별한 사정이 없는 한 위 차임은 피담보채무의 변제에 충당된 것으로 보아야 한다.

나) 통지의 효력

> **가담법 제9조 【통지의 구속력】**
> 채권자는 제3조 제1항에 따라 그가 통지한 청산금의 금액에 관하여 다툴 수 없다.

채권자는 그가 통지한 청산금의 금액에 관하여 다툴 수 없다(동법 제9조). 한편, 실제 평가액보다 많은 경우에도 청산금을 지급해야 하며, 객관적 평가액에 미치지 못하는 경우에도 청산은 유효하나, 통지의 상대방들은 정당한 평가액을 지급받을 때까지 이행을 거절할 수 있다(대판 1994. 6. 28, 94다3087·3094).

▶ 청산금이 객관적 평가액에 못 미치는 경우

채권자가 나름대로 평가한 청산금의 액수가 객관적인 청산금의 평가액에 미치지 못한다고 하더라도 담보권 실행의 통지로서의 효력이나 청산기간의 진행에는 아무런 영향이 없고, 다만 채무자 등은 정당하게 평가된 청산금을 지급 받을 때까지 목적부동산의 소유권이전등기 및 인도 채무의 이행을 거절하면서 피담보채무 전액을 채권자에게 지급하고 채권담보의 목적으로 마쳐진 가등기의 말소를 구할 수 있을 뿐이다(대판 1996. 7. 30, 96다6974·6981).

다) 통지의 상대방

채무자·물상보증인·담보가등기 이후에 소유권을 취득한 제3취득자에게 통지하여야 한다. 청산금의 통지가 없으면 담보권 실행 자체는 유효하나 이들에게 대항하지 못한다.

라) 통지의 시기와 방법

통지의 시기는 피담보채권의 변제기 이후이면 족하고 통지의 방법에는 제한이 없다.

2) 청산

> **가담법 제4조 【청산금의 지급과 소유권의 취득】**
> ① 채권자는 제3조 제1항에 따른 통지 당시의 담보목적부동산의 가액에서 그 채권액을 뺀 금액(이하 "청산금"이라 한다)을 채무자 등에게 지급하여야 한다. 이 경우 담보목적부동산에 선순위담보권 등의 권리가 있을 때에는 그 채권액을 계산할 때에 선순위담보 등에 의하여 담보된 채권액을 포함한다.
> ② 채권자는 담보목적부동산에 관하여 이미 소유권이전등기를 마친 경우에는 청산기간이 지난 후 청산금을 채무자 등에게 지급한 때에 담보목적부동산의 소유권을 취득하며, 담보가등기를 마친 경우에는 청산기간이 지나야 그 가등기에 따른 본등기를 청구할 수 있다.
> ③ 청산금의 지급채무와 부동산의 소유권이전등기 및 인도채무의 이행에 관하여는 동시이행의 항변권에 관한 「민법」 제536조를 준용한다.
> ④ 제1항부터 제3항까지의 규정에 어긋나는 특약으로서 채무자 등에게 불리한 것은 그 효력이 없다. 다만, 청산기간이 지난 후에 행하여진 특약으로서 제3자의 권리를 침해하지 아니하는 것은 그러하지 아니하다.
> **가담법 제5조 【후순위권리자의 권리행사】**
> ① 후순위권리자는 그 순위에 따라 채무자 등이 지급받을 청산금에 대하여 제3조 제1항에 따라 통지된 평가액의 범위에서 청산금이 지급될 때까지 그 권리를 행사할 수 있고, 채권자는 후순위권리자의 요구가 있는 경우에는 청산금을 지급하여야 한다.
> ⑤ 담보가등기 후에 대항력 있는 임차권을 취득한 자에게는 청산금의 범위에서 동시이행의 항변권에 관한 「민법」 제536조를 준용한다.

- **가) 청산기간** : 실행통지가 채무자 등에게 도달한 날로부터 2월이 경과하기까지 채무자의 변제가 없는 경우에는 청산에 들어간다.
- **나) 청산금의 산정** : 통지 당시의 목적부동산의 가액에서 제360조에 규정된 채권액, 그리고 선순위담보권 등의 권리가 있을 때에는 그 채권액을 공제한 금액이다.
- **다) 청산금청구권자** : 설정자(채무자 또는 물상보증인), 제3취득자, 후순위권리자이다. 한편, 대항력 있는 임차권자는 보증금에 대한 반환청구권을 가지나(가담법 제5조 제5항), 선순위담보권자는 청산금 산정 단계에서 만족을 얻으므로 청구권자에 해당하지 않는다.
- **라) 청산금의 지급시기** : 채권자는 청산기간 만료시에 청산금을 채무자 등에게 지급하여야 한다.

3) 소유권의 취득

가) 취득시기와 동시이행의 관계

청산기간(실행통지가 도달한 날로부터 2개월)이 경과된 후, 청산금이 없는 경우에는 곧바로 담보가등기에 기하여 본등기를 청구하여 본등기를 갖춘 때에 소유권을 취득하고, 청산금이 있는 경우에는 그 청산금을 지급하거나 공탁한 때에는 본등기를 청구할 수 있는데, 이때 가등기담보권자의 본등기청구 및 목적물의 인도청구와 청산금지급채무는 동시이행에 관계에 선다(가담법 제4조

제3항). 단, 피담보채권의 변제와 가등기 내지 본등기의 말소청구는 동시이행의 관계가 아니다. 따라서 설정자 내지 대위변제자가 변제공탁하면서 가등기 및 본등기의 말소를 반대급부로 청구할 수는 없다(대판 1982.12.14, 82다카1321·1322).

▶ **가등기담보법에 의한 규율**(대판 2022.4.14, 2021다263519) ★★

[1] 가등기담보 등에 관한 법률이 적용되는 경우, 채권자가 담보목적 부동산에 관하여 소유자로 등기되어 있다고 하더라도 청산절차 등 요건을 충족해야만 담보목적 부동산의 소유권을 취득할 수 있는지 여부(적극)

가등기담보 등에 관한 법률(이하 '가등기담보법'이라 한다) 제1조는 '이 법은 차용물의 반환에 관하여 차주가 차용물을 갈음하여 다른 재산권을 이전할 것을 예약할 때 그 재산의 예약 당시 가액이 차용액과 이에 붙인 이자를 합산한 액수를 초과하는 경우에 이에 따른 담보계약과 그 담보의 목적으로 마친 가등기 또는 소유권이전등기의 효력을 정함을 목적으로 한다.'고 정하고 있고, 제3조 제2항은 '채권자가 담보계약에 따른 담보권을 실행하여 그 담보목적 부동산의 소유권을 취득하기 위하여는 그 채권의 변제기 후에 제4조의 청산금의 평가액을 채무자 등에게 통지하고, 그 통지가 채무자 등에게 도달한 날부터 2개월이 지나야 한다. 이 경우 청산금이 없다고 인정되는 경우에는 그 뜻을 통지하여야 한다.'고 정하고 있으며, 제4조 제2항은 '채권자는 담보부동산에 관하여 이미 소유권이전등기가 경료된 경우에는 청산기간 경과 후 청산금을 채무자 등에게 지급한 때에 목적부동산의 소유권을 취득한다.'고 정하고 있다. 이러한 규정에 따르면 가등기담보법이 적용되는 경우에는 채권자가 담보목적 부동산에 관하여 소유자로 등기되어 있다고 하더라도 청산절차 등 법에 정한 요건을 충족해야만 비로소 담보목적 부동산의 소유권을 취득할 수 있다.

[2] 채무를 담보하기 위하여 채무자가 자기의 비용과 노력으로 신축하는 건물의 신축허가 명의를 채권자 명의로 한 경우, 완성될 건물을 양도담보로 제공하는 담보권 설정의 합의가 있다고 볼 수 있는지 여부(적극) 및 위 양도담보가 가등기담보 등에 관한 법률의 적용 대상인 경우, 양도담보권자가 청산절차 등을 거쳐 소유권을 취득하기 전까지 대지 소유자에게 대지 점유에 따른 부당이득반환의무를 부담하는지 여부(원칙적 소극)

채무를 담보하기 위하여 채무자가 자기의 비용과 노력으로 신축하는 건물의 신축허가 명의를 채권자 명의로 한 경우 이는 완성될 건물을 양도담보로 제공하기로 하는 담보권 설정의 합의가 있다고 볼 수 있다. 이때 완성된 건물의 소유권은 이를 건축한 채무자가 원시적으로 취득하고, 채권자가 그 명의로 소유권보존등기를 함으로써 건물에 대한 양도담보가 설정된 것으로 보아야 한다. 이러한 양도담보가 가등기담보 등에 관한 법률의 적용 대상이 되는 경우에는 양도담보권자가 청산절차 등을 거쳐 담보목적 부동산의 소유권을 취득하기 전까지 특별한 사정이 없는 한 양도담보 설정자가 건물의 소유자로서 이를 현실적으로 점유하면서 사용·수익하고 있다고 볼 수 있으므로 채권자가 건물에 대한 양도담보권을 취득했다고 해서 그 대지 소유자에게 부당이득반환의무를 부담하는 것은 아니다.

▶ **동시이행관계가 인정되지 않는 처분정산이 인정되는지 여부**

가등기담보 등에 관한 법률이 제3조와 제4조에서 가등기담보권의 사적 실행방법으로 귀속정산의 원칙을 규정함과 동시에 제12조와 제13조에서 그 공적 실행방법으로 경매의 청구 및 우선변제청구권 등 처분정산을 별도로 규정하고 있는 점, 위 제4조가 제1항 내지 제3항에서 채권자의 청산금 지급의무, 청산기간 경과와 본등기청구, 청산금의 지급의무와 부동산의 소유권이전등기 및 인도 채무의 동시이행관계 등을 순차로 규정한 다음, 제4항에서 제1항 내지 제3항에 반하는 특약으로서 채무자 등에게 불리한 것은 그 효력이 없다(다만, 청산기간 경과 후에 행하여진 특약으로서 제3자의 권리를 해하지 아니하는 경우는 제외된다)
고 규정하고 있는 점, 나아가 제11조는 채무자 등이 청산금 채권을 변제받을 때까지 그 채무액을 채권
자에게 지급하고 그 채권담보의 목적으로 경료된 소유권이전등기의 말소를 청구할 수 있다고 규정하고
있는 점 등을 종합하여 보면, 가등기담보권의 사적 실행에 있어서 채권자가 청산금의 지급 이전에 본
등기와 담보목적물의 인도를 받을 수 있다거나 청산기간이나 동시이행관계를 인정하지 아니하는 '처분
정산'형의 담보권실행은 가등기담보 등에 관한 법률상 허용되지 아니한다(대판 2002.4.23, 2001다81856).

나) 법정지상권

> **가담법 제10조 【법정지상권】**
> 토지와 그 위의 건물이 동일한 소유자에게 속하는 경우 그 토지나 건물에 대하여 제4조 제2항에 따른
> 소유권을 취득하거나 담보가등기에 따른 본등기가 행하여진 경우에는 그 건물의 소유를 목적으로 그 토지
> 위에 지상권이 설정된 것으로 본다. 이 경우 그 존속기간과 지료는 당사자의 청구에 의하여 법원이 정한다.

토지 및 그 지상의 건물이 동일한 소유자에게 속하는 경우에 그 토지 또는 건물에 대하여 소유권
을 취득하거나 담보가등기에 기한 본등기가 행하여진 경우에는 그 건물의 소유를 목적으로 그 토
지위에 지상권이 설정된 것으로 본다. 이 경우 그 존속기간 및 지료는 당사자의 청구에 의하여
법원이 정한다(가담법 제10조).

4) 채무자 등의 가등기말소청구권

> **가담법 제11조 【채무자 등의 말소청구권】**
> 채무자 등은 청산금채권을 변제받을 때까지 그 채무액(반환할 때까지의 이자와 손해금을 포함한다)을 채
> 권자에게 지급하고 그 채권담보의 목적으로 마친 소유권이전등기의 말소를 청구할 수 있다. 다만, 그
> 채무의 변제기가 지난 때부터 10년이 지나거나 선의의 제3자가 소유권을 취득한 경우에는 그러하지 아
> 니하다.

채무자 등은 청산금이 없는 경우 채권자의 본등기 전까지, 청산금이 있는 경우 청산금을 변제받을
때까지 그 채무액을 채권자에게 지급하고 가등기의 말소를 청구할 수 있다(동법 제11조). 그러나
그 채무의 변제기가 경과한 때부터 10년이 경과하거나, 또는 선의의 제3자가 소유권을 취득한
때는 그러하지 아니하다(동법 제11조 단서).

▶ **채무자 등이 제척기간이 경과하기 전에 피담보채무를 변제하지 아니한 채 또는 변제를 조건으로
가등기담보 등에 관한 법률 제11조에 따른 말소청구권을 행사한 경우, 위 말소청구권이 제척기간
의 경과로 확정적으로 소멸하는지 여부**(적극)
가등기담보 등에 관한 법률 제11조의 내용(채권담보의 목적으로 마친 소유권이전등기의 말소를 구하기
위해서는 그때까지의 이자와 손해금을 포함한 피담보채무액을 전부 지급함으로써 그 요건을 갖추어야 한다)과
제척기간 제도의 본질에 비추어 보면, 채무자 등이 위 제척기간이 경과하기 전에 피담보채무를 변제하
지 아니한 채 또는 변제를 조건으로 담보목적으로 마친 소유권이전등기의 말소를 청구하더라도 이를 제
척기간 준수에 필요한 권리의 행사에 해당한다고 볼 수 없으므로, 채무자 등의 위 말소청구권은 제척기
간의 경과로 확정적으로 소멸한다. 이러한 법리는 채무자 등이 피담보채무를 변제하지 아니한 채 또

는 변제를 조건으로 위 소유권이전등기의 말소등기를 청구하는 소를 제기한 경우에도 마찬가지로 적용된다(대판 2014.8.20, 2012다47074).

▶ **가등기담보 등에 관한 법률 제11조**(대판 2018.6.15, 2018다215947)

[1] 채무자 등이 가등기담보 등에 관한 법률 제11조에 따라 채권담보의 목적으로 마친 소유권이전등기의 말소를 구하기 위한 요건 / 같은 법 제11조 단서에서 정한 기간의 법적 성격(제척기간) 및 채무자 등의 말소청구권이 위 제척기간의 경과로 확정적으로 소멸하는지 여부(적극)

가등기담보 등에 관한 법률(이하 '가등기담보법'이라고 한다) 제11조 본문은 같은 법 제2조 제2호에서 정한 채무자 등은 청산금채권을 변제받을 때까지 그 피담보채무액(반환할 때까지의 이자와 손해금을 포함한다)을 채권자에게 지급하고 그 채권담보의 목적으로 마친 소유권이전등기의 말소를 청구할 수 있다고 하면서도, 같은 조 단서 전단에서 그 채무의 변제기가 지난 때부터 10년이 지난 경우에는 그러하지 아니하다고 규정하고 있다. 따라서 채무자 등이 가등기담보법 제11조 본문에 따라 채권담보의 목적으로 마친 소유권이전등기의 말소를 구하기 위해서는 그때까지의 이자와 손해금을 포함한 피담보채무액을 전부 지급함으로써 그 요건을 갖추어야 한다. 그리고 가등기담보법 제11조 단서에 정한 10년의 기간은 제척기간이고, 제척기간은 그 기간의 경과 자체만으로 권리 소멸의 효과가 발생하므로, 가등기담보법 제11조 본문에 정한 채무자 등의 말소청구권은 위 제척기간의 경과로 확정적으로 소멸한다.

[2] 가등기담보 등에 관한 법률 제11조 단서에 정한 제척기간이 경과함으로써 채무자 등의 말소청구권이 소멸하고 이로써 채권자가 담보목적부동산의 소유권을 확정적으로 취득한 경우, 채권자가 같은 법 제4조에 따라 산정한 청산금을 채무자 등에게 지급할 의무가 있는지 여부(적극)

가등기담보 등에 관한 법률(이하 '가등기담보법'이라고 한다)은 가등기담보계약 등의 법률관계를 명확히 하여 채무자를 보호하고 채권자 및 후순위권리자 등 이해관계인과의 법률관계를 합리적으로 조정하는 데 그 입법 취지가 있다. 이를 위하여 가등기담보법은 제3조, 제4조 등에서 채권자가 가등기담보계약에 따른 담보권을 실행하여 담보목적부동산의 소유권을 취득하려면 반드시 청산절차를 거치도록 규정하고 있다. 이러한 가등기담보법의 입법 취지 및 가등기담보법 제3조, 제4조의 각 규정 내용에 비추어 볼 때, 가등기담보법 제11조 단서에 정한 제척기간이 경과함으로써 채무자 등의 말소청구권이 소멸하고 이로써 채권자가 담보목적부동산의 소유권을 확정적으로 취득한 때에는 채권자는 가등기담보법 제4조에 따라 산정한 청산금을 채무자 등에게 지급할 의무가 있고, 채무자 등은 채권자에게 그 지급을 청구할 수 있다.

▶ **가등기담보 등에 관한 법률**(대판 2021.10.28, 2016다248325) *

[1] 가등기담보 등에 관한 법률 제3조, 제4조를 위반하여 적법한 청산절차를 거치지 않고 이루어진 담보가등기에 기한 본등기의 효력(무효) / 이때 채무자 등이 무효인 본등기의 말소를 청구할 수 없는 경우로서 같은 법 제11조 단서 후문에서 정한 '선의의 제3자가 소유권을 취득한 경우'의 의미 및 제3자가 악의라는 사실에 관한 주장·증명책임의 소재(=무효를 주장하는 사람)

가등기담보 등에 관한 법률(이하 '가등기담보법'이라고 한다) 제3조, 제4조를 위반하여 적법한 청산절차를 거치지 아니한 채 담보가등기에 기한 본등기가 이루어진 경우 그 본등기는 무효이다. 이때 가등기담보법 제2조 제2호에서 정한 채무자 등은 청산금채권을 변제받을 때까지는 여전히 가등기담보계약의 존속을 주장하여 그때까지의 이자와 손해금을 포함한 피담보채무액 전부를 변제하고 무효인 위 본등기의 말소를 청구할 수 있다(제11조 본문). 그러나 선의의 제3자가 소유권을 취득한 경우에는 그러하지 아니하다(제11조 단서 후문). 여기서 '선의의 제3자'라 함은 채권자가 적법한 청산절차를 거치지 않고 담보목적부동산에 관하여 본등기를 마쳤다는 사실을 모르고 그 본등기에 터 잡아 소유권이전등기를 마친 자를 뜻한다. 제3자가 악의라는 사실에 관한 주장·증명책임은 무효를 주장하는 사람에게 있다.

[2] 가등기담보 등에 관한 법률 제3조, 제4조의 청산절차를 위반하여 담보가등기에 기한 본등기가 이루어진 후 선의의 제3자가 그 본등기에 터 잡아 소유권이전등기를 마치는 등으로 담보목적부동산의 소유권을 취득한 경우, 무효인 채권자 명의의 본등기가 그 등기를 마친 시점으로 소급하여 확정적으로 유효하게 되고, 담보목적부동산에 관한 채권자의 가등기담보권은 소멸하는지 여부(적극) 및 이때 채권자의 위 본등기에 터 잡아 이루어진 등기 역시 소급하여 유효하게 되는지 여부(적극) / 이러한 법리는 무효인 본등기가 마쳐진 담보목적부동산에 관하여 진행된 경매절차에서 경락인이 본등기가 무효인 사실을 알지 못한 채 담보목적부동산을 매수한 경우에도 마찬가지로 적용되는지 여부(적극)

① 가등기담보 등에 관한 법률(이하 '가등기담보법'이라고 한다) 제3조, 제4조의 청산절차를 위반하여 이루어진 담보가등기에 기한 본등기가 무효라고 하더라도 선의의 제3자가 그 본등기에 터 잡아 소유권이전등기를 마치는 등으로 담보목적부동산의 소유권을 취득하면, 가등기담보법 제2조 제2호에서 정한 채무자 등(이하 '채무자 등'이라고 한다)은 더 이상 가등기담보법 제11조 본문에 따라 채권자를 상대로 그 본등기의 말소를 청구할 수 없게 된다. 이 경우 그 반사적 효과로서 무효인 채권자 명의의 본등기는 그 등기를 마친 시점으로 소급하여 확정적으로 유효하게 되고, 이에 따라 담보목적부동산에 관한 채권자의 가등기담보권은 소멸하며, 청산절차를 거치지 않아 무효였던 채권자의 위 본등기에 터 잡아 이루어진 등기 역시 소급하여 유효하게 된다고 보아야 한다. 다만 이 경우에도 채무자 등과 채권자 사이의 청산금 지급을 둘러싼 채권·채무 관계까지 모두 소멸하는 것은 아니고, 채무자 등은 채권자에게 청산금의 지급을 청구할 수 있다. ② 이러한 법리는 경매의 법적 성질이 사법상 매매인 점에 비추어 보면 무효인 본등기가 마쳐진 담보목적부동산에 관하여 진행된 경매절차에서 경락인이 본등기가 무효인 사실을 알지 못한 채 담보목적부동산을 매수한 경우에도 마찬가지로 적용된다.

(2) 경매에 의한 가등기담보권의 실행(처분정산)

> **가담법 제12조【경매의 청구】**
> ① 담보가등기권리자는 그 선택에 따라 제3조에 따른 담보권을 실행하거나 담보목적부동산의 경매를 청구할 수 있다. 이 경우 경매에 관하여는 담보가등기권리를 저당권으로 본다.
> ② 후순위권리자는 청산기간에 한정하여 그 피담보채권의 변제기 도래 전이라도 담보목적부동산의 경매를 청구할 수 있다.

1) 사적 실행으로서의 처분청산은 인정되지 않고, 경매에 의한 공적 실행으로서의 처분청산만 인정된다. 즉, 가등기담보권자는 권리취득에 의한 담보권실행 대신 목적물을 경매하여 가등기인 채로 그 가등기의 순위를 가지고 우선변제를 받을 수 있는 경매에 의한 담보권실행을 할 수 있다(동법 제12조, 제15조 참조).

2) 경매에 있어서 가등기담보권은 저당권으로 본다.

▶ 담보가등기권리자가 가등기담보 등에 관한 법률 제3조에 따른 담보권 실행이 아니라 담보목적부동
산의 경매를 청구하는 방법을 선택하여 경매절차가 진행 중인 경우, 담보가등기에 따른 본등기를
청구할 수 있는지 여부(원칙적 소극)

가등기담보 등에 관한 법률(이하 '가등기담보법'이라 한다) 제12조 제1항 전문은 "담보가등기권리자는
그 선택에 따라 제3조에 따른 담보권을 실행하거나 담보목적부동산의 경매를 청구할 수 있다."라고
규정하고, 제13조 전문은 "담보가등기를 마친 부동산에 대하여 강제경매 등이 개시된 경우에 담보가
등기권리자는 다른 채권자보다 자기채권을 우선변제 받을 권리가 있다."라고 규정하며, 제14조는
"담보가등기를 마친 부동산에 대하여 강제경매 등의 개시 결정이 있는 경우에 그 경매의 신청이 청
산금을 지급하기 전에 행하여진 경우(청산금이 없는 경우에는 청산기간이 지나기 전)에는 담보가등
기권리자는 그 가등기에 따른 본등기를 청구할 수 없다."라고 규정하고 있다. 이러한 가등기담보법
규정의 문언 형식과 내용 및 체계에 더하여 담보목적부동산에 대한 경매절차가 개시된 경우 그 경매
절차에 참가할 수 있을 것이라는 후순위권리자 등의 기대를 보호할 필요가 있는 점 등을 고려하면,
담보가등기권리자가 담보목적부동산의 경매를 청구하는 방법을 선택하여 그 경매절차가 진행 중인 때
에는 특별한 사정이 없는 한 가등기담보법 제3조에 따른 담보권을 실행할 수 없으므로 그 가등기
에 따른 본등기를 청구할 수 없다고 봄이 타당하다(대판 2022.11.30, 2017다232167 · 232174).

(3) 다른 채권자가 실행한 경매에 배당참가

> **가담법 제13조【우선변제청구권】**
> 담보가등기를 마친 부동산에 대하여 강제경매 등이 개시된 경우에 담보가등기권리자는 다른 채권자보다
> 자기채권을 우선변제 받을 권리가 있다. 이 경우 그 순위에 관하여는 그 담보가등기권리를 저당권으로
> 보고, 그 담보가등기를 마친 때에 그 저당권의 설정등기가 행하여진 것으로 본다.

1) 우선변제적 효력

목적물이 다른 채권자에 의하여 개시된 경매절차에도 가등기담보권자는 그 배당에 참가하여
우선변제를 받을 권리가 있다(동법 제13조). 이때의 가등기담보권은 저당권으로 보며, 경매에 의한
부동산의 매각으로 소멸한다(동법 제15조).

▶ 가등기담보권 설정 후 이해관계 있는 제3자가 생긴 상태에서 새로운 약정으로 기존 가등기담보권
에 피담보채권을 추가하거나 피담보채권의 내용을 변경, 확장하는 경우, 피담보채권으로 추가, 확
장한 부분이 이해관계 있는 제3자에 대한 관계에서 우선변제권 있는 피담보채권에 포함되는지 여
부(소극)

① 채권자와 채무자가 가등기담보권설정계약을 체결하면서 가등기 이후에 발생할 채권도 후순위권
리자에 대하여 우선변제권을 가지는 가등기담보권의 피담보채권에 포함시키기로 약정할 수 있고,
가등기담보권을 설정한 후에 채권자와 채무자의 약정으로 새로 발생한 채권을 기존 가등기담보권의
피담보채권에 추가할 수도 있으나, ② 가등기담보권 설정 후에 후순위권리자나 제3취득자 등 이해관
계 있는 제3자가 생긴 상태에서 새로운 약정으로 기존 가등기담보권에 피담보채권을 추가하거나 피담
보채권의 내용을 변경, 확장하는 경우에는 이해관계 있는 제3자의 이익을 침해하게 되므로, 이러한 경

우에는 피담보채권으로 추가, 확장한 부분은 이해관계 있는 제3자에 대한 관계에서는 우선변제권 있는 피담보채권에 포함되지 않는다고 보아야 한다(대판 2011.7.14, 2011다28090).

2) 배당절차참가

① 법원은 경매개시결정 후 가등기담보권자에게 그 가등기가 담보가등기인 사실과 채권액을 신고할 것을 최고하여야 하며, 이때 채권신고를 한 가등기담보권자만이 배당을 받을 수 있다(동법 제16조). ② 이러한 배당참가의 경우 가등기담보권을 저당권으로 보고 그 순위는 가등기가 된 때에 저당권설정등기가 있는 것으로 본다(동법 제13조).

▶ 귀속정산의 방식으로 부동산에 대한 가등기담보권을 실행하는 경우, 청산금에서 공제할 수 있는 가등기담보권 실행비용은 경매절차의 집행비용에 상응하는 것이어야 하는지 여부(적극) / 청산의 결과로서 본등기인 소유권이전등기를 마치기 위해 지출한 절차비용과 취득세 등이 청산금에서 공제할 수 있는 가등기담보권 실행비용에 해당하는지 여부(소극)

① 담보권의 실행이란 목적물의 교환가치로부터 채무를 변제받음으로써 채권의 만족을 실현하는 것이다. 담보목적물을 매각해 현금화하여 채무의 변제를 받는 것이 담보권의 전형적인 실행방법이고, 담보권의 성격이나 합의에 따라 담보물 가액에서 피담보채권액 등을 빼고 남은 금액을 채무자에게 지급함으로써 담보물의 소유권을 넘겨받는 방식도 가능하다. 채권자가 어떤 방법을 선택하든지 목적물의 교환가치를 파악하여 피담보채권의 만족을 도모하는 것이 담보권 실행의 본질이고, 담보물의 소유권 변동은 그에 뒤따른 결과일 뿐이다. 채권자가 담보권 실행을 위해 경매를 신청한 경우에 그 경매를 직접 목적으로 하여 지출된 돈으로서 경매절차의 준비 또는 실시를 위하여 필요한 비용이어야 집행비용(민사집행법 제275조, 제53조 제1항)으로서 배당재단에서 우선적으로 변상된다. 매각에 따라 소유권을 취득한 매수인은 소유권이전등기를 넘겨받기 위해 지출한 비용과 취득세 등을 자기가 부담해야 한다. 이는 경매를 신청한 채권자가 매수인이 된 경우에도 마찬가지이다. ② 귀속정산에 의한 가등기담보권 실행도 민사집행법에 따라 담보물을 매각하지 않을 뿐 담보로 파악한 교환가치만큼을 채권자에게 이전한다는 점에서 경매에 의한 실행과 본질이 같으므로, 청산금에서 공제할 수 있는 가등기담보권 실행비용은 경매절차의 집행비용에 상응하는 것이어야 한다. 그러므로 가등기담보권자는 귀속정산 과정에서 담보목적물의 교환가치를 파악하기 위하여 쓴 감정평가비용 등을 실행비용으로서 청산금에서 공제할 수 있을 뿐, 청산의 결과로서 본등기를 마치기 위해 지출한 절차비용과 취득세 등은 스스로 부담해야 한다(대판 2022.4.14, 2017다266177).

V. 가등기담보권의 소멸

가담법 제15조 【담보가등기권리의 소멸】
담보가등기를 마친 부동산에 대하여 강제경매등이 행하여진 경우에는 담보가등기권리는 그 부동산의 매각에 의하여 소멸한다.

① 소유권이전에 의한 소멸(동법 제3조, 제4조), ② 경매에 의한 소멸(동법 제15조), ③ 기타 채무의 변제, 목적물의 멸실, 피담보채권의 시효소멸로 소멸한다. 그러나 가등기담보권은 독립하여 시효

에 걸리지 않는다. 또한 ④ 담보가등기의 말소청구(동법 제11조)에 의해 소멸한다. 그러나 채무의 변제기가 지난 때부터 10년이 지나거나 선의의 제3자가 소유권을 취득한 경우에는 가등기의 말소를 청구할 수 없다.

<h1 style="text-align:center">제2관 양도담보</h1>

Ⅰ. 서설

1. 의의

채권담보의 목적으로 물건의 소유권 기타 재산권을 채권자에게 이전하고, 채무불이행이 있으면 채권자가 그 목적물로부터 우선변제를 받게 되지만, 채무이행이 있으면 목적물을 원소유자에게 반환하는 비전형담보를 양도담보라 한다.

2. 유형 - 좁은 의미의 양도담보

소비대차형식으로 신용을 수수하고, 이를 담보하기 위해 목적물의 소유권을 채권자에게 이전하는 형식의 양도담보를 좁은 의미의 양도담보라 한다. 이는 다시 채권자의 청산의무 유무에 따라 청산절차를 요하는 약한 의미의 양도담보와 청산절차를 요구하지 않는 강한 의미의 양도담보로 나눌 수 있다.

3. 유담보형 양도담보의 유효성

유담보형의 양도담보에 관해 판례는 "채무의 변제기에 채무변제를 하지 않으면 청산절차 없이 목적물의 소유권이 채권자에게 귀속되기로 하는 약정이 있는 경우에, 그 대물변제의 예약부분은 제607조, 제608조에 의하여 무효가 되고 나머지 담보계약은 유효하다"고 하여 약한 의미의 양도담보로서의 효력만을 인정하고 있다(대판 1982.7.13, 81다254). 또한 가등기담보 등에 관한 법률도 "매도담보를 비롯한 모든 양도담보에 있어서 청산절차를 밟아야 한다"고 규정함으로써(동법 제4조 제2항, 제11조 단서), 약한 의미의 양도담보만을 유효한 것으로 보고 있다.

4. 양도담보의 법적 구성 및 규율

(1) 법적 구성

양도담보는 그 목적이 채권담보임에도 불구하고 소유권이전의 형식을 채택하고 있으므로, 목적과 형식 사이에 불일치가 발생한다. 따라서 양도담보의 목적을 중시하여 담보물권으로 이론구성할 것인가, 아니면 양도담보의 형식을 중시하여 소유권이 이전된다는 이론구성을 할 것인가가 문제된다. 이에 대해 판례(이원적 규율설)는 ① 동산의 양도담보에 관하여는 가등기담보 등에 관한 법률 시행 전·후를 불문하고 신탁적 소유권 이전설(채권자와 채무자 사이의 대내적 관계에서는 채무자가 소유권을 보유하나, 대외적 관계에서는 채권자인 양도담보권자에게 소유권이 이전된다)에 입각하여 이론구성을 하고, ② 부동산에 관하여는 가등기담보법의 적용을 받지 않는 경우에는 신탁적 소유권 이전설에 입각하되, 가등기담보법의 적용을 받는 경우로서 동법 시행 후에는 주로 담보물권설로 그 이론구성을 하고 있다.

(2) 법적 규율

양도담보 중 부동산이나 그 밖에 등기·등록으로 공시되는 재산권을 목적으로 하는 것은 가등기담보 등에 관한 법률에 의해 규율된다.

II. 양도담보권의 성립

1. 양도담보설정계약

채권담보의 목적으로 목적물을 양도하고, 채무불이행시 그 목적물로부터 채권의 변제를 우선적으로 받기로 하는 내용의 약정을 말한다. 양도담보설정계약은 채권자와 채무자(또는 제3자) 사이에서 이루어지는 낙성·불요식 계약이다.

> ▶ 양도담보설정자에게 목적물에 대한 소유권이나 처분권 등 양도담보를 설정할 권한이 없는 경우, 양도담보가 유효하게 성립할 수 있는지 여부(원칙적 소극)
> 양도담보를 설정하려면 양도담보설정자에게 목적물에 대한 소유권이나 처분권 등 양도담보를 설정할 권한이 있어야 한다. 양도담보설정자에게 이러한 권한이 없는데도 양도담보설정계약을 체결한 경우에는 특별한 사정이 없는 한 양도담보가 유효하게 성립할 수 없다(대판 2022.1.27, 2019다295568).

2. 공시방법

동산인 경우에는 인도, 부동산의 경우에는 이전등기, 채권 기타의 재산권인 경우에는 권리이전에 필요한 공시방법을 갖추어야 양도담보권이 성립한다. 특히 동산의 경우에는 점유개정에 의해 양도담보가 설정됨이 보통이다.

> ▶ 점유개정에 의한 동산 이중양도담보의 효력
> ① 금전채무를 담보하기 위하여 채무자가 그 소유의 동산을 채권자에게 양도하되 점유개정의 방법으로 인도하고 채무자가 이를 계속 점유하기로 약정한 경우 특별한 사정이 없는 한 그 동산의 소유권은 신탁적으로 이전되는 것에 불과하여, 채권자와 채무자 사이의 대내적 관계에서는 채무자가 소유권을 보유하나 대외적인 관계에서의 채무자는 동산의 소유권을 이미 채권자에게 양도한 무권리자가 되는 것이어서 다시 다른 채권자와 사이에 양도담보설정계약을 체결하고 점유개정의 방법으로 인도하더라도 선의취득이 인정되지 않는 한 나중에 설정계약을 체결한 채권자로서는 양도담보권을 취득할 수 없는데, 현실의 인도가 아닌 점유개정의 방법으로는 선의취득이 인정되지 아니하므로 결국 뒤의 채권자는 적법하게 양도담보권을 취득할 수 없다(대판 2005.2.18, 2004다37430).
> ② 동산에 대하여 점유개정의 방법으로 이중양도담보를 설정한 경우 원래의 양도담보권자는 뒤의 양도담보권자에 대하여 배타적으로 자기의 담보권을 주장할 수 있으므로, 뒤의 양도담보권자가 양도담보

의 목적물을 처분함으로써 원래의 양도담보권자로 하여금 양도담보권을 실행할 수 없도록 하는 행위는, 이중양도담보 설정행위가 횡령죄나 배임죄를 구성하는지 여부나 뒤의 양도담보권자가 이중양도담보 설정행위에 적극적으로 가담하였는지 여부와 관계없이, 원래의 양도담보권자의 양도담보권을 침해하는 위법한 행위이다. 따라서 불법행위에 의한 손해배상책임을 진다(대판 2000.6.23, 99다65066).

III. 양도담보권의 효력

1. 효력이 미치는 범위

가등기담보와 같이 피담보채권의 범위에 관해서는 제360조가 적용되고, 목적물의 범위에 관해서는 제358조가 적용되며, 동산양도담보권자도 제342조에 따라 물상대위권을 행사할 수 있다.

▶ **동산양도담보권자의 물상대위권**

동산에 대하여 양도담보를 설정한 경우 채무자는 담보의 목적으로 그 소유의 동산을 채권자에게 양도해 주되 점유개정에 의하여 이를 계속 점유하지만, 채무자가 위 채무를 불이행하면 채권자는 담보목적물인 동산을 사적으로 타에 처분하거나 스스로 취득한 후 정산하는 방법으로 이를 환가하여 우선변제받음으로써 위 양도담보권을 실행하게 되는데, 채무자가 채권자에게 위 동산의 소유권을 이전하는 이유는 채권자가 양도담보권을 실행할 때까지 스스로 담보물의 가치를 보존할 수 있도록 함으로써 만약 채무자가 채무를 이행하지 않더라도 채권자가 양도받았던 담보물을 환가하여 우선변제받는 데에 지장이 없도록 하기 위한 것인바, 이와 같이 담보물의 교환가치를 취득하는 것을 목적으로 하는 양도담보권의 성격에 비추어 보면, 양도담보로 제공된 목적물이 멸실, 훼손됨에 따라 양도담보 설정자와 제3자 사이에 교환가치에 대한 배상 또는 보상 등의 법률관계가 발생되는 경우에도 그로 인하여 양도담보 설정자가 받을 금전 기타 물건에 대하여 담보적 효력이 미친다. 따라서 양도담보권자는 양도담보 목적물이 소실되어 양도담보 설정자가 보험회사에 대하여 화재보험계약에 따른 보험금청구권을 취득한 경우에도 담보물 가치의 변형물인 위 화재보험금청구권에 대하여 양도담보권에 기한 물상대위권을 행사할 수 있다(대판 2009.11.26, 2006다37106).

2. 대내적 효력

(1) 담보목적물의 이용관계

당사자 간의 합의로 결정되지만, 합의가 없으면 양도담보의 기능상 양도담보권설정자가 가지는 것으로 보아야 할 것이다(대판 1988.11.22, 87다카2555).

▶ **부동산양도담보에 있어 목적부동산의 사용수익권자**(양도담보설정자)

일반적으로 부동산을 채권담보의 목적으로 양도한 경우 특별한 사정이 없는 한 목적부동산에 대한 사용수익권은 채무자인 양도담보설정자에게 있으므로, 양도담보권자는 사용수익할 수 있는 정당한 권한이 있는 채무자나 채무자로부터 그 사용수익할 수 있는 권한을 승계한 자에 대하여는 사용수익을 하지 못한 것을 이유로 임료 상당의 손해배상이나 부당이득반환청구를 할 수 없다(대판 2008.2.28, 2007다37394·37400).

▶ 양도담보권자가 담보물을 점유하고 있으면서 그 인도를 거부하는 제3자에 대하여 임료 상당의 손해배상을 구할 수 있는지 여부(소극)

양도담보권자는 담보권의 실행을 위하여 담보채무자가 아닌 제3자에 대하여도 담보물의 인도를 구할 수 있고, 인도를 거부하는 경우에는 담보권 실행이 방해된 것을 이유로 하는 손해배상을 구할 수는 있으나, 그러한 경우에도 양도담보권자에게는 목적 부동산에 대한 사용수익권이 없으므로 임료 상당의 손해배상을 구할 수는 없다(대판 1991.10.8, 90다9780).

▶ 양도담보 설정자가 채권을 담보하기 위하여 그 소유의 동산을 채권자에게 양도한 경우, 담보목적물인 동산의 사용·수익권의 귀속자 및 그 동산이 일정한 토지 위에 설치되어 있어 토지의 점유·사용이 문제된 경우, 양도담보 설정자가 토지를 점유·사용하고 있는 것으로 보아야 하는지 여부(원칙적 적극)

양도담보 설정자가 채권을 담보하기 위하여 그 소유의 동산을 채권자에게 양도한 경우 담보목적물을 누가 사용·수익할 수 있는지는 당사자의 합의로 정할 수 있지만, 반대의 특약이 없는 한 양도담보 설정자가 동산에 대한 사용·수익권을 가진다. 따라서 그 동산이 일정한 토지 위에 설치되어 있어 토지의 점유·사용이 문제된 경우에는 특별한 사정이 없는 한 양도담보 설정자가 토지를 점유·사용하고 있는 것으로 보아야 한다(대판 2018.5.30, 2018다201429).

→ [사실관계] : 甲이 乙 등이 소유하고 있던 토지에 수조식 육상종표배양시설을 설치한 후 丙과 동업약정을 체결하여 치어양식판매업체를 공동으로 운영하다가 분쟁으로 동업관계가 종료되었고, 관련 소송에서 '丙은 甲으로부터 조정에서 정한 돈을 모두 지급받을 때까지 양도담보 형식으로 시설물의 소유권을 보유하고, 甲은 그 기간 동안 시설물을 점유·관리·수익한다'는 내용의 조정이 성립하였는데, 丁이 위 토지에 관한 소유권이전등기를 마친 후 丙을 상대로 토지 차임 상당의 부당이득반환을 구한 사안에서, 조정을 통해서 甲이 자신의 채무를 담보하기 위해서 시설물을 丙에게 양도하면서 양도담보 기간 동안 시설물에 대한 사용·수익권을 갖고 있었던 이상, 양도담보 설정자인 甲이 시설물이 설치된 토지를 점유·사용하고 있다고 보아야 하고, 채권자인 丙이 토지를 점유·사용하고 있다고 볼 수 없는데도, 丙이 조정 성립 이후에도 시설물의 소유자로서 부지로 사용되는 토지를 점유·사용하고 있음을 전제로 丙에게 차임 상당의 부당이득반환의무가 있다고 본 원심판단에 법리오해 등의 잘못이 있다고 한 사례이다.

(2) 양도담보권자 및 양도담보설정자의 목적물보관의무

양도담보권자는 자기가 취득한 권리를 담보의 목적을 초과하여 행사할 수 없다(가담법 제4조). 한편 양도담보권설정자는 목적물을 점유·이용함에 있어서 양도담보권자가 담보의 목적을 달성할 수 있도록 목적물을 보관하여야 한다.

판례 연구 관련판례 정리

(집합)동산에 대한 양도담보권의 효력범위

1. 통상의 동산 양도담보에서 과실수취권자

돼지를 양도담보의 목적물로 하여 소유권을 양도하되 점유개정의 방법으로 양도담보설정자가 계속하여 점유·관리하면서 무상으로 사용·수익하기로 약정한 경우, 양도담보 목적물로서 원물인 돼지가 출산한 새끼돼지는 천연과실에 해당하고 그 천연과실의 수취권은 원물인 돼지의 사용·수익권을 가지는 양도담보설정자에게 귀속되므로, 다른 특별한 약정이 없는 한 천연과실인 새끼 돼지에 대하여는 양도담보의 효력이 미치지 않는다(대판 1996.9.10, 96다25463).

2. 집합동산의 양도담보

(1) 유효성

일반적으로 일단의 증감 변동하는 동산을 하나의 물건으로 보아 이를 채권담보의 목적으로 삼으려는 이른 바 집합물에 대한 양도담보설정계약 체결도 가능하며 이 경우 그 목적 동산이 담보설정자의 다른 물건과 구별될 수 있도록 그 종류, 장소 또는 수량지정 등의 방법에 의하여 특정되어 있으면 그 전부를 하나의 재산권으로 보아 이에 유효한 담보권의 설정이 된 것으로 볼 수 있다(대판 1990.12.26, 88다카20224).

(2) 유동집합물에 대한 양도담보의 효력

1) 집합물에 대한 양도담보권설정계약이 이루어지면 그 집합물을 구성하는 개개의 물건이 변동되거나 변형되더라도 한 개의 물건으로서 동일성을 잃지 아니하므로 양도담보권의 효력은 항상 현재의 집합물 위에 미치는 것이고, 따라서 양도담보권자가 담보권설정계약 당시 존재하는 집합물을 점유개정의 방법으로 그 점유를 취득하면 그 후 양도담보 설정자가 그 집합물을 이루는 개개의 물건을 반입하였다 하더라도 그때마다 별도의 양도담보권 설정계약을 맺거나 점유개정의 표시를 하여야 하는 것은 아니다 (대판 1990.12.26, 88다카20224).

2) 다만 양도담보권설정자가 양도담보권설정계약에서 정한 종류·수량에 포함되는 물건을 계약에서 정한 장소에 반입하였더라도 그 물건이 제3자의 소유라면 담보목적인 집합물의 구성부분이 될 수 없고 따라서 그 물건에는 양도담보권의 효력이 미치지 않는다(대판 2016.4.28, 2012다19659).

(3) 유동집합물의 양도담보에서 과실수취권자

돈사에서 대량으로 사육되는 돼지를 집합물에 대한 양도담보의 목적물로 삼은 경우, 그 돼지는 번식, 사망, 판매, 구입 등의 요인에 의하여 증감 변동하기 마련이므로 양도담보권자가 그때마다 별도의 양도담보권설정계약을 맺거나 점유개정의 표시를 하지 않더라도 하나의 집합물로서 동일성을 잃지 아니한 채 양도담보권의 효력은 항상 현재의 집합물 위에 미치게 되고, 양도담보설정자로부터 위 목적물을 양수한 자가 이를 선의취득하지 못하였다면 위 양도담보권의 부담을 그대로 인수하게 된다. (따라서) 돈사에서 대량으로 사육되는 돼지를 집합물에 대한 양도담보의 목적물로 삼은 경우, 위 양도담보권의 효력은 양도담보설정자로부터 이를 양수한 양수인이 당초 양수한 돈사 내에 있던 돼지들 및 통상적인 양돈방식에 따라 그 돼지들을 사육·관리하면서 돼지를 출하하여 얻은 수익으로 새로 구입하거나 그 돼지와 교환한 돼지 또는 그 돼지로부터 출산시켜 얻은 새끼돼지에 한하여 미치는 것이지, 양수인이 별도의 자금을 투입하여 반입한 돼지에까지는 미치지 않는다. (한편) 유동집합물에 대한 양도담보계약의 목적물을 선의취득하지 못한 양수인이 그 양도담보의 효력이 미치는 목적물에다 자기 소유인 동종의 물건을 섞어 관리함으로써 당초의 양도담보의 효력이 미치는 목적물의 범위를 불명확하게 한 경우에는 양수인으로 하여금 그 양도담보의 효력이 미치지 아니하는 물건의 존재와 범위를 입증하도록 하는 것이 공평의 원칙에 부합한다(대판 2004.11.12, 2004다22858).

▶ **양도담보설정계약이 내구연수가 장기간이고 가공이나 유통 과정에 있지 아니한 여러 개의 동산을 목적으로 하고, 담보목적물마다 특정하고 있는 경우, 특정된 동산들을 일괄하여 양도담보의 목적물로 한 계약으로 보아야 하는지 여부(원칙적 적극) 및 이때 향후 편입되는 동산을 양도담보의 목적으로 하기 위한 특정의 정도**

여러 개의 동산을 일괄하여 양도담보의 목적으로 하는 양도담보설정계약을 체결하면서 향후 일정 장소에 편입되는 동산에 대해서도 양도담보의 효력을 받는 것으로 약정한 경우에, 이를 특정된 동산들을 목적물로 한 양도담보로 볼 것인지, 일단의 증감 변동하는 동산을 하나의 물건으로 보아 이를 목적물로 한 이른바 유동집합동산 양도담보로 볼 것인지는 양도담보설정계약의 해석의 문제이다. 양도담보설정계약이 기계기구 또는 영업설비 등 내구연수가 장기간이고 가공 과정이나 유통 과정 중에 있지 아니한 여러 개의 동산을 목적으로 하고 있으며, 담보목적물마다 명칭, 성능, 규격, 제작자, 제작번호 등으로 특정하고 있는 경우에는, 원칙적으로 특정된 동산들을 일괄하여 양도담보의 목적물로 한 계약이라고 보아야 하므로 향후 편입되는 동산을 양도담보 목적으로 하기 위해서는 편입 시점에 제3자가 그 동산을 다른 동산과 구별할 수 있을 정도로 구체적으로 특정되어야 한다(대판 2016.4.28, 2015다221286).

▶ **집합물에 대한 양도담보와 제261조**(대판 2016.4.28, 2012다19659)

[1] 집합물에 대한 양도담보권자가 점유개정의 방법으로 양도담보권설정계약 당시 존재하는 집합물의 점유를 취득한 후 양도담보권설정자가 집합물을 이루는 개개의 물건을 반입한 경우, 양도담보권의 효력이 나중에 반입한 물건에 미치는지 여부(적극) 및 반입한 물건이 제3자 소유인 경우, 그 물건에 양도담보권의 효력이 미치는지 여부(소극)

재고상품, 제품, 원자재 등과 같은 집합물을 하나의 물건으로 보아 일정 기간 계속하여 채권담보의 목적으로 삼으려는 이른바 집합물에 대한 양도담보권설정계약에서는 담보목적인 집합물을 종류, 장소 또는 수량지정 등의 방법에 의하여 특정할 수 있으면 집합물 전체를 하나의 재산권 객체로 하는 담보권의 설정이 가능하므로, 그에 대한 양도담보권설정계약이 이루어지면 집합물을 구성하는 개개의 물건이 변동되거나 변형되더라도 한 개의 물건으로서의 동일성을 잃지 아니한 채 양도담보권의 효력은 항상 현재의 집합물 위에 미치고, 따라서 그러한 경우에 양도담보권자가 점유개정의 방법으로 양도담보권설정계약 당시 존재하는 집합물의 점유를 취득하면 그 후 양도담보권설정자가 집합물을 이루는 개개의 물건을 반입하였더라도 별도의 양도담보권설정계약을 맺거나 점유개정의 표시를 하지 않더라도 양도담보권의 효력이 나중에 반입된 물건에도 미친다. 다만 양도담보권설정자가 양도담보권설정계약에서 정한 종류·수량에 포함되는 물건을 계약에서 정한 장소에 반입하였더라도 그 물건이 제3자의 소유라면 담보목적인 집합물의 구성부분이 될 수 없고 따라서 그 물건에는 양도담보권의 효력이 미치지 않는다.

[2] 민법 제261조에서 정한 '부당이득에 관한 규정에 의하여 보상을 청구할 수 있다'는 것의 의미

민법 제261조는 첨부에 관한 민법 규정에 의하여 어떤 물건의 소유권 또는 그 물건 위의 다른 권리가 소멸한 경우 이로 인하여 손해를 받은 자는 '부당이득에 관한 규정에 의하여 보상을 청구할 수 있다'고

규정하고 있는데, 여기서 '부당이득에 관한 규정에 의하여 보상을 청구할 수 있다'는 것은 법률효과만이 아니라 법률요건도 부당이득에 관한 규정이 정하는 바에 따른다는 의미이다.

[3] 양도담보권의 목적인 주된 동산에 다른 동산이 부합되어 부합된 동산에 관한 권리자가 권리를 상실하는 손해를 입은 경우, 민법 제261조에 따라 보상을 청구할 수 있는 상대방(양도담보권설정자)

부당이득반환청구에서 이득이란 실질적인 이익을 의미하는데, 동산에 대하여 양도담보권을 설정하면서 양도담보권설정자가 양도담보권자에게 담보목적인 동산의 소유권을 이전하는 이유는 양도담보권자가 양도담보권을 실행할 때까지 스스로 담보물의 가치를 보존할 수 있게 함으로써 만약 채무자가 채무를 이행하지 않더라도 채권자인 양도담보권자가 양도받은 담보물을 환가하여 우선변제받는 데에 지장이 없도록 하기 위한 것이고, 동산양도담보권은 담보물의 교환가치 취득을 목적으로 하는 것이다. 이러한 양도담보권의 성격에 비추어 보면, 양도담보권의 목적인 주된 동산에 다른 동산이 부합되어 부합된 동산에 관한 권리자가 권리를 상실하는 손해를 입은 경우 주된 동산이 담보물로서 가치가 증가된 데 따른 실질적 이익은 주된 동산에 관한 양도담보권설정자에게 귀속되는 것이므로, 이 경우 부합으로 인하여 권리를 상실하는 자는 양도담보권설정자를 상대로 민법 제261조에 따라 보상을 청구할 수 있을 뿐 양도담보권자를 상대로 보상을 청구할 수는 없다.

3. 대외적 효력

판례는 동산에 관하여 양도담보계약이 이루어지고 양도담보권자가 점유개정의 방법으로 인도를 받았다면 그 청산절차를 마치기 전이라 하더라도 담보목적물에 대한 사용수익권은 없지만, 제3자에 대한 관계에 있어서는 그 물건의 소유자임을 주장하고 그 권리를 행사할 수 있다고 하였다(대판 1994.8.26, 93다44739).

구분		신탁적 소유권이전설	담보물권설
대내적 관계		양도담보설정자가 소유권자이다.	양도담보권자는 담보물권자에 불과하다.
대외적 관계	변제기도래 전 양도담보권자의 처분	• 가담법 시행 전 : 양수인의 선·악의를 불문하고 소유권을 취득한다. • 가담법 시행 후 : 선의의 양수인만 소유권을 취득한다(가담법 제11조 단서).	선의의 양수인만 소유권을 취득한다(가담법 제11조 단서).
	변제기도래 전 양도담보설정자의 처분	무권한자의 처분행위에 해당하므로 무효이다.	• 부동산 : 처분권한은 있으나 등기부상 양도담보권자가 소유자이므로 사실상 처분이 불가능하다. • 동산 : 제3자는 양도담보권의 부담 있는 소유권을 취득한다.
	제3자에 의한 목적물 침탈	• 양도담보권자 : 소유권에 기한 물권적 청구권을 행사할 수 있다. • 양도담보설정자 : 점유보호청구권을 행사할 수 있다.	양도담보권자·양도담보설정자 모두 제3자에 대한 반환청구와 방해배제청구가 가능하다. 즉 양도담보권자는 양도담보권에 기한 물권적 청구권을 갖고, 양도담보설정자는 소유권에 기한 물권적 청구권을 갖는다.

Ⅳ. 양도담보권의 실행

(1) 목적물의 부동산인 경우 가등기담보 등에 관한 법률(제2조~제11조)이 적용된다. 따라서 실행통지, 청산, 소유권 취득의 순서를 거친다.

(2) 한편, 소유권의 취득시기에 관하여는 청산금이 없는 때에는 청산기간의 경과로, 청산금이 있는 때에는 청산기간경과 후 청산금을 그 청구권자에게 지급하거나 공탁한 때에 소유권을 취득한다(등기부상 소유권이전등기가 이미 경료되어 있지만 청산금을 지급한 때 비로소 양도담보권자는 소유권을 취득하게 되는 것임).

Ⅴ. 양도담보권의 소멸

피담보채권의 소멸 또는 목적물의 멸실·훼손 등으로 소멸한다.

Ⅰ. 의의

사실혼이란 실질적으로는 부부로서 혼인생활을 하고 있으나 아직 혼인신고를 하지 않아서 법률혼으로 인정되지 않는 남녀의 결합관계를 말한다. 판례는 준혼관계로 보아 혼인의 효과 가운데 혼인신고와 불가분적으로 결합되어 있는 것을 제외하고는 모두 인정하려는 경향을 보인다.

> ▶ **사실혼의 개념 및 법률관계**
>
> 사실혼이란 당사자 사이에 혼인의 의사가 있고, 객관적으로 사회관념상으로 가족질서적인 면에서 부부공동생활을 인정할 만한 혼인생활의 실체가 있는 경우이므로, 법률혼에 대한 민법의 규정 중 혼인신고를 전제로 하는 규정은 유추적용할 수 없으나, 부부재산의 청산의 의미를 갖는 재산분할에 관한 규정은 부부의 생활공동체라는 실질에 비추어 인정되는 것이므로, 사실혼관계에도 준용 또는 유추적용할 수 있다(대판 1995. 3. 28, 94므1584).

Ⅱ. 성립요건

1. 주관적 요건 - 혼인의사의 존재

사실혼이 성립하기 위하여는 혼인의사가 존재해야 한다. 이때의 혼인의사는 사회적·실질적으로 부부가 되려는 의사를 말하며, 법률적으로 부부가 되려는 의사까지를 요구하는 것은 아니다.

> ▶ **간헐적 정교관계**
>
> 사실혼에 해당하여 법률혼에 준하는 보호를 받기 위하여는 단순한 동거 또는 간헐적인 정교관계를 맺고 있다는 사정만으로는 부족하고, 그 당사자 사이에 주관적으로 혼인의 의사가 있고 객관적으로도 사회관념상 가족질서적인 면에서 부부공동생활을 인정할 만한 혼인생활의 실체가 존재하여야 한다. 따라서 동거 또는 내연관계를 맺은 사정만으로는 사실혼관계를 인정할 수 없다(대판 2008. 2. 14, 2007도3952).

> ▶ **사실혼관계에서 혼인의사의 추정문제**
>
> 혼인의 합의란 법률혼주의를 채택하고 있는 우리나라 법제하에서는 법률상 유효한 혼인을 성립하게 하는 합의를 말하는 것이므로 비록 사실혼관계에 있는 당사자 일방이 혼인신고를 한 경우에도 상대방에게 혼인의사가 결여되었다고 인정되는 한 그 혼인은 무효라 할 것이나, 상대방의 혼인의사가 불분명한 경우에는 혼인의 관행과 신의성실의 원칙에 따라 사실혼관계를 형성시킨 상대방의 행위에 기초하여 그 혼인의사의 존재를 추정할 수 있으므로 이와 반대되는 사정, 즉 혼인의사를 명백히 철회하였다

거나 당사자 사이에 사실혼관계를 해소하기로 합의하였다는 등의 사정이 인정되지 아니하는 경우에는 그 혼인을 무효라고 할 수 없다(대판 2000.4.11, 99므1329).

2. 객관적 요건

(1) 사회통념상 부부공동생활이라고 인정될 만한 사회적 사실이 존재해야 한다. 혼인의사를 가지고 동거하는 사실이 있으면 사실혼은 성립하며, 그 이외의 신고 등 요식행위는 필요 없다.

(2) 사실혼은 원칙상 일정한 범위에서 보호되나, 중혼적 사실혼은 법률혼 보호의 요청상 원칙적으로 보호되지 않는다. 그러나 중혼적 사실혼의 진행 도중에 법률혼이 이혼에 의하여 해소된 경우에는 그때부터 보호받을 수 있다. 법률혼이 사실상 이혼상태에 있는 경우에도 마찬가지로 보호될 수 있다.

▶ **중혼적 사실혼의 보호**

[1] 원칙(소극) – 법률상 혼인을 한 부부가 별거하고 있는 상태에서 그 다른 한 쪽이 제3자와 혼인의 의사로 실질적인 부부생활을 하고 있다고 하더라도, 법률상 배우자와 사실상 이혼상태였다는 등의 특별한 사정이 없는 한, 이를 사실혼으로 인정하여 법률혼에 준하는 보호를 할 수는 없다(대판 2001.4.13, 2000다52943, 대판 2022.3.31, 2019므10581).

　→ [해설] : 중혼적 사실혼은 보호받지 못하므로 중혼적 사실혼 해소시 위자료나 재산분할을 받지 못한다.

[2] 예외(적극)

① 법률혼에 대하여 이혼이 성립된 이후에는 그때부터 보호 – 원·피고 사이의 관계는 피고가 소외인과 이혼한 다음에는 법률상 보호를 받을 수 있는 사실혼관계로 되었다(대판 1995.9.26, 94므638).

② 법률혼이 사실상 이혼상태에 있는 경우에는 보호 – 사실혼 배우자에게 법률상 배우자가 따로 있는 경우에는 법률상 배우자 사이에 이혼의사가 합치되어 법률혼은 형식적으로만 존재하고 사실상 혼인관계가 해소되어 법률상 이혼이 있었던 것과 마찬가지로 볼 수 있는 등의 특별한 사정이 없는 한 법률상 배우자가 유족으로서 연금수급권을 가지고, 사실상 배우자는 공무원연금법에 의한 유족으로 보호받을 수는 없다(대판 1993.7.27, 93누1497).

III. 사실혼의 효과

1. 일반적 효과

(1) 혼인신고를 전제로 하는 효과

사실혼이 성립하여도 ① 사실혼의 배우자 및 그 혈족과의 사이에 친족관계가 생기지 않는다. 또한 ② 미성년자는 성년의제가 되지 않는다. ③ 그 밖에 배우자로서의 상속권도 인정되지 않는다.

(2) 동거·부양·협조의무 등

부부로서의 동거·부양·협조의무는 사실혼의 경우에도 동일하게 인정된다(대판 1998.8.21, 97므544).

> ▶ **사실혼 배우자의 일방이 민법 제826조 제1항 소정의 의무를 포기한 경우, 손해배상책임의 존부** (한정 적극)
> 사실혼관계에 있어서도 부부는 민법 제826조 제1항 소정의 동거하며 서로 부양하고 협조하여야 할 의무가 있으므로 혼인생활을 함에 있어 부부는 서로 협조하고 애정과 인내로써 상대방을 이해하며 보호하여 혼인생활의 유지를 위한 최선의 노력을 기울여야 하는 것인바, 사실혼 배우자의 일방이 정당한 이유 없이 서로 동거, 부양, 협조하여야 할 부부로서의 의무를 포기한 경우에는 그 배우자는 악의의 유기에 의하여 사실혼관계를 부당하게 파기한 것이 된다고 할 것이므로 상대방 배우자에게 재판상 이혼원인에 상당하는 귀책사유 있음이 밝혀지지 아니하는 한 원칙적으로 사실혼관계 부당파기로 인한 손해배상책임을 면할 수 없다(대판 1998.8.21, 97므544).

(3) 자의 법적 지위

사실혼 부부 사이의 자는 혼인 외의 출생자이다. 따라서 부가 인지하지 않는 한 자는 모의 성과 본을 따르며(제781조 제3항), 모가 친권자가 된다(제909조 제1항).

2. 재산적 효과

혼인의 재산적 효과는 사실혼의 경우에도 인정된다. 즉 사실혼의 부부도 일상가사에 관하여 서로 대리권이 있고, 일상가사로 인한 채무에 대하여 연대책임을 진다. 나아가 부부재산의 귀속에 관한 규정도 사실혼의 경우에 유추적용된다.

> ▶ **사실상의 부부관계에서도 일상 가사에 관한 상호대리권이 인정되는지 여부**(적극)
> 원고와 소외인이 동거를 하면서 사실상의 부부관계를 맺고 실질적인 가정을 이루어 대외적으로도 부부로 행세하여 왔다면 원고와 위 소외인 사이에 일상가사에 관한 사항에 관하여 상호대리권이 있다고 보아야 한다(대판 1980.12.23, 80다2077).

> ▶ **부부재산의 귀속에 관한 규정의 유추적용**
> 사실혼관계에 있는 부부의 일방이 사실혼 중에 자기 명의로 취득한 재산은 그 명의자의 특유재산으로 추정되나 실질적으로 다른 일방 또는 쌍방이 그 재산의 대가를 부담하여 취득한 것이 증명된 때에는 특유재산의 추정은 번복되어 그 다른 일방의 소유이거나 쌍방의 공유라고 보아야 할 것이다(대판 1994.12.22, 93다52068).

3. 특별법상의 효과 — 주택임대차보호법

주택임대차보호법상 주택임차인이 상속인 없이 사망한 경우에는 그 주택에서 가정 공동생활을 하던 사실상의 혼인관계에 있는 자가 임차인의 권리와 의무를 승계하며, 임차인이 사망한 때에 사망 당시 상속인이 그 주택에서 가정공동생활을 하고 있지 않은 때에는 그 주택에서 가정공동생활을 하던 사실상의 혼인관계에 있는 자와 2촌 이내의 친족이 공동으로 임차인의 권리와 의무를 승계한다(주임법 제9조).

IV. 사실혼의 해소

1. 당사자 일방의 사망에 의한 해소

당사자 일방이 사망하면 사실혼은 해소된다. 이 경우 상속권은 인정되지 않는다. 다만, 상속인이 존재하지 않는 때에는 생존배우자는 특별연고자에 대한 재산분여규정에 의하여 상속재산의 전부 또는 일부를 분여 받을 수 있다(제1057조의2).

2. 합의에 의한 해소

사실혼관계는 당사자의 합의에 의하여 해소될 수 있다.

3. 일방적 해소

판례에 의하면 사실상의 혼인관계는 사실상의 관계를 기초로 하여 존재하는 것이므로 당사자 일방의 의사에 의하여 해소될 수 있고, 당사자 일방의 파기로 인하여 공동생활의 사실이 없게 되면 사실상의 혼인관계는 해소되는 것이며, 다만 정당한 사유 없이 해소된 때에는 유책자가 상대방에 대하여 손해배상의 책임을 지는 데 지나지 않는다고 한다.

▶ **사실혼 파탄의 유책자의 위자료 지급의무 인정 여부**(적극)

남편인 피청구인의 학대, 폭행, 강제축출행위와 시모인 피청구인의 이에 대한 가담에 따라 사실혼 관계가 파탄된 것이라면 이 양인은 청구인에게 사실혼 파탄으로 인한 정신적 고통에 대한 위자료를 지급할 의무가 있다(대판 1983.9.27, 83므26).

▶ **사실혼관계가 당사자 일방의 의사에 의하여 해소될 수 있는지 여부**(적극)

[1] 사실혼관계는 사실상의 관계를 기초로 하여 존재하는 것으로서 당사자 일방의 의사에 의하여 해소될 수 있고 당사자 일방의 파기로 인하여 공동생활의 사실이 없게 되면 사실상의 혼인관계는 해소되는 것이며, 다만 정당한 사유 없이 해소된 때에는 유책자가 상대방에 대하여 손해배상의 책임을 지는 데 지나지 않는다.

[2] 사실혼관계의 당사자 중 일방이 의식불명이 된 상태에서 상대방이 사실혼관계의 해소를 주장하면서 재산분할심판청구를 한 사안에서, 위 사실혼관계는 상대방의 의사에 의하여 해소되었고 그에 따라 재산분할청구권이 인정된다(대판 2009.2.9, 2008스105).

◆ **비교판례** ◆

▶ **사실혼관계가 일방 당사자의 사망으로 인하여 종료된 경우, 그 상대방에게 재산분할청구권을 인정할 수 있는지 여부**(소극)

부부재산에 관한 청산의 의미를 갖는 재산분할에 관한 법률 규정은 부부의 생활공동체라는 실질에 비추어 인정되는 것으로서 사실혼관계에도 이를 준용 또는 유추적용할 수 있기 때문에, 사실혼관계에 있었던 당사자들이 생전에 사실혼관계를 해소한 경우 재산분할청구권을 인정할 수 있으나, 법률상 혼인 관계가 일방 당사자의 사망으로 인하여 종료된 경우에도 생존 배우자에게 재산분할청구권이 인정되지 아니하고 단지 상속에 관한 법률 규정에 따라서 망인의 재산에 대한 상속권만이 인정된다는 점 등에 비추어 보면, 사실혼관계가 일방 당사자의 사망으로 인하여 종료된 경우에는 그 상대방에게 재산분할청구권이 인정된다고 할 수 없다(대판 2006.3.24, 2005두15595).

V. 사실혼관계존부확인의 소

1. 의의

① 사실혼관계가 성립되었다고 할 수 있는 경우에 당사자 일방이 혼인신고에 협력하지 않을 때에는 상대방은 사실상 혼인관계 존부 확인을 청구하여 법률혼으로 만들 수 있다. 사실상 혼인관계 존재 확인의 재판이 확정된 경우에는 심판을 청구한 자가 재판의 확정일로부터 1개월 이내에 혼인신고를 하여야 한다.

② 승소의 확정판결에 따른 신고의 성질에 대해 판례는 보고적 신고가 아니라 창설적 신고라고 한다(대결 1991.8.13. 91스6).

2. 사실혼 당사자 일방의 사망 후의 소제기 허용 여부

(1) 사실혼관계존재확인의 소의 이익 – 확인의 이익 인정 여부

① 사실혼의 당사자 일방이 사망하였더라도 사실혼관계존재확인청구가 현재적 또는 잠재적 법적 분쟁을 일거에 해결하는 유효적절한 수단이 될 수 있는 때에는 확인의 이익이 인정될 수 있지만,

② 그러한 유효적절한 수단이라고 할 수 없는 때에는 확인의 이익이 없다(대판 1995.11.14. 95므694).

(2) 구체적으로 문제되는 사안 등

① 사망한 사실혼 배우자와의 혼인신고를 목적으로 사실혼관계존재확인을 청구할 소의 이익은 없으며(대판 1988.4.12. 87므104), ② 비록 사망자와의 위 심판이 있더라도 사망자 간이나 생존자와 사망자 간의 혼인은 원칙적으로 허용되지 않으므로 혼인신고는 허용되지 않는다(대결 1991.8.13. 91스6).

▶ **사망자와 사이의 사실혼관계존부확인청구에 있어서 확인의 이익**

사망자 사이 또는 생존하는 자와 사망한 자 사이에서는 혼인이 인정될 수 없고, 혼인신고특례법과 같이 예외적으로 혼인신고의 효력의 소급을 인정하는 특별한 규정이 없는 한 그러한 혼인신고가 받아들여질 수도 없는 것이므로, 사실혼 배우자의 일방이 사망한 경우 생존하는 당사자가 혼인신고를 하기 위한 목적으로서는 사망자와의 과거의 사실혼관계 존재확인을 구할 소의 이익이 있다고는 할 수 없다(대판 1995.11.14. 95므694).

▶ **사실혼관계의 당사자 일방의 사망 시 검사를 상대로 사실혼관계존부확인청구를 할 수 있는지 여부**(적극)

① 사실혼관계에 있던 당사자 일방이 사망하였더라도, 현재적 또는 잠재적 법적 분쟁을 일거에 해결하는 유효·적절한 수단이 될 수 있는 한, 그 사실혼관계존부확인청구에는 확인의 이익이 인정되고, 이러한 경우 친생자관계존부확인청구에 관한 민법 제865조와 인지청구에 관한 민법 제863조의 규정을 유추적용 하여, 생존 당사자는 그 사망을 안 날로부터 1년 내에 검사를 상대로 과거의 사실혼관계에 대한 존부확인청구를 할 수 있다고 보아야 한다(대판 1995.3.28. 94므1447).

② 공무원연금법을 비롯한 여러 법령은 그 법에 따른 급여의 수급권자가 사망하면 그의 사실혼 배우자가 유족으로서 급여를 받도록 규정하고 있으므로, 사망한 사람과의 사실혼 관계는 유족급여수급권과 관련된 법률관계의 전제가 된다. 그러므로 급여수급권을 주장하는 사람이 검사를 상대방으로 하여 과거의 사실상 혼인관계에 관한 존부 확인의 소[가사소송법 제2조 제1항 제1호 (나)목 1)]를 제기하는 것은 유족급여와 관련된 분쟁을 한꺼번에 해결하는 적절한 방법이어서 확인의 이익이 인정된다(대판 2022.3.31. 2019므10581).

제2절 ▌ 혼인의 성립과 중혼

Ⅰ. 혼인의 성립

혼인은 친족법상의 계약으로서 혼인신고가 있어야 성립하는 요식행위이다. 이러한 혼인이 성립하기 위해서는 ① 실질적 요건으로 혼인의사의 합치, ② 형식적 요건으로 혼인신고가 있어야 한다. 또한 ③ 그 성립한 혼인이 유효한 효력을 발생하기 위해서는 혼인장애사유가 없어야 한다.

이 가운데 혼인의 실질적 요건으로서 혼인의사의 합치와 혼인의 장애사유로서 중혼에 대해서만 살펴보기로 한다.

Ⅱ. 혼인의 실질적 성립요건 - 당사자 간 혼인의사의 합치

1. 혼인의사의 의미

판례는 부부로서의 정신적 · 육체적 결합에 의한 부부생활공동체를 형성할 의사라고 보는 실질적 의사설의 입장이다.

▶ **가장신고에 의한 혼인의 효력**

단순히 피청구인으로 하여금 국민학교의 교사직으로부터 면직당하지 않게 할 수단으로 호적부상 부부가 되는 것을 가장하기 위하여 이루어졌을 뿐 당사자 사이에 혼인의 합의 즉 정신적 · 육체적 결합을 생기게 할 의사로서 신고된 것이 아니면 청구인과 피청구인간의 혼인관계는 무효이다(대판 1980. 1. 29, 79므62).

▶ **부부관계를 설정할 의사 없이 중국 내 조선족 여자들의 국내 취업을 위한 입국을 목적으로 형식상 혼인신고를 한 경우**

피고인들이 중국 국적의 조선족 여자들과 참다운 부부관계를 설정할 의사 없이 단지 그들의 국내 취업을 위한 입국을 가능하게 할 목적으로 형식상 혼인하기로 한 것이라면, 피고인들과 조선족 여자들 사이에는 혼인의 계출에 관하여는 의사의 합치가 있었으나 참다운 부부관계의 설정을 바라는 효과의사는 없었다고 인정되므로 피고인들의 혼인은 우리나라의 법에 의하여 혼인으로서의 실질적 성립요건을 갖추지 못하여 그 효력이 없다(대판 1996. 11. 22, 96도2049).

▶ **혼인의사 유무의 판단 및 외국인 배우자의 혼인의사를 판단할 때 고려하여야 할 사항**

① 민법 제815조 제1호가 혼인무효의 사유로 규정하는 '당사자 간에 혼인의 합의가 없는 때'란 당사자 사이에 사회관념상 부부라고 인정되는 정신적 · 육체적 결합을 생기게 할 의사의 합치가 없는 경우를 의미한다. ② 가정법원은 상대방 배우자에게 혼인신고 당시 혼인의사가 없었던 것인지, 혼인 이후에 혼인을 유지할 의사가 없어진 것인지에 대해서 구체적으로 심리 · 판단하여야 하고, 혼인의사라는 개념이 다소 추상적이고 내면적인 것이라는 사정에 기대어 상대방 배우자가 혼인을 유지하기 위한 노력을 게을리하였다거나 혼인관계 종료를 의도하는 언행을 하는 등 혼인생활 중에 나타난 몇몇 사정만으로 혼인신고 당시 혼인의사가 없었다고 추단하여 혼인무효 사유에 해당한다고 단정할 것은 아니다. ③ 우리나라 국민이 외국인 배우자에 대하여 혼인의 의사가 없다는 이유로 혼인무효 소송을 제기한 경우,

가정법원은 <u>위 법리에 더하여 통상 외국인 배우자가 자신의 본국에서 그 국가 법령이 정하는 혼인의</u> <u>성립절차를 마친 후 그에 기하여 우리나라 민법에 따른 혼인신고를 하고, 우리나라 출입국관리법령에</u> <u>따라 결혼동거 목적의 사증을 발급받아 입국하는 절차를 거쳐 비로소 혼인생활에 이르게 된다는 점,</u> 언 어장벽 및 문화와 관습의 차이 등으로 혼인생활의 양상이 다를 가능성이 있는 점을 고려하여 <u>외국인</u> <u>배우자의 혼인의사 유무를 세심하게 판단할 필요가 있다</u>(대판 2021.12.10, 2019므11584·11591, 대판 2022.1.27, 2017므1224).

2. 혼인의사와 의사능력 등

혼인은 법률행위이므로 일방이 의식불명 등으로 의사무능력상태인 동안에 이루어진 혼인신고는 의사무능력자의 법률행위로서 무효이다. 즉 혼인의 합의는 살아 있는 자들만 할 수 있고, 사망자 사이의 혼인이나 생존한 자와 사망한 자 사이의 혼인은 인정되지 않는다. 따라서 그러한 경우에는 혼인신고가 되어도 이는 무효이다.

▶ **의사무능력자의 혼인신고**(무효)
혼인이 유효하기 위하여는 당사자 사이에 혼인의 합의가 있어야 하고, 이러한 혼인의 합의는 <u>혼인신</u> <u>고를 할 당시에도 존재하여야</u> 한다(대판 1996.6.28, 94므1089).
  → [사실관계] : 혼례식을 거행하고 사실혼관계에 있었으나 일방이 뇌졸중으로 혼수상태에 빠져 있 는 사이에 혼인신고가 이루어졌다면 특별한 사정이 없는 한 위 신고에 의한 혼인은 무효라고 본 사례이다.

▶ **무효인 신분행위에 대한 소급적 추인 인정**
혼인, 입양 등의 신분행위에 관하여 민법 제139조 본문을 적용하지 않고 추인에 의하여 소급적 효력을 인정하는 것은 무효인 신분행위 후 그 내용에 맞는 신분관계가 실질적으로 형성되어 쌍방 당사자가 이 의 없이 그 신분관계를 계속하여 왔다면, 그 신고가 부적법하다는 이유로 이미 형성되어 있는 신분관 계의 효력을 부인하는 것은 당사자의 의사에 반하고 그 이익을 해칠 뿐 아니라 그 실질적 신분관계 의 외형과 호적의 기재를 믿은 제3자의 이익도 침해할 우려가 있기 때문에 <u>추인에 의하여 소급적으</u> <u>로 신분행위의 효력을 인정할 수 있다</u>(대판 1991.12.27, 91므30).

III. 중혼

1. 의의

> 제810조 【중혼의 금지】
> 배우자 있는 자는 다시 혼인하지 못한다.

배우자가 있는 자는 다시 혼인하지 못한다(제810조).[1] 즉 중혼은 금지된다. 그런데 금지되는 혼인은 법률혼만을 가리키며 사실혼은 포함되지 않는다. 따라서 사실혼관계에 있는 자가 다른 자와 법률혼을 하는 경우나 법률혼의 당사자 일방이 다른 자와 사실혼관계를 맺는 경우는 중혼이 아니다.

2. 효과

① 중혼은 당연무효가 아니라 후혼의 취소사유가 될 뿐이므로, 취소하지 않는 한 유효한 혼인으로서 혼인의 일반적 효력이 모두 인정된다. 따라서 ⅰ) 중혼자가 사망하면 두 혼인의 배우자 모두가 상속권을 가지며, 중혼자도 두 배우자의 사망시 상속권을 가진다. 그리고 ⅱ) 중혼 중의 출생자는 혼인 중의 출생자이다. ⅲ) 중혼의 경우의 취소권 행사에 대하여는 기간의 제한이 없으므로 중혼이 존재하는 한 언제든지 취소할 수 있다.

② 중혼취소의 청구권자는 당사자 및 그 배우자, 직계혈족, 4촌 이내의 방계혈족 또는 검사이다(제818조).

3. 중혼취소의 효과

혼인취소는 소급효가 없으므로(제824조), 중혼취소에도 소급효가 없다. 따라서 중혼배우자의 사망 후에 중혼취소가 되는 경우에 배우자로서 이미 받은 상속권은 그대로 유지된다.

▶ **중혼취소의 소급효 부정과 법률관계**

① 민법 제824조는 "혼인의 취소의 효력은 기왕에 소급하지 아니한다."고 규정하고 있을 뿐 재산상속 등에 관해 소급효를 인정할 별도의 규정이 없는바, 혼인 중에 부부 일방이 사망하여 상대방이 배우자로서 망인의 재산을 상속받은 후에 그 혼인이 취소되었다는 사정만으로 그 전에 이루어진 상속관계가 소급하여 무효라거나 또는 그 상속재산이 법률상 원인 없이 취득한 것이라고는 볼 수 없다(대판 1996.12.23, 95다48308).

② 혼인이 일단 성립되면 그것이 위법한 중혼이라 하더라도 당연히 무효가 되는 것은 아니고 법원의 판결에 의하여 취소될 때에 비로소 그 효력이 소멸될 뿐이므로 아직 그 혼인취소의 확정판결이 없는 한 법률상의 부부라 할 것이어서 재판상 이혼의 청구도 가능하다(대판 1991.12.10, 91므344).

▶ **중혼에 기한 혼인취소권의 소멸 여부**

민법의 관계규정에 의하면 민법 소정의 혼인취소사유 중 동의 없는 혼인, 동성혼, 재혼금지기간위반 혼인, 악질 등 사유에 의한 혼인, 사기, 강박으로 인한 혼인 등에 대하여는 제척기간 또는 권리소멸 사유를 규정하면서도(민법 제819조 내지 제823조), 중혼과 연령미달 혼인에 대하여만은 권리소멸에 관한 사유를 규정하지 아니하고 있는바, 이는 중혼 등의 반사회성, 반윤리성이 다른 혼인취소사유에 비하여 일층 무겁다고 본 입법자의 의사를 반영한 것으로 보이고, 그렇다면 중혼의 취소청구권에

---

1) 중혼이 발생되는 例 : 중혼은 ① 혼인신고를 한 자가 다시 혼인신고를 한 경우에 성립하는데, 그러한 신고는 수리가 거부될 것이므로 드물다. 실제로 중혼이 되는 경우로는 ② 혼인 후 이름을 바꿔 이중호적을 만들어 혼인한 경우(대판 1986.6.24, 86므9), ③ 이혼 후 재혼하였는데 전혼의 이혼이 무효(대판 1964.4.21, 63다770)·취소로 되는 경우(대판 1984.3.27, 84므9), ④ 국내와 국외에서 이중혼인을 한 경우(대판 1991.12.10, 91므535) 등과 같이 특별한 사정이 있는 때 등이다.

관하여 장기간의 권리불행사 등의 사정만으로 가볍게 그 권리소멸을 인정하여서는 아니 될 것이다 (대판 1993.8.24, 92므907).

제3절 혼인의 효력

Ⅰ. 혼인의 일반적 효과

1. 친족관계의 발생

혼인을 하면 부부는 서로 배우자로서 친족이 된다. 그리고 서로 상대방의 4촌 이내의 혈족, 상대방의 4촌 이내의 혈족의 배우자와 인척이 된다.

2. 동거·부양·협조의 의무

> **제826조【부부간의 의무】**
> ① 부부는 동거하며 서로 부양하고 협조하여야 한다. 그러나 정당한 이유로 일시적으로 동거하지 아니하는 경우에는 서로 인용하여야 한다.
> ② 부부의 동거장소는 부부의 협의에 따라 정한다. 그러나 협의가 이루어지지 아니하는 경우에는 당사자의 청구에 의하여 가정법원이 이를 정한다.

(1) 동거의무

① 동거의무는 동일한 거소에서 부부로서 공동생활을 하는 것이다. 부부의 일방이 정당한 이유 없이 동거를 거부하는 경우 상대방은 가정법원에 동거에 관한 심판을 청구할 수 있다. 그러나 동거를 명하는 심판에 대하여는 직접강제는 물론 간접강제도 허용되지 않는다. 그것은 혼인관계의 본질에 반하기 때문이다.

② 부당한 동거의무의 위반은 악의의 유기로서 이혼원인이 될 뿐이다(제840조 제2호). 그리고 부당하게 동거를 거부하는 배우자 일방은 상대방에 대하여 부양료의 지급을 청구할 수 없다 (대판 1991.12.10, 91므245).

(2) 부양의무

부부의 부양의무는 부부로서의 공동생활에 필요한 상대방의 의식주 생활을 서로 보장하는 의무이다. 부부의 일방이 부양의무를 이행하지 않는 경우 상대방은 가정법원에 부양에 관한 심판을 청구할 수 있다. 가정법원의 부양료지급 심판은 강제이행도 할 수 있다. 그러나 과거의 부양료에 관하여는 특별한 사정이 없는 한 부양을 청구한 이후의 부분에 대해서만 부양료의 지급을 구할 수 있다.

▶ **이행청구 전 과거의 부양료에 대한 청구의 가부**

민법 제826조 제1항에 규정된 부부간의 상호부양의무는 부부의 일방에게 부양을 받을 필요가 생겼을 때 당연히 발생하는 것이기는 하지만, 과거의 부양료에 관하여는 부양을 받을 자가 부양의무자에게 부양의무의 이행을 청구하였음에도 불구하고 부양의무자가 부양의무를 이행하지 아니함으로써 이행지체에 빠진 이후의 것에 대하여만 부양료의 지급을 청구할 수 있을 뿐, 부양의무자가 부양의무의 이행을 청구받기 이전의 부양료의 지급은 청구할 수 없다고 보는 것이 부양의무의 성질이나 형평의 관념에 합치된다(대판 2008.6.12, 2005스50).

▶ **혼인의 효력으로서 부양의무**(대판 2012.12.27, 2011다96932)

[1] 부부간의 상호부양의무와 부모의 성년 자녀에 대한 부양의무의 우선순위 및 2차 부양의무자의 1차 부양의무자에 대한 상환청구 가능 여부(적극)

민법 제826조 제1항에 규정된 부부간 상호부양의무는 혼인관계의 본질적 의무로서 부양을 받을 자의 생활을 부양의무자의 생활과 같은 정도로 보장하여 부부공동생활의 유지를 가능하게 하는 것을 내용으로 하는 제1차 부양의무이고, 반면 부모가 성년의 자녀에 대하여 직계혈족으로서 민법 제974조 제1호, 제975조에 따라 부담하는 부양의무는 부양의무자가 자기의 사회적 지위에 상응하는 생활을 하면서 생활에 여유가 있음을 전제로 하여 부양을 받을 자가 자력 또는 근로에 의하여 생활을 유지할 수 없는 경우에 한하여 그의 생활을 지원하는 것을 내용으로 하는 제2차 부양의무이다. 이러한 제1차 부양의무와 제2차 부양의무는 의무이행의 정도뿐만 아니라 의무이행의 순위도 의미하는 것이므로, 제2차 부양의무자는 제1차 부양의무자보다 후순위로 부양의무를 부담한다. 따라서 제1차 부양의무자와 제2차 부양의무자가 동시에 존재하는 경우에 제1차 부양의무자는 특별한 사정이 없는 한 제2차 부양의무자에 우선하여 부양의무를 부담하므로, 제2차 부양의무자가 부양받을 자를 부양한 경우에는 소요된 비용을 제1차 부양의무자에 대하여 상환청구할 수 있다.

→ [사실관계] : 원고는 1968년생인 소외인의 모이고, 피고는 소외인의 배우자인 사실, 소외인이 2006.11.15. 경막외 출혈 등으로 수술을 받은 후 2009.12.29. 현재까지 의식이 혼미하고 마비 증세가 지속되고 있는 사실을 알 수 있는바, 이러한 사정을 앞서 본 법리에 비추어 살펴보면, 피고는 제1차 부양의무자로서 특별한 사정이 없는 한 제2차 부양의무자인 원고에 우선하여 소외인을 부양할 의무가 있으므로, 원고의 주장과 같이 원고가 소외인의 병원비 등을 지출함으로써 소외인을 부양하였다면 피고는 원고에게 자신이 소외인에게 부담할 부양의무의 범위 내에서 이를 상환할 의무가 있다고 본 사례이다.

[2] 부부간의 부양의무를 이행하지 않은 부부의 일방을 상대로 상대방의 친족이 과거의 부양료 상환청구를 하는 경우, 상환의무의 존부 및 범위를 정할 때 고려하여야 할 사항

부부간의 부양의무 중 과거의 부양료에 관하여는 특별한 사정이 없는 한 부양을 받을 사람이 부양의무자에게 부양의무의 이행을 청구하였음에도 불구하고 부양의무자가 부양의무를 이행하지 아니함으로써 이행지체에 빠진 후의 것에 관하여만 부양료의 지급을 청구할 수 있을 뿐이므로, 부양의무자인 부부의 일방에 대한 부양의무 이행청구에도 불구하고 배우자가 부양의무를 이행하지 아니함으로써 이행지체에 빠진 후의 것이거나, 그렇지 않은 경우에는 부양의무의 성질이나 형평의 관념상 이를 허용해야 할 특별한 사정이 있는 경우에 한하여 이행청구 이전의 과거 부양료를 지급하여야 한다. 그리고 부부 사이의 부양료 액수는 당사자 쌍방의 재산 상태와 수입액, 생활정도 및 경제적 능력, 사회적 지위 등에 따라 부양이 필요한 정도, 그에 따른 부양의무의 이행정도, 혼인생활 파탄

의 경위와 정도 등을 종합적으로 고려하여 판단하여야 한다. 따라서 상대방의 친족이 부부의 일방을 상대로 한 과거의 부양료 상환청구를 심리·판단함에 있어서도 이러한 점을 모두 고려하여 상환의무의 존부 및 범위를 정하여야 한다.

[3] 부부간의 부양의무를 이행하지 않은 부부의 일방에 대하여 상대방의 친족이 구하는 부양료의 상환청구가 민사소송사건에 해당하는지 여부(적극)

가사소송법 제2조 제1항 제2호 나. 마류사건 제1호는 민법 제826조에 따른 부부의 부양에 관한 처분을, 같은 법 제2조 제1항 제2호 나. 마류사건 제8호는 민법 제976조부터 제978조까지의 규정에 따른 부양에 관한 처분을 각각 별개의 가사비송사건으로 규정하고 있다. 따라서 부부간의 부양의무를 이행하지 않은 부부의 일방에 대한 상대방의 부양료 청구는 위 마류사건 제1호의 가사비송사건에 해당하고, 친족간의 부양의무를 이행하지 않은 친족의 일방에 대한 상대방의 부양료 청구는 위 마류사건 제8호의 가사비송사건에 해당한다 할 것이나, 부부간의 부양의무를 이행하지 않은 부부의 일방에 대하여 상대방의 친족이 구하는 부양료의 상환청구는 같은 법 제2조 제1항 제2호 나. 마류사건의 어디에도 해당하지 아니하여 이를 가사비송사건으로 가정법원의 전속관할에 속하는 것이라고 할 수는 없고, 이는 민사소송사건에 해당한다고 봄이 타당하다.

▶ 선행 부양료 심판에서 부부 일방의 상대방에 대한 부양의무가 인정된 후 쌍방이 이혼 등을 청구하는 본소와 반소를 서로 제기한 경우 부부간 부양의무 존속 여부 및 기간(= 법률상 혼인관계 해소시까지 존속)

부부간 부양의무는 '혼인관계의 본질적 의무'로서 부양받을 자의 생활을 부양의무자의 생활과 같은 정도로 보장하여 부부공동생활의 유지를 가능하게 하는 것이다(대판 2012.12.27, 2011다96932 참조). 따라서 혼인이 사실상 파탄되어 부부가 별거하면서 서로 이혼소송을 제기하는 경우라고 하더라도, 특별한 사정이 없는 한 이혼을 명한 판결의 확정 등으로 법률상 혼인관계가 완전히 해소될 때까지는 부부간 부양의무가 소멸하지 않는다고 보아야 한다. 따라서 배우자 일방이 스스로 정당한 이유 없이 동거를 거부하면서도 상대방에게 부양료의 지급을 청구할 수는 없지만, 그러한 귀책사유 없는 배우자 일방이 상대방에게 부양료의 지급을 청구하는 것은 부양료 지급의 요건 및 필요성이 인정되지 않는 특별한 사정이 없는 한 비록 당사자 쌍방이 이혼소송을 서로 제기한 경우라도 인정되어야 한다(대결 2023.3.24, 2022스771).

→ [사실관계 및 해설] : 원심은 상대방이 이혼 등 청구의 반소를 제기한 날 이후부터는 이혼의사의 합치가 있어 청구인에게 정상적인 부부관계가 유지되고 있음을 전제로 한 부양의무는 인정된다고 볼 수 없고, 반소 제기 전날까지만 부양료 지급 의무가 있다고 판단하였으나, 대법원은 특별한 사정이 없는 한 법률상 혼인관계가 완전히 해소될 때까지는 부부간 부양의무가 소멸하지 않는다고 보아, 원심에는 필요한 심리를 다하지 아니한 채 부부간 부양의무에 관한 민법 제826조를 위반하여 재판에 영향을 미친 잘못이 있다고 한 사례이다.

(3) 협조의무

협조의무는 부부로서의 공동생활에 분업에 기초하여 협력하여야할 의무이다. 부부의 일방이 협조의무를 이행하지 않는 경우 상대방은 가정법원에 심판을 청구할 수 있으나, 협조의무는 그 성질상 강제이행이 허용되지 않으며, 이혼원인이 될 뿐이다.

(4) 정조의무(성적 성실의무)

부부는 서로 정조를 지킬 의무가 있다. 부부의 일방이 정조의무를 위반한 경우에는 상대방은 不貞行爲를 이유로 이혼을 청구할 수 있고, 손해배상도 청구할 수 있다.

▶ **부정행위가 불법행위를 구성하는지 여부**(대판(전) 2014.11.20, 2011므2997)

[1] 제3자가 부부의 일방과 부정행위를 함으로써 부부공동생활을 침해하거나 유지를 방해하고 그에 대한 배우자로서 권리를 침해하여 배우자에게 정신적 고통을 가하는 행위가 불법행위를 구성하는지 여부(원칙적 적극)

① 제3자도 타인의 부부공동생활에 개입하여 부부공동생활의 파탄을 초래하는 등 혼인의 본질에 해당하는 부부공동생활을 방해하여서는 아니 된다. 제3자가 부부의 일방과 부정행위를 함으로써 혼인의 본질에 해당하는 부부공동생활을 침해하거나 그 유지를 방해하고 그에 대한 배우자로서의 권리를 침해하여 배우자에게 정신적 고통을 가하는 행위는 원칙적으로 불법행위를 구성한다.

② 그리고 부부의 일방과 제3자가 부담하는 불법행위책임은 공동불법행위책임으로서 부진정연대채무 관계에 있다(대판 2015.2.29, 2013므2441).

[2] 부부가 아직 이혼하지 아니하였지만 실질적으로 부부공동생활이 파탄되어 회복할 수 없을 정도의 상태에 이른 경우, 제3자가 부부의 일방과 한 성적인 행위가 배우자에 대하여 불법행위를 구성하는지 여부(소극) / 이러한 법률관계는 재판상 이혼청구가 계속 중에 있다거나 재판상 이혼이 청구되지 않은 상태라고 하더라도 마찬가지인지 여부(적극)

[다수의견] 민법 제840조는 '혼인을 계속하기 어려운 중대한 사유가 있을 때'를 이혼사유로 삼고 있으며, 부부간의 애정과 신뢰가 바탕이 되어야 할 혼인의 본질에 해당하는 부부공동생활 관계가 회복할 수 없을 정도로 파탄되고 혼인생활의 계속을 강제하는 것이 일방 배우자에게 참을 수 없는 고통이 되는 경우에는 위 이혼사유에 해당할 수 있다. 이에 비추어 보면 부부가 장기간 별거하는 등의 사유로 실질적으로 부부공동생활이 파탄되어 실체가 더 이상 존재하지 아니하게 되고 객관적으로 회복할 수 없는 정도에 이른 경우에는 혼인의 본질에 해당하는 부부공동생활이 유지되고 있다고 볼 수 없다. 따라서 비록 부부가 아직 이혼하지 아니하였지만 이처럼 실질적으로 부부공동생활이 파탄되어 회복할 수 없을 정도의 상태에 이르렀다면, 제3자가 부부의 일방과 성적인 행위를 하더라도 이를 두고 부부공동생활을 침해하거나 유지를 방해하는 행위라고 할 수 없고 또한 그로 인하여 배우자의 부부공동생활에 관한 권리가 침해되는 손해가 생긴다고 할 수도 없으므로 불법행위가 성립한다고 보기 어렵다. 그리고 이러한 법률관계는 재판상 이혼청구가 계속 중에 있다거나 재판상 이혼이 청구되지 않은 상태라고 하여 달리 볼 것은 아니다.

---

3. 성년의제

> **제826조의2 【성년의제】**
> 미성년자가 혼인을 한 때에는 성년자로 본다.

(1) 내용

미성년자가 혼인을 한 때에는 성년자로 본다. 이는 혼인의 독립성과 부부의 실질적 평등을 보장하기 위하여 둔 제도이다.

(2) 적용범위

① 혼인한 미성년자는 사법상의 모든 관계에서 성년자와 같은 행위능력을 가진다. 따라서 친권·후견은 종료하고, 자기의 자에 대하여 직접 친권을 행사할 수 있다.

② 그러나 성년의제 제도는 사법상의 행위능력 인정 제도이기 때문에 공법관계에는 원칙적으로 적용되지 않는다.

③ 성년의제를 받은 자가 미성년의 상태에서 혼인이 해소되거나 혼인이 취소된 때에도 여전히 성년의제는 유지되는 것으로 본다(다수설). 그러나 혼인이 무효인 경우에는 성년의제는 처음부터 발생하지 않는다.

Ⅱ. 혼인의 재산적 효과

1. 서설

혼인을 한 당사자가 혼인 당시에 재산을 가지고 있거나, 혼인 후에 새로이 재산을 취득하는 경우 재산의 귀속과 관리가 문제되는데, 민법은 우선 그들의 합의에 의하여 재산관계를 정하도록 하고(약정부부재산제), 그러한 합의가 없는 경우에는 민법이 규정하는 부부재산제를 일률적으로 적용하도록 하고 있다(법정부부재산제).

2. 부부재산계약 - 약정부부재산제

(1) 요건

① 부부로 될 자는 혼인이 성립하기 전에 그 재산에 관하여 자유롭게 계약을 체결할 수 있다. 그 계약을 부부재산계약이라고 한다. 이 제도는 실제로는 거의 이용되지 않는다.

② 계약이 혼인 전에 체결되었을 것을 요한다. 즉 혼인신고 후에는 부부재산계약을 체결할 수 없다.

③ 부부재산계약의 내용은 '혼인 중'의 재산관계이어야 하고, 혼인 전 또는 혼인해소 후의 재산관계를 정할 수는 없다.

④ 부부가 그 재산에 관하여 따로 약정을 한 때에는 혼인성립(혼인신고 시)까지 그 등기를 하지 아니하면 이로써 부부의 승계인 또는 제3자에게 대항하지 못한다(제829조 제4항). 나아가 관리자의 변경이나 공유재산의 분할 시에도 등기하여야 제3자에게 대항할 수 있다(동조 제5항). 이러한 등기는 부부재산계약의 성립요건이 아니라 대항요건에 불과하므로, 등기가 없더라도 부부재산계약은 유효하다.

(2) 변경금지의 원칙

① 부부가 혼인성립 전에 그 재산에 관하여 약정한 때에는 혼인 중 이를 변경하지 못한다.

② 그러나 정당한 사유가 있는 때에는 법원의 허가를 얻어 변경할 수 있다(제829조 제2항). 또한 부부의 일방이 다른 일방의 재산을 관리하는 경우에 부적당한 관리로 인하여 그 재산을 위태하게 한 때에는 다른 일방은 자기가 관리할 것을 법원에 청구할 수 있고 그 재산이 부부의 공유인 때에는 그 분할을 청구할 수 있다(제829조 제3항).

3. 법정부부재산제

> **제830조 【특유재산과 귀속불명재산】**
> ① 부부의 일방이 혼인 전부터 가진 고유재산과 혼인 중 자기의 명의로 취득한 재산은 그 특유재산으로 한다.
> ② 부부의 누구에게 속한 것인지 분명하지 아니한 재산은 부부의 공유로 추정한다.

부부재산의 귀속에 관하여 민법은 부부별산제를 채용하고 있다. 즉 부부의 일방이 혼인 전부터 가진 고유재산과 혼인 중 자기의 명의로 취득한 재산은 그 특유재산으로 추정한다(→ 제830조는 간주 규정처럼 되어 있지만 판례는 이를 추정규정으로 해석한다). 이 특유재산은 부부가 각자 관리 · 사용 · 수익한다.

▶ **특유재산의 추정 및 그 번복**(대판 1992.12.11, 92다21982)

① 부부의 일방이 혼인 중 자기 명의로 취득한 재산은 그 명의자의 특유재산으로 추정되나, 실질적으로 다른 일방 또는 쌍방이 그 재산의 대가를 부담하여 취득한 것이 증명된 때에는 특유재산의 추정은 번복되어, 그 다른 일방의 소유이거나 쌍방의 공유로 보아야 할 것이다.

② 그러나 재산을 취득함에 있어서 상대방의 협력이 있었다거나 혼인생활에 있어서 내조의 공이 있었다는 것만으로는 추정을 번복할 사유가 된다고 할 수 없다.

▶ **부부의 일방이 혼인 중 단독 명의로 취득한 부동산에 대하여 민법 제830조 제1항에서 정한 특유재산의 추정을 번복하고 해당 부동산에 관하여 명의신탁이 있었는지 판단하는 기준**

민법 제830조 제1항에 의하여 부부의 일방이 혼인 중 그의 단독 명의로 취득한 부동산은 그 명의자의 특유재산으로 추정되므로 그 추정을 번복하기 위하여는 다른 일방 배우자가 실제로 해당 부동산의 대가를 부담하여 그 부동산을 자신이 실질적으로 소유하기 위하여 취득하였음을 증명하여야 한다. 이때 단순히 다른 일방 배우자가 그 매수자금의 출처라는 사정만으로는 무조건 특유재산의 추정을 번복하고 해당 부동산에 관하여 명의신탁이 있었다고 볼 것은 아니고, 관련 증거들을 통하여 나타난 모든 사정을 종합하여 다른 일방 배우자가 해당 부동산을 실질적으로 소유하기 위하여 그 대가를 부담하였는지를 개별적 · 구체적으로 가려 명의신탁 여부를 판단하여야 하며, 특히 다른 증거에 의하여 이러한 점을 인정하기 어려운 사정이 엿보이는 경우에는 명의자 아닌 다른 일방 배우자가 매수자금의 출처라는 사정만으로 명의신탁이 있었다고 보기는 어렵다(대판 2013.10.31, 2013다49572).2)

---

2) 가령, 해당 부동산의 취득자금의 출처가 명의자가 아닌 다른 일방 배우자인 사실이 밝혀졌다 하더라도 그 명의자가 배우자로부터 취득자금을 증여받은 것으로 볼 수도 있기 때문이다.

→ [해설] : 甲의 처인 乙 앞으로 소유권이전등기가 마쳐진 부동산의 매수자금 중 일부의 출처가 甲으로 확인된 사안에서, 실제로 甲이 부동산의 매수대금을 얼마나 부담하였는지, 甲이 부동산을 실질적으로 소유하기 위하여 매수대금을 부담한 것인지를 개별적·구체적으로 심리하지 않은 채 甲이 乙에게 위 부동산 중 적어도 1/2 지분을 명의신탁하였다고 본 원심판결에 법리오해 등의 위법이 있다고 한 사례이다.

4. 일상가사대리권과 일상가사채무의 연대책임

> **제827조【부부간의 가사대리권】**
> ① 부부는 일상의 가사에 관하여 서로 대리권이 있다.
> ② 전항의 대리권에 가한 제한은 선의의 제3자에게 대항하지 못한다.
> **제832조【가사로 인한 채무의 연대책임】**
> 부부의 일방이 일상의 가사에 관하여 제3자와 법률행위를 한 때에는 다른 일방은 이로 인한 채무에 대하여 연대책임이 있다. 그러나 이미 제3자에 대하여 다른 일방의 책임없음을 명시한 때에는 그러하지 아니하다.

(1) 의의

부부는 일상의 가사에 관하여 서로 대리권이 있으며, 부부의 일방이 일상의 가사에 관하여 제3자와 법률행위를 한 때에는 다른 일방은 이로 인한 채무에 대하여 연대책임이 있다.

▶ **비상가사대리권의 인정 여부**(소극)

대리가 적법하게 성립하기 위하여는 대리행위를 한 자, 즉 대리인이 본인을 대리할 권한을 가지고 그 대리권의 범위 내에서 법률행위를 하였음을 요하며, 부부의 경우에도 일상의 가사가 아닌 법률행위를 배우자를 대리하여 행함에 있어서는 별도로 대리권을 수여하는 수권행위가 필요한 것이지, 부부의 일방이 의식불명의 상태에 있어 사회통념상 대리관계를 인정할 필요가 있다는 사정만으로 그 배우자가 당연히 채무의 부담행위를 포함한 모든 법률행위에 관하여 대리권을 갖는다고 볼 것은 아니다(대판 2000.12.8, 99다37856).

(2) 일상가사대리권의 범위

여기서 일상의 가사란 부부의 공동생활에서 필요로 하는 통상의 사무를 가리키며, 그 구체적인 범위는 그 법률행위의 종류·성질 등 객관적 사정과 함께 가사처리자의 주관적 의사와 목적, 부부의 사회적 지위·직업·재산·수입능력 등 현실적 생활상태를 종합적으로 고려하여 사회통념에 따라 판단한다.

▶ **일상가사대리권 범위에 속하는지의 판단기준**(대판 1999.3.9, 98다46877)

[1] 민법 제832조에서 말하는 일상의 가사에 관한 법률행위라 함은 부부가 공동생활을 영위하는데 통상 필요한 법률행위를 말하므로 그 내용과 범위는 그 부부공동체의 생활 구조, 정도와 그 부부의 생활 장소인 지역사회의 사회통념에 의하여 결정되며, 문제가 된 구체적인 법률행위가 해당 부부의 일상의 가사에 관한 것인지를 판단함에 있어서는 그 법률행위의 종류·성질 등 객관적 사정과

함께 가사처리자의 주관적 의사와 목적, 부부의 사회적 지위·직업·재산·수입능력 등 현실적 생활상태를 종합적으로 고려하여 사회통념에 따라 판단하여야 한다.

[2] 금전차용행위도 금액, 차용 목적, 실제의 지출용도, 기타의 사정 등을 고려하여 그것이 부부의 공동생활에 필요한 자금조달을 목적으로 하는 것이라면 일상가사에 속한다고 보아야 할 것이므로, 아파트 구입비용 명목으로 차용한 경우 그와 같은 비용의 지출이 부부공동체 유지에 필수적인 주거 공간을 마련하기 위한 것이라면 일상가사에 속한다고 볼 수 있다.

[3] 부인이 남편 명의로 분양받은 45평형 아파트의 분양금을 납입하기 위한 명목으로 금전을 차용하여 분양금을 납입하였고, 그 아파트가 남편의 유일한 부동산으로서 가족들이 거주하고 있는 경우, 그 금전차용행위는 일상가사에 해당한다.

▶ **남편이 자신의 사업상의 채무에 대하여 처 명의로 연대보증약정을 한 행위**(소극)

부부간에 서로 일상가사대리권이 있다고 하더라도, 일반적으로 처가 남편이 부담하는 사업상의 채무를 남편과 연대하여 부담하기 위하여 남편에게 채권자와의 채무부담약정에 관한 대리권을 수여한다는 것은 극히 이례적인 일이라 할 것이고, 채무자가 남편으로서 처의 도장을 쉽사리 입수할 수 있었으며 채권자도 이러한 사정을 쉽게 알 수 있었던 점에 비추어 보면, 채무자가 채권자를 자신의 집 부근으로 오게 한 후 처로부터 위임을 받았다고 하여 처 명의의 채무부담약정을 한 사실만으로는 채권자가 남편에게 처를 대리하여 채무부담약정을 할 대리권이 있다고 믿은 점을 정당화할 수 있는 객관적인 사정이 있다고 할 수 없으므로 민법 제126조의 표현대리가 성립하지 않는다(대판 1997.4.8, 96다54942).

▶ **처가 별거하여 외국에 체류 중인 남편의 재산을 처분한 행위**(소극)

민법 제827조 제1항의 부부간의 일상가사대리권은 부부가 공동체로서 가정생활상 항시 행하여지는 행위에 한하는 것이므로, 처가 별거하여 외국에 체류 중인 부의 재산을 처분한 행위를 부부간의 일상가사에 속하는 것이라 할 수는 없다(대판 1993.9.28, 93다16369).

(3) 일상가사대리권의 제한

부부의 일방은 일상가사대리권을 제한할 수 있다. 그러나 그 제한은 선의의 제3자에게 대항하지 못한다(제827조).

(4) 효과

① 부부의 일방이 일상의 가사에 관하여 제3자와 법률행위를 한 때에는 다른 일방은 이로 인한 채무에 대하여 연대책임이 있다. 이미 제3자에 대하여 다른 일방의 책임없음을 명시한 때에는 그러하지 아니하다(제832조). 그러나 이러한 일상가사대리권은 사실혼의 부부에게도 인정된다.

② 일상가사채무의 연대책임은 통상의 연대채무와 다르다. 즉 통상의 연대채무에서와 같은 내부적 부담부분이 없다. 따라서 각자가 전부에 대한 부담부분을 갖고 전액에 대한 책임을 진다. 결국 연대채무에서와 달리 면제, 소멸시효 완성, 혼동의 경우 부담부분에 한하지 않고 전부에 대한 절대효가 있으며, 상계의 경우 부담부분을 넘어 타방의 자동채권으로 무제한 상계할 수도 있다.

③ 그러나, 혼인이 해소된 후에는 부담부분이 인정되는 통상의 연대채무로 전환된다(분할채무로 되는 것이 아님에 주의를 요한다).

(5) 표현대리의 성부

부부 일방의 행위가 일상가사에 관한 법률행위로 인정되지 않는 경우에는 다른 일방의 책임은 생기지 않는다. 그 경우에 일상가사대리권을 기초로 하여 제126조의 표현대리가 성립할 수 있다는 것이 다수설과 판례이다. 다만, 제126조의 표현대리의 요건 중 정당한 이유의 의미에 대하여는 상대방이 '부부일방이 타방에게 그 행위에 관한 대리권을 주었다고 믿었음을 정당화할 객관적 사정'이 있어야 함을 의미한다.

> ▶ **일상가사범위를 넘는 행위에 제126조 표현대리가 성립하기 위한 요건**
> 타인의 채무에 대한 보증행위는 그 성질상 아무런 반대급부 없이 오직 일방적으로 불이익만을 입는 것인 점에 비추어 볼 때, 남편이 처에게 타인의 채무를 보증함에 필요한 대리권을 수여한다는 것은 사회통념상 이례에 속하므로, 처가 특별한 수권 없이 남편을 대리하여 위와 같은 행위를 하였을 경우에 그것이 민법 제126조 소정의 표현대리가 되려면 처에게 일상가사대리권이 있었다는 것만이 아니라 상대방이 처에게 남편이 그 행위에 관한 대리의 권한을 주었다고 믿었음을 정당화할 만한 객관적인 사정이 있어야 한다(대판 1998. 7. 10, 98다18988).

제4절 **이혼에 관한 주요쟁점**

Ⅰ. 협의 이혼의 성립 - 가장이혼의 효력

> 제834조 【협의상 이혼】 부부는 협의에 의하여 이혼할 수 있다.
> 제836조 제1항 【이혼의 성립과 신고방식】 협의상 이혼은 가정법원의 확인을 받아 가족관계의 등록 등에 관한 법률의 정한 바에 의하여 신고함으로써 그 효력이 생긴다.
> 제836조의2 【이혼의 절차】
> ① 협의상 이혼을 하려는 자는 가정법원이 제공하는 이혼에 관한 안내를 받아야 하고, 가정법원은 필요한 경우 당사자에게 상담에 관하여 전문적인 지식과 경험을 갖춘 전문상담인의 상담을 받을 것을 권고할 수 있다.
> ② 가정법원에 이혼의사의 확인을 신청한 당사자는 제1항의 안내를 받은 날부터 다음 각 호의 기간이 지난 후에 이혼의사의 확인을 받을 수 있다.
> 1. 양육하여야 할 자(포태 중인 자를 포함한다. 이하 이 조에서 같다)가 있는 경우에는 3개월 → 미성년의 자녀가 있는 경우이다.
> 2. 제1호에 해당하지 아니하는 경우에는 1개월 → 양육하여야 할 자녀가 없는 경우에는 성년자녀를 포함한다.

> ③ 가정법원은 폭력으로 인하여 당사자 일방에게 참을 수 없는 고통이 예상되는 등 이혼을 하여야 할 급박한 사정이 있는 경우에는 제2항의 기간을 단축 또는 면제할 수 있다.
> ④ 양육하여야 할 자가 있는 경우 당사자는 제837조에 따른 자의 양육과 제909조 제4항에 따른 자의 친권자 결정에 관한 협의서 또는 제837조 및 제909조 제4항에 따른 가정법원의 심판정본을 제출하여야 한다.

(1) 협의이혼이란 혼인계속을 원하지 않는 부부쌍방의 협의에 의하여 성립하는 이혼이다. 넓은 의미의 계약이며, 일정한 방식으로 신고하여야 하는 요식행위이다.

(2) 이혼의사는 혼인의 실체를 영구적으로 해소하려는 효과의사를 말하는데, 그 구체적인 의미에 대해 판례는 형식적 의사설에 입각하고 있다.

▶ **다른 목적으로 일시적이나마 이혼하기로 한 합의의 효력**

① 장인, 장모를 상대로 노임을 청구하기 위한 목적의 이혼신고에 관하여 일시적이나마 이혼신고를 하기로 하는 합의하에 협의이혼신고를 한 이상 사실상 부부관계까지 해소할 의사가 없었더라도 무효라 할 수 없다(대판 1993.6.11, 93므171).

② 해외이민을 목적으로 한 이혼신고라도 일시적으로나마 법률상 부부관계를 해소할 의사가 있었다고 할 것이므로 유효하다(대판 1981.7.28, 80므770).

---

(3) 이혼의사는 이혼신고가 수리될 때까지 존재하여야 한다. 따라서 이혼의사의 철회에도 불구하고 이혼신고서가 제출되어 이혼신고서가 수리되었다고 하더라도 협의상 이혼의 효력이 생길 수 없다(대판 1994.2.8, 93도2869).

Ⅱ. 재판상 이혼 - 유책배우자의 이혼청구

1. 재판상 이혼사유

> **제840조 【재판상 이혼원인】**
> 부부의 일방은 다음 각 호의 사유가 있는 경우에는 가정법원에 이혼을 청구할 수 있다.
> 1. 배우자에 부정한 행위가 있었을 때
> 2. 배우자가 악의로 다른 일방을 유기한 때
> 3. 배우자 또는 그 직계존속으로부터 심히 부당한 대우를 받았을 때
> 4. 자기의 직계존속이 배우자로부터 심히 부당한 대우를 받았을 때
> 5. 배우자의 생사가 3년 이상 분명하지 아니한 때
> 6. 기타 혼인을 계속하기 어려운 중대한 사유가 있을 때

재판상 이혼이란 일정한 사유가 있는 경우에만 허용되는 것으로서, 민법은 제840조에서 6가지의 재판상 이혼원인을 규정하고 있다. 판례는 제840조 각 호의 규정은 각각 독립된 별개의 이혼사유이며(독립설), 제1호부터 제5호의 규정이 제6호의 단순한 예시규정에 불과한 것은 아니라고 한다.

▶ **제840조 각 호가 별개의 이혼원인으로서 소송물을 달리하는지 여부**(적극)

① 재판상 이혼사유에 관한 민법 제840조는 동조가 규정하고 있는 각 호 사유마다 각 별개의 독립된 이혼사유를 구성하는 것이고, 원고가 이혼청구를 구하면서 위 각 호 소정의 수 개의 사유를 주장하는 경우 법원은 그 중 어느 하나를 받아들여 원고의 청구를 인용할 수 있다(대판 2000.9.5, 99므1886).

→ [보충] : 이와 달리 법원은 각 이혼원인을 판단함에 있어 원고가 주장하는 이혼원인 중 제1호 내지 제5호 사유의 존부를 먼저 판단하고, 그것이 인정되지 않는 경우에 비로소 제6호의 원인을 최종적으로 판단할 수 있는 것이라는 주장은 독자적인 견해에 불과하다.

② 민법 제840조의 각 이혼사유는 그 각 사유마다 독립된 이혼청구원인이 되므로 법원은 원고가 주장한 이혼사유에 관하여서만 심판하여야 한다(대판 1963.1.31, 62다812).

▶ **민법 제840조 제3호에서 정한 이혼사유인 '배우자로부터 심히 부당한 대우를 받았을 때'의 의미**

민법 제840조 제3호에서 정한 이혼사유인 '배우자로부터 심히 부당한 대우를 받았을 때'라 함은 혼인관계의 지속을 강요하는 것이 가혹하다고 여겨질 정도의 폭행이나 학대 또는 모욕을 받았을 경우를 말한다(대판 2021.3.25, 2020므14763).

▶ **민법 제840조 제6호에서 정한 이혼사유인 '혼인을 계속하기 어려운 중대한 사유가 있을 때'의 의미 및 판단 기준 / 부부의 혼인관계가 돌이킬 수 없을 정도로 파탄되었다고 인정되는 경우, 이혼 청구를 받아들여야 하는지 여부**(원칙적 적극)

민법 제840조 제6호에서 정한 이혼사유인 '혼인을 계속하기 어려운 중대한 사유가 있을 때'란 부부간의 애정과 신뢰가 바탕이 되어야 할 혼인의 본질에 상응하는 부부공동생활관계가 회복할 수 없을 정도로 파탄되고 혼인생활의 계속을 강제하는 것이 일방 배우자에게 참을 수 없는 고통이 되는 경우를 말한다. 이를 판단할 때에는 혼인계속의사의 유무, 파탄의 원인에 관한 당사자의 책임 유무, 혼인생활의 기간, 자녀의 유무, 당사자의 연령, 이혼 후의 생활보장 등 혼인관계에 관한 여러 사정을 두루 고려하여야 하고, 이러한 사정을 고려하여 부부의 혼인관계가 돌이킬 수 없을 정도로 파탄되었다고 인정된다면 파탄의 원인에 대한 원고의 책임이 피고의 책임보다 더 무겁다고 인정되지 않는 한 이혼 청구를 받아들여야 한다(대판 2021.8.19, 2021므12108, 대판 2022.5.26, 2021므15480).

→ [사실관계] : ① 甲과 乙은 혼인신고를 마친 법률상 부부로서, 甲의 외도 사실을 알고도 乙이 가정을 유지하겠다는 선택을 하여 오랜 기간 부부관계를 유지해 왔는데, 이후에 乙의 甲에 대한 불신과 비난 등이 지속되자, 甲이 乙을 상대로 혼인관계가 파탄되었다고 주장하며 이혼 등을 구한 사안에서, 甲의 과거 외도로 당시 甲과 乙의 혼인관계는 파탄상황에 있었다고 할 수 있으나, 乙이 이를 알게 된 다음에도 甲을 다시 받아들여 가정을 유지하겠다는 선택을 하였고 오랜 기간 부부관계를 유지하였으며 甲이 그 이후에 다른 부정행위를 하였다고 볼 증거가 없는 이상, 과거에 있었던 甲의 외도 사실이 현재 혼인관계 파탄의 직접적인 원인이라고 볼 수 없고, 甲의 외도 문제가 끝난 후 오랜 시간이 지난 과정에서 甲과 乙 사이에 있었던 사정들을 종합적으로 살펴보아, 현재 혼인 파탄의 원인이 배우자 일방이 아닌 양측 모두에게 있는 것이 아닌지 심리를 한 다음, 민법 제840조 제6호에서 정한 이혼사유에 해당할 여지가 없는지에 관하여 판단했어야 하는데도, 혼인 파탄의 주된 책임이 甲에게 있다고 단정하고 甲의 이혼 청구를 배척한 원심판결에 법리 등을 오해한 잘못이 있다고 한 사례와 ② 甲 여성과 乙 남성은 혼인신고를 마친 부부로 乙이 해외 사업을 추진하면서 필리핀과 태국을 자주 드나들었고 상당 기간 해외에 체류하다가 귀국하였는데, 甲이 위 기간에 성병에 감염되자, 乙 때문에 감염된 것이라 의심하게 되었으며, 그 후로 乙이 해외 체류를 빈번하

게 하면서도 생활비를 거의 지급하지 않아 甲이 홀로 자녀들의 양육비와 생활비를 책임지게 되었고, 이에 甲이 乙을 상대로 이혼 등을 구한 사안에서, 제반 사정 등에 비추어, 甲과 乙의 혼인관계는 乙의 책임 있는 사유로 인하여 애정과 신뢰가 상실되어 회복할 수 없을 정도로 파탄되었다고 볼 여지가 충분한데도, 이와 달리 본 원심판결에 심리미진 등의 잘못이 있다고 한 사례이다.

2. 유책배우자의 이혼청구권 인정 여부에 대한 판례의 태도

(1) 원칙적 부정

판례는 원칙적으로 유책배우자의 이혼청구를 인정하지 않는다. 즉, 혼인을 계속하기 어려운 중대한 사유란 혼인의 본질에 상응하는 부부공동생활 관계가 회복할 수 없을 정도로 파탄되고, 그 혼인생활의 계속을 강제하는 것이 일방 배우자에게 참을 수 없는 고통이 된 경우를 말하는 것이나, 혼인관계의 파탄이 오로지 또는 주로 이혼을 구하는 배우자의 귀책사유로 말미암은 경우는 포함되지 않는다고 한다(대판 2010.7.15, 2010므1140).

(2) 예외적 허용

다음의 경우에는 유책배우자의 이혼청구를 예외적으로 긍정한다.

1) 상대방에게도 이혼의사가 명백한 경우

상대방에게도 혼인을 계속할 의사가 없음이 명백한 경우에는 유책배우자의 이혼청구를 인정한다. 상대방도 이혼의 반소를 제기하고 있는 경우(대판 1987.12.8, 87므44) 또는 오로지 오기나 보복적 감정에서 표면적으로는 이혼에 불응하고 있기는 하나 실제에 있어서는 혼인의 계속과는 도저히 양립할 수 없는 행위를 하는 경우(대판 2004.2.27, 2003므1890) 등이 이에 해당한다.

> ▶ **유책배우자의 이혼청구의 예외적 인정 취지 및 그 요건**
> 혼인의 파탄에 관하여 책임이 있는 배우자가 그 파탄을 원인으로 이혼을 청구할 수 없는 바이기는 하나 이는 혼인의 파탄을 자초한 자에게 재판상 이혼청구권을 인정하는 것은 혼인제도가 요구하고 있는 도덕성에 근본적으로 배치되고 배우자 일방의 의사에 의한 이혼 내지는 축출이혼을 시인하는 부당한 결과가 되므로 혼인의 파탄에도 불구하고 이혼을 희망하지 않고 있는 상대배우자의 의사에 반하여서는 이혼을 할 수 없도록 하려는 것일 뿐, 상대배우자에게도 그 혼인을 계속할 의사가 없음이 객관적으로 명백한 경우에까지 파탄된 혼인의 계속을 강제하려는 취지는 아니라 할 것이므로, 상대배우자도 이혼의 반소를 제기하고 있는 경우 혹은 오로지 오기나 보복적 감정에서 표면적으로는 이혼에 불응하고 있기는 하나 실제에 있어서는 혼인의 계속과는 도저히 양립할 수 없는 행위를 하는 등 그 이혼의 의사가 객관적으로 명백한 경우에는 비록 혼인의 파탄에 관하여 전적인 책임이 있는 배우자의 이혼청구라 할지라도 이를 인용함이 상당하다 할 것이고, 그러한 경우에까지 이혼을 거부하여 혼인의 계속을 강제하는 것은 쌍방이 더 이상 계속할 의사가 없는 혼인관계가 형식상 지속되고 있음을 빌미로 하여 유책배우자를 사적으로 보복하는 것을 도와주는 것에 지나지 아니하여 이를 시인할 수 없다고 할 것이다(대판 1987.4.14, 86므28).

▶ **상대방도 이혼의 반소를 제기한 경우, 유책배우자의 이혼청구 긍정 예**

甲남과 乙녀 간의 혼인 파탄원인이 甲남과 그 부모의 乙녀에 대한 냉대와 甲남이 乙녀에게 제대로 생활비도 주지 아니하면서 부부싸움 끝에 乙녀를 구타하는 등의 부당한 대우를 하는 데에서 비롯되어 乙녀의 가출과 乙녀가 甲남의 직장에 찾아가 피운 소란 등도 그 원인으로 경합되는 한편 甲남과 乙녀가 본소, 반소청구로써 각 이혼심판을 청구하고 있다면 두 사람 모두 혼인을 계속할 의사가 없음이 명백하다고 할 것이므로 비록 乙녀에게도 가출 등의 잘못이 있다 하더라도 이미 파탄된 혼인의 해소를 바라는 乙녀의 이혼청구(반소)는 이를 인용함이 마땅하다(대판 1987.12.8. 87므44).

2) 혼인파탄의 책임이 부부 쌍방에 있는 경우

이혼청구자의 책임이 상대방 배우자의 책임보다 무겁지 않는 한 이혼을 인정한다(대판 2007.12.14. 2007므1690).

▶ **쌍방유책의 경우 책임이 덜 무거운 유책배우자의 이혼청구 긍정**

제반사정을 고려하여 보아 부부의 혼인관계가 돌이킬 수 없을 정도로 파탄되었다고 인정된다면 그 파탄의 원인에 대한 원고의 책임이 피고의 책임보다 더 무겁다고 인정되지 않는 한 이혼청구는 인용되어야 한다(대판 2007.12.14. 2007므1690).

▶ **민법 제840조 제6호에서 정한 이혼사유인 '혼인을 계속하기 어려운 중대한 사유가 있을 때'의 의미 및 판단 기준 / 부부의 혼인관계가 돌이킬 수 없을 정도로 파탄되었다고 인정되는 경우, 이혼 청구를 인용하여야 하는지 여부**(원칙적 적극)

민법 제840조 제6호에서 정한 이혼사유인 '혼인을 계속하기 어려운 중대한 사유가 있을 때'란 부부 간의 애정과 신뢰가 바탕이 되어야 할 혼인의 본질에 상응하는 부부공동생활관계가 회복할 수 없을 정도로 파탄되고 혼인생활의 계속을 강제하는 것이 일방 배우자에게 참을 수 없는 고통이 되는 경우를 말한다. 이를 판단할 때에는 혼인계속의사의 유무, 파탄의 원인에 관한 당사자의 책임 유무, 혼인생활의 기간, 자녀의 유무, 당사자의 연령, 이혼 후의 생활보장, 기타 혼인관계의 여러 사정을 두루 고려하여야 하고, 이러한 사정을 고려하여 부부의 혼인관계가 돌이킬 수 없을 정도로 파탄되었다고 인정된다면 그 파탄의 원인에 대한 원고의 책임이 피고의 책임보다 더 무겁다고 인정되지 않는 한 이혼청구를 인용해야 한다.

→ [사실관계] : 베트남 국민 甲과 대한민국 국민 乙은 혼인신고를 마친 법률상 부부인데, 甲이 乙을 상대로 乙의 계속된 폭행 등으로 혼인이 파탄되었다고 주장하며 이혼 등을 구한 사안에서, 제반사정에 비추어 乙의 행위는 甲에 대한 부당한 대우에 해당할 뿐만 아니라, 甲과 乙의 혼인관계는 乙의 폭력 행사 이래 그 바탕이 되어야 할 애정과 신뢰가 상실되어 회복할 수 없을 정도로 파탄되었으므로 민법 제840조 제3호 또는 제6호의 재판상 이혼사유에 해당하는데도, 甲에게 乙의 폭력 행사를 유발한 책임이 있다는 등의 이유로 甲의 이혼 청구를 배척한 원심판결에 법리오해 등의 잘못이 있다고 한 사례이다.

3) 유책성이 이혼청구를 배척할 정도로 남아 있지 아니한 경우 - 상쇄 또는 희석

▶ **민법 제840조 제6호 이혼사유에 관하여 유책배우자의 이혼청구를 허용할 것인지 여부(원칙적 소극) / 예외적으로 유책배우자의 이혼청구를 허용할 수 있는 경우 및 판단 기준(대판(전) 2015.9.15. 2013므568)**
[다수의견]

(가) 이혼에 관하여 파탄주의를 채택하고 있는 여러 나라의 이혼법제는 우리나라와 달리 재판상 이혼만을 인정하고 있을 뿐 협의상 이혼을 인정하지 아니하고 있다. 우리나라에서는 유책배우자라 하더라도 상대방 배우자와 협의를 통하여 이혼을 할 수 있는 길이 열려 있다. 이는 유책배우자라도 진솔한 마음과 충분한 보상으로 상대방을 설득함으로써 이혼할 수 있는 방도가 있음을 뜻하므로, 유책배우자의 행복추구권을 위하여 재판상 이혼원인에 있어서까지 파탄주의를 도입하여야 할 필연적인 이유가 있는 것은 아니다. 우리나라에는 파탄주의의 한계나 기준, 그리고 이혼 후 상대방에 대한 부양적 책임 등에 관해 아무런 법률 조항을 두고 있지 아니하다. 따라서 유책배우자의 상대방을 보호할 입법적인 조치가 마련되어 있지 아니한 현 단계에서 파탄주의를 취하여 유책배우자의 이혼청구를 널리 인정하는 경우 유책배우자의 행복을 위해 상대방이 일방적으로 희생되는 결과가 될 위험이 크다. 유책배우자의 이혼청구를 허용하지 아니하고 있는 데에는 중혼관계에 처하게 된 법률상 배우자의 축출이혼을 방지하려는 의도도 있는데, 여러 나라에서 간통죄를 폐지하는 대신 중혼에 대한 처벌규정을 두고 있는 것에 비추어 보면 이에 대한 아무런 대책 없이 파탄주의를 도입한다면 법률이 금지하는 중혼을 결과적으로 인정하게 될 위험이 있다. 가족과 혼인생활에 관한 우리 사회의 가치관이 크게 변화하였고 여성의 사회 진출이 대폭 증가하였더라도 우리 사회가 취업, 임금, 자녀양육 등 사회경제의 모든 영역에서 양성평등이 실현되었다고 보기에는 아직 미흡한 것이 현실이다. 그리고 우리나라에서 이혼율이 급증하고 이혼에 대한 국민의 인식이 크게 변화한 것이 사실이더라도 이는 역설적으로 혼인과 가정생활에 대한 보호의 필요성이 그만큼 커졌다는 방증이고, 유책배우자의 이혼청구로 인하여 극심한 정신적 고통을 받거나 생계유지가 곤란한 경우가 엄연히 존재하는 현실을 외면해서도 아니 될 것이다.

(나) 이상의 논의를 종합하여 볼 때, 민법 제840조 제6호 이혼사유에 관하여 유책배우자의 이혼청구를 원칙적으로 허용하지 아니하는 종래의 대법원판례를 변경하는 것이 옳다는 주장은 아직은 받아들이기 어렵다. 유책배우자의 이혼청구를 허용하지 아니하는 것은 혼인제도가 요구하는 도덕성에 배치되고 신의성실의 원칙에 반하는 결과를 방지하려는 데 있으므로, 혼인제도가 추구하는 이상과 신의성실의 원칙에 비추어 보더라도 책임이 반드시 이혼청구를 배척해야 할 정도로 남아 있지 아니한 경우에는 그러한 배우자의 이혼청구는 혼인과 가족제도를 형해화할 우려가 없고 사회의 도덕관·윤리관에도 반하지 아니하므로 허용될 수 있다. 그리하여 상대방 배우자도 혼인을 계속할 의사가 없어 일방의 의사에 따른 이혼 내지 축출이혼의 염려가 없는 경우는 물론, 나아가 이혼을 청구하는 배우자의 유책성을 상쇄할 정도로 상대방 배우자 및 자녀에 대한 보호와 배려가 이루어진 경우, 세월의 경과에 따라 혼인파탄 당시 현저하였던 유책배우자의 유책성과 상대방 배우자가 받은 정신적 고통이 점차 약화되어 쌍방의 책임의 경중을 엄밀히 따지는 것이 더 이상 무의미할 정도가 된 경우 등과 같이 혼인생활의 파탄에 대한 유책성이 이혼청구를 배척해야 할 정도로 남아 있지 아니한 특별한 사정이 있는 경우에는 예외적으로 유책배우자의 이혼청구를 허용할 수 있다. 유책배우자의 이혼청구를 예외적으로 허용할 수 있는지 판단할 때에는, 유책배우자 책임의 태양·정도, 상대방 배우자의 혼인계속의사 및 유책배우자에 대한 감정, 당사자의 연령, 혼인생활의 기간과 혼인 후의 구체

적인 생활관계, 별거기간, 부부간의 별거 후에 형성된 생활관계, 혼인생활의 파탄 후 여러 사정의 변경 여부, 이혼이 인정될 경우의 상대방 배우자의 정신적·사회적·경제적 상태와 생활보장의 정도, 미성년 자녀의 양육·교육·복지의 상황, 그 밖의 혼인관계의 여러 사정을 두루 고려하여야 한다.

▶ **예외적으로 유책배우자의 이혼청구를 허용할 수 있는 경우 및 그 판단 기준 / 이때 상대방 배우자가 혼인계속의사가 있는지 판단하는 기준 및 고려하여야 할 사항**

① 재판상 이혼원인에 관한 민법 제840조는 원칙적으로 유책주의를 채택하고 있는 것으로 해석되며, 민법 제840조 제6호의 이혼사유에 관하여도 혼인생활의 파탄에 주된 책임이 있는 배우자는 그 파탄을 사유로 하여 이혼을 청구할 수 없는 것이 원칙이다. 그러나 이혼청구 배우자의 유책성을 상쇄할 정도로 상대방 배우자 및 자녀에 대한 보호와 배려가 이루어진 경우, 세월의 경과에 따라 파탄 당시 현저하였던 유책배우자의 유책성과 상대방 배우자가 받은 정신적 고통이 약화되어 쌍방의 책임의 경중을 엄밀히 따지는 것이 더 이상 무의미할 정도가 된 경우 등 혼인 파탄의 책임이 반드시 이혼청구를 배척해야 할 정도로 남아있지 않은 경우 그러한 배우자의 이혼청구는 예외적으로 허용될 수 있다. 이를 판단할 때에는 유책배우자의 책임의 태양·정도, 상대방 배우자의 혼인계속의사 및 유책배우자에 대한 감정, 당사자의 나이, 혼인기간과 혼인 후의 구체적인 생활관계, 별거기간, 별거 후에 형성된 부부의 생활관계, 혼인생활의 파탄 후 여러 사정의 변경 여부, 이혼이 인정될 경우 상대방 배우자의 정신적·사회적·경제적 상태와 생활보장의 정도, 미성년 자녀의 양육·교육·복지의 상황, 그 밖의 혼인관계의 여러 사정을 두루 고려하여야 한다. ② 민법 제826조 제1항에 따라, 부부는 정신적·육체적·경제적으로 결합된 공동체로서 서로 협조하고 보호하여 부부공동생활로서의 혼인이 유지되도록 상호 간에 포괄적으로 협력할 의무를 부담한다. ③ 상대방 배우자의 혼인계속의사를 인정하려면 소송 과정에서 그 배우자가 표명하는 주관적 의사만을 가지고 판단할 것이 아니라, 혼인생활의 전 과정 및 이혼소송이 진행되는 중 드러난 상대방 배우자의 언행 및 태도를 종합하여 그 배우자가 악화된 혼인관계를 회복하여 원만한 공동생활을 영위하려는 노력을 기울임으로써 혼인유지에 협조할 의무를 이행할 의사가 있는지 객관적으로 판단하여야 한다. 따라서 일방 배우자의 성격적 결함이나 언행으로 인하여 혼인관계가 악화된 경우에도, 상대방 배우자 또한 원만한 혼인관계로의 복원을 위하여 협조하지 않은 채 오로지 일방 배우자에게만 혼인관계 악화에 대한 잘못이 있다고 비난하고 대화와 소통을 거부하는 경우, 이혼소송 중 가정법원이 권유하는 부부상담 등 혼인관계의 회복을 위하여 실시하는 조치에 정당한 이유 없이 불응하면서 무관심한 태도로 일관하는 경우에는 혼인유지를 위한 최소한의 노력조차 기울이지 않았다고 볼 여지가 있어, 설령 그 배우자가 혼인계속의사를 표명하더라도 이를 인정함에 신중하여야 한다. ④ 과거에 일방 배우자가 이혼소송을 제기하였다가 유책배우자라는 이유에서 기각 판결이 확정되었더라도 그 후로 상대방 배우자 또한 종전 소송에서 문제되었던 일방 배우자의 유책성에 대한 비난을 계속하고 일방 배우자의 전면적인 양보만을 요구하거나 민사·형사소송 등 혼인관계의 회복과 양립하기 어려운 사정이 남아 있음에도 이를 정리하지 않은 채 장기간의 별거가 고착화된 경우, 이미 혼인관계가 와해되었고 회복될 가능성이 없으며 상대방 배우자에 대한 보상과 설득으로 협의에 의하여 이혼을 하는 방법도 불가능해진 상태까지 이르렀다면, 종전 이혼소송의 변론종결 당시 현저하였던 일방배우자의 유책성이 상당히 희석되었다고 볼 수 있고, 이는 현재 이혼소송의 사실심 변론종결 시를 기준으로 판단하여야 한다. 다만 이 경우 일방 배우자의 유책성을 상쇄할 정도로 상대방 배우자 및 자녀에 대한 보호와 배려가 이루어졌어야 함은 위에서 본 바와 같으므로, 특히 상대방 배우자가 경제적·사회적으로 매우 취약한 지위에 있어 보호의 필요성이 큰

경우나 각종 사회보장급여 기타 공법상 급여, 연금이나 사적인 보험 등에 의한 혜택이 법률상 배우자의 지위가 유지됨을 전제로 하는 경우에는 유책배우자의 이혼청구를 허용함에 신중을 기하여야 한다. 그러므로 <u>이혼에 불응하는 상대방 배우자가 혼인의 계속과 양립하기 어려워 보이는 언행을 하더라도, 그 이혼거절의사가 이혼 후 자신 및 미성년 자녀의 정신적·사회적·경제적 상태와 생활보장에 대한 우려에서 기인한 것으로 볼 여지가 있는 때에는 혼인계속의사가 없다고 섣불리 단정하여서는 안 된다.</u> 또한 자녀가 미성년자인 경우에는 혼인의 유지가 경제적·정서적으로 안정적인 양육환경을 조성하여 자녀의 복리에 긍정적 영향을 미칠 측면과 더불어 부모의 극심한 분쟁상황에 지속적으로 자녀를 노출 시키거나 자녀에 대한 부양 및 양육을 방기하는 등 파탄된 혼인관계를 유지함으로써 오히려 자녀의 복리에 부정적 영향을 미칠 측면에 관하여 모두 심리·판단하여야 한다(대판 2022.6.16, 2021므14258).

III. 이혼 시 자녀에 대한 효과

> **제837조【이혼과 자의 양육책임】**
> ① 당사자는 그 자의 양육에 관한 사항을 협의에 의하여 정한다.
> ② 제1항의 협의는 다음의 사항을 포함하여야 한다.
>   1. 양육자의 결정
>   2. 양육비용의 부담
>   3. 면접교섭권의 행사 여부 및 그 방법
> ③ 제1항에 따른 협의가 자의 복리에 반하는 경우에는 가정법원은 보정을 명하거나 직권으로 그 자의 의사·나이와 부모의 재산상황, 그 밖의 사정을 참작하여 양육에 필요한 사항을 정한다. → [종래 자의 의사·연령을 자의 의사·나이로 개정 2022.12.27, 시행일 2023.6.28.]
> ④ 양육에 관한 사항의 협의가 이루어지지 아니하거나 협의할 수 없는 때에는 가정법원은 직권으로 또는 당사자의 청구에 따라 이에 관하여 결정한다. 이 경우 가정법원은 제3항의 사정을 참작하여야 한다.
> ⑤ 가정법원은 자의 복리를 위하여 필요하다고 인정하는 경우에는 부·모·자 및 검사의 청구 또는 직권 으로 <u>자의 양육에 관한 사항을 변경하거나 다른 적당한 처분을 할 수 있다.</u>

부부 사이에 출생한 자는 그 부부가 이혼하더라도 혼인 중의 출생자의 지위를 잃지 않는다. 이혼하는 경우에 그 자의 양육에 관한 사항은 부모의 협의에 의하여 정한다(제837조 제1항). 그런데 그 협의 에는 반드시 ① 양육자의 결정, ② 양육비용의 부담, ③ 면접교섭권의 행사 여부 및 그 방법이 포함되어야 한다(동조 제2항). 양육에 관한 사항(제837조)은 협의이혼에 관한 규정이지만, 재판상 이 혼의 경우에도 준용된다(제843조).

▶ 자녀의 양육에 관한 제 문제

[1] 재판상 이혼 후 자녀의 양육에 관하여 공동양육을 명할 수 있는지를 판단하는 기준

민법 제837조, 제909조 제4항 및 제5항, 가사소송법 제2조 제1항 제2호 나목의 3) 및 5) 등에 따르면, 부모가 이혼하는 경우 법원이 친권자를 정하거나 양육자를 정할 때 <u>반드시 단독의 친권자 나 양육자를 정하도록 한 것은 아니므로</u> <u>이혼하는 부모 모두를 공동양육자로 지정하는 것도 가능하다</u> [이혼 후 부모와 자녀의 관계에 있어서 친권과 양육권이 항상 같은 사람에게 돌아가야 하는 것은 아니며, 이혼 후 자에 대한 양육권이 부모 중 어느 일방에, 친권이 다른 일방에 또는 부모에 공동으로 귀속되는 것으

로 정하는 것은, 비록 신중한 판단이 필요하다고 하더라도, 일정한 기준을 충족하는 한 허용된다고 할 것이다(대판 2012.4.13, 2011므4719)]. 그러나 재판상 이혼에서 이혼하는 부모 모두를 공동양육자로 정할 때에는 그 부모가 부정행위, 유기, 부당한 대우 등 첨예한 갈등이나 혼인을 계속하기 어려운 사유로 이혼하게 된 것이라는 점을 고려하여 그 허용 여부는 신중하게 판단할 필요가 있다. 게다가 공동양육의 경우 자녀가 부모의 주거지를 주기적으로 옮겨 다녀야 하는 불편함이 있고, 자녀는 두 가정을 오가면서 두 명의 양육자 아래에서 생활하게 되어 자칫 가치관의 혼란을 겪거나 안정적인 생활을 하지 못하게 될 우려가 있으며(특히 자녀가 교육기관 등에 다니게 되면 거주지를 주기적으로 옮기는 것은 자녀에게 상당한 부담이 될 것이다), 부모 사이에 양육방법을 둘러싸고 갈등이 계속되는 경우에는 공동양육을 통해 달성하고자 하는 긍정적인 효과보다는 그 갈등이 자녀에게 미칠 부정적 영향이 크다는 점에서 보더라도 그러하다. 따라서 재판상 이혼의 경우 부모 모두를 자녀의 공동양육자로 지정하는 것은 부모가 공동양육을 받아들일 준비가 되어 있고 양육에 대한 가치관에서 현저한 차이가 없는지, 부모가 서로 가까운 곳에 살고 있고 양육환경이 비슷하여 자녀에게 경제적·시간적 손실이 적고 환경 적응에 문제가 없는지, 자녀가 공동양육의 상황을 받아들일 이성적·정서적 대응 능력을 갖추었는지 등을 종합적으로 고려하여 공동양육을 위한 여건이 갖추어졌다고 볼 수 있는 경우에만 가능하다고 보아야 한다(대판 2020.5.14, 2018므15534).

→ [사실관계] : 원고가 피고에 대하여 이혼을 청구하고 이혼 후 자녀의 친권자 및 양육자로 자신을 지정하여 줄 것을 구한 사건에서, 민법 관련 규정상 재판상 이혼의 경우 공동양육자의 지정은 가능하지만 그 허용 여부는 여러 기준을 종합하여 신중하게 판단할 필요가 있고 이 사건의 경우 공동양육을 지정하기에 적절한 사안이 아님을 이유로, 자녀의 친권자 및 양육자로 원고와 피고를 공동으로 지정하고 양육비 관리를 위하여 원고와 피고 공동명의의 예금계좌 개설을 명한 원심판결을 파기한 사례이다.

[2] 자녀의 양육자로 지정된 자에게 양육비 지급의무를 명할 수 있는지 여부(소극)

부모는 자녀를 공동으로 양육할 책임이 있고, 양육에 드는 비용도 원칙적으로 부모가 공동으로 부담하여야 한다. 그런데 어떠한 사정으로 인하여 부모 중 어느 한쪽만이 자녀를 양육하게 된 경우에는 양육하는 사람이 상대방에게 현재와 장래의 양육비 중 적정 금액의 분담을 청구할 수 있다. 재판상 이혼에 따른 자녀의 양육책임에 대하여 이혼 당사자 간에 양육자의 결정과 양육비용의 부담에 관한 사항에 대하여 협의가 이루어지지 않거나 협의할 수 없을 때에는 가정법원은 직권으로 또는 당사자의 청구에 따라 해당 사항을 정한다(민법 제837조, 제843조). 자녀의 양육에 관한 처분에 관한 심판은 부모 중 일방이 다른 일방을 상대방으로 하여 청구하여야 한다(가사소송규칙 제99조 제1항). 이러한 사항들을 종합하면, 재판상 이혼 시 친권자와 양육자로 지정된 부모의 일방은 상대방에게 양육비를 청구할 수 있고, 이 경우 가정법원으로서는 자녀의 양육비 중 양육자가 부담해야 할 양육비를 제외하고 상대방이 분담해야 할 적정 금액의 양육비만을 결정하는 것이 타당하다(대판 2020.5.14, 2019므15302).

[3] 양육비 관리방법 지정의 타당성

판결 주문은 명확하여야 하고 주문 자체로서 내용이 특정될 수 있어야 한다. 주문은 어떠한 범위에서 당사자의 청구를 인용하고 배척한 것인가를 그 이유와 대조하여 짐작할 수 있을 정도로 표시되고 집행에 의문이 없을 정도로 이를 명확히 특정하여야 한다. 판결 주문이 특정되었는지 여부는 직권 조사사항이다. 가사비송사건에서 금전의 지급, 물건의 인도, 등기, 그 밖에 의무의 이행을 명하는 심판은 집행권원이 된다(가사소송법 제41조). 따라서 양육비의 지급을 명하거나 양육비의 사용 등에 관한 의무의 이행을 명하는 심판도 집행의 문제가 남게 되므로 특히 주문은 의문이 생기지 않도록 분명히 적어야 한다(대판 2020.5.14, 2019므15302).

→ [사실관계] : 원고가 피고에 대하여 이혼을 청구하고 이혼 후 자녀의 친권자 및 양육자로 자신을 지정하여 줄 것과 양육비의 지급을 구한 사건에서, 양육자가 양육비를 청구할 경우에는 상대방이 분담해야 할 양육비만을 결정하는 것이 타당하고 양육비의 구체적인 방법을 정하더라도 판결 주문 자체로서 집행에 의문이 없을 정도로 명확하게 특정해야 함을 이유로, 자녀의 친권자 및 양육자로 지정된 원고에게도 구체적인 액수의 양육비 부담의무를 명하고 양육비 관리를 위하여 별도의 예금계좌 개설 등을 명한 원심판결을 파기한 사례이다.

▶ **이혼 및 양육자지정**(대판 2021.9.30, 2021므12320·12337)

[1] 법원이 민법 제837조 제4항에 따라 미성년 자녀의 양육자를 정할 때 고려하여야 할 사항 / 별거 이후 재판상 이혼에 이르기까지 상당 기간 부모의 일방이 미성년 자녀를 평온하게 양육하여 온 경우, 현재의 양육 상태를 변경하여 상대방을 친권자 및 양육자로 지정하는 것이 정당화되기 위한 요건 및 이때 법원이 고려하여야 할 사항

① 법원이 민법 제837조 제4항에 따라 미성년 자녀의 양육자를 정할 때에는, 미성년 자녀의 성별과 연령, 그에 대한 부모의 애정과 양육 의사의 유무는 물론, 양육에 필요한 경제적 능력의 유무, 부와 모가 제공하려는 양육방식의 내용과 합리성·적합성 및 상호 간의 조화 가능성, 부 또는 모와 미성년 자녀 사이의 친밀도, 미성년 자녀의 의사 등의 모든 요소를 종합적으로 고려하여, 미성년 자녀의 성장과 복지에 가장 도움이 되고 적합한 방향으로 판단하여야 한다. ② <u>별거 이후 재판상 이혼에 이르기까지 상당 기간 부모의 일방이 미성년 자녀, 특히 유아를 평온하게 양육하여 온 경우, 이러한 현재의 양육 상태에 변경을 가하여 상대방을 친권자 및 양육자로 지정하는 것이 정당화되기 위해서는 현재의 양육 상태가 미성년 자녀의 건전한 성장과 복지에 도움이 되지 아니하고 오히려 방해가 되고, 상대방을 친권자 및 양육자로 지정하는 것이 현재의 양육 상태를 유지하는 경우보다 미성년 자녀의 건전한 성장과 복지에 더 도움이 된다는 점이 명백하여야 한다.</u> ③ 재판을 통해 비양육친이 양육자로 지정된다고 하더라도 미성년 자녀가 현실적으로 비양육친에게 인도되지 않는 한 양육자 지정만으로는, 설령 자녀 인도 청구를 하여 인용된다고 할지라도 강제집행이 사실상 불가능하다. 미성년 자녀가 유아인 경우 '유아인도를 명하는 재판의 집행절차(재판예규 제917-2호)'는 유체동산인도청구권의 집행절차에 준하여 집행관이 강제집행할 수 있으나, <u>유아가 의사능력이 있는 경우에 그 유아 자신이 인도를 거부하는 때에는 집행을 할 수 없다고 규정하고 있다.</u> ④ 위와 같이 양육자 지정 이후에도 미성년 자녀를 인도받지 못한 채 현재의 양육 상태가 유지된다면 양육친은 상대방에게 양육비 청구를 할 수 없게 되어, 결국 비양육친은 미성년 자녀를 양육하지 않으면서도 양육비를 지급할 의무가 없어지므로 경제적으로는 아무런 부담을 갖지 않게 되는 반면, 양육친은 양육에 관한 경제적 부담을 전부 부담하게 된다. 이러한 상황은 자의 건전한 성장과 복지에 도움이 되지 않는다. ⑤ 따라서 <u>비양육친이 자신을 양육자로 지정하여 달라는 청구를 하는 경우, 법원은 양육자 지정 후 사건본인의 인도가 실제로 이행될 수 있는지, 그 이행 가능성이 낮음에도 비양육친을 양육자로 지정함으로써 비양육친이 경제적 이익을 누리거나 양육친에게 경제적 고통을 주는 결과가 발생할 우려가 없는지 등에 대해 신중하게 판단할 필요가 있다.</u>

[2] 외국인이 대한민국 국민과 혼인을 한 후 입국하여 체류자격을 취득하고 거주하다가 한국어를 습득하기 충분하지 않은 기간에 이혼에 이르게 된 경우, 한국어 소통능력이 부족하다는 이유로 미성년 자녀의 양육자로 지정되기에 부적합하다고 평가할 수 있는지 여부(소극)

대한민국 국민과 혼인을 한 후 입국하여 체류자격을 취득하고 거주하다가 한국어를 습득하기 충분하

지 않은 기간에 이혼에 이르게 된 외국인이 당사자인 경우, 미성년 자녀의 양육에 있어 한국어 소통능력이 부족한 외국인보다는 대한민국 국민인 상대방에게 양육되는 것이 더 적합할 것이라는 추상적이고 막연한 판단으로 해당 외국인 배우자가 미성년 자녀의 양육자로 지정되기에 부적합하다고 평가하는 것은 옳지 않다. 대한민국은 공교육이나 기타 교육여건이 확립되어 있어 미성년 자녀가 한국어를 습득하고 연습할 기회를 충분히 보장하고 있으므로, 외국인 부모의 한국어 소통능력이 미성년 자녀의 건전한 성장과 복지에 있어 중요한 의미를 가진다고 보기 어렵다. 오히려 가정법원은 양육자 지정에 있어 한국어 소통능력에 대한 고려가 자칫 출신 국가 등을 차별하는 의도에서 비롯되거나 차별하는 결과를 낳게 될 수 있다는 점, 외국인 부모의 모국어 및 모국문화에 대한 이해 역시 자녀의 자아 존중감 형성에 중요한 요소가 된다는 점 등에 대해서도 유의하여야 한다.

[3] 이혼과 함께 친권자 및 양육자 지정 등에 관한 심리 · 판단을 하는 가정법원이 유의하여야 할 사항
가정법원은 혼인 파탄의 주된 원인이 누구에게 있는지에 대한 당사자들 사이의 다툼에만 심리를 집중한 나머지 친권자 및 양육자 지정 등에 관한 심리와 판단에 있어 소홀해지는 것을 경계할 필요가 있다. 특히 가정법원은 가사소송법 제6조, 가사소송규칙 제8조 내지 제11조에 따라 가사조사관에게 조사명령을 하고, 이에 따라 사실조사를 마친 가사조사관이 작성한 조사보고서를 보고받는 방법으로도 양육 상태나 양육자의 적격성 심사에 필요한 자료 등을 얻을 수 있다. 가정법원은 충실한 심리를 통해 실제의 양육 상태와 양육자의 적격성을 의심케 할 만한 사정이 있는지에 관하여도 구체적으로 확인하여야 한다.

▶ 민법 제837조의2에서 규정한 면접교섭권의 취지 / 면접교섭이 자녀의 복리를 침해하는 특별한 사정이 있는 경우, 당사자의 청구 또는 직권에 의하여 가정법원이 면접교섭을 배제할 수 있는지 여부(적극)

민법 제837조의2 제1항은 "자를 직접 양육하지 아니하는 부모의 일방과 자는 상호 면접교섭할 수 있는 권리를 가진다."라고 하고, 제3항은 "가정법원은 자의 복리를 위하여 필요한 때에는 당사자의 청구 또는 직권에 의하여 면접교섭을 제한 · 배제 · 변경할 수 있다."라고 규정한다. 부모와 자녀의 친밀한 관계는 부모가 혼인 중일 때뿐만 아니라 부모의 이혼 등으로 자녀가 부모 중 일방의 양육 아래 놓인 경우에도 지속될 수 있도록 보호할 필요가 있는바, 면접교섭권은 이를 뒷받침하여 자녀의 정서안정과 원만한 인격발달을 이룰 수 있도록 하고 이를 통해 자녀의 복리를 실현하는 것을 목적으로 하는 제도이다. 이는 자녀의 권리임과 동시에 부모의 권리이기도 하다. 이러한 관련 규정의 문언 및 면접교섭의 취지 및 성질 등을 고려하면, 가정법원이 면접교섭의 허용 여부를 판단할 때에는 자녀의 복리에 적합한지를 최우선적으로 고려하되, 부모에게도 면접교섭을 통해 자녀와 관계를 유지할 기본적인 이익이 있으므로 이를 아울러 살펴야 한다. 따라서 가정법원은 원칙적으로 부모와 자녀의 면접교섭을 허용하되, 면접교섭이 자녀의 복리를 침해하는 특별한 사정이 있는 경우에 한하여 당사자의 청구 또는 직권에 의하여 면접교섭을 배제할 수 있다(대결 2021.12.16, 2017스628).

IV. 이혼 시 재산분할청구권

1. 의의

협의상 이혼 또는 재판상 이혼을 한 당사자의 일방이 다른 일방에 대하여 재산분할을 청구할 수 있는 권리이다.

2. 법적 성질

▶ **기본입장 – 청산 및 부양설**

판례는 "이혼에 따른 재산분할은 혼인 중 쌍방의 협력으로 형성된 공동재산의 청산이라는 성격에 상대방에 대한 부양적 성격이 가미된 제도"라고 판시하였다(대판 2000.9.29, 2000다25569).

▶ **정신적 손해의 배상까지 고려하여 재산분할을 인정**

"이혼에 있어서 재산분할은 부부가 혼인 중에 가지고 있었던 실질상의 공동재산을 청산하여 분배함과 동시에 이혼 후에 상대방의 생활유지에 이바지하는 데 있지만, 분할자의 유책행위에 의하여 이혼함으로 인하여 입게 되는 정신적 손해(위자료)를 배상하기 위한 급부로서의 성질까지 포함하여 분할할 수도 있다"고 판시하기도 한다(대판 2001.5.8, 2000다58804).

→ [해설] : 청산과 부양 및 위자료지급설의 입장도 고려한 것으로 평가된다.

3. 재산분할청구권의 행사

(1) 청구권자

이혼이나 혼인취소의 당사자이다. 유책배우자에게도 재산분할청구권은 인정된다.

▶ **유책배우자의 재산분할청구권**

혼인 중에 부부가 협력하여 이룩한 재산이 있는 경우에는 혼인관계의 파탄에 대하여 책임이 있는 유책배우자라도 재산의 분할을 청구할 수 있다(대판 1993.5.11, 93스6).

(2) 혼인의 해소

① 협의상 이혼, 재판상 이혼, 혼인취소 모두에 인정된다. 또한 사실혼 해소의 경우에도 유추적용 된다(대판 1995.3.10, 94므1379). 그러나 중혼적 사실혼의 경우에는 원칙적으로 부정된다.

② 혼인은 당사자의 생존 중에 해소되어야 한다. 당사자의 사망으로 혼인이 해소되면 상속이 개시되므로 재산분할청구는 문제되지 않는다.

▶ **중혼적 사실혼의 경우 재산분할청구권 부정**

법률상 배우자 있는 자는 그 법률혼 관계가 사실상 이혼상태라는 등의 특별한 사정이 없는 한 사실혼 관계에 있는 상대방에게 그와의 사실혼 해소를 이유로 재산분할을 청구함은 허용되지 않는다(대판 1995. 7.3, 94스3).

▶ **재산분할에 관한 민법 규정을 사실혼에 유추적용할 수 있는지 여부(적극) 및 사실혼 관계에 있는 부부 일방이 혼인 중 공동재산의 형성에 수반하여 채무를 부담하였다가 사실혼이 종료된 후 채무를 변제한 경우, 변제된 채무가 청산 대상이 되는지 여부(원칙적 적극)**

① 사실혼은 당사자 사이에 혼인 의사가 있고 객관적으로 사회관념상 부부공동생활을 인정할 만한 혼인생활의 실체가 있는 경우이므로 법률혼에 관한 민법 규정 중 혼인신고를 전제로 하는 규정은 유추적용할 수 없다. 그러나 부부재산 청산의 의미를 갖는 재산분할 규정은 부부의 생활공동체라는 실질에 비추어 인정되는 것이므로 사실혼 관계에 유추적용할 수 있다. ② 부부 일방이 혼인 중 제3자에게 부담한 채무는 일상가사에 관한 것 이외에는 원칙적으로 개인의 채무로서 청산 대상이 되지 않으나 그것이 공동재산의 형성에 수반하여 부담한 채무인 경우에는 청산 대상이 된다. 따라서 사실혼 관계에 있는 부부 일방이 혼인 중 공동재산의 형성에 수반하여 채무를 부담하였다가 사실혼이 종료된 후 채무를 변제한 경우 변제된 채무는 특별한 사정이 없는 한 청산 대상이 된다(대판 2021.5.27. 2020므15841).

▶ **사실혼 관계가 일방 당사자의 사망으로 해소된 경우 재산분할청구권 인정 여부(소극)**

부부재산에 관한 청산의 의미를 갖는 재산분할에 관한 법률 규정은 부부의 생활공동체라는 실질에 비추어 인정되는 것으로서 사실혼관계에도 이를 준용 또는 유추적용할 수 있기 때문에, 사실혼관계에 있었던 당사자들이 생전에 사실혼관계를 해소한 경우 재산분할청구권을 인정할 수 있으나, 법률상 혼인관계가 일방 당사자의 사망으로 인하여 종료된 경우에도 생존 배우자에게 재산분할청구권이 인정되지 아니하고 단지 상속에 관한 법률 규정에 따라서 망인의 재산에 대한 상속권만이 인정된다는 점 등에 비추어 보면, 사실혼관계가 일방 당사자의 사망으로 인하여 종료된 경우에는 그 상대방에게 재산분할청구권이 인정된다고 할 수 없다(대판 2006.3.24. 2005두15595).

→ [해설] : 사실혼 배우자 간에는 상속이 인정되지 않기 때문에 결국, 사실혼 배우자간에는 상속도 재산분할청구도 모두 인정되지 않게 된다.

(3) 발생시점

이혼이 성립한 때에 발생한다.

▶ **재산분할청구권의 발생시점**

민법상의 재산분할청구권은 이혼을 한 당사자의 일방이 다른 일방에 대하여 재산분할을 청구할 수 있는 권리로서 이혼이 성립한 때에 그 법적 효과로서 비로소 발생하는 것이므로, 당사자가 이혼이 성립하기 전에 이혼소송과 병합하여 재산분할의 청구를 하고, 법원이 이혼과 동시에 재산분할을 명하는 판결을 하는 경우에도 이혼판결은 확정되지 아니한 상태이므로, 그 시점에서 가집행을 허용할 수는 없다(대판 1998.11.13. 98므1193).

▶ **재산분할로 금전지급을 명하는 경우 가집행선고의 가부와 이행지체책임의 발생 시기**

[1] 민법 제839조의2에 따라 재산분할의 방법으로 금전의 지급을 명하는 부분이 가집행선고의 대상이 되는지 여부(소극) 및 이는 이혼이 먼저 성립한 후에 재산분할로 금전의 지급을 명하는 경우에도 마찬가지인지 여부(적극)

민법 제839조의2에 따른 재산분할 청구사건은 마류 가사비송사건으로서 즉시항고의 대상에 해당하기는 하지만, 재산분할은 부부가 혼인 중에 취득한 실질적인 공동재산을 청산 분배하는 것을 주된 목적으로 하고, 법원이 당사자 쌍방의 협력으로 이룩한 재산의 액수 기타 사정을 참작하여

분할의 액수와 방법을 정하는 것이므로, 재산분할로 금전의 지급을 명하는 경우에도 판결 또는 심판이 확정되기 전에는 금전지급의무의 이행기가 도래하지 아니할 뿐만 아니라 금전채권의 발생조차 확정되지 아니한 상태에 있다고 할 것이어서, 재산분할의 방법으로 금전의 지급을 명한 부분은 가집행선고의 대상이 될 수 없다. 그리고 이는 이혼이 먼저 성립한 후에 재산분할로 금전의 지급을 명하는 경우라고 하더라도 마찬가지이다.

[2] 당사자가 이혼 성립 후에 재산분할 등을 청구하고 법원이 재산분할로서 금전의 지급을 명하는 판결이나 심판을 하는 경우, 금전지급의무의 이행지체책임을 지는 시기 및 그 지연손해금의 이율에 관하여 소송촉진 등에 관한 특례법 제3조 제1항 본문이 정한 이율이 적용되는지 여부(소극)

이혼으로 인한 재산분할청구권은 이혼이 성립한 때에 법적 효과로서 발생하는 것이지만 협의 또는 심판에 의하여 구체적 내용이 형성되기까지는 범위 및 내용이 불명확하기 때문에 구체적으로 권리가 발생하였다고 할 수 없다. 따라서 당사자가 이혼 성립 후에 재산분할 등을 청구하고 법원이 재산분할로서 금전의 지급을 명하는 판결이나 심판을 하는 경우에도, 이는 장래의 이행을 청구하는 것으로서 분할의무자는 금전지급의무에 관하여 판결이나 심판이 확정된 다음 날부터 이행지체책임을 지고, 그 지연손해금의 이율에 관하여는 소송촉진 등에 관한 특례법 제3조 제1항 본문이 정한 이율도 적용되지 아니한다(대판 2014.9.4, 2012므1656).

→ [해설] : 재산분할로 금전지급을 명하는 경우 판결 또는 심판이 확정되어야 금전채권이 발생되므로 재산분할의 방법으로 금전의 지급을 명하는 부분은 가집행선고의 대상이 될 수 없고, 판결이나 심판이 확정된 다음날부터 이행지체의 책임을 진다는 의미의 판결이다.

▶ **이혼소송 계속 중 일방이 사망한 경우 재산분할청구소송도 당연 종료**

이혼소송과 재산분할청구소송이 병합된 경우, 재판상 이혼청구권은 부부의 행사상 일신전속적 권리이므로 당사자 일방이 사망한 때에는 상속인이 수계할 수 없음은 물론 검사가 수계할 수 있는 특별한 규정도 없으므로 이혼소송은 종료되며 재산분할청구소송도 당연히 종료한다(대판 1995.10.28, 94므246·253).

→ [해설] : 재산분할청구권은 이혼한 당사자가 상대방에 대하여 청구하는 권리인데, 당사자 일방이 사망하면 이혼이 성립할 수 없으므로, 재산분할청구에 관련된 소송도 당연히 종료될 수밖에 없는 것이다.

(4) 사전포기의 가부

민법 제839조의2에 규정된 재산분할제도는 혼인 중에 부부 쌍방의 협력으로 이룩한 실질적인 공동재산을 청산·분배하는 것을 주된 목적으로 하는 것이고, 이혼으로 인한 재산분할청구권은 이혼이 성립한 때에 법적 효과로서 비로소 발생하는 것일 뿐만 아니라 협의 또는 심판에 따라 구체적 내용이 형성되기까지는 범위 및 내용이 불명확·불확정하기 때문에 구체적으로 권리가 발생하였다고 할 수 없으므로, 협의 또는 심판에 따라 구체화되지 않은 재산분할청구권을 혼인이 해소되기 전에 미리 포기하는 것은 성질상 허용되지 아니한다. 아직 이혼하지 않은 당사자가 장차 협의상 이혼할 것을 합의하는 과정에서 이를 전제로 재산분할청구권을 포기하는 서면을 작성한 경우, 부부 쌍방의 협력으로 형성된 공동재산 전부를 청산·분배하려는 의도로 재산분할의 대상이 되는 재산액, 이에 대한 쌍방의 기여도와 재산분할 방법 등에 관하여 협의한 결과 부부 일방이 재산분할청구권을 포기하기에 이르렀다는 등의 사정이 없는 한 성질상 허용되지 아니하는 '재산분할청구권의 사전포기'에 불과할 뿐이므로 쉽사리 '재산분할에 관한 협의'로서의 '포기약정'이라고 보아서는 아니 된다(대결 2016.1.25. 2015스451).3)

4. 재산분할의 대상

(1) 부부의 협력으로 이룩한 재산

① 혼인 중에 부부 쌍방의 협력에 의하여 이룩한 재산은 실질적으로 부부의 공동재산이라고 보아야 하므로 당연히 분할대상이 된다.

② 부부 일방의 명의로 취득한 경우(특유재산)에도 그 재산이 실질적으로 부부의 공동노력으로 취득·형성·유지되어 온 때에는 분할의 대상이 된다. 그 협력에는 처의 가사노동도 포함된다.

▶ **특유재산 – 원칙적 부정, 예외적 긍정**

부부 일방의 특유재산은 원칙적으로 분할의 대상이 되지 아니하나 특유재산일지라도 다른 일방이 적극적으로 그 특유재산의 유지에 협력하여 그 감소를 방지하였거나 그 증식에 협력하였다고 인정되는 경우에는 이것도 분할의 대상이 될 수 있고, 또 부부 일방이 혼인 중 제3자에게 부담한 채무는 일상가사에 관한 것 이외에는 원칙적으로 그 개인의 채무로서 청산의 대상이 되지 않으나 그것이 공동재산의 형성에 수반하여 부담한 채무인 경우에는 청산의 대상이 된다고 보아야 할 것이다(대판 1993.5.25. 92므501).

▶ **처의 가사노동 – 재산분할청구의 대상성 긍정**

부부 중 일방이 상속받은 재산이거나 이미 처분한 상속재산을 기초로 형성된 부동산이더라도 이를 취득하고 유지함에 있어 처의 가사노동 등이 직·간접으로 기여한 것이라면 재산분할의 대상이 된다(대판 1993. 6.11. 92므1054·1061).

---

3) 청구인은 중국인으로 2001.6.7. 상대방과 혼인신고를 마치고 생활하다가 2013.9.6. 상대방과 이혼하기로 합의하면서 상대방의 요구에 따라 '청구인은 위자료를 포기합니다. 재산분할을 청구하지 않습니다.'는 내용의 을 제1호증을 작성하여 준 사실, 같은 날 청구인과 상대방은 법원에 협의이혼의사확인 신청서를 제출하고, 2013.10.14. 법원의 확인을 받아 협의이혼이 성립한 사실, 2013.11. 초경 청구인은 변호사를 통해 수 천만원 이상의 재산분할을 받을 수 있다는 것을 알고 상대방에게 화를 내며 재산분할을 요구하였고, 상대방은 청구인이 독립할 자금이 필요하면 주겠다는 문자메시지를 발송한 사실을 알 수 있다. 앞서 본 법리를 위 사실관계에 비추어 보면, 청구인과 상대방 사이에 쌍방의 협력으로 형성된 재산액이나 쌍방의 기여도, 분할방법 등에 관하여 진지한 논의가 있었다고 볼 아무런 자료가 없고, 청구인에게 재산분할청구권을 포기할 합리적인 이유를 찾아볼 수 없는 이 사건에서 청구인이 비록 협의이혼에 합의하는 과정에서 재산분할청구권을 포기하는 서면을 작성하였다고 하더라도 이는 성질상 허용되지 아니하는 재산분할청구권의 사전포기에 불과하다고 할 것이다. 이에 청구인이 상대방과 협의이혼을 합의하는 과정에서 쌍방의 협력으로 형성된 재산액이나 쌍방의 기여도, 분할방법 등에 관하여 진지한 논의 없이 청구인이 일방적으로 재산분할청구권을 포기하기로 한 경우로서, 이와 같은 재산분할청구권 포기가 재산분할에 관한 협의에 해당하고 그 약정대로 협의이혼이 이루어져 유효하다는 이유로 청구인의 이 사건 재산분할청구(청구액 6억 6,800만원)를 각하한 제1심결정을 유지한 원심결정을 파기하였다.

▶ **혼인관계가 파탄된 이후 변론종결일 사이에 생긴 재산관계의 변동이 혼인 중 공동으로 형성한 재산관계와 무관한 경우, 변동된 재산이 재산분할 대상에 포함되는지 여부**(소극)

재산분할 제도는 이혼 등의 경우에 부부가 혼인 중 공동으로 형성한 재산을 청산·분배하는 것을 주된 목적으로 하는 것으로서, 부부 쌍방의 협력으로 이룩한 적극재산 및 그 형성에 수반하여 부담하거나 부부 공동생활관계에서 필요한 비용 등을 조달하는 과정에서 부담한 채무를 분할하여 각자에게 귀속될 몫을 정하기 위한 것이므로, 부부 일방에 의하여 생긴 적극재산이나 채무로서 상대방은 그 형성이나 유지 또는 부담과 무관한 경우에는 이를 재산분할 대상인 재산에 포함할 것이 아니다. 그러므로 재판상 이혼에 따른 재산분할에 있어 분할의 대상이 되는 재산과 그 액수는 이혼소송의 사실심 변론종결일을 기준으로 하여 정하는 것이 원칙이지만, 혼인관계가 파탄된 이후 변론종결일 사이에 생긴 재산관계의 변동이 부부 중 일방에 의한 후발적 사정에 의한 것으로서 혼인 중 공동으로 형성한 재산관계와 무관하다는 등 특별한 사정이 있는 경우에는 그 변동된 재산은 재산분할 대상에서 제외하여야 할 것이다(대판 2013.11.28, 2013므1455·1462).

▶ **재판상 이혼에 따른 재산분할에 있어 분할의 대상이 되는 재산과 그 액수 산정의 기준시기**(=이혼소송의 사실심 변론종결일) **및 혼인관계가 파탄된 이후 사실심 변론종결일 사이에 재산관계의 변동이 있는 경우, 변동된 재산이 재산분할의 대상이 되는지 판단하는 방법**

① 재판상 이혼에 따른 재산분할을 할 때 분할의 대상이 되는 재산과 그 액수는 이혼소송의 사실심 변론종결일을 기준으로 하여 정하는 것이 원칙이다. ② 다만 혼인관계가 파탄된 이후 사실심 변론종결일 사이에 생긴 재산관계의 변동이 부부 중 일방에 의한 후발적 사정에 의한 것으로서 혼인 중 공동으로 형성한 재산관계와 무관하다는 등 특별한 사정이 있는 경우 그 변동된 재산은 재산분할 대상에서 제외하여야 하나, ③ 부부의 일방이 혼인관계 파탄 이후에 취득한 재산이라도 그것이 혼인관계 파탄 이전에 쌍방의 협력에 의하여 형성된 유형·무형의 자원에 기한 것이라면 재산분할의 대상이 된다(대판 2019.10.31, 2019므12549).

→ [사실관계] : 甲이 혼인 전에 개설한 주택청약종합저축 계좌를 통해 청약주택 관련 1순위 자격요건을 충족한 상태에서 乙과 혼인신고를 한 다음 아파트의 예비당첨자로 당첨되어 아파트에 관한 공급계약을 체결하였고, 그 후 별거로 인하여 혼인관계가 파탄된 시점까지 아파트의 분양대금 중 계약금 및 중도금 등을 납입하였으며, 혼인관계의 파탄 이후 잔금을 지급하고 甲 명의로 소유권이전등기를 마친 사안에서, 甲이 乙과 혼인생활을 시작한 후에 아파트에 관한 공급계약을 체결하였고, 이후 혼인관계가 파탄에 이르기 전까지 계약금 및 중도금으로 아파트의 분양대금 중 70%가량을 납입함으로써 혼인관계 파탄 이전에 이미 분양대금 잔금의 납입을 통해 아파트의 소유권을 취득할 것이 잠재적으로 예정되어 있었던 점, 甲이 공급계약을 체결하고 분양대금을 납입하는 기간 동안 乙은 자녀를 출산하고 가사와 육아를 돌보았을 뿐만 아니라 회사에 복직하여 소득활동을 하는 한편 가사와 육아에 관하여 乙의 모친의 도움을 받은 점 등에 비추어 설령 甲이 혼인관계 파탄 이후 아파트의 소유권을 취득하였다고 하더라도, 이는 혼인관계 파탄 이전에 甲과 乙 쌍방의 협력에 의하여 형성된 유형·무형의 자원에 터 잡은 것이므로, 재산분할의 대상은 혼인관계 파탄 이전에 납입한 분양대금이 아니라 사실심 변론종결일 이전에 취득한 아파트가 되어야 하는데도, 이와 달리 본 원심판단에 법리오해의 잘못이 있다고 한 사례이다.

(2) 퇴직금 및 연금

퇴직금(및 연금)은 혼인 중에 제공한 근로에 대한 대가가 유예된 것이므로 부부의 혼인 중 부부재산의 일부가 되며, 부부 중 일방이 이혼 당시에 이미 퇴직금을 수령하였다면 청산의 대상으로 삼을 수 있다(대판 1995.3.28. 94므1584).

▶ **공무원 퇴직연금수급권이 재산분할의 대상이 될 수 있는지 여부**(긍정)(대판(전) 2014.7.16. 2012므2888)

[1] 부부 중 일방이 공무원 퇴직연금을 실제로 수령하고 있는 경우에, 위 공무원 퇴직연금에는 사회보장적 급여로서의 성격 외에 임금의 후불적 성격이 불가분적으로 혼재되어 있으므로, 혼인기간 중의 근무에 대하여 상대방 배우자의 협력이 인정되는 이상 공무원 퇴직연금수급권 중 적어도 그 기간에 해당하는 부분은 부부 쌍방의 협력으로 이룩한 재산으로 볼 수 있다. 따라서 재산분할제도의 취지에 비추어 허용될 수 없는 경우가 아니라면, 이미 발생한 공무원 퇴직연금수급권도 부동산 등과 마찬가지로 재산분할의 대상에 포함될 수 있다고 봄이 상당하다. 그리고 구체적으로는 연금수급권자인 배우자가 매월 수령할 퇴직연금액 중 일정 비율에 해당하는 금액을 상대방 배우자에게 정기적으로 지급하는 방식의 재산분할도 가능하다.

[2] 다만 분할권리자가 분할의무자에 대하여 가지게 되는 정기금채권은 비록 공무원 퇴직연금수급권 그 자체는 아니더라도 그 일부를 취득하는 것과 경제적으로 동일한 의미를 가지는 권리인 점, 재산분할의 대상인 공무원 퇴직연금수급권이 사회보장적 급여로서의 성격이 강하여 일신 전속적 권리에 해당하여서 상속의 대상도 되지 아니하는 점 등을 고려하면, 분할권리자의 위와 같은 정기금채권 역시 제3자에게 양도되거나 분할권리자의 상속인에게 상속될 수 없다고 봄이 상당하다.

[3] 위와 같은 정기금 방식의 재산분할의 경우에는 강제집행의 불편함과 어려움이 예상된다고 할는지 모르나, 분할의무자가 정당한 이유 없이 정기금을 지급하지 아니하면 가정법원은 가사소송법 제64조에 의하여 이행명령을 내릴 수 있고, 정당한 이유 없이 위 이행명령을 위반할 경우에는 같은 법 제67조 제1항에 의하여 1천만원 이하의 과태료를 부과할 수 있으며, 정기금의 지급을 명령받고도 3기 이상 그 의무를 이행하지 아니한 경우에는 같은 법 제68조에 의하여 30일의 범위에서 그 의무를 이행할 때까지 분할의무자를 감치할 수 있는 등으로, 간접적으로 그 이행을 강제할 수 있는 방법도 있다. 그럼에도 연금수급권자인 배우자의 여명을 확정할 수 없다는 등의 이유만으로 공무원 퇴직연금수급권을 재산분할의 대상에서 제외하고 분할의 액수와 방법을 정하기 위한 '기타 사정'으로만 참작한다면, ① 공무원인 배우자가 퇴직급여를 연금이 아닌 일시금의 형태로 수령한 경우와 비교하여 현저히 불공평한 결과가 초래되고, ② '기타 사정'으로 참작한다고 하더라도 어느 정도로 참작하여야 하는지 명확한 기준이 없고, 분할할 다른 재산이 얼마나 있는지 등에 따라 기타 사정으로도 충분히 참작할 수 없거나 아예 참작할 수 없는 결과가 초래될 수 있으며, ③ 국민연금법 제64조가 혼인기간이 5년 이상인 경우 이혼한 배우자의 노령연금액 중 혼인기간에 해당하는 연금액의 절반을 지급받을 수 있도록 규정하고 있는 것과도 균형이 맞지 아니하므로, 혼인 중에 취득한 부부의 공동재산을 공평하게 청산·분배하기 위한 재산분할제도의 취지에 반하게 된다.

[4] 다만 위와 같은 정기금 방식의 재산분할에서 예상되는 이행 내지 집행의 어려움 등을 고려하여 보면, 분할권리자가 공무원 퇴직연금수급권에 대한 재산분할을 원하지 아니하거나, 혼인기간이 너무 단기간이어서 매월 지급할 금액이 극히 소액인 경우 등 퇴직연금 자체를 재산분할의 대상으로 하는 것이 적절하지 아니한 특별한 사정이 있는 경우에는 당사자들의 자력 등을 고려하여 이를 재산분할의 대상에서 제외하고 기타 사정으로만 고려하는 것도 허용될 수 있다고 할 것이다.

[5] 이와 달리 공무원 퇴직연금은 수급권자의 사망으로 그 지급이 종료되는데 수급권자의 여명을 확정할 수 없으므로 그 자체를 재산분할의 대상으로 할 수 없고, 다만 이를 분할액수와 방법을 정함에 있어서 참작되는 '기타의 사정'으로 삼는 것으로 족하다는 취지의 대법원 1997.3.14. 96므1533·1540 판결 등을 비롯하여 그러한 취지의 재판들은 이 판결의 견해에 배치되는 범위 내에서 이를 모두 변경하기로 한다.

▶ 이혼 당시 부부 일방이 아직 퇴직하지 아니한 채 직장에 근무하고 있어 실제로 퇴직급여를 수령하지 않은 경우, 혼인기간에 제공된 근무와 관련하여 퇴직급여를 수령할 권리를 재산분할의 대상으로 볼 수 있는지 여부(긍정)

"부부가 혼인 중 형성한 재산관계를 이혼에 즈음하여 공평하게 청산·분배하는 것을 본질로 하는 재산분할제도의 취지에 비추어 볼 때, 비록 이혼 당시 부부의 일방이 아직 재직 중이어서 실제로 퇴직급여를 수령하지 않았더라도 퇴직급여채권은 이혼소송의 사실심 변론종결 시에 이미 경제적 가치의 평가가 가능한 재산으로서 재산분할의 대상에 포함시킬 수 있고, 구체적으로는 이혼소송의 사실심 변론종결 시를 기준으로 그 시점에서 퇴직할 경우 받을 것으로 예상되는 퇴직급여 상당액의 채권이 그 대상이 된다."고 하여, 이에 반하는 기존 대법원 판례를 변경하였다(대판(전) 2014.7.16. 2013므2250; 대판 2019.9.25. 2017므11917).

(3) 재산분할의 재판확정 후 새로 추가로 발견된 재산

재산분할재판에서 분할대상인지 여부가 전혀 심리된 바 없는 재산이 재판확정 후 추가로 발견된 경우에는 이에 대하여 추가로 재산분할청구를 할 수 있다(대판 2003.2.28. 2000므582).

(4) 제3자 명의의 재산 및 합유재산

① 제3자 명의의 재산이라도 그것이 부부 중 일방에 의하여 명의신탁된 재산 또는 부부의 일방이 실질적으로 지배하고 있는 재산으로서 부부 쌍방의 협력에 의하여 형성된 것이거나 부부 쌍방의 협력에 의하여 형성된 유형·무형의 자원에 기한 것이라면 재산분할의 대상이 된다(대판 2002.9.4. 2001므718).

② 합유재산이라는 이유만으로 이를 재산분할의 대상에서 제외할 수는 없고, 다만 부부의 일방이 제3자와 합유하고 있는 재산 또는 그 지분은 이를 임의로 처분하지 못하므로, 직접 해당 재산의 분할을 명할 수는 없으나 그 지분의 가액을 산정하여 이를 분할의 대상으로 삼거나 다른 재산의 분할에 참작하는 방법으로 재산분할의 대상에 포함하여야 한다(대판 2009.11.12. 2009므2840·2857).

(5) 소극재산

일방이 혼인 중 제3자에게 부담한 채무는 일상가사에 관한 것 이외에는 원칙적으로 그 개인의 채무로서 이혼 시 청산의 대상이 되지 않으나 그것이 공동재산의 형성·유지에 수반하여 부담한 채무인 때에는 청산의 대상이 되며, 그 채무로 인하여 취득한 특정 적극재산이 남아있지 않더라도 그 채무부담행위가 부부 공동의 이익을 위한 것으로 인정될 때에는 혼인 중의 공동재산의 형성·유지에 수반하는 것으로 보아 청산의 대상이 된다(대판 2010.4.15. 2009므4297; 대판 1998.2.13. 97므1486).

▶ 임대차보증금 반환채무

부동산에 대한 임대차보증금 반환채무는 특별한 사정이 없는 한 혼인 중 재산의 형성에 수반한 채무로
서 청산의 대상이 된다(대판 1999.6.11. 96므1397).

▶ 부부가 이혼할 때 쌍방의 소극재산 총액이 적극재산 총액을 초과하여 재산분할을 한 결과가 결국
채무의 분담을 정하는 것이 되는 경우에도 재산분할 청구를 받아들일 수 있는지 여부(적극) 및 이
경우 채무를 분담하게 할지 여부와 분담의 방법 등을 정하는 기준

[다수의견] 민법은 분할대상인 재산을 적극재산으로 한정하고 있지 않다. 따라서 이혼 당사자 각자가
보유한 적극재산에서 소극재산을 공제하는 등으로 재산상태를 따져 본 결과 재산분할 청구의 상대방이
그에게 귀속되어야 할 몫보다 더 많은 적극재산을 보유하고 있거나 소극재산의 부담이 더 적은 경우에
는 적극재산을 분배하거나 소극재산을 분담하도록 하는 재산분할은 어느 것이나 가능하다고 보아야 하
고, 후자의 경우라고 하여 당연히 재산분할 청구가 배척되어야 한다고 할 것은 아니다. 그러므로 소극
재산의 총액이 적극재산의 총액을 초과하여 재산분할을 한 결과가 결국 채무의 분담을 정하는 것이 되
는 경우에도 법원은 채무의 성질, 채권자와의 관계, 물적 담보의 존부 등 일체의 사정을 참작하여 이를
분담하게 하는 것이 적합하다고 인정되면 구체적인 분담의 방법 등을 정하여 재산분할 청구를 받아들일
수 있다 할 것이다. 그것이 부부가 혼인 중 형성한 재산관계를 이혼에 즈음하여 청산하는 것을 본질로
하는 재산분할 제도의 취지에 맞고, 당사자 사이의 실질적 공평에도 부합한다. 다만 재산분할 청구 사
건에 있어서는 혼인 중에 이룩한 재산관계의 청산뿐 아니라 이혼 이후 당사자들의 생활보장에 대한
배려 등 부양적 요소 등도 함께 고려할 대상이 되므로, 재산분할에 의하여 채무를 분담하게 되면
그로써 채무초과 상태가 되거나 기존의 채무초과 상태가 더욱 악화되는 것과 같은 경우에는 채무부
담의 경위, 용처, 채무의 내용과 금액, 혼인생활의 과정, 당사자의 경제적 활동능력과 장래의 전망
등 제반 사정을 종합적으로 고려하여 채무를 분담하게 할지 여부 및 분담의 방법 등을 정할 것이고,
적극재산을 분할할 때처럼 재산형성에 대한 기여도 등을 중심으로 일률적인 비율을 정하여 당연히 분할
귀속되게 하여야 한다는 취지는 아니라는 점을 덧붙여 밝혀 둔다(대판(전) 2013.6.20. 2010므4071).

5. 재산분할의 방법

(1) 협의에 의한 분할의 경우

① 재산분할 여부, 그 액수와 방법은 원칙적으로 당사자의 협의에 의해 결정하고(제839조의2 제1항),
협의가 성립하지 않거나 불가능한 때에 한하여 가정법원에 분할을 청구할 수 있다(동조 제2항).

② 협의이혼을 조건으로 재산분할약정을 하였으나 재판상 이혼이 된 경우, 그 분할약정은 효력을
상실하므로 기존의 약정대로의 이행은 청구할 수 없다. 따라서 새로운 약정을 하지 않는 한
재산분할청구소송을 할 수밖에 없다.

▶ 협의이혼을 전제로 재산분할약정을 하였으나 재판상 이혼이 이루어진 경우 그 약정의 효력(무효)

재산분할에 관한 협의는 혼인 중 당사자 쌍방의 협력으로 이룩한 재산의 분할에 관하여 이미 이혼을 마친
당사자 또는 아직 이혼하지 않은 당사자 사이에 행하여지는 협의를 가리키는 것인바, 그 중 아직 이혼하
지 않은 당사자가 장차 협의상 이혼할 것을 약정하면서 이를 전제로 하여 위 재산분할에 관한 협의를
하는 경우에 있어서는, 특별한 사정이 없는 한, 장차 당사자 사이에 협의상 이혼이 이루어질 것을 조건
으로 하여 조건부 의사표시가 행하여지는 것이라 할 것이므로, 그 협의 후 당사자가 약정한대로 협의상

이혼이 이루어진 경우에 한하여 그 협의의 효력이 발생하는 것이지, 어떠한 원인으로든지 협의상 이혼이 이루어지지 아니하고 혼인관계가 존속하게 되거나 당사자 일방이 제기한 이혼청구의 소에 의하여 재판상 이혼(화해 또는 조정에 의한 이혼을 포함한다)이 이루어진 경우에는 위 협의는 조건의 불성취로 인하여 효력이 발생하지 않는다(대판 2000.10.24, 99다33458).

▶ **조건불성취로 무효가 된 재산분할약정에 기한 이행청구**(기각)

협의이혼을 전제로 재산분할의 약정을 한 후 재판상 이혼이 이루어진 경우, 재판상 이혼 후 또는 재판상 이혼과 함께 재산분할을 원하는 당사자로서는, 이혼성립 후 새로운 협의가 이루어지지 아니하는 한, 이혼소송과 별도의 절차로 또는 이혼소송 절차에 병합하여 가정법원에 재산분할에 관한 심판을 청구하여야 하는 것이지(이에 따라 가정법원이 재산분할의 액수와 방법을 정함에 있어서는 그 협의의 내용과 협의가 이루어진 경위 등을 민법 제839조의2 제2항 소정 '기타 사정'의 하나로서 참작하게 될 것이다), 당초의 재산분할에 관한 협의의 효력이 유지됨을 전제로 하여 민사소송으로써 그 협의 내용 자체의 이행을 구할 수는 없다(대판 1995.10.12, 95다23156).

(2) 법원에 의한 분할의 경우

분할에 관한 협의가 되지 않은 경우 가정법원에 분할을 청구한다(제839조의2 제2항). 재산분할청구사건은 조정전치주의(마류 가사비송사건)가 적용된다. 구체적인 분할방법으로는 공유물분할의 법리에 따라 현물분할을 할 수도 있고, 금전분할을 할 수도 있다.

▶ **일방의 특유재산을 쌍방의 공유로 하는 재산분할의 가부**(적극)

민법 제839조의2의 규정에 의한 재산분할사건은 가사비송사건으로서, 법원으로서는 당사자 쌍방의 일체의 사정을 참작하여 분할의 액수와 방법을 정할 수 있는 것이므로, 가사소송규칙 제98조에 불구하고 당사자 일방의 단독소유인 재산을 쌍방의 공유로 하는 방법에 의한 분할도 가능하다(대판 1997.7.22, 96므318·325).

▶ **이혼에 따른 재산분할심판에서 쌍방 당사자가 일부 재산에 관하여 분할방법에 관한 합의를 한 경우, 법원이 합리적인 이유를 제시하지 아니한 채 그 합의에 반하는 방법으로 재산분할을 할 수 있는지 여부**(소극)

일방 당사자가 특정한 방법으로 재산분할을 청구하더라도 법원은 이에 구속되지 않고 타당하다고 인정되는 방법에 따라 재산분할을 명할 수 있다. 그러나 재산분할심판은 재산분할에 관하여 당사자 사이에 협의가 되지 아니하거나 협의할 수 없는 때에 한하여 하는 것이므로(제843조, 제839조의2 제2항), 쌍방 당사자가 일부 재산에 관하여 분할방법에 관한 합의를 하였고, 그것이 그 일부 재산과 나머지 재산을 적정하게 분할하는 데 지장을 가져오는 것이 아니라면 법원으로서는 이를 최대한 존중하여 재산분할을 명하는 것이 타당하다. 그 경우 법원이 아무런 합리적인 이유를 제시하지 아니한 채 그 합의에 반하는 방법으로 재산분할을 하는 것은 재산분할사건이 가사비송사건이고, 그에 관하여 법원의 후견적 입장이 강조된다는 측면을 고려하더라도 정당화되기 어렵다(대판 2021.6.10, 2021므10898).

6. 재산분할대상의 재산 및 분할액 산정의 기준시점

① 협의이혼에 따른 재산분할에 있어 분할의 대상이 되는 재산과 액수는 협의이혼이 성립한 날을 기준으로 정하여야 한다. 따라서 협의이혼 성립일 이후에 부부 일방이 새로운 채무를 부담

하거나, 부부 일방의 채무가 변제된 경우에도 이와 같은 재산변동사항은 재산분할의 대상이 되는 재산과 액수를 정함에 있어 이를 참작할 것이 아니다(대판 2006.9.14. 2005다74900).

② 재판상 이혼을 전제로 한 재산분할에 있어 분할의 대상이 되는 재산과 그 액수는 이혼소송의 사실심 변론종결일을 기준으로 하여 정하여야 한다(대판 2000.5.2. 2000스13).

▶ 재판상 이혼에 따른 재산분할에 있어 분할의 대상이 되는 재산과 그 액수 산정의 기준시기(=이혼소송의 사실심 변론종결일) 및 혼인관계가 파탄된 이후 사실심 변론종결일 사이에 재산관계의 변동이 있는 경우, 변동된 재산이 재산분할의 대상이 되는지 판단하는 방법

① 재판상 이혼에 따른 재산분할을 할 때 분할의 대상이 되는 재산과 그 액수는 이혼소송의 사실심 변론종결일을 기준으로 하여 정하는 것이 원칙이다. ② 다만 혼인관계가 파탄된 이후 사실심 변론종결일 사이에 생긴 재산관계의 변동이 부부 중 일방에 의한 후발적 사정에 의한 것으로서 혼인 중 공동으로 형성한 재산관계와 무관하다는 등 특별한 사정이 있는 경우 그 변동된 재산은 재산분할 대상에서 제외하여야 하나, ③ 부부의 일방이 혼인관계 파탄 이후에 취득한 재산이라도 그것이 혼인관계 파탄 이전에 쌍방의 협력에 의하여 형성된 유형·무형의 자원에 기한 것이라면 재산분할의 대상이 된다(대판 2019. 10.31. 2019므12549).

→ [사실관계] : 甲이 혼인 전에 개설한 주택청약종합저축 계좌를 통해 청약주택 관련 1순위 자격요 건을 충족한 상태에서 乙과 혼인신고를 한 다음 아파트의 예비당첨자로 당첨되어 아파트에 관한 공급계약을 체결하였고, 그 후 별거로 인하여 혼인관계가 파탄된 시점까지 아파트의 분양대금 중 계약금 및 중도금 등을 납입하였으며, 혼인관계의 파탄 이후 잔금을 지급하고 甲 명의로 소유권이 전등기를 마친 사안에서, 甲이 乙과 혼인생활을 시작한 후에 아파트에 관한 공급계약을 체결하였 고, 이후 혼인관계가 파탄에 이르기 전까지 계약금 및 중도금으로 아파트의 분양대금 중 70% 가량 을 납입함으로써 혼인관계 파탄 이전에 이미 분양대금 잔금의 납입을 통해 아파트의 소유권을 취 득할 것이 잠재적으로 예정되어 있었던 점, 甲이 공급계약을 체결하고 분양대금을 납입하는 기간 동안 乙은 자녀를 출산하고 가사와 육아를 돌보았을 뿐만 아니라 회사에 복직하여 소득활동을 하 는 한편 가사와 육아에 관하여 乙의 모친의 도움을 받은 점 등에 비추어 설령 甲이 혼인관계 파탄 이후 아파트의 소유권을 취득하였다고 하더라도, 이는 혼인관계 파탄 이전에 甲과 乙 쌍방의 협력 에 의하여 형성된 유형·무형의 자원에 터 잡은 것이므로, 재산분할의 대상은 혼인관계 파탄 이전 에 납입한 분양대금이 아니라 사실심 변론종결일 이전에 취득한 아파트가 되어야 하는데도, 이와 달리 본 원심판단에 법리오해의 잘못이 있다고 한 사례이다.

7. 재산분할청구권의 상속 및 양도

▶ 재산분할청구권 발생 전 부부 일방의 사망

이혼소송과 재산분할청구소송이 병합된 경우, 재판상 이혼청구권은 부부의 행사상 일신전속적 권리이 므로 당사자 일방의 사망이 사망한 때에는 상속인이 수계할 수 없음은 물론 검사가 수계할 수 있는 특별한 규정도 없으므로 이혼소송은 종료되며 재산분할청구소송도 당연히 종료한다(대판 1995.10.28. 94므246·253).

▶ 당사자가 이혼이 성립하기 전에 이혼소송과 병합하여 재산분할의 청구를 한 경우, 재산분할청구권을 미리 양도하는 것이 허용되는지 여부(소극)

이혼으로 인한 재산분할청구권은 이혼을 한 당사자의 일방이 다른 일방에 대하여 재산분할을 청구할 수 있는 권리로서, 이혼이 성립한 때에 법적 효과로서 비로소 발생하며, 또한 협의 또는 심판에 의하여 구체적 내용이 형성되기 전까지는 범위 및 내용이 불명확·불확정하기 때문에 구체적으로 권리가 발생하였다고 할 수 없다. 따라서 당사자가 이혼이 성립하기 전에 이혼소송과 병합하여 재산분할의 청구를 한 경우에, 아직 발생하지 아니하였고 구체적 내용이 형성되지 아니한 재산분할청구권을 미리 양도하는 것은 성질상 허용되지 아니하며, 법원이 이혼과 동시에 재산분할로서 금전의 지급을 명하는 판결이 확정된 이후부터 채권 양도의 대상이 될 수 있다(대판 2017.9.21, 2015다61286).

8. 재산분할청구권의 소멸

> **제839조의2 제3항【재산분할청구권】** 제1항의 재산분할청구권은 이혼한 날부터 2년을 경과한 때에는 소멸한다.

2년의 기간은 소멸시효기간이 아니고 제척기간으로서 그 기간이 경과하였는지 여부는 당사자의 주장에 관계없이 법원이 직권으로 조사하여 판단한다(대판 1994.9.9, 94다17536).

▶ 민법 제843조, 제839조의2 제3항에서 정한 2년의 제척기간이 출소기간인지 여부(적극) 및 재산분할청구 후 제척기간이 지날 때까지 청구 목적물로 하지 않은 재산에 대해서 제척기간을 준수한 것으로 볼 수 있는지 여부(원칙적 소극) / 청구인 지위에서 대상 재산에 대해 적극적으로 재산분할을 청구하는 것이 아니라 이미 제기된 재산분할청구 사건의 상대방 지위에서 분할대상 재산을 주장하는 경우, 제척기간이 적용되는지 여부(소극) ★★★

민법 제843조, 제839조의2 제3항은 협의상 또는 재판상 이혼 시의 재산분할청구권에 관하여 '이혼한 날부터 2년을 경과한 때에는 소멸한다.'고 정하고 있는데, 위 기간은 제척기간이고, 나아가 재판 외에서 권리를 행사하는 것으로 족한 기간이 아니라 그 기간 내에 재산분할심판 청구를 하여야 하는 출소기간이다. 재산분할청구 후 제척기간이 지나면 그때까지 청구 목적물로 하지 않은 재산에 대해서는 특별한 사정이 없는 한 제척기간을 준수한 것으로 볼 수 없다. 그러나 청구인 지위에서 대상 재산에 대해 적극적으로 재산분할을 청구하는 것이 아니라, 이미 제기된 재산분할청구 사건의 상대방 지위에서 분할대상 재산을 주장하는 경우에는 제척기간이 적용되지 않는다(대결 2022.11.10, 2021스766).

▶ 민법 제839조의2 제3항, 제843조에 따라 2년 제척기간 내에 재산의 일부에 대해서만 재산분할을 청구하고 제척기간이 지난 경우, 그때까지 청구 목적물로 하지 않은 재산에 대한 청구권이 소멸하는지 여부(적극) / 재산분할재판에서 분할대상인지 여부가 전혀 심리된 바 없는 재산이 재판확정 후 추가로 발견된 경우, 이에 대하여 추가로 재산분할청구를 할 수 있는지 여부(적극) 및 추가 재산분할청구에도 이혼한 날부터 2년 이내라는 제척기간을 준수하여야 하는지 여부(적극)

① 민법 제839조의2 제3항, 제843조에 따르면 재산분할청구권은 협의상 또는 재판상 이혼한 날부터 2년이 지나면 소멸한다. 2년의 제척기간 내에 재산의 일부에 대해서만 재산분할을 청구한 경우 청구 목적물로 하지 않은 나머지 재산에 대해서는 제척기간을 준수한 것으로 볼 수 없으므로, 재산분할청구 후 제척기간이 지나면 그때까지 청구 목적물로 하지 않은 재산에 대해서는 청구권이 소멸한다.

② 재산분할재판에서 분할대상인지 여부가 전혀 심리된 바 없는 재산이 재판확정 후 추가로 발견된 경우에는 이에 대하여 추가로 재산분할청구를 할 수 있다. 다만 추가 재산분할청구 역시 이혼한 날부터 2년 이내라는 제척기간을 준수하여야 한다(대결 2018.6.22. 2018스18).

9. 다른 제도와의 관계

(1) 위자료청구권

재산분할청구권과 위자료청구권은 별개의 독립한 권리이다. 따라서 유책배우자에 대하여는 재산분할청구 외에 별도로 재산적·정신적 손해에 대한 배상을 청구할 수 있다. 한편, 이혼위자료청구권은 상대방 배우자의 유책불법한 행위에 의하여 혼인관계가 파탄상태에 이르러 이혼하게 된 경우 그로 인하여 입게 된 정신적 고통을 위자하기 위한 손해배상청구권으로서의 성질로 파악하는 것이 판례의 입장이다(대판 1993.5.27. 92므143). 따라서 이에 따르면 불법행위에 의한 손해배상청구권의 규정(제766조)을 적용하게 된다.

(2) 채권자대위권

이혼으로 인한 재산분할청구권은 협의 또는 심판에 의하여 그 구체적 내용이 형성되기까지는 그 범위 및 내용이 불명확·불확정하기 때문에 구체적으로는 권리가 발생하였다고 할 수 없으므로 이를 보전하기 위하여 채권자대위권을 행사할 수 없다(대판 1999.4.9. 98다58016). 그러나 재산분할청구권이 협의 또는 심판에 의하여 구체적인 채권으로 변화한 후에는 채권자대위권의 목적으로 될 수 있다.

(3) 채권자취소권

> **제839조의3 【재산분할청구권 보전을 위한 사해행위취소권】**
> ① 부부의 일방이 다른 일방의 재산분할청구권 행사를 해함을 알면서도 재산권을 목적으로 하는 법률행위를 한 때에는 다른 일방은 제406조 제1항(채권자취소권)을 준용하여 그 취소 및 원상회복을 가정법원에 청구할 수 있다.
> ② 제1항의 소는 제406조 제2항의 기간(1년, 5년) 내에 제기하여야 한다.

1) 피보전채권(제839조의3)

2007년 개정법에서 재산분할청구권 보전을 위한 사해행위취소권 제도가 신설되었다. 그에 의하면, 부부의 일방이 다른 일방의 재산분할청구권행사를 해함을 알면서도 재산권을 목적으로 하는 법률행위를 한 때에는 다른 배우자 일방은 채권자 취소권 규정을 준용하여 그 취소 및 원상회복을 가정법원에 청구할 수 있다.

2) 재산분할의 사해행위성(제406조)

채무초과 상태의 채무자가 이혼을 하면서 배우자에게 재산분할로 재산을 양도한 경우에 채권자에 대한 관계에서 사해행위가 되는지 문제되나, 재산분할액이 상당하다고 인정되는 때에는 사해행위가 되지 않는다는 것이 통설·판례의 입장이다.

▶ **재산분할청구권에 의한 재산취득이 사해행위로 되는 요건 및 그 입증책임**(채권자)

이미 채무초과 상태에 있는 채무자가 이혼을 함에 있어 자신의 배우자에게 재산분할로 일정한 재산을 양도함으로써 결과적으로 일반 채권자에 대한 공동담보를 감소시키는 결과로 되어도, 위 재산분할이 민법 제839조의2 제2항 규정의 취지에 따른 상당한 정도를 벗어나는 과대한 것이라고 인정할 만한 특별한 사정이 없는 한 사해행위로서 채권자에 의한 취소의 대상으로 되는 것은 아니라고 할 것이고, 다만 위와 같은 상당한 정도를 벗어나는 초과부분에 관한 한 적법한 재산분할이라고 할 수 없기 때문에 그 취소의 대상으로 될 수 있다고 할 것인바, 위와 같이 상당한 정도를 벗어나는 과대한 재산분할이라고 볼 만한 특별한 사정이 있다는 점에 관한 입증책임은 채권자에게 있다(대판 2000. 7. 28. 2000다1410).

▶ **협의 또는 심판에 의하여 구체화되지 않은 이혼에 따른 재산분할청구권을 포기하는 행위가 채권자 취소권의 대상이 되는지 여부**(소극)

이혼으로 인한 재산분할청구권은 이혼을 한 당사자의 일방이 다른 일방에 대하여 재산분할을 청구할 수 있는 권리로서 이혼이 성립한 때에 그 법적 효과로서 비로소 발생하는 것일 뿐만 아니라, 협의 또는 심판에 의하여 구체적 내용이 형성되기까지는 그 범위 및 내용이 불명확·불확정하기 때문에 구체적으로 권리가 발생하였다고 할 수 없으므로 협의 또는 심판에 의하여 구체화되지 않은 재산분할 청구권은 채무자의 책임재산에 해당하지 아니하고, 이를 포기하는 행위 또한 채권자취소권의 대상이 될 수 없다(대판 2013. 10. 11. 2013다7936).

(4) 손해배상청구권

이혼의 경우 당사자 일방은 과실 있는 상대방에 대하여 재산상의 손해에 대하여 뿐만 아니라 정신상의 고통에 대하여도 손해배상을 청구할 수 있다. 즉 재산상의 손해배상청구권과 위자료청구권이 발생한다. 민법은 재판상 이혼에 관하여만 손해배상청구권을 규정하고 있으나, 협의이혼의 경우에도 당연히 적용된다(통설·판례).

1) 위자료청구권의 양도·승계 가능성

위자료청구권은 행사상 일신전속권일 뿐, 귀속상의 일신전속권은 아니다. 따라서 당사자 간에 그 배상에 관한 계약이 성립되거나 소를 제기한 후에는 승계될 수 있다(제806조 제3항).

▶ **이혼소송 계속 중 배우자 일방의 사망 효과**

[1] **이혼소송의 종료 여부**(적극) – 재판상 이혼청구권은 부부의 일신전속적 권리이므로 이혼소송 계속 중 배우자 일방이 사망한 때에는 상속인이 수계할 수 없음은 물론 검사가 수계할 수 있는 특별한 규정도 없으므로 이혼소송은 종료된다.

[2] **이혼위자료청구권의 승계가능성**(적극) – 이혼위자료청구권의 양도 내지 승계의 가능 여부에 관하여 민법 제806조 제3항은 약혼해제로 인한 손해배상청구권에 관하여 정신상 고통에 대한 손해배상청구권은 양도 또는 승계하지 못하지만 당사자 간에 배상에 관한 계약이 성립되거나 소를 제기한 후에는 그러하지 아니하다고 규정하고 같은 법 제843조가 위 규정을 재판상 이혼의 경우에 준용하고 있으므로 이혼위자료청구권은 원칙적으로 일신전속적 권리로서 양도나 상속 등 승계가 되지 아니하나 이는 행사상 일신전속권이고 귀속상 일신전속권은 아니라 할 것인바, 그 청구권자가 위자료의 지

급을 구하는 소송을 제기함으로써 청구권을 행사할 의사가 외부적 객관적으로 명백하게 된 이상 양도나 상속 등 승계가 가능하다(대판 1993.5.27, 92므14).

2) 제3자에 대한 청구

이혼하는 부부 일방은 혼인의 파탄에 책임이 있는 제3자에 대하여도 손해배상을 청구할 수 있다. 그리하여 심히 부당한 대우를 한 배우자의 직계존속, 배우자와 간통한 제3자, 부와 부첩관계에 있는 자 등에 대하여 위자료청구권을 가진다.

▶ **간통한 부녀 및 상간자가 부녀의 자녀에 대한 관계에서 불법행위책임을 부담하는지 여부**(소극)
배우자 있는 부녀와 간통행위를 하고, 이로 인하여 그 부녀가 배우자와 별거하거나 이혼하는 등으로 혼인관계를 파탄에 이르게 한 경우 그 부녀와 간통행위를 한 제3자(상간자)는 그 부녀의 배우자에 대하여 불법행위를 구성하고, 따라서 그로 인하여 그 부녀의 배우자가 입은 정신상의 고통을 위자할 의무가 있다고 할 것이나, 이러한 경우라도 간통행위를 한 부녀 자체가 그 자녀에 대하여 불법행위책임을 부담한다고 할 수는 없고, 또한 간통행위를 한 제3자(상간자) 역시 해의를 가지고 부녀의 그 자녀에 대한 양육이나 보호 내지 교양을 적극적으로 저지하는 등의 특별한 사정이 없는 한 그 자녀에 대한 관계에서 불법행위책임을 부담한다고 할 수는 없다(대판 2005.5.13, 2004다1899).

제5절 ▌ 친생자 추정을 받는 혼인 중의 출생자

Ⅰ. 서설

1. 친자관계

친자관계란 부모와 자라는 신분관계를 말하고, 민법상 친자관계에는 친생 친자관계(친생자 관계)와 법정 친자관계(양자관계 또는 양친자 관계)가 있다. 그리고 친생 친자관계는 부모와 자의 관계가 혈연에 기초하고 있는 것인데, 여기의 친생자에는 혼인 중의 출생자와 혼인 외의 출생자가 있다. 그리고 혼인 외의 출생자에는 부에게 인지된 자와 인지되지 않은 자가 있다.

2. 혼인 중의 출생자의 의의와 종류

(1) 혼인 중의 출생자는 혼인관계에 있는 부모 사이에서 태어난 자를 말한다.

(2) 혼인 중의 출생자에는 출생 시부터 혼인 중의 출생자의 지위를 취득하는 생래적 혼인 중의 출생자와, 출생 시에는 혼인 외의 출생자이었으나 후에 부모의 혼인에 의하여 혼인 중의 출생자의 지위를 취득하는 준정(準正)에 의한 혼인 중의 출생자가 있다. 그리고 생래적 혼인 중의 출생자에는 언제 태어났는가에 따라, ① 친생자의 추정을 받는 혼인 중의 출생자, ② 친생자의 추정을 받지 않는 혼인 중의 출생자가 있다.

II. 친생자의 추정을 받는 혼인 중의 출생자

1. 친생자 추정을 받기 위한 요건

> **제844조 【남편의 친생자의 추정】**
> ① 아내가 혼인 중에 임신한 자녀는 남편의 자녀로 추정한다.
> ② 혼인이 성립한 날부터 200일 후에 출생한 자녀는 혼인 중에 임신한 것으로 추정한다.
> ③ 혼인관계가 종료된 날부터 300일 이내에 출생한 자녀는 혼인 중에 임신한 것으로 추정한다.

(1) 처가 혼인 중에 임신한 자녀는 남편의 자로 추정한다(제844조 제1항). 그리고 혼인성립의 날부터 200일 후 또는 혼인관계 종료의 날부터 300일 내에 출생한 자녀는 혼인 중에 임신한 것으로 추정하므로, 친생자 추정을 받는 혼인 중의 출생자로 된다(동조 제2항).

(2) 여기서 혼인 성립의 날이란 본래 혼인신고를 한 날을 의미하지만, 통설은 사실혼이 법률혼에 선행하는 실제의 관행을 고려하여 사실혼 성립의 날도 포함하는 것으로 해석한다. 판례도 마찬가지이다(대판 1963.6.13, 63다228). 따라서 혼인신고일로부터 200일이 되기 전에 출생한 자라도 사실혼 성립일로부터 200일 후에 출생하였으면 친생자의 추정을 받게 된다.

▶ 우리나라의 옛 관습에 의하면 혼인신고를 하지 아니한 채 내연관계로서 동거생활 중 처가 포태된 자의 출생일자가 그 부모의 혼인신고일 뒤에 있고 그 사이의 기간이 200일이 못 된다 하여도 이러한 자는 출생과 동시에 당연히 그 부모의 적출자로서의 신분을 취득한다(대판 1963.6.13, 63다228).

2. 친생자 추정의 제한

다만 판례는 부부가 비록 혼인 중에 있더라도 동서의 결여로 처가 부의 자를 임신할 수 없음이 객관적으로 명백한 사정이 있는 경우에는 제844조의 적용을 배제하여 친생자의 추정이 미치지 않는다고 보았다(외관설: 대판(전) 1983.7.12, 82므59 ↔ 혈연설)

▶ **처가 부의 자를 포태(임신)할 수 없음이 외관상 명백한 경우**
민법 제844조는 부부가 동거하여 처가 부의 자를 포태할 수 있는 상태에서 자를 포태한 경우에 적용되는 것이고 부부의 한쪽이 장기간에 걸쳐 해외에 나가 있거나 사실상의 이혼으로 부부가 별거하고 있는 경우 등 동서의 결여로 처가 부의 자를 포태할 수 없는 것이 외관상 명백한 사정이 있는 경우에는 그 추정이 미치지 아니하므로 이 사건에 있어서 처가 가출하여 부와 별거한지 약 2년 2개월 후에 자를 출산하였다면 이에는 동조의 추정이 미치지 아니하여 부는 친생부인의 소에 의하지 않고 친자관계부존재확인소송을 제기할 수 있다(대판(전) 1983.7.12, 82므59).

▶ **생물학적 혈연관계가 없다는 점이 친생부인의 소로써 친생추정을 번복할 수 있게 하는 사유인지 여부(적극) 및 이를 넘어서 처음부터 친생추정이 미치지 않도록 하는 사유인지 여부(소극) / 처가 혼인 중에 포태하였으나 동거의 결여로 처가 부(夫)의 자를 포태할 수 없는 것이 외관상 명백한 사정이 있는 경우, 민법 제844조 제1항의 친생추정이 미치는지 여부(소극)**

① 민법은 친생추정 규정을 두면서도 남편에게 <u>친생부인의 사유가 있음을 안 날부터 2년 내에 친생부인의 소를 제기할 수 있도록</u> 하고 있다. 이는 진실한 혈연관계에 대한 인식을 바탕으로 법률적인 친자관계를 진실에 부합시키고자 하는 남편에게 친생추정을 부인할 수 있는 실질적인 기회를 부여한 것이다. <u>친생부인의 소가 적법하게 제기되면 부모와 출생한 자녀 사이에 생물학적 혈연관계가 존재하는지가 증명의 대상이 되는 주요사실을 구성한다.</u> 결국 혈연관계가 없음을 알게 되면 친생부인의 소를 제기할 수 있는 제소기간이 진행하고, 실제로 생물학적 혈연관계가 없다는 점은 친생부인의 소로써 친생추정을 번복할 수 있게 하는 사유이다. ② 이처럼 <u>혈연관계 유무나 그에 대한 인식은 친생부인의 소를 이유 있게 하는 근거 또는 제소기간의 기산점 기준으로서 친생부인의 소를 통해 친생추정을 번복할 수 있도록 하는 사유이다.</u> 그러나 <u>이를 넘어서 처음부터 친생추정이 미치지 않도록 하는 사유로서 친생부인의 소를 제기할 필요조차 없도록 하는 요소가 될 수는 없다.</u> ③ 따라서 민법 제844조 제1항의 친생추정은 반증을 허용하지 않는 강한 추정이므로, 처가 혼인 중에 포태한 이상 그 부부의 한쪽이 장기간에 걸쳐 해외에 나가 있거나, 사실상의 이혼으로 부부가 별거하고 있는 경우 등 '동거의 결여'로 처가 부(夫)의 자를 포태할 수 없는 것이 외관상 명백한 사정이 있는 경우에만 그 추정이 미치지 않을 뿐이고, 이러한 예외적인 사유가 없는 한 누구라도 그 자가 부의 친생자가 아님을 주장할 수 없다(대판 2021.9. 9. 2021므13293).

► **친생자 추정**(대판(전) 2019.10.23. 2016므2510)

[1] 아내가 혼인 중 남편이 아닌 제3자의 정자를 제공받아 인공수정으로 임신한 자녀를 출산한 경우, 출생한 자녀가 남편의 자녀로 추정되는지 여부(적극) / 인공수정에 동의한 남편이 나중에 이를 번복하고 친생부인의 소를 제기할 수 있는지 여부(소극) 및 남편이 인공수정 자녀에 대해서 친자관계를 공시·용인해 왔다고 볼 수 있는 경우, 동의가 있는 경우와 마찬가지로 취급하여야 하는지 여부(적극)

(가) 친생자와 관련된 민법 규정, 특히 친생추정 규정의 문언과 체계, 민법이 혼인 중 출생한 자녀의 법적 지위에 관하여 친생추정 규정을 두고 있는 기본적인 입법 취지와 연혁, 헌법이 보장하고 있는 혼인과 가족제도 등에 비추어 보면, 아내가 혼인 중 남편이 아닌 제3자의 정자를 제공받아 인공수정으로 자녀를 출산한 경우에도 친생추정 규정을 적용하여 인공수정으로 출생한 자녀가 남편의 자녀로 추정된다고 보는 것이 타당하다. 상세한 이유는 다음과 같다. ① 민법은 친생추정 규정과 이에 대한 번복방법인 민법 제847조의 친생부인의 소 규정을 엄격하게 정하고 있고, 친생부인을 할 수 없게 된 경우 자녀의 법적 지위가 종국적으로 확정된다. 따라서 혼인 중 출생한 자녀의 부자관계는 민법 규정에 따라 일률적으로 정해지는 것이고 혈연관계를 개별적·구체적으로 심사하여 정해지는 것이 아니다. ② 친생추정 규정은 혼인 중 출생한 자녀에 대해서 적용되는데, 친생추정 규정의 문언과 입법 취지, 혼인과 가족생활에 대한 헌법적 보장 등에 비추어 혼인 중 출생한 인공수정 자녀도 혼인 중 출생한 자녀에 포함된다고 보아야 한다. ③ 자녀의 복리를 지속적으로 책임지는 부모에게 자녀와의 신분관계를 귀속시키는 것이 자녀의 복리에 도움이 된다. 인공수정 자녀에 대해서 친자자관계가 생기지 않는다고 보는 것은 인공수정 자녀를 양육해 왔던 혼인 부부에게 커다란 충격일 뿐만 아니라 이를 바탕으로 가족관계를 형성해 온 자녀에게도 회복하기 어려운 위험이라고 할 수 있다. ④ 인공수정 자녀의 출생 과정과 이를 둘러싼 가족관계의 실제 모습에 비추어 보더라도 인공수정 자녀에 대해서 친생추정 규정을 적용하는 것에 사회적 타당성을 인정할 수 있다.

(나) ① 정상적으로 혼인생활을 하고 있는 부부 사이에서 인공수정 자녀가 출생하는 경우 남편은 동의의 방법으로 자녀의 임신과 출산에 참여하게 되는데, 이것이 친생추정 규정이 적용되는 근거라고 할 수 있다. 남편이 인공수정에 동의하였다가 나중에 이를 번복하고 친생부인의 소를 제기하는 것은 허용되지 않는다. 나아가 인공수정 동의와 관련된 현행법상 제도의 미비, 인공수정이 이루어지는 의료 현실, 민법 제852조에서 친생자임을 승인한 자의 친생부인을 제한하고 있는 취지 등에 비추어 이러한 동의가 명백히 밝혀지지 않았던 사정이 있다고 해서 곧바로 친자관계가 부정된다거나 친생부인의 소를 제기할 수 있다고 볼 것은 아니다. ② 부부가 정상적인 혼인생활을 하고 있는 경우 출생한 인공수정 자녀에 대해서는 남편의 동의가 있었을 개연성이 높다. 따라서 혼인 중 출생한 인공수정 자녀에 대해서는 다른 명확한 사정에 관한 증명이 없는 한 남편의 동의가 있었던 것으로 볼 수 있다. 동의서 작성이나 그 보존 여부가 명백하지 않더라도 인공수정 자녀의 출생 이후 남편이 인공수정 자녀라는 사실을 알면서 출생신고를 하는 등 인공수정 자녀를 자신의 친자로 공시하는 행위를 하거나, 인공수정 자녀의 출생 이후 상당 기간 동안 실질적인 친자관계를 유지하면서 인공수정 자녀를 자신의 자녀로 알리는 등 사회적으로 보아 친자관계를 공시·용인해 왔다고 볼 수 있는 경우에는 동의가 있는 경우와 마찬가지로 취급하여야 한다.

[2] 혼인 중 아내가 임신하여 출산한 자녀가 남편과 혈연관계가 없다는 점이 밝혀진 경우에도 친생추정이 미치는지 여부(적극)

민법 제844조 제1항(이하 '친생추정 규정'이라 한다)의 문언과 체계, 민법이 혼인 중 출생한 자녀의 법적 지위에 관하여 친생추정 규정을 두고 있는 기본적인 입법 취지와 연혁, 헌법이 보장하고 있는 혼인과 가족제도, 사생활의 비밀과 자유, 부부와 자녀의 법적 지위와 관련된 이익의 구체적인 비교형량 등을 종합하면, 혼인 중 아내가 임신하여 출산한 자녀가 남편과 혈연관계가 없다는 점이 밝혀졌더라도 친생추정이 미치지 않는다고 볼 수 없다. 상세한 이유는 다음과 같다. ① 혈연관계의 유무를 기준으로 친생추정 규정이 미치는 범위를 정하는 것은 민법 규정의 문언에 배치될 뿐만 아니라 친생추정 규정을 사실상 사문화하는 것으로 친생추정 규정을 친자관계의 설정과 관련된 기본 규정으로 삼고 있는 민법의 취지와 체계에 반한다. ② 혈연관계의 유무를 기준으로 친생추정 규정의 효력이 미치는 범위를 정하게 되면 필연적으로 가족관계의 당사자가 아닌 제3자가 부부관계나 가족관계 등 가정 내부의 내밀한 영역에 깊숙이 관여하게 되는 결과를 피할 수 없다. 혼인과 가족관계가 다른 사람의 기본권이나 공공의 이익을 침해하지 않는 한 혼인과 가족생활에 대한 국가기관의 개입은 자제하여야 한다. ③ 법리적으로 보아도 혈연관계의 유무는 친생추정을 번복할 수 있는 사유에는 해당할 수 있지만 친생추정이 미치지 않는 범위를 정하는 사유가 될 수 없다.

→ [사실관계] : 아내가 남편인 원고의 동의를 얻어 제3자의 정자로 인공수정을 하거나 다른 남자와의 관계에서 임신을 하여 원고와 혈연관계가 없는 피고들을 출산하였는데, 그 후 남편인 원고가 아내와 이혼하고 피고들을 상대로 친생자관계부존재 확인을 구한 사안에서, 아내가 혼인 중 남편이 아닌 제3자의 정자를 제공받아 인공수정으로 자녀를 출산한 경우에도 친생추정 규정을 적용하여 그 자녀는 남편의 자녀로 추정된다고 보는 것이 타당하고, 혼인 중 아내가 임신하여 출산한 자녀의 경우 유전자 검사를 통하여 남편과 혈연관계가 없다는 점이 밝혀졌더라도 여전히 친생추정이 미친다고 보아, 원심판결의 소 각하 결론을 받아들이고 원고의 상고를 기각한 사례이다.

→ [판단] : ① 아울러 대법원은 혼인 중 임신한 자녀는 친자로 본다는 민법 규정이 인공수정으로 태어난 자녀에게도 똑같이 적용되어야 한다고 함으로써 친자 여부를 따질 때에는 자녀의 복리를

가장 우선적으로 고려해야 한다고 밝히고 있다. 혈연관계가 아니라는 이유로 예외로 인정하는 건 가정의 평화와 자녀의 법적 지위를 지키려 만들어진 법 취지에 반한다는 것이다. 즉 대법원은 이번 판결이 "가족관계를 보호하기 위해 혈연관계만을 기준으로 친자 여부를 판단하면 안된다는 것을 분명히 한 의미가 있다."고 설명하고 있다. 또한 이유에서 "정상적으로 혼인생활을 하고 있는 부부 사이에서 인공수정 자녀가 출생하는 경우 남편은 동의의 방법으로 자녀의 임신과 출산에 참여하게 되는데, 이것이 친생추정 규정이 적용되는 근거라고 할 수 있다. 나아가 인공수정 동의와 관련된 현행법상 제도의 미비, 인공수정이 이루어지는 의료 현실, 민법 제852조에서 친생자임을 승인한 자의 친생부인을 제한하고 있는 취지 등에 비추어 이러한 동의가 명백히 밝혀지지 않았던 사정이 있다고 해서 곧바로 친자관계가 부정된다거나 친생부인의 소를 제기할 수 있다고 볼 것은 아니다. (중략) 남편이 인공수정 자녀에 대해서 출생신고를 하거나 인공수정 자녀의 출생 이후 상당 기간 동안 실질적인 친자관계를 유지해 오는 것과 같이 친자관계를 공시·용인하는 행위를 한 경우 이는 인공수정 자녀의 출생 전 과정을 알고 있다고 볼 수 있는 남편이 그러한 사실을 전제하면서 인공수정 자녀를 자신의 자녀로 승인하는 행위로 평가할 수 있다. 그 후 남편이 친생부인을 주장하는 것은 민법 제852조의 취지에 반할 뿐만 아니라 선행행위와 모순되는 행위로서 신의성실의 원칙에 비추어 허용되지 않는다고 보아야 한다."고 밝히고 있다. 결국 남편이 인공수정에 동의하였다가 나중에 이를 번복하고 친생부인의 소를 제기하는 것은 허용되지 않는다. ② 위와 같은 다수의견에 대하여, 인공수정 자녀의 친자관계는 민법상 친생추정 규정의 적용 여부가 아니라 남편과 아내의 의사의 합치 여부에 따라 결정되어야 하고, 혈연관계가 없다는 점이 증명되고 법률상 부자 사이에 사회적 친자관계가 형성되지 않았거나 파탄된 경우에는 친생추정의 예외가 인정되어야 한다는 별개의견, 친생추정 규정은 남편의 동의를 받은 제3자 정자제공형 인공수정의 경우에 한정하여 적용된다고 보아야 하고, 동거의 결여뿐만 아니라 아내가 남편의 자녀를 임신할 수 없었던 것이 외관상 명백하다고 볼 수 있는 다른 사정이 있는 경우에도 친생추정의 예외가 인정되어야 한다는 별개의견 및 반대의견이 있었다.

3. 친생자 추정의 효과

> 제854조의2 【친생부인의 허가 청구】
> ① 어머니 또는 어머니의 전 남편은 제844조 제3항의 경우에 가정법원에 친생부인의 허가를 청구할 수 있다. 다만, 혼인 중의 자녀로 출생신고가 된 경우에는 그러하지 아니하다.
> ② 제1항의 청구가 있는 경우에 가정법원은 혈액채취에 의한 혈액형 검사, 유전인자의 검사 등 과학적 방법에 따른 검사결과 또는 장기간의 별거 등 그 밖의 사정을 고려하여 허가 여부를 정한다.
> ③ 제1항 및 제2항에 따른 허가를 받은 경우에는 제844조 제1항 및 제3항의 추정이 미치지 아니한다.
> 제855조의2 【인지의 허가 청구】
> ① 생부는 제844조 제3항의 경우에 가정법원에 인지의 허가를 청구할 수 있다. 다만, 혼인 중의 자녀로 출생신고가 된 경우에는 그러하지 아니하다.
> ② 제1항의 청구가 있는 경우에 가정법원은 혈액채취에 의한 혈액형 검사, 유전인자의 검사 등 과학적 방법에 따른 검사결과 또는 장기간의 별거 등 그 밖의 사정을 고려하여 허가 여부를 정한다.
> ③ 제1항 및 제2항에 따라 허가를 받은 생부가 「가족관계의 등록 등에 관한 법률」 제57조 제1항에 따른 신고를 하는 경우에는 제844조 제1항 및 제3항의 추정이 미치지 아니한다.

1) 혼인관계 종료일로부터 300일 이내에 출생한 자는 혼인 중 포태한 것으로 추정하는 민법 제844 조 제2항이 헌법재판소에 의해 헌법불합치 결정을 받음에 따라(헌재 2015.4.30. 2013헌마623), 국회는 그 결정취지를 반영하여 민법 제844조를 위와 같이 개정하고 제854조의2를 신설(시행 일 2018.2.1.)하였다. 구법 하에서는 이혼 등으로 혼인관계가 종료된 후 300일 이내에 출생한 자는 혼인 중 포태된 것으로 추정됨에 따라 여성이 이혼 후 재혼을 하여 출생한 자녀가 전 남 편의 자녀로 친생추정되는 문제가 있었고, 개정 민법은 이러한 문제점을 해결하기 위해 혼인종 료 후 300일 내에 출생하였지만 재혼 배우자의 자녀일 경우에는 친모 혹은 전 남편이 '친생부 인의 허가청구'를 법원에 할 수 있도록 새로운 규정을 신설하다. 또한 과거에는 '친생부인의 소'란 소송을 제기하여야만 했지만 이제는 소송을 하지 않고 법원에 허가청구를 하는 것만으로 도 혼인 종료 후 300일 내에 출생한 자의 친생추정을 부인할 수 있게 되었다.

2) 또한 혼인종료 후 300일 내에 출생하여 자신의 자식이 전혼 배우자의 자녀로 친생추정을 받는 경우, 과거에는 친생부인의 소를 제기한 후 인지를 해야만 했는데, 이에 따라 친생부인의 소에 서 인용확정 판결을 얻지 못하면 인지를 할 수 없었기 때문에 자신의 자녀임에도 불구하고 자 신의 자식으로 인정할 기본권이 제한되는 문제가 있었다. 이 점을 적극 반영하여, 개정 민법 제855조의2를 신설(시행일 2018.2.1.)하여 별도의 소송을 거치지 않고 법원에 '인지의 허가 청구' 를 하여 친자녀가 전 남편의 자녀로 친생추정받는 불합리한 법 상태를 제거할 수 있도록 하였다.

3) 이처럼 친생부인의 허가 청구에 따라 허가를 받은 경우 또는 인지의 허가 청구에 따라 허가를 받은 후 이를 신고한 경우에는 제844조 제1항 및 제3항의 추정은 미치지 아니한다.

4) 다만 이미 혼인 중의 자녀로 출생신고가 된 경우에는 친생부인의 허가 청구 또는 인지의 허가 청구는 할 수 없도록 하였다.

▶ 친생추정의 번복 방법 – 친생부인의 소

민법 제844조 제1항의 친생추정은 반증을 허용하지 않는 강한 추정이므로, 처가 혼인 중에 포태한 이 상 그 부부의 한 쪽이 장기간에 걸쳐 해외에 나가 있거나, 사실상의 이혼으로 부부가 별거하고 있는 경 우 등 동서의 결여로 처가 부(夫)의 자를 포태할 수 없는 것이 외관상 명백한 사정이 있는 경우에만 그 추정이 미치지 않을 뿐이고, 이러한 예외적인 사유가 없는 한 누구라도 그 자가 부의 친생자가 아님 을 주장할 수 없는 것이어서, 이와 같은 추정을 번복하기 위하여는 민법 제846조, 제847조에서 규정 하는 친생부인의 소에 의하여 그 확정판결을 받아야 하고, 이러한 친생부인의 소가 아닌 민법 제865 조 소정의 친생자관계부존재확인의 소에 의하여 그 친생자관계의 부존재확인을 구하는 것은 부적법하 다(대판 2000.8.22. 2000므292).

▶ 친생추정자에 대한 확정된 친생자관계존부확인판결의 효력

추정을 받고 있는 상태에서는 추정을 번복하기 위하여서는 부측에서 민법 제846조, 제847조가 규정 하는 친생부인의 소를 제기하여 그 부인판결을 받아야 하며, 친생자관계부존재확인의 소의 방법에 의하여 그 친생자관계의 부존재확인을 소구하는 것은 부적법하다. 그러나 부적법한 친생자관계부존 재확인의 청구일지라도 법원이 그 잘못을 간과하고 청구를 받아들여 친생자관계가 존재하지 않는다는 확인의 판결을 선고하고 그 판결이 확정된 이상 그 판결이 당연무효라고 할 수는 없다(대판 1992.7.24. 91므566).

◈ 관련판례 ◈

▶ 친생자관계존부확인의 소를 제기할 수 있는 자[다수의견](대판(전) 2020.6.18. 2015므8351)

[1] 친생자관계존부확인의 소의 원고적격자

　　친생자관계에 관하여 민법은 임신과 출산이라는 자연적인 사실에 의하여 그 관계가 명확히 결정되는 모자관계와 달리 부자관계의 성립과 해소에 대하여는 그 관계 확정을 위한 여러 규정을 두고 있다. 아내가 혼인 중에 임신한 자녀를 남편의 자녀로 추정하는 친생추정 규정(제844조 제1항)과 이에 대한 번복방법인 친생부인의 소에 관한 규정(제846조 내지 제851조), 재혼한 여자가 해산한 경우 법원에 의한 부의 결정에 관한 규정(제845조), 혼인 외 출생자의 인지에 관한 규정(제855조 제1항, 제863조), 인지의 취소 및 인지에 대한 이의의 소에 관한 규정(제861조 및 제862조)이 이에 해당한다. 따라서 법적 친생자관계의 성립과 해소를 구하는 소송절차에서는 위 각 규정에 명시된 제소권자가 해당 규정이 정한 요건을 갖춰 소를 제기하는 것이 원칙이다. 민법 제865조 제1항은 "제845조, 제846조, 제848조, 제850조, 제851조, 제862조, 제863조의 규정에 의하여 소를 제기할 수 있는 자는 다른 사유를 원인으로 하여 친생자관계존부확인의 소를 제기할 수 있다."라고 정한다. 이는 법적 친자관계와 가족관계등록부에 표시된 친자관계가 일치하지 않을 때 이를 바로잡기 위하여 친생자관계존부확인의 소를 제기할 수 있도록 한 것이다. 민법 제865조 제1항이 친생자관계존부확인의 소를 제기할 수 있는 자를 구체적으로 특정하여 직접 규정하는 대신 소송목적이 유사한 다른 소송절차에 관한 규정들을 인용하면서 각 소의 제기권자에게 원고적격을 부여하고 그 사유만을 달리하게 한 점에 비추어 보면, 민법 제865조 제1항이 정한 친생자관계존부확인의 소는 법적 친생자관계의 성립과 해소에 관한 다른 소송절차에 대하여 보충성을 가진다. 이처럼 민법 제865조 제1항의 규정 형식과 문언 및 체계, 위 각 규정들이 정한 소송절차의 특성, 친생자관계존부확인의 소의 보충성 등을 고려하면, 친생자관계존부확인의 소를 제기할 수 있는 자는 민법 제865조 제1항에서 정한 제소권자로 한정된다고 봄이 타당하다.

[2] 원고적격의 구체적 범위

　　① 친생자관계의 당사자인 부, 모, 자녀는 민법 제845조, 제846조, 제862조, 제863조에 의하여 소를 제기할 수 있는 자로서 다른 사유를 원인으로 하는 경우에는 친생자관계존부확인의 소를 제기할 수 있다.

　　② 친생자관계의 당사자인 자녀의 직계비속과 그 법정대리인은 민법 제863조에 의하여 소를 제기할 수 있는 자로서 다른 사유를 원인으로 하는 경우에는 친생자관계존부확인의 소를 제기할 수 있다.

　　③ 민법 제848조, 제850조, 제851조의 제소권자인 성년후견인, 유언집행자, 부 또는 처의 직계존속이나 직계비속은 위 규정들에 의하여 소를 제기할 수 있는 요건을 갖춘 경우에 한하여 원고적격이 있다. 즉, 성년후견인은 남편이나 아내가 성년후견을 받게 되었을 때(제848조), 유언집행자는 부 또는 처가 유언으로 친생자관계를 부정하는 의사를 표시한 때(제850조), 부 또는 처의 직계존속이나 직계비속은 부가 자녀의 출생 전에 사망하거나 부 또는 처가 친생부인의 소의 제기기간 내에 사망한 때(제851조) 비로소 다른 사유를 원인으로 하여 친생자관계존부확인의 소를 제기할 수 있다.

　　④ 이해관계인은 민법 제862조에 따라 다른 사유를 원인으로 하여 친생자관계존부확인의 소를 제기할 수 있다. 여기서 이해관계인은 다른 사람들 사이의 친생자관계가 존재하거나 존재하지 않는다는 내용의 판결이 확정됨으로써 일정한 권리를 얻거나 의무를 면하는 등 법률상 이해관계가 있는

<u>제3자를 뜻한다.</u> 이러한 이해관계인에 해당하는지 여부는 원고의 주장 내용과 변론에 나타난 제반 사정을 토대로 상속이나 부양 등에 관한 원고의 권리나 의무, 법적 지위에 미치는 구체적인 영향이 무엇인지를 개별적으로 심리하여 판단해야 한다. 결국 친생자관계존부확인의 소를 제기한 원고가 앞서 본 바와 같이 당연히 원고적격이 인정되는 경우가 아니라면, 여기서 말하는 이해관계인에 해당하는 경우에만 원고적격이 있다. 이러한 이해관계인에 해당하는지 여부는 원고의 주장 내용과 변론에 나타난 제반 사정을 토대로 상속이나 부양 등에 관한 원고의 권리나 의무, 법적 지위에 미치는 구체적인 영향이 무엇인지를 개별적으로 심리하여 판단해야 한다.

[3] 민법 제777조에서 정한 친족은 당연히 친생자관계존부확인의 소를 제기할 수 있는지 여부(소극)

구 인사소송법 등의 폐지와 가사소송법의 제정·시행, 호주제 폐지 등 가족제도의 변화, 신분관계 소송의 특수성, 가족관계 구성의 다양화와 그에 대한 당사자 의사의 존중, 법적 친생자관계의 성립 이나 해소를 목적으로 하는 다른 소송절차와의 균형 등을 고려할 때, 민법 제777조에서 정한 친족 이라는 사실만으로 당연히 친생자관계존부확인의 소를 제기할 수 있다고 한 종전 대법원 판례는 더 이상 유지될 수 없게 되었다고 보아야 한다. 상세한 이유는 다음과 같다. ① 가사소송법은 혼인무효 의 소 등의 상대방에 관한 규정(제24조)만을 친생자관계존부확인의 소에 준용하고 있을 뿐 제기권 자에 관한 규정(제23조)은 준용하지 않고 있다. 따라서 구 인사소송법이 폐지되고 가사소송법이 시행됨으로써 종전 대법원 판례의 법률적 근거가 사라지게 되었다. ② 가족관계를 둘러싼 법질서 나 사회적 상황의 변화 등에 따라 부부관계와 더불어 가족관계의 근간을 이루는 친생자관계를 바 라보는 사회일반의 인식도 함께 변화하였다. 가족제도 등에 관한 법률적, 사회적 상황의 변화에 비추어 보면, 호주제가 유지되던 때와 달리 오늘날에는 민법 제777조에서 정한 친족이라는 이유만 으로 밀접한 신분적 이해관계를 가진다고 볼 법률적, 사회적 근거가 약해졌다. ③ 오늘날에는 가 족관계가 혈연관계뿐만 아니라 당사자의 의사를 기초로 하여 다양하게 형성되고 있다. 따라서 혼 인과 가족관계의 기초가 되는 법적 친자관계의 형성에 관한 당사자의 자유로운 의사를 존중하는 한편, 이에 관하여 제3자가 부당하게 개입하지 않도록 일정한 제한을 둘 필요가 있다. ④ 유전자검 사 등으로 혈연관계의 증명이 어렵지 않게 된 현실을 고려할 때, 혈연의 진실을 위한다는 이유로 친생자관계의 존부를 다툴 수 있는 제3자의 범위를 넓게 보아 본안심리에 나아가도록 하는 것은 필연적으로 신분질서의 안정을 해치고 혼인과 가족생활에 관한 당사자의 자율적인 의사결정을 침 해하는 결과를 가져올 가능성이 크다. 따라서 친생자관계의 존부를 다투는 소를 제기할 수 있는 제3자의 범위를 명문의 법률 규정 없이 해석을 통하여 함부로 확대하는 것은 바람직하지 않다. ⑤ 친생자관계존부확인의 소는 이미 여러 측면에서 제소요건이 완화되어 있는데, 여기에 더하여 원고적격 범위를 민법 제777조에서 정한 친족으로 넓히는 것은 앞서 본 다른 소송절차와 비교해서 도 균형이 맞지 않는다. 이는 다른 소송절차에 관한 법률 규정이 정하고 있는 요건이나 제한 등을 회피하기 위한 수단으로 친생자관계존부확인의 소가 변질될 우려가 있다는 점에서 더욱 그러하다. ⑥ 민법은 민법 제865조 제1항에서 친생자관계의 당사자 아닌 제3자가 이해관계인에 해당하는 경우에는 그 존부를 다툴 수 있게 하고 있으므로, 친족관계에 있는 제3자도 이해관계인에 해당하 는 경우에는 원고적격을 가진다. 따라서 민법 제777조의 모든 친족에게 일률적으로 원고적격을 부여하지 않더라도 친생자관계의 존부에 대해 법률상 이해관계를 가지는 제3자의 권리나 재판청 구권을 부당하게 제약한다고 볼 수 없다. 따라서 <u>민법 제777조에서 정한 친족은 특별한 사정이 없 는 한 그와 같은 신분관계에 있다는 사실만으로 친생자관계존부확인의 소를 제기할 소송상 이익이 있 다고 판단한 판결은 이 판결의 견해에 배치되는 범위에서 이를 변경하기로 한다.</u>

→ [사실관계 및 해설] : ① 독립유공자인 甲의 장녀인 乙의 자녀인 丙이 독립유공자의 유족으로 인정되자, 甲의 장남인 丁의 손자인 戊가 검사를 상대로 甲과 乙 사이에 친생자관계가 존재하지 않는다는 확인 등을 구한 사안에서, 戊가 甲의 직계비속(증손자)으로 甲과 친족관계에 있다는 사실만으로 당연히 친생자관계존부확인의 소를 제기할 수 있는 것은 아니고, 민법 제865조 제1항, 제862조에 따라 원고적격이 인정되어야 하는데, 구 독립유공자예우법이 정한 기준에 따르면 甲의 증손자에 불과한 戊는 독립유공자의 유족으로 등록될 수 없을 뿐만 아니라, 甲의 손자녀로는 丙 외에도 차녀 己의 자녀가 생존한 것으로 보이므로, 戊가 甲과 乙 사이의 친생자관계부존재확인 판결을 받더라도 독립유공자의 유족으로 등록될 수 없으며, 따라서 甲과 乙 사이에 친생자관계가 존재하지 않는다는 내용의 확인 판결이 확정되더라도 戊는 이에 대해 법률상 이해관계를 가진다고 할 수 없으므로, 위 확인의 소는 원고적격을 갖추지 못한 사람이 제기한 것으로 부적법하다고 한 사례이다. ② 반면, 다음과 같은 별개의견이 있었다. 즉 戊는 甲 및 庚(甲의 아내)의 증손자로서 직계비속이므로, 민법 제865조 제1항, 제851조에서 정한 친생자관계존부확인의 소의 제기권자인 '부 또는 처의 직계비속'에 해당한다. 또한 戊가 구 독립유공자예우법에 따라 독립유공자의 유족으로 등록될 수 있는지에 관하여 직권으로 엄격하게 심리·판단할 것은 아니고, 판결 결과에 따라 독립유공자의 유족으로 등록될 수 있는지에 대해 영향을 미칠 가능성이 있음이 밝혀지기만 해도 이해관계인으로서 제소권자에 포함된다고 보아야 한다는 것이다.

▶ **생모나 친족 등 이해관계인이 혼인 외 출생자를 상대로 혼인 외 출생자와 사망한 부 사이의 친생자관계존재확인을 구하는 소가 허용되는지 여부**(소극)

혼인 외 출생자의 경우에 모자관계는 인지를 요하지 아니하고 법률상 친자관계가 인정될 수 있지만, 부자관계는 부의 인지에 의하여서만 발생하는 것이므로, 부가 사망한 경우에는 그 사망을 안 날로부터 2년 이내에 검사를 상대로 인지청구의 소를 제기하여야 하고, 생모나 친족 등 이해관계인이 혼인 외 출생자를 상대로 혼인 외 출생자와 사망한 부 사이의 친생자관계존재확인을 구하는 소는 허용될 수 없다 (대판 2022.1.27, 2018므11273).

제6절 ▼ 인지 – 임의인지와 인지의 효과

I. 서설

1. 의의 및 종류

인지란 혼인 외의 출생자의 생부 또는 생모가 그를 자기의 자로 인정하여 법률상의 친자관계를 발생시키는 일방적인 의사표시이다. 이러한 인지에는, ① 부 또는 모가 스스로 인지의 의사표시를 하는 경우(임의인지)와 ② 부 또는 모를 상대로 인지의 소를 제기하여 인지의 효과를 발생하게 하는 경우(강제인지)가 있다.

2. 인지의 법적 성격

① 실부는 아직 인지가 있기 전에는 법률상의 부가 아니므로 혼인 외의 출생자와 사이에서 아무런 부자관계가 발생하지 않는다. 따라서 실부의 인지는 창설적 의미를 가진다.

② 혼인 외의 출생자와 생모 사이의 모자관계는 인지나 출생신고를 기다리지 않고 자의 출생으로 당연히 생기므로, 따로 인지를 할 필요가 없다. 따라서 기아 등의 경우에 있어서 모가 인지하더라도 그것은 확인적 의미를 가진다.

II. 임의인지

1. 인지권자

임의인지는 생부 또는 생모가 할 수 있다(제855조 제1항). 이들은 행위능력이 없더라도 의사능력이 있으면 법정대리인의 동의 없이 임의인지를 할 수 있다. 다만, 아버지가 피성년후견인인 경우로서 인지를 하는 때에는 성년후견인의 동의를 얻어야 한다(제856조).

2. 피인지자

(1) 타인의 친생자로 추정을 받고 있는 자

혼인종료 후 300일 내에 출생하여 자신의 자식이 전혼 배우자의 자녀로 친생추정을 받는 경우, 과거에는 친생부인의 소를 제기한 후 인지를 해야만 했는데(대판 1968.2.27, 67므34), 이에 따라 친생부인의 소에서 인용확정 판결을 얻지 못하면 인지를 할 수 없었기 때문에 자신의 자녀임에도 불구하고 자신의 자식으로 인정할 기본권이 제한되는 문제가 있었다. 이 점을 적극 반영하여, 개정 민법 제855조의2에서는 별도의 소송을 거치지 않고 법원에 '인지의 허가 청구'를 하여 친자녀가 전 남편의 자녀로 친생추정 받는 불합리한 법 상태를 제거할 수 있도록 하였다. 다만, 혼인 중의 자녀로 출생신고가 된 경우에는 그러하지 아니하다.

(2) 타인의 친생자 추정을 받지 않는 혼인 중의 자

① 부 입장에서는 친생자관계부존재확인의 소에 의하여 가족관계등록부상의 부와 자 사이에 친자관계가 존재하지 않는다는 것을 확정한 후에 인지할 수 있고, ② 자 입장에서는 친생자관계부존재확인의 소를 제기할 필요 없이 바로 인지청구소송을 제기할 수 있다(대판 2000.1.28, 99므1817).

> ▶ 생부모가 호적상의 부모와 다른 사실이 객관적으로 명백한 경우, 친생추정을 깨뜨리지 않고도 생부모를 상대로 인지청구를 할 수 있는지 여부(적극)
> 민법 제844조의 친생추정을 받는 자는 친생부인의 소에 의하여 그 친생추정을 깨뜨리지 않고서는 다른 사람을 상대로 인지청구를 할 수 없으나, 호적상의 부모의 혼인중의 자로 등재되어 있는 자라 하더라도 그의 생부모가 호적상의 부모와 다른 사실이 객관적으로 명백한 경우에는 그 친생추정이 미치지 아니하므로, 그와 같은 경우에는 곧바로 생부모를 상대로 인지청구를 할 수 있다(대판 2000.1.28, 99므1817).

(3) 타인이 먼저 인지한 자

타인이 먼저 인지한 경우에는 그 인지에 대한 이의의 소(제862조)를 제기하여 그 판결이 확정된 후에 인지할 수 있다.

(4) 사망한 자

자가 사망한 후에는 원칙적으로 인지할 수 없으나, 자의 직계비속이 있는 때에는 인지할 수 있다 (제857조).

(5) 포태 중에 있는 자

부는 포태 중에 있는 자에 대하여도 이를 인지할 수 있다(제858조).

3. 인지의 방법

(1) 생전인지

인지는 가족관계의 등록 등에 관한 법률이 정한 바에 의하여 신고함으로써 그 효력이 생긴다(제859조 제1항). 여기의 신고는 창설적 신고이다. 따라서 신고가 없으면 인지의 효과가 생기지 않는다.

(2) 유언에 의한 인지

인지는 유언으로도 할 수 있고, 그때에는 유언집행자가 이를 신고하여야 한다(동조 제2항). 그런데 여기의 신고는 보고적 신고이다. 따라서 신고가 없더라도 인지의 효력이 생긴다.

(3) 무효인 출생신고의 인지로의 전환(무효행위의 전환)

1) 무효행위의 전환

부가 혼인 외의 출생자에 대하여 혼인 중의 출생자로 친생자 출생신고를 한 때에는 그 신고는 인지의 효력이 있다(가족관계등록법 제57조). 그러나 그 신고는 인지의 효력을 가지기는 하나 형식상 인지신고가 아니라 출생신고일 뿐이므로, 그 신고의 효력을 다투는 방법은 인지관련 소송이 아니라 친생자관계부존재확인의 소에 의하여야 한다.

> ▶ **친생자 출생신고에 의한 인지의 효력을 다투는 방법**
> 인지에 대한 이의의 소 또는 인지무효의 소는 민법 제855조 제1항, 호적법 제60조의 규정에 의하여 생부 또는 생모가 인지신고를 함으로써 혼인 외의 자를 인지한 경우에 그 효력을 다투기 위한 소송이며, 위 각 법조에 의한 인지신고에 의함이 없이 일반 출생신고에 의하여 호적부상 등재된 친자관계를 다투기 위하여는 위의 각 소송과는 별도로 민법 제865조가 규정하고 있는 친생자관계부존재확인의 소에 의하여야 할 것인바, 호적법 제62조에 부가 혼인 외의 자에 대하여 친생자 출생신고를 한 때에는 그 신고는 인지의 효력이 있는 것으로 규정되어 있으나, 그 신고가 인지신고가 아니라 출생신고인 이상 그와 같은 신고로 인한 친자관계의 외관을 배제하고자 하는 때에도 인지에 관련된 소송이 아니라 친생자관계부존재확인의 소를 제기하여야 한다(대판 1993.7.27. 91므306).

2) 구체적인 예

혼인신고가 위법하여 무효인 경우에도 무효의 혼인 중 출생한 자를 그 호적에 출생신고하여 등재한 이상 그 자에 대하여 인지의 효력이 있다(대판 1971.11.15, 71다1983).

3) 부의 의사 개입이 없는 경우의 효력

임의인지는 부의 진정한 의사를 기초로 하기 때문에 부의 의사와 무관하게 이루어진 신고에는 인지의 효력을 인정할 수 없다. 즉 ① 혼인 외의 출생자의 생모가 부의 사망 후 그들 간에 출생한 친생자인 양 출생신고를 한 경우(대판 1985.10.22, 84다카1165), ② 생모가 타인의 인장을 위조하여 혼인신고와 친생자로서의 출생신고를 한 경우(대판 1984.9.25, 84므73), ③ 조부가 출생신고를 한 경우(대판 1976.4.13, 75다948)에는 인지의 효력이 생기지 않는다.

> ▶ **혼인 외의 출생자에 대하여 부 사망후 처가 한 출생신고를 부의 인지로 볼 수 있는지 여부**(소극)
> 혼인 외의 출생자와 그 부와의 법률상 부자관계는 오로지 인지에 의해서만 생기는 것인바, 부 사망 후 그의 처가 그들 간에 출생한 친생자인양 출생신고를 하였다 하더라도 그것이 위 인지로서의 효력이 없다(대판 1985.10.22, 84다카1165).

4. 인지의 무효와 취소

(1) 인지의 무효

1) 민법에는 규정이 없으나, 가사소송법은 인지의 무효에 관하여 규정하고 있다. 통설은 ① 인지가 사실에 반하는 경우, ② 의사능력을 결한 경우, ③ 인지자의 의사에 의하지 않고 인지신고된 경우에 인지가 무효라고 한다.

2) 인지의 무효는 당연무효이므로, 소 또는 기타의 절차에 의하지 않고도 또 누구라도 그 무효를 주장할 수 있으며, 다른 소에서 선결문제로서 인지무효를 주장할 수 있다.

> ▶ **친생자 아닌 자에 대한 인지신고의 효력**
> 친생자가 아닌 자에 대하여 한 인지신고는 당연무효이며 이런 인지는 무효를 확정하기 위한 판결 기타의 절차에 의하지 아니하고도, 또 누구에 의하여도 그 무효를 주장할 수 있는 것이다. 그리고 위와 같은 인지라도 그 신고 당시 당사자 사이에 입양의 명백한 의사가 있고 기타 입양의 성립요건이 모두 구비된 경우라면 입양의 효력이 있는 것으로 해석할 수 있다(대판 1992.10.23, 92다29399).

(2) 인지취소의 소

1) 사기·강박 또는 중대한 착오로 인하여 인지를 한 때에는, 사기나 착오를 안 날 또는 강박을 면한 날로부터 6개월 내에 가정법원에 그 취소를 청구할 수 있다(제861조).

2) 인지를 취소하는 판결이 확정되면 인지는 처음부터 무효로 되며, 그 판결은 제3자에게도 효력이 있다.

3) 민법 총칙상의 착오·사기·강박에 의한 의사표시 규정(제109조~제110조)은 적용되지 않는다.

(3) 인지에 대한 이의의 소

1) 혼인 외의 자를 그 생부가 아닌 사람이 인지한 경우에는 자 기타 이해관계인은 인지의 신고 있음을 안 날로부터 1년 내에 인지에 대한 이의의 소를 제기할 수 있다(제862조).

2) 인지에 대한 이의의 소는 임의인지를 대상으로 하는 것이므로, 강제인지에 대하여는 재심의 소로써 이를 다투어야 하고, 인지에 대한 이의의 소로써는 다툴 수 없다.

III. 인지의 효과

1. 인지의 소급효

> **제860조【인지의 소급효】**
> 인지는 그 자의 출생시에 소급하여 효력이 생긴다. 그러나 제3자의 취득한 권리를 해하지 못한다.

(1) 소급효

인지는 인지자인 부와 피인지자인 자 사이에 법률상 부자관계가 출생시에 소급하여 생긴다(제860조). 따라서 인지된 자와 그 부모사이의 부양권·상속권은 출생시로 소급하여 발생한다.

(2) 과거의 부양료 청구

그 결과 부는 자의 출생 시부터 자에 대한 부양의무를 분담하였어야 하므로, 인지 전에 모가 자를 혼자서 양육한 경우에는 부에 대하여 과거의 양육비의 상환도 청구할 수 있다.

▶ **과거의 부양료 청구**

[1] 어떠한 사정으로 인하여 부모 중 어느 한 쪽만이 자녀를 양육하게 된 경우에, 그와 같은 일방에 의한 양육이 그 양육자의 일방적이고 이기적인 목적이나 동기에서 비롯한 것이라거나 자녀의 이익을 위하여 도움이 되지 아니하거나 그 양육비를 상대방에게 부담시키는 것이 오히려 형평에 어긋나게 되는 등 특별한 사정이 있는 경우를 제외하고는, 양육하는 일방은 상대방에 대하여 현재 및 장래에 있어서의 양육비 중 적정 금액의 분담을 청구할 수 있음은 물론이고, 부모의 자녀양육의무는 특별한 사정이 없는 한 자녀의 출생과 동시에 발생하는 것이므로 과거의 양육비에 대하여도 상대방이 분담함이 상당하다고 인정되는 경우에는 그 비용의 상환을 청구할 수 있다(대판(전) 1994.5.13, 92스21).

[2] 미성년의 자녀를 양육한 자가 공동 양육의무자인 다른 쪽 상대방에 대하여 과거 양육비의 지급을 구하는 권리는 당초에는 기본적으로 친족관계를 바탕으로 하여 인정되는 하나의 추상적인 법적 지위이었던 것이 당사자 사이의 협의 또는 해당 양육비의 내용 등을 재량적·형성적으로 정하는 가정법원의 심판에 의하여 구체적인 청구권으로 전환됨으로써 비로소 보다 뚜렷하게 독립한 재산적 권리로서의 성질을 가지게 되는 것으로서, 당사자의 협의 또는 가정법원의 심판에 의하여 구체적인 지급청구권으로 성립하기 전에는 과거의 양육비에 관한 권리는 양육자가 그 권리를 행사할 수 있는 재산권에 해당한다고 할 수 없으므로, 그 상태에서는 소멸시효가 진행할 여지가 없다고 보아야 한다(대판 2011.8.16, 2010스85).

2. 인지의 소급효 제한

(1) 의의

> **제1014조【분할 후의 피인지자 등의 청구권】**
> 상속개시 후의 인지 또는 재판의 확정에 의하여 공동상속인이 된 자가 상속재산의 분할을 청구할 경우에 다른 공동상속인이 이미 분할 기타 처분을 한 때에는 그 상속분에 상당한 가액의 지급을 청구할 권리가 있다.

1) 상속개시 후에 인지되었더라도 인지의 소급효로 인해 피인지자는 상속개시시부터 당연히 공동 상속인이었던 것으로 된다(인지의 소급효, 제860조 본문).

2) 그러나 인지 전에 다른 공동상속인들이 이미 분할을 마쳤는데도 분할을 다시 하게 하는 것은 제3자에게 예기치 못한 손해를 끼칠 염려가 크다. 이에 대해 민법은 이미 이루어진 분할의 효력을 유지하면서(인지의 소급효 제한, 동조 단서), 다만 그 상속분에 상당한 가액의 지급을 청구할 권리만 인정하는 것으로 규정하고 있다(제1014조).

▶ **공동상속인이 상속재산 분할 후 취득한 과실이 피인지자에 대하여 부당이득이 되는지 여부**(소극)
상속개시 후에 인지되거나 재판이 확정되어 공동상속인이 된 자도 그 상속재산이 아직 분할되거나 처분되지 아니한 경우에는 당연히 다른 공동상속인들과 함께 분할에 참여할 수 있을 것이나, 인지 이전에 다른 공동상속인이 이미 상속재산을 분할 내지 처분한 경우에는 인지의 소급효를 제한하는 민법 제860조 단서가 적용되어 사후의 피인지자는 다른 공동상속인들의 분할 기타 처분의 효력을 부인하지 못하게 되는바, 민법 제1014조는 그와 같은 경우에 피인지자가 다른 공동상속인들에 대하여 그의 상속분에 상당한 가액의 지급을 청구할 수 있도록 하여 상속재산의 새로운 분할에 갈음하는 권리를 인정함으로써 피인지자의 이익과 기존의 권리관계를 합리적으로 조정하는 데 그 목적이 있는 것이다. 따라서 인지 이전에 공동상속인들에 의해 이미 분할되거나 처분된 상속재산은 민법 제860조 단서가 규정한 인지의 소급효 제한에 따라 이를 분할 받은 공동상속인이나 공동상속인들의 처분행위에 의해 이를 양수한 자에게 그 소유권이 확정적으로 귀속되는 것이며, 상속재산의 소유권을 취득한 자는 민법 제102조에 따라 그 과실을 수취할 권능도 보유한다고 할 것이므로, 피인지자에 대한 인지 이전에 상속재산을 분할한 공동상속인이 그 분할받은 상속재산으로부터 발생한 과실을 취득하는 것은 피인지자에 대한 관계에서 부당이득이 된다고 할 수 없다(대판 2007.7.26, 2006다8379).

(2) 가액지급청구권의 성질

민법 제1014조에 의하여, 상속개시 후의 인지 또는 재판의 확정에 의하여 공동상속인이 된 자가 분할을 청구할 경우에 다른 공동상속인이 이미 분할 기타 처분을 한 때에는 그 상속분에 상당한 가액의 지급을 청구할 권리가 있는바, 이 가액청구권은 상속회복청구권의 일종이다(대판 1993.8.24, 93다12).

(3) 가액지급청구의 상대방

1) 동순위 공동상속인

제1014조에 의하여 가액지급청구권을 가지게 되는 공동상속인은 이미 상속재산 분할을 한 자와 동순위의 상속인을 가리킨다.

2) 후순위 상속인

인지 등에 의하여 상속인으로 된 자보다 후순위 상속인들이 한 상속재산분할에는 제1014조가 적용되지 않는다(대판 1993.3.12, 92다48512). 후순위 상속인이 참가한 상속재산 분할은 처음부터 무효이기 때문이다.

▶ 피인지자보다 후순위 상속인은 피인지자의 출현으로 자신이 취득한 상속권을 소급하여 잃게 되는지 여부(적극)

민법 제860조는 인지의 소급효는 제3자가 이미 취득한 권리에 의하여 제한받는다는 취지를 규정하면서 민법 제1014조는 상속개시 후의 인지 또는 재판의 확정에 의하여 공동상속인이 된 자는 그 상속분에 상응한 가액의 지급을 청구할 권리가 있다고 규정하여 제860조 소정의 제3자의 범위를 제한하고 있는 취지에 비추어 볼 때, 혼인 외의 출생자가 부의 사망 후에 인지의 소에 의하여 친생자로 인지받은 경우 피인지자보다 후순위 상속인인 피상속인의 직계존속 또는 형제자매 등은 피인지자의 출현과 함께 자신이 취득한 상속권을 소급하여 잃게 되는 것으로 보아야 하고, 그것이 민법 제860조 단서의 규정에 따라 인지의 소급효 제한에 의하여 보호받게 되는 제3자의 기득권에 포함된다고는 볼 수 없다(대판 1993.3.12, 92다48512).

→ [해설] : 따라서 선순위 상속권자는 후순위 상속인에 대하여 본조의 가액지급청구가 아닌 상속회복청구를 할 수 있다.

▶ 인지를 요하지 아니하는 모자관계에서 인지의 소급효 제한에 관한 제860조 단서가 적용 또는 유추적용되는지 여부(소극) 및 제1014조를 근거로 자가 모의 다른 공동상속인이 한 상속재산에 대한 분할 또는 처분의 효력을 부인하지 못하는지 여부(소극)

민법 제860조는 본문에서 "인지는 그 자의 출생 시에 소급하여 효력이 생긴다."고 하면서 단서에서 "그러나 제3자의 취득한 권리를 해하지 못한다."라고 하여 인지의 소급효를 제한하고 있고, 민법 제1014조는 "상속개시 후의 인지 또는 재판의 확정에 의하여 공동상속인이 된 자가 상속재산의 분할을 청구할 경우에 다른 공동상속인이 이미 분할 기타 처분을 한 때에는 그 상속분에 상당한 가액의 지급을 청구할 권리가 있다."라고 규정하고 있다. 그런데 혼인 외의 출생자와 생모 사이에는 생모의 인지나 출생신고를 기다리지 아니하고 자의 출생으로 당연히 법률상의 친자관계가 생기고, 가족관계등록부의 기재나 법원의 친생자관계존재확인판결이 있어야만 이를 인정할 수 있는 것이 아니다. 따라서 인지를 요하지 아니하는 모자관계에는 인지의 소급효 제한에 관한 민법 제860조 단서가 적용 또는 유추적용되지 아니하며, 상속개시 후의 인지 또는 재판의 확정에 의하여 공동상속인이 된 자의 가액지급청구권을 규정한 민법 제1014조를 근거로 자가 모의 다른 공동상속인이 한 상속재산에 대한 분할 또는 처분의 효력을 부인하지 못한다고 볼 수도 없다. 이는 비록 다른 공동상속인이 이미 상속재산을 분할 또는 처분한 이후에 모자관계가 친생자관계존재확인판결의 확정 등으로 비로소 명백히 밝혀졌다 하더라도 마찬가지이다(대판 2018.6.19, 2018다1049).

제7절 **입양에 관한 주요쟁점**

I. 입양의 성립과 요건

1. 입양의 의의

입양이란 양친자관계를 창설할 것을 목적으로 하는 양자와 양친 사이의 합의(일종의 계약)이다. 입양은 가족관계의 등록 등에 관한 법률에 의하여 일정한 방식으로 신고하여야 성립하는 요식행위이다.

2. 입양의 성립요건 - 입양의 합의 + 입양신고

(1) 실질적 요건 - 당사자의 입양의 합의

당사자인 양부모와 양자사이에 외형적인 의사표시의 일치로서 충분하다. 여기서 입양의 합의에 있어서 입양의사란 실질적으로 양친자로서의 신분적 생활관계를 형성하려는 의사이며, 그러한 의사의 합치가 없는 경우에는 입양은 무효이다. 따라서 고소사건으로 인한 처벌 등을 모면할 목적에서 이루어진 가장입양은 무효이다(대판 1995.9.29, 92므1553).

> ▶ **형식적으로만 입양한 것처럼 가장하기로 하여 이루어진 입양신고의 효력**(소극)
> 민법 제883조 제1호의 입양무효사유인 '당사자 간에 입양의 합의가 없는 때'라 함은 당사자 간에 실제로 양친자로서의 신분적 생활관계를 형성할 의사를 가지고 있지 아니한 경우를 말하므로, 입양신고가 호적상 형식적으로만 입양한 것처럼 가장하기로 하여 이루어진 것일 뿐 당사자 사이에 실제로 양친자로서의 신분적 생활관계를 형성한다는 의사의 합치가 없었던 것이라면 이는 당사자 간에 입양의 합의가 없는 때에 해당하여 무효라고 보아야 한다(대판 2004.4.9, 2003므2411).

(2) 형식적 요건 - 입양신고

1) 입양신고

입양은 가족관계의 등록 등에 관한 법률에서 정한 바에 따라 신고함으로써 그 효력이 생긴다(제878조).

2) 허위의 출생자신고에 의한 입양의 효력 인정(무효행위의 전환)

가) **무효행위의 전환** : 판례는 무효행위의 전환을 인정하여 당사자 사이에 양친자관계를 창설하려는 명백한 의사가 있고, 기타 입양의 실질적 성립요건이 모두 구비된 때에는 입양으로서의 효력을 인정한다(대판(전) 1977.7.26, 77다492).

나) **무효행위의 전환이 인정되기 위한 입양의 실질적 요건** : 입양의 실질적 요건이 구비되어 있다고 하기 위하여는 입양의 합의가 있을 것, 13세 미만자는 법정대리인의 대락이 있을 것, 양자는 양부모의 존속 또는 연장자가 아닐 것 등 제883조 각 호 소정의 입양의 무효사유가 없어야 함은 물론, 감호·양육 등 양친자로서의 신분적 생활사실이 반드시 수반되어야 하는 것으로서, 입양의 의사로 친생자 출생신고를 하였다 하더라도 위와 같은 요건을 갖추지 못한 경우에는 입양신고로서의 효력이 생기지 않는다고 한다(대판 2000.6.9, 99므1633).

다) **무효인 친생자출생신고의 추인 인정 여부** : 친생자 출생신고 당시 입양의 실질적 요건을 갖추지 못하여 입양신고로서의 효력이 생기지 않았더라도, 그 후에 입양의 실질적 요건을 갖추게 된 경우에는 무효인 친생자 출생신고는 소급하여 입양신고로서의 효력을 갖게 된다(대판 2000.6.9, 99므1633).

▶ **입양의 의사로 친생자출생신고를 하고 입양의 실질적 요건이 구비된 경우, 입양의 효력을 인정할 수 있는지 여부**(적극)

입양은 기본적으로 입양 당사자 개인 간의 법률행위이다. 구 민법(2012.2.10. 법률 제11300호로 개정되기 전의 것)상 입양의 경우 입양의 실질적 요건이 모두 구비되어 있다면 입양신고 대신 친생자출생신고를 한 형식상 잘못이 있어도 입양의 효력은 인정할 수 있다. 입양과 같은 신분행위에서 '신고'라는 형식을 요구하는 이유는 당사자 사이에 신고에 대응하는 의사표시가 있었음을 확실히 하고 또 이를 외부에 공시하기 위함인데, 허위의 친생자출생신고도 당사자 사이에 법률상 친자관계를 설정하려는 의사표시가 명백히 나타나 있고 양친자관계는 파양에 의하여 해소될 수 있다는 점을 제외하면 법률적으로 친생자관계와 똑같은 내용을 가지므로, 허위의 친생자출생신고는 법률상 친자관계의 존재를 공시하는 신고로서 입양신고의 기능을 한다고 볼 수 있기 때문이다(대판 2018.5.15, 2014므4963).

→ **[사실관계]** : 여성 甲과 남성 乙이 부모를 알 수 없는 丙을 데려와 함께 키우며 丙을 乙의 호적에 입적시키고 출생신고를 하였는데, 乙이 丙을 상대로 甲과 丙 사이에 친생자관계 부존재확인을 구한 사안에서, 甲과 丙 사이에는 개별적인 입양의 실질적 요건이 모두 갖추어져 있고, 甲에게 乙과 공동으로 양부모가 되는 것이 아니라면 단독으로는 양모도 되지 않았을 것이란 의사, 즉 乙과 丙 사이의 입양이 불성립, 무효, 취소, 혹은 파양되는 경우에는 甲도 丙을 입양할 의사가 없었을 것이라고 볼 특별한 사정도 찾아볼 수 없으며, 입양 신고 대신 丙에 대한 친생자출생신고가 이루어진 후 호적제도가 폐지되고 가족관계등록제도가 시행됨으로써 甲의 가족관계등록부에는 丙이 甲의 자녀로 기록되었고, 丙의 가족관계증명서에도 甲이 丙의 모(母)로 기록되어 있는 점 등에 비추어, 甲과 丙 사이에는 양친자관계가 성립할 수 없다고 본 원심판결에 법리오해의 잘못이 있다고 한 사례이다.

(3) **입양의 장애사유가 없을 것**(제866조 이하)

▶ **당시의 민법 규정에 따라 적법하게 입양신고를 마친 사람이 동성애자로서 자신의 성과 다른 성 역할을 하는 사람이라는 이유만으로 입양이 무효라고 할 수 있는지 여부**(소극) **및 이는 입양의 의사로 친생자 출생신고를 한 경우에도 마찬가지인지 여부**(적극)

2013.7.1. 민법 개정으로 입양허가제도가 도입되기 전에는 성년에 달한 사람은 성별, 혼인 여부 등을 불문하고 당사자들의 입양 합의와 부모의 동의 등만 있으면 입양을 할 수 있었으므로, 당시의 민법 규정에 따라 적법하게 입양신고를 마친 사람이 단지 동성애자로서 동성과 동거하면서 자신의 성과 다른 성 역할을 하는 사람이라는 이유만으로는 입양이 선량한 풍속에 반하여 무효라고 할 수 없고, 이는 그가 입양의 의사로 친생자 출생신고를 한 경우에도 마찬가지이다(대판 2014.7.24, 2012므806).

→ **[사실관계]** : 여성인 甲과 동성애관계에 있던 乙이 입양의 의사로 丙을 자신의 친생자로 출생신고하고 甲과 함께 丙을 양육하였는데, 이후 丙이 甲의 양자로 입양신고를 마치고도 甲, 乙과 함께 생활한 사안에서, 丙이 甲의 양자로 입양신고를 마쳤다는 사정만으로 乙과 丙 사이의 양친자관계가 파양되었다고 보기 어려워 뒤에 이루어진 甲과 丙 사이의 입양의 효력이 문제될 뿐이므로,[4] 乙과 丙의 친생자관계부존재확인을 구하는 소는 확인의 이익이 없어 부적법하다고 본 사례이다.

◈ 참고판례 ◈

▶ **현재 혼인 중에 있지 아니한 성전환자에게 미성년 자녀가 있는 경우, 성별정정을 허가할 수 있는지 여부**(적극) **및 그 판단 기준**

[다수의견] (가) 인간은 누구나 자신의 성정체성에 따른 인격을 형성하고 삶을 영위할 권리가 있다. 성전환자도 자신의 성정체성을 바탕으로 인격과 개성을 실현하고 우리 사회의 동등한 구성원으로서 타인과 함께 행복을 추구하며 살아갈 수 있어야 한다. 이러한 권리를 온전히 행사하기 위해서 성전환자는 자신의 성정체성에 따른 성을 진정한 성으로 법적으로 확인받을 권리를 가진다. 이는 인간으로서의 존엄과 가치에서 유래하는 근본적인 권리로서 행복추구권의 본질을 이루므로 최대한 보장되어야 한다. 한편 미성년 자녀를 둔 성전환자도 부모로서 자녀를 보호하고 교양하며(민법 제913조), 친권을 행사할 때에도 자녀의 복리를 우선해야 할 의무가 있으므로(민법 제912조), 미성년 자녀가 있는 성전환자의 성별정정 허가 여부를 판단할 때에는 성전환자의 기본권의 보호와 미성년 자녀의 보호 및 복리와의 조화를 이룰 수 있도록 법익의 균형을 위한 여러 사정들을 종합적으로 고려하여 실질적으로 판단하여야 한다. 따라서 위와 같은 사정들을 고려하여 실질적으로 판단하지 아니한 채 단지 성전환자에게 미성년 자녀가 있다는 사정만을 이유로 성별정정을 불허하여서는 아니 된다. (중략) 따라서 성전환자에게 미성년 자녀가 있는 경우 성전환자의 가족관계등록부상 성별정정이 허용되지 않다는 취지의 대법원 2011.9.2. 자 2009스117 전원합의체 결정을 비롯하여 그와 같은 취지의 결정들은 이 결정의 견해에 배치되는 범위에서 모두 변경하기로 한다(대결(전) 2022.11.24. 2020스616).

▶ **조부모가 손자녀를 입양할 수 있는지 여부**(적극)

[다수의견] ① 입양은 출생이 아니라 법에 정한 절차에 따라 원래는 부모·자녀가 아닌 사람 사이에 부모·자녀 관계를 형성하는 제도이다. 조부모와 손자녀 사이에는 이미 혈족관계가 존재하지만 부모·자녀 관계에 있는 것은 아니다. 민법은 입양의 요건으로 동의와 허가 등에 관하여 규정하고 있을 뿐이고 존속을 제외하고는 혈족의 입양을 금지하고 있지 않다(민법 제877조 참조). 따라서 조부모가 손자녀를 입양하여 부모·자녀 관계를 맺는 것이 입양의 의미와 본질에 부합하지 않거나 불가능하다고 볼 이유가 없다. 따라서 조부모가 자녀의 입양허가를 청구하는 경우에 입양의 요건을 갖추고 입양이 자녀의 복리에 부합한다면 이를 허가할 수 있다(대결(전) 2021.12.23. 2018스5).

---

4) 우리 민법은 동성 간의 혼인을 허용하고 있지 않고(대판 2011.9.2. 2009스117 전원합의체 결정 참조), 법률상 부부가 아닌 사람들이 공동으로 양부모가 되는 것도 허용하고 있지 않으므로(대판 1995.1.24. 93므1242 판결 참조), 甲과 丙 사이의 입양의 효력은 무효가 될 여지가 크다.

Ⅱ. 미성년자 입양 - 법정대리인의 대락

> **제867조 【미성년자의 입양에 대한 가정법원의 허가】**
> ① 미성년자를 입양하려는 사람은 가정법원의 허가를 받아야 한다.
> ② 가정법원은 양자가 될 미성년자의 복리를 위하여 그 양육 상황, 입양의 동기, 양부모의 양육능력, 그 밖의 사정을 고려하여 제1항에 따른 입양의 허가를 하지 아니할 수 있다.
>
> **제869조 【입양의 의사표시】**
> ① 양자가 될 사람이 13세 이상의 미성년자인 경우에는 법정대리인의 동의를 받아 입양을 승낙한다.
> ② 양자가 될 사람이 13세 미만인 경우에는 법정대리인이 그를 갈음하여 입양을 승낙한다.
> ③ 가정법원은 다음 각 호의 어느 하나에 해당하는 경우에는 제1항에 따른 동의 또는 제2항에 따른 승낙이 없더라도 제867조 제1항에 따른 입양의 허가를 할 수 있다.
> 1. 법정대리인이 정당한 이유 없이 동의 또는 승낙을 거부하는 경우. 다만, 법정대리인이 친권자인 경우에는 제870조 제2항의 사유가 있어야 한다.
> 2. 법정대리인의 소재를 알 수 없는 등의 사유로 동의 또는 승낙을 받을 수 없는 경우
> ④ 제3항 제1호의 경우 가정법원은 법정대리인을 심문하여야 한다.
> ⑤ 제1항에 따른 동의 또는 제2항에 따른 승낙은 제867조 제1항에 따른 입양의 허가가 있기 전까지 철회할 수 있다.

Ⅲ. 부부의 공동입양

> **제874조 【부부의 공동입양 등】**
> ① 배우자가 있는 사람은 배우자와 공동으로 입양하여야 한다.
> ② 배우자가 있는 사람은 그 배우자의 동의를 받아야만 양자가 될 수 있다.

배우자 있는 자가 입양을 할 때에는 배우자와 공동으로 하여야 하며(제874조 제1항), 배우자 있는 자가 양자가 될 때에는 그 배우자의 동의를 얻어야 한다(제874조 제2항).

▶ **부부일방이 단독으로 한 입양의 효력**

처가 있는 자가 입양을 함에 있어서 혼자만의 의사로 부부 쌍방 명의의 입양신고를 하여 수리된 경우, 처와 양자가 될 자 사이에서는 입양의 일반요건 중 하나인 당사자 간의 입양합의가 없으므로 입양이 무효가 되는 것이지만, 처가 있는 자와 양자가 될 자 사이에서는 입양의 일반 요건을 모두 갖추었어도 부부공동 입양의 요건을 갖추지 못하였으므로 처가 그 입양의 취소를 청구할 수 있으나, 그 취소가 이루어지지 않는 한 그들 사이의 입양은 유효하게 존속하는 것이고, 당사자가 양친자관계를 창설할 의사로 친생자출생신고를 하고, 거기에 입양의 실질적 요건이 모두 구비되어 있다면 그 형식에 다소 잘못이 있더라도 입양의 효력이 발생하고, 양친자관계는 파양에 의하여 해소될 수 있는 점을 제외하고는 법률적으로 친생자관계와 똑같은 내용을 갖게 되므로, 이 경우의 허위의 친생자출생신고는 법률상의 친자관계인 양친자관계를 공시하는 입양신고의 기능을 발휘하게 된다(대판 2006.1.12, 2005도8427).

제8절 후견 및 부양

Ⅰ. 후견

▶ **성년후견개시**(대결 2021.6.10. 2020스596)

[1] 한정후견의 개시를 청구한 사건에서 가정법원이 성년후견을 개시할 수 있는 요건 및 성년후견 개시를 청구하고 있더라도 필요한 경우, 한정후견을 개시할 수 있는지 여부(적극)

<u>성년후견이나 한정후견에 관한 심판 절차는 가사소송법 제2조 제1항 제2호 (가)목에서 정한 가사비송사건으로서, 가정법원이 당사자의 주장에 구애받지 않고 후견적 입장에서 합목적적으로 결정할 수 있다.</u> 이때 성년후견이든 한정후견이든 본인의 의사를 고려하여 개시 여부를 결정한다는 점은 마찬가지이다(민법 제9조 제2항, 제12조 제2항). 위와 같은 규정 내용이나 입법 목적 등을 종합하면, 성년후견이나 한정후견 개시의 청구가 있는 경우 가정법원은 청구 취지와 원인, 본인의 의사, 성년후견 제도와 한정후견 제도의 목적 등을 고려하여 어느 쪽의 보호를 주는 것이 적절한지를 결정하고, 그에 따라 필요하다고 판단하는 절차를 결정해야 한다. 따라서 한정후견의 개시를 청구한 사건에서 <u>의사의 감정 결과 등에 비추어 성년후견 개시의 요건을 충족하고 본인도 성년후견의 개시를 희망한다면 법원이 성년후견을 개시할 수 있고, 성년후견 개시를 청구하고 있더라도 필요하다면 한정후견을 개시할 수 있다고 보아야 한다.</u>

[2] 가사소송법 제45조의2 제1항의 의미 및 피성년후견인이나 피한정후견인이 될 사람의 정신상태를 판단할 만한 다른 충분한 자료가 있는 경우, 가정법원은 의사의 감정이 없더라도 성년후견이나 한정후견을 개시할 수 있는지 여부(적극)

가사소송법 제45조의2 제1항은 "가정법원은 성년후견 개시 또는 한정후견 개시의 심판을 할 경우에는 피성년후견인이 될 사람이나 피한정후견인이 될 사람의 정신상태에 관하여 의사에게 감정을 시켜야 한다. 다만 피성년후견인이 될 사람이나 피한정후견인이 될 사람의 정신상태를 판단할 만한 다른 충분한 자료가 있는 경우에는 그러하지 아니하다."라고 정하고 있다. 이 규정의 의미는 의사의 감정에 따라 정신적 제약으로 사무를 처리할 능력이 부족하거나 지속적으로 결여되었는지를 결정하라는 것이 아니라, 의학상으로 본 정신능력을 기초로 하여 성년후견이나 한정후견의 개시 요건이 충족되었는지 여부를 결정하라는 것이다. 따라서 <u>피성년후견인이나 피한정후견인이 될 사람의 정신상태를 판단할 만한 다른 충분한 자료가 있는 경우 가정법원은 의사의 감정이 없더라도 성년후견이나 한정후견을 개시할 수 있다.</u>

▶ **임의후견**(대결 2021.7.15. 2020으547)

[1] 민법 제959조의20 제1항이 본인에 대해 법정후견 개시심판 청구가 제기된 후 심판이 확정되기 전에 후견계약이 등기된 경우에도 적용되는지 여부(적극) 및 이때 가정법원은 본인의 이익을 위하여 특별히 필요하다고 인정할 때에만 법정후견 개시심판을 할 수 있는지 여부(적극)

민법 제959조의20 제1항은 "후견계약이 등기되어 있는 경우에는 가정법원은 본인의 이익을 위하여 특별히 필요할 때에만 임의후견인 또는 임의후견감독인의 청구에 의하여 성년후견, 한정후견 또는 특정후견의 심판을 할 수 있다. 이 경우 후견계약은 본인이 성년후견 또는 한정후견 개시의 심판을 받은 때 종료된다."라고 정하고, 제2항은 "본인이 피성년후견인, 피한정후견인 또는 피특정후견인인 경우에 가정법원은 임의후견감독인을 선임함에 있어서 종전의 성년후견, 한정후견 또는 특정후견의 종료 심판을 하여야 한다. 다만 성년후견 또는 한정후견 조치의 계속이 본인의 이익을 위하여 특별히 필요하다고 인정하면 가정법원은 임의후견감독인을 선임하지 아니한다."라고 정하고 있다. 이와 같은 민법 규정은 후견계약이 등기된 경우에는 사적 자치의 원칙에 따라 본인의 의사를 존중하여 후견계약을 우선하도록 하고, 예외적으로 본인의 이익을 위하여 특별히 필요할 때에 한하여 법정후견(성년후견, 한정후견 또는 특정후견을 가리킨다)을 개시할 수 있도록 하고 있다. 민법 제959조의20 제1항에서 후견계약의 등기 시점을 특별히 제한하지 않고 제2항 본문에서 본인에 대해 이미 법정후견이 개시된 경우에는 임의후견감독인을 선임하면서 종전 법정후견의 종료 심판을 하도록 한 점 등에 비추어 보면, 위 제1항은 본인에 대해 법정후견 개시심판 청구가 제기된 후 심판이 확정되기 전에 후견계약이 등기된 경우에도 적용된다고 보아야 하고, 그 경우 가정법원은 본인의 이익을 위하여 특별히 필요하다고 인정할 때에만 법정후견 개시심판을 할 수 있다.

[2] 후견계약이 등기된 상태에서 본인의 이익을 위한 특별한 필요성이 인정되어 법정후견 심판을 한 경우, 후견계약이 임의후견감독인의 선임과 관계없이 본인이 성년후견 또는 한정후견 개시의 심판을 받은 때 종료하는지 여부(적극)

민법 제959조의20 제1항 전문은 후견계약이 등기된 경우에는 본인의 이익을 위하여 특별히 필요한 때에만 법정후견 심판을 할 수 있다고 정하고 있을 뿐이고 임의후견감독인이 선임되어 있을 것을 요구하고 있지 않다. 또한 법정후견 청구권자로 '임의후견인 또는 임의후견감독인'을 정한 것은 임의후견에서 법정후견으로 원활하게 이행할 수 있도록 민법 제9조 제1항, 제12조 제1항, 제14조의2 제1항에서 정한 법정후견 청구권자 외에 임의후견인 또는 임의후견감독인을 추가한 것이다. 민법 제959조의20 제1항 후문은 "이 경우 후견계약은 성년후견 또는 한정후견 개시의 심판을 받은 때 종료된다."고 정하고 있고, '이 경우'는 같은 항 전문에 따라 법정후견 심판을 한 경우를 가리킨다. 이러한 규정의 문언, 체제와 목적 등에 비추어 보면, 후견계약이 등기된 경우 본인의 이익을 위한 특별한 필요성이 인정되어 민법 제9조 제1항 등에서 정한 법정후견 청구권자, 임의후견인이나 임의후견감독인의 청구에 따라 법정후견 심판을 한 경우 후견계약은 임의후견감독인의 선임과 관계없이 본인이 성년후견 또는 한정후견 개시의 심판을 받은 때 종료한다고 보아야 한다.

▶ 후견심판 사건에서 가사소송법 제62조 제1항에 따른 사전처분으로 후견심판이 확정될 때까지 임시후견인이 선임된 경우, 임시후견인의 동의가 없이도 사건본인이 유언을 할 수 있는지 여부(원칙적 적극) 및 아직 성년후견이 개시되기 전인 경우, 의사가 유언서에 심신 회복 상태를 부기하고 서명날인하도록 요구한 민법 제1063조 제2항이 적용되는지 여부(소극)

① 가사소송법 제62조 제1항은 후견심판이 확정될 때까지 사건본인의 보호 및 재산의 관리·보전을 위하여 임시후견인 선임 등 사전처분을 할 수 있음을 정하였고, 가사소송규칙 제32조 제4항은 가사사건의 재판·조정 절차에 관한 필요한 사항에 대하여 대법원규칙으로 정하도록 한 위임 규정(가사소송법 제11조) 및 그 취지(가사소송규칙 제1조)에 따라 '가사소송법 제62조에 따른 사전처분으로 임시후견인을 선임한 경우, 성년후견 및 한정후견에 관한 사건의 임시후견인에 대하여는 특별한 규정이 없는 이상 한정후견인에 관한 규정을 준용한다.'고 정하였다. 가정법원은 피한정후견인에 대하여 한정후견인의 동의를 받아야 하는 행위를 정할 수 있고(민법 제13조 제1항), 피한정후견인이 한정후견인의 동의가 필요한 법률행위를 동의 없이 하였을 때는 이를 취소할 수 있다(같은 조 제4항). ② 한편 민법 제1060조는 '유언은 본법의 정한 방식에 의하지 아니하면 효력이 발생하지 아니한다.'고 정하여 유언에 관하여 엄격한 요식성을 요구하고 있으나, 피성년후견인과 피한정후견인의 유언에 관하여는 행위능력

에 관한 민법 제10조 및 제13조가 적용되지 않으므로(민법 제1062조), 피성년후견인 또는 피한정후견인은 의사능력이 있는 한 성년후견인 또는 한정후견인의 동의 없이도 유언을 할 수 있다. ③ 위와 같은 규정의 내용과 체계 및 취지에 비추어 보면, 후견심판 사건에서 가사소송법 제62조 제1항에 따른 사전처분으로 후견심판이 확정될 때까지 임시후견인이 선임된 경우, 사건본인은 의사능력이 있는 한 임시후견인의 동의가 없이도 유언을 할 수 있다고 보아야 하고, 아직 성년후견이 개시되기 전이라면 의사가 유언서에 심신 회복 상태를 부기하고 서명날인하도록 요구한 민법 제1063조 제2항은 적용되지 않는다고 보아야 한다(대판 2022.12.1, 2022다261237).

II. 부양

1. 의의

부양이란 일정한 범위의 친족이 다른 친족의 생활을 유지해 주거나 부조하는 것이다.

2. 부양의 유형

민법상 부양에는 ① 부모와 미성년의 자 사이 및 부부 사이의 부양(1차적 부양)과 ② 그 밖의 친족 사이의 부양(2차적 부양)의 두 가지가 있다.

(1) 1차적 부양

① 부모와 미성년의 자 사이(제913조) 및 부부간(제826조 제1항)의 부양을 말한다. 성년의 자와의 부양관계는 2차적 부양에 해당한다.

② 부부관계나 친자관계의 공동생활 자체에서 당연히 요구되는 부양의무를 말하므로 부양능력의 여유를 묻지 않고 당연히 부양해야 하는 관계이다.

▶ **부양료청구**(대결 2017.8.25, 2014스26)

[1] 민법 제826조에서 정한 부부간의 부양·협조의 의미 및 민법 제833조에 의한 생활비용청구가 민법 제826조와는 무관한 별개의 청구원인에 기한 청구라고 볼 수 있는지 여부(소극)

민법 제826조 제1항 본문은 "부부는 동거하며 서로 부양하고 협조하여야 한다."라고 규정하고, 민법 제833조는 "부부의 공동생활에 필요한 비용은 당사자 간에 특별한 약정이 없으면 부부가 공동으로 부담한다."라고 규정하고 있다. 제826조의 부부간의 부양·협조는 부부가 서로 자기의 생활을 유지하는 것과 같은 수준으로 상대방의 생활을 유지시켜 주는 것을 의미한다. 이러한 부양·협조의무를 이행하여 자녀의 양육을 포함하는 공동생활로서의 혼인생활을 유지하기 위해서는 부부간에 생활비용의 분담이 필요한데, 제833조는 그 기준을 정하고 있다. 즉 제826조 제1항은 부부간의 부양·협조의무의 근거를, 제833조는 위 부양·협조의무 이행의 구체적인 기준을 제시한 조항이다. 가사소송법도 제2조 제1항 제2호의 가사비송사건 중 마류 1호로 '민법 제826조 및 제833조에 따른 부부의 동거·부양·협조 또는 생활비용의 부담에 관한 처분'을 두어 위 제826조에 따른 처분과 제833조에 따른 처분을 같은 심판사항으로 규정하고 있다. 따라서 제833조에 의한 생활비용청구가 제826조와는 무관한 별개의 청구원인에 기한 청구라고 볼 수는 없다.

→ [해설] : 원고가 주위적으로 민법 제833조에 기해 생활비용분담 청구를, 예비적으로 민법 제826조 제1항 본문에 기해 부양료 청구를 한 사건에서, 제826조 제1항은 부부 간의 부양·협조의무의 근거를, 제833조는 위 부양·협조의무 이행의 구체적인 기준을 제시한 조항으로서 위 두 청구가 무관한 별개의 청구원인에 기한 청구라고 볼 수 없다는 이유로, 원고의 위 두 청구를 단순 청구로 판단한 원심판결에 대한 재항고를 기각한 사례이다.

[2] **과거 부양료의 지급을 청구할 수 있는 경우 및 부양의무자가 부양의무의 이행을 청구받기 이전의 부양료의 지급을 청구할 수 있는지 여부**(소극)

민법 제826조 제1항에 규정된 부부간의 상호부양의무는 부부의 일방에게 부양을 받을 필요가 생겼을 때 당연히 발생되는 것이기는 하지만, 과거의 부양료에 관하여는 특별한 사정이 없는 한, 부양을 받을 자가 부양의무자에게 부양의무의 이행을 청구하였음에도 불구하고 부양의무자가 부양의무를 이행하지 아니함으로써 이행지체에 빠진 이후의 것에 대하여만 부양료의 지급을 청구할 수 있을 뿐, 부양의무자가 부양의무의 이행을 청구받기 이전의 부양료의 지급은 청구할 수 없다고 보는 것이 부양의무의 성질이나 형평의 관념에 합치된다.

(2) 2차적 부양

> **제974조 【부양의무】**
> 다음 각 호의 친족은 서로 부양의 의무가 있다.
> 1. 직계혈족 및 그 배우자간
> 2. 삭제
> 3. 기타 친족간(생계를 같이 하는 경우에 한한다)

친족 간의 부양으로서, 부양능력 없는 요부양자에 대하여 부양의 여력이 있는 자가 그 여력의 범위 내에서만 행하는 부양을 말한다.

▶ **부부 일방이 사망한 경우 생존한 상대방이 사망한 자의 직계혈족에 대해 부양의무가 인정되는 경우**

민법 제775조 제2항에 의하면 부부의 일방이 사망한 경우에 혼인으로 인하여 발생한 그 직계혈족과 생존한 상대방 사이의 인척관계는 일단 그대로 유지되다가 상대방이 재혼한 때에 비로소 종료하게 되어 있으므로 부부의 일방이 사망하여도 그 부모 등 직계혈족과 생존한 상대방 사이의 친족관계는 그대로 유지되나, 그들 사이의 관계는 민법 제974조 제1호의 '직계혈족 및 그 배우자 간'에 해당한다고 볼 수 없다. 배우자관계는 혼인의 성립에 의하여 발생하여 당사자 일방의 사망, 혼인의 무효·취소, 이혼으로 인하여 소멸하는 것이므로, 그 부모의 직계혈족인 부부 일방이 사망함으로써 그와 생존한 상대방 사이의 배우자관계가 소멸하였기 때문이다. 따라서 부부 일방의 부모 등 그 직계혈족과 상대방 사이에서는, ① 직계혈족이 생존해 있다면 민법 제974조 제1호에 의하여 생계를 같이 하는지와 관계없이 부양의무가 인정되지만, ② 직계혈족이 사망하면 생존한 상대방이 재혼하지 않았더라도 민법 제974조 제3호에 의하여 생계를 같이 하는 경우에 한하여 부양의무가 인정된다(대결 2013.8.30, 2013스96).

→ [해설] : 부부인 甲, 乙 중 甲이 사망한 경우, 乙이 재혼하기 전이라 하더라도 乙은 甲의 생모 丙에 대하여 민법 제974조 제1호에 의하여 부양의무를 부담하는 것도 아니고, 乙과 丙이 생계를 같이 하고 있는 경우가 아니므로 민법 제974조 제3호에 의한 부양의무도 부담하지 않는다고 본 사례이다.

▶ **성년의 자녀가 부모를 상대로 부양료를 청구할 수 있는 경우 및 범위 / 통상적인 생활필요비라고 보기 어려운 유학비용의 충당을 위해 성년의 자녀가 부모를 상대로 부양료를 청구할 수 있는지 여부**(원칙적 소극)(대결 2017.8.25. 2017스5)

① 민법 제826조 제1항에서 규정하는 미성년 자녀의 양육·교육 등을 포함한 부부간 상호부양의무는 혼인관계의 본질적 의무로서 부양을 받을 자의 생활을 부양의무자의 생활과 같은 정도로 보장하여 부부공동생활의 유지를 가능하게 하는 것을 내용으로 하는 제1차 부양의무이고, 반면 부모가 성년의 자녀에 대하여 직계혈족으로서 민법 제974조 제1호, 제975조에 따라 부담하는 부양의무는 부양의무자가 자기의 사회적 지위에 상응하는 생활을 하면서 생활에 여유가 있음을 전제로 하여 부양을 받을 자가 자력 또는 근로에 의하여 생활을 유지할 수 없는 경우에 한하여 그의 생활을 지원하는 것을 내용으로 하는 제2차 부양의무이다. 따라서 성년의 자녀는 요부양상태, 즉 객관적으로 보아 생활비 수요가 자기의 자력 또는 근로에 의하여 충당할 수 없는 곤궁한 상태인 경우에 한하여, 부모를 상대로 그 부모가 부양할 수 있을 한도 내에서 생활부조로서 생활필요비에 해당하는 부양료를 청구할 수 있을 뿐이다.

② 나아가 이러한 부양료는 부양을 받을 자의 생활정도와 부양의무자의 자력 기타 제반 사정을 참작하여 부양을 받을 자의 통상적인 생활에 필요한 비용의 범위로 한정됨이 원칙이므로, 특별한 사정이 없는 한 통상적인 생활필요비라고 보기 어려운 유학비용의 충당을 위해 성년의 자녀가 부모를 상대로 부양료를 청구할 수는 없다.

→ [해설] : 미국 대학교에서 유학 중인 원고가 아버지를 상대로 구하는 부양료 청구권이 인정되지 않는다고 판단하여 재항고를 기각한 사례이다.

3. 구체적 내용

(1) 부양청구권은 재산권이기는 하나 신분관계에 기한 재산권이므로, 보통의 재산권과는 다른 성질을 가진다. 부양청구권은 부양청구권자의 생존유지를 위한 불가결의 권리이므로 행사상·귀속상 일신전속권이다. 따라서 ① 채권자대위권의 객체가 되지 않고(제404조 단서), ② 상속되지도 않는다(제1005조).

▶ **구체적으로 확정된 양육비 채권 중 이미 이행기에 도달한 양육비채권의 처분 가능 여부**(적극)
이혼한 부부 사이에서 자에 대한 양육비의 지급을 구할 권리는, ① 당사자의 협의 또는 가정법원의 심판에 의하여 구체적인 청구권의 내용과 범위가 확정되기 전에는 '상대방에 대하여 양육비의 분담액을 구할 권리를 가진다'라는 추상적인 청구권에 불과하고 당사자의 협의나 가정법원이 당해 양육비의 범위 등을 재량적·형성적으로 정하는 심판에 의하여 비로소 구체적인 액수만큼의 지급청구권이 발생한다고 보아야 하므로, 당사자의 협의 또는 가정법원의 심판에 의하여 구체적인 청구권의 내용과 범위가 확정되기 전에는 그 내용이 극히 불확정하여 상계할 수 없지만, ② 가정법원의 심판에 의하여 구체적인 청구권의 내용과 범위가 확정된 후의 양육비채권 중 이미 이행기에 도달한 후의 양육비채권은 완전한 재산권(손해배상청구권)으로서 친족법상의 신분으로부터 독립하여 처분이 가능하고, 권리자의 의사에 따라 포기, 양도 또는 상계의 자동채권으로 하는 것도 가능하다(대판 2006.7.4. 2006므751).

(2) 부양청구권은, ① 법률상 양도가 금지된 채권(제979조)이므로, 타인에게 양도할 수 없고, 장래에 향하여 포기하지 못한다. 또한 ② 압류금지채권(민사집행법 제246조)이다. 따라서 부양청구권자의 채권자가 압류할 수 없으며, 부양청구권자의 채무자가 이를 수동채권으로 하여 상계할 수 없다(제497조).

(3) 그 외에 다음과 같은 문제가 있다.

▶ **부모 중 한 쪽만이 자녀를 양육하게 된 경우 과거의 양육비의 상환을 청구할 수 있는지 여부**(적극)

① 어떠한 사정으로 인하여 부모 중 어느 한 쪽만이 자녀를 양육하게 된 경우에, 그와 같은 일방에 의한 양육이 그 양육자의 일방적이고 이기적인 목적이나 동기에서 비롯한 것이라거나 자녀의 이익을 위하여 도움이 되지 아니하거나 그 양육비를 상대방에게 부담시키는 것이 오히려 형평에 어긋나게 되는 등 특별한 사정이 있는 경우를 제외하고는, 양육하는 일방은 상대방에 대하여 현재 및 장래에 있어서의 양육비 중 적정 금액의 분담을 청구할 수 있음은 물론이고, 부모의 자녀양육의무는 특별한 사정이 없는 한 자녀의 출생과 동시에 발생하는 것이므로 과거의 양육비에 대하여도 상대방이 분담함이 상당하다고 인정되는 경우에는 그 비용의 상환을 청구할 수 있다.

② 한 쪽의 양육자가 양육비를 청구하기 이전의 과거의 양육비 모두를 상대방에게 부담시키게 되면 상대방은 예상하지 못하였던 양육비를 일시에 부담하게 되어 지나치고 가혹하며 신의성실의 원칙이나 형평의 원칙에 어긋날 수도 있으므로, 이와 같은 경우에는 반드시 이행청구 이후의 양육비와 동일한 기준에서 정할 필요는 없고, 부모 중 한 쪽이 자녀를 양육하게 된 경위와 그에 소요된 비용의 액수, 그 상대방이 부양의무를 인식한 것인지 여부와 그 시기, 그것이 양육에 소요된 통상의 생활비인지 아니면 이례적이고 불가피하게 소요된 다액의 특별한 비용(치료비 등)인지 여부와 당사자들의 재산 상황이나 경제적 능력과 부담의 형평성 등 여러 사정을 고려하여 적절하다고 인정되는 분담의 범위를 정할 수 있다(대판(전) 1994.5.13, 92스21).

▶ **동거·협조의무를 위반 한 자의 상대방에 대한 부양료지급청구의 가부**(소극)

민법 제826조 제1항이 규정하고 있는 부부간의 동거, 부양, 협조의무는 정상적이고 원만한 부부관계의 유지를 위한 광범위한 협력의무를 구체적으로 표현한 것으로서 서로 독립된 별개의 의무가 아니라고 할 것이므로, 부부의 일방이 정당한 이유 없이 동거를 거부함으로써 자신의 협력의무를 스스로 저버리고 있다면, 상대방의 동거청구가 권리의 남용에 해당하는 등의 특별한 사정이 없는 한, 상대방에게 부양료의 지급을 청구할 수 없다(대판 1991.12.10, 91므245).

▶ **혼인 외 출생자를 양육한 자의 생부에 대한 부당이득반환 또는 사무관리 비용상환청구 가부**(소극)

제3자인 원고가 피고의 혼인 외 출생자를 양육 및 교육하면서 그 비용을 지출하였다고 하여도 피고가 동 혼인 외 출생자를 인지하거나 부모의 결혼으로 그 혼인 중의 출생자로 간주되지 않는 한 실부인 피고는 동 혼인외 출생자를 부양할 법률상 의무는 없으므로 피고가 원고의 위 행위로 인하여 부당이득을 하였다거나 원고가 피고의 사무를 관리하였다고 볼 수 없다(대판 1981.5.26, 80다2515).

▶ **가정법원이 민법 제924조의2에 따라 부모의 친권 중 양육권만을 제한하여 미성년후견인으로 하여금 자녀에 대한 양육권을 행사하도록 결정한 경우, 민법 제837조를 유추적용하여 미성년후견인이 비양육친을 상대로 가사소송법 제2조 제1항 제2호 (나)목 3)에 따른 양육비심판을 청구할 수 있는지 여부**(적극)

가사소송법 제2조 제1항 제2호 (나)목 3)은 '민법 제837조(동조가 준용되는 경우 포함)에 따른 자녀의 양육에 관한 처분과 그 변경'을 마류 가사비송사건으로 정하고, 민법 제837조는 '양육자의 결정, 양육비용의 부담'을 자의 양육에 관한 사항으로 정하며(제2항), '가정법원은 부·모·자 및 검사의 청구 또는 직권으로 자의 양육에 관한 사항을 변경하거나 다른 적당한 처분을 할 수 있다.'고 정하고 있다(제5항). 가사소송규칙 제99조 제1항은 '자의 양육에 관한 처분과 변경에 관한 심판은 부모 중 일방이 다른 일방을 상대방으로 하여 청구하여야 한다.'고 정하고 있다. 또한 민법은 친권의 상실(제924조), 법률행위 대리권·재산관리권의 상실(제925조)에 관한 규정만을 두고 있었으나, 2014.10.15. 법률 제12777호로 개정되면서 가정법원은 친권 상실사유에 이르지 않더라도 미성년 자녀의 복리를 위해서 친권의 일부를 제한할 수 있다는 규정(제924조의2)을 신설하였고, 가정법원은 미성년 자녀의 보호에 공백이 생기는 것을 막기 위해 친권의 일부 제한 등으로 그 제한된 범위의 친권을 행사할 사람이 없는 경우 미성년후견인을 직권으로 선임하며(제932조 제2항, 제928조), 이 경우 미성년후견인의 임무는 제한된 친권의 범위에 속하는 행위에 한정되는 것으로 정하였다(제946조). 이에 따라 <u>가정법원은 부모가 미성년 자녀를 양육하는 것이 오히려 자녀의 복리에 반한다고 판단한 경우 부모의 친권 중 보호·교양에 관한 권리(민법 제913조), 거소지정권(민법 제914조) 등</u> 자녀의 양육과 관련된 권한(이하 '양육권'이라고 한다)만을 제한하여 미성년후견인이 부모를 대신하여 그 자녀를 양육하도록 하는 내용의 결정도 할 수 있게 되었다. 앞서 본 규정 내용과 체계, 민법의 개정 취지 등에 비추어 보면, 가정법원이 민법 제924조의2에 따라 부모의 친권 중 양육권만을 제한하여 미성년후견인으로 하여금 자녀에 대한 양육권을 행사하도록 결정한 경우에 민법 제837조를 유추적용하여 미성년후견인은 비양육친을 상대로 가사소송법 제2조 제1항 제2호 (나)목 3)에 따른 양육비심판을 청구할 수 있다고 봄이 타당하다(대결 2021.5.27, 2019스621).

제9절 ▎ 상속결격 - 제1004조 제1호

Ⅰ. 상속결격사유

> 제1004조 【상속인의 결격사유】
> 다음 각 호의 어느 하나에 해당한 자는 상속인이 되지 못한다.
> 1. 고의로 직계존속, 피상속인, 그 배우자 또는 상속의 선순위나 동순위에 있는 자를 살해하거나 살해하려 한 자
> 2. 고의로 직계존속, 피상속인과 그 배우자에게 상해를 가하여 사망에 이르게 한 자
> 3. 사기 또는 강박으로 피상속인의 상속에 관한 유언 또는 유언의 철회를 방해한 자
> 4. 사기 또는 강박으로 피상속인의 상속에 관한 유언을 하게 한 자
> 5. 피상속인의 상속에 관한 유언서를 위조·변조·파기 또는 은닉한 자
> 제1064조 【유언과 태아, 상속결격자】
> 제1000조 제3항, 제1004조(상속결격)의 규정은 수증자에 준용한다.

Ⅱ. 제1004조 제1호

1. 행위의 객체 및 행위

(1) 고의로 직계존속, 피상속인, 그 배우자 또는 상속의 선순위나 동순위에 있는 자를 살해하거나 살해하려 한 경우(제1004조 제1호)

(2) 살인의 기수·미수를 묻지 않으며, 예비·음모도 포함된다.

2. 상속에 유리하다는 인식이 필요한지 여부

살인의 고의가 있어야 하나, 그러한 고의 외에 그 살인이 상속에 유리하다는 인식은 필요로 하지 않는다(대판 1992.5.22, 92다2127).

3. 상속결격사유 존부의 판단시기

제1004조 제1호가 정한 행위는 상속개시 전에 행하여져야 하는가 아니면 상속 개시 후에 행하여져도 되는지가 문제된다. 이에 대해서 판례는 피상속인이 사망하여 '상속이 개시된 후' 피상속인의 처가 낙태한 사안에서 처의 상속결격을 인정한 바 있다.

> ▶ **낙태가 상속결격 사유인지 여부**(적극)
> 제1004조 제1호, 제2호 소정의 상속결격사유로서 '살해의 고의(또는 상해의 고의)' 이외에 '상속에 유리하다는 인식'은 필요로 하지 않는다. (따라서) 태아가 상속의 선순위나 동순위에 있는 경우에 그를 낙태하면 제1004조 제1호 소정의 상속결격사유에 해당한다(대판 1992.5.22, 92다2127).

Ⅲ. 제1004조 제5호

피상속인의 상속에 관한 유언서를 위조·변조·파기 또는 은닉한 경우로서, 고의에 의한 행위이어야 한다. 따라서 과실로 인한 유언서 파기는 결격사유가 아니다.

> ▶ **민법 제1004조 제5호 소정의 '상속에 관한 유언서를 은닉한 자'의 의미**
> 상속인의 결격사유의 하나로 규정하고 있는 민법 제1004조 제5호 소정의 '상속에 관한 유언서를 은닉한 자'라 함은 유언서의 소재를 불명하게 하여 그 발견을 방해하는 일체의 행위를 한 자를 의미하는 것이므로, 단지 공동상속인들 사이에 그 내용이 널리 알려진 유언서에 관하여 피상속인이 사망한지 6개월이 경과한 시점에서 비로소 그 존재를 주장하였다고 하여 이를 두고 유언서의 은닉에 해당한다고 볼 수 없다(대판 1998.6.12, 97다38510).

Ⅳ. 상속결격의 효과

1. 상속인 자격의 상실

(1) 상속결격사유에 해당하는 자는 상속인이 되지 못한다(제1004조). 나아가 유증의 수증결격자도 된다(제1064조).

(2) 상속개시 전에 결격사유가 생긴 경우에는 그 후에 상속이 개시되더라도 상속을 하지 못한다.

(3) 상속개시 후에 결격사유가 생긴 경우에는 개시된 상속이 상속개시 시로 소급해서 무효로 된다. 따라서 결격자가 한 상속재산의 처분도 무효가 되며, 진정한 상속인은 상속회복청구를 할 수 있다.

2. 상속결격효과의 일신전속성

상속결격의 효과는 결격자의 일신에만 그치므로 결격자의 직계비속이나 배우자가 대습상속 하는 데에는 지장이 없다.

제10절 대습상속

Ⅰ. 의의

> 제1001조 【대습상속】
> 전조 제1항 제1호(직계비속·제1순위 상속인)와 제3호(형제자매·제3순위 상속인)의 규정에 의하여 상속인이 될 직계비속 또는 형제자매가 상속개시 전에 사망하거나 결격자가 된 경우에 그 직계비속이 있는 때에는 그 직계비속이 사망하거나 결격된 자의 순위에 갈음하여 상속인이 된다.
> 제1003조 제2항 【배우자의 상속순위】 제1001조의 경우(= 대습상속)에 상속개시 전에 사망 또는 결격된 자의 배우자는 동조의 규정에 의한 상속인과 동순위로 공동상속인이 되고 그 상속인이 없는 때에는 단독상속인이 된다.

대습상속이란 상속인이 될 직계비속 또는 형제자매가 상속개시 전에 사망하거나 상속결격 된 경우에 그의 직계비속이나 배우자가 사망자나 결격자의 순위에 갈음하여 상속하는 것을 말한다 (제1001조, 제1003조 제2항). 대습상속을 인정하는 것은 공평의 원칙에 부합하기 때문이다.

Ⅱ. 요건

1. 피대습자 – 상속인이 될 직계비속 또는 형제자매

피대습자는 '상속인이 될 직계비속 또는 형제자매'이어야 한다(제1001조). 따라서 피상속인의 배우자가 상속개시 전에 사망 또는 상속결격된 경우 그 직계비속은 대습상속하지 못한다.

2. 대습원인 – 상속개시 전 사망 또는 결격

피대습자가 피상속인보다 먼저 사망하여야 한다. 결격은 상속이 개시되기 전에 결격된 경우 뿐만 아니라, 그 이후에 결격된 경우도 포함한다. 상속결격의 효과는 상속개시 시에 소급하기 때문이다. 한편 상속포기는 대습원인이 아니다(대판 1995.9.26. 95다27769).

▶ **피대습자와 피상속인이 동시사망한 경우 – 대습상속 인정**

상속인이 될 직계비속이나 형제자매(피대습자)의 직계비속 또는 배우자(대습자)는 피대습자가 상속개시 전에 사망한 경우에는 대습상속을 하고, 피대습자가 상속개시 후에 사망한 경우에는 피대습자를 거쳐 피상속인의 재산을 본위상속을 하므로 두 경우 모두 상속을 하는데, 만일 피대습자가 피상속인의 사망, 즉 상속개시와 동시에 사망한 것으로 추정되는 경우에만 그 직계비속 또는 배우자가 본위상속과 대습상속의 어느 쪽도 하지 못하게 된다면 동시사망 추정 이외의 경우에 비하여 현저히 불공평하고 불합리한 것이라 할 것이고, 이는 앞서 본 대습상속제도 및 동시사망 추정규정의 입법 취지에도 반하는 것이므로, 민법 제1001조의 '상속인이 될 직계비속이 상속개시 전에 사망한 경우'에는 '상속인이 될 직계비속이 상속개시와 동시에 사망한 것으로 추정되는 경우'도 포함하는 것으로 합목적적으로 해석함이 상당하다(대판 2001.3.9. 99다13157).

▶ **상속포기의 경우**

상속의 포기는 사망과는 달리 우리 민법상 대습상속사유가 아니다(대판 1995.9.26. 95다27769).

▶ **피상속인의 자녀가 상속개시 전에 전부 사망한 경우 피상속인의 손자녀의 상속의 성격**(대습상속)

피상속인의 자녀가 상속개시 전에 전부 사망한 경우 피상속인의 손자녀는 본위상속이 아니라 대습상속을 한다(대판 2001.3.9. 99다13157).

▶ **제1순위 상속인들 전원이 상속을 포기한 경우, 차순위인 손자녀들이 본위상속하는지 여부**

채무자인 피상속인이 그의 처와 동시에 사망하고 제1순위 상속인인 子 전원이 상속을 포기한 경우, 상속을 포기한 자는 상속 개시시부터 상속인이 아니었던 것과 같은 지위에 놓이게 되므로 같은 순위의 다른 상속인이 없어 그 다음 근친 직계비속인 피상속인의 孫들이 차순위의 본위 상속인으로서 피상속인의 채무를 상속하게 된다(대판 1995.9.26. 95다27769).

◈ **상속 관련 판례** ◈

▶ **피상속인의 배우자와 자녀 중 자녀 전부가 상속을 포기한 경우 배우자와 피상속인의 손자녀 또는 직계존속이 공동으로 상속인이 되는지 배우자가 단독상속하는지 여부**

상속을 포기한 자는 상속개시된 때부터 상속인이 아니었던 것과 같은 지위에 놓이게 되므로, 피상속인의 배우자와 자녀 중 자녀 전부가 상속을 포기한 경우에는 배우자와 피상속인의 손자녀 또는 직계존속이 공동으로 상속인이 되고, 피상속인의 손자녀와 직계존속이 존재하지 아니하면 배우자가 단독으로 상속인이 된다(대판 2015.5.14. 2013다48852).

→ **[사실관계]** : 피상속인의 배우자와 자녀들이 상속하였다가 자녀들 전부가 상속을 포기하였으나 피상속인의 손자녀(상속을 포기한 자녀들의 자녀)는 상속을 포기하지 아니한 사안에서, 배우자와 손자녀가 공동상속인이 된다고 한 사례이다.

▶ **실종선고로 인한 상속에 관한 경과규정인 개정 민법**(1990.1.13. 법률 제4199호로 개정된 것) **부칙 제12조 제2항의 의미 – 개정 민법**(1990.1.13. 법률 제4199호로 개정된 것) **시행 이후 실종선고로 인하여 제정 민법**(1958.2.22. 법률 제471호로 제정된 것) **시행 이전에 실종기간이 만료되어 사망한 것으로 간주된 경우, 그 실종선고로 인한 상속관계에 적용할 법령이 제정 민법인지 개정 민법인지 여부**(개정 민법) 1990.1.13. 법률 제4199호로 개정된 민법(이하 '개정 민법'이라 한다) 부칙 제12조는 상속에 관한 경과규정으로 제1항에서 '이 법 시행일 전에 개시된 상속에 관하여는 이 법 시행일 후에도 구법(舊法)의 규정을 적용한다.'고 정하고, 제2항에서 '실종선고로 인하여 상속이 개시되는 경우에 그 실종기간이 구법 시행기간 중에 만료되는 때에도 그 실종이 이 법 시행일 후에 선고된 때에는 상속에 관하여는 이 법의 규정을 적용한다.'고 정하고 있다. 이는 개정 민법 시행 전에 개시된 상속에 관해서는 개정 민법의 시행에도 불구하고 상속 개시 시점을 기준으로 제정 민법 시행 전에는 구 관습을 적용하고 제정 민법 시행 후에는 제정 민법을 적용하되, 「개정 민법 시행 후 실종선고가 있는 경우」에는 실종기간의 만료 시점이 언제인지와 관계없이 실종선고로 인한 상속에 관해서는 개정 민법을 적용하기로 한 것으로 보아야 한다(대판 2017.12.22. 2017다360·377).

→ [사실관계] : A가 개정 민법(1990.1.13. 법률 제4199호로 개정된 것)이 시행된 후인 2008.7.31. 실종선고로 제정 민법(1958.2.22. 법률 제471호로 제정된 것) 시행 전인 1955.9.9.경 사망한 것으로 간주된 사안에서, 민법 부칙의 구법에 관한 정의 규정, 상속에 관한 경과규정, 실종선고로 인한 상속에 관한 경과규정의 문언, 체계와 그 입법취지 등에 비추어 그 상속에 관해서는 제정 민법이 아니라 실종선고 시에 시행되는 개정 민법이 적용되므로, A의 생모(生母)인 B만이 상속인이 되고(제정 민법 시행 이후 유지된 적모서자의 법정 친자관계가 개정 민법 시행으로 소멸되었음), 구 관습상 적모(嫡母)인 C는 상속권이 없다고 판단한 원심이 타당하다고 본 사례이다.

3. 대습자 – 피대습자의 직계비속과 배우자

(1) 대습상속인은 피대습자의 직계비속과 배우자이며, 피상속인에 대한 관계에서 상속결격이 아니어야 한다.

(2) 태아의 경우 제1000조 제3항을 준용하는 규정은 없으나, 대습상속과 상속을 구별할 이유가 없으므로, 이를 유추하여 피대습자의 직계비속인 태아도 피상속인 사망 당시에 포태되어 있으면 대습상속이 인정된다.

III. 효과

> **제1010조 【대습상속분】**
> ① 제1001조(=대습상속)의 규정에 의하여 사망 또는 결격된 자에 갈음하여 상속인이 된 자의 상속분은 사망 또는 결격된 자의 상속분에 의한다.
> ② 전항의 경우에 사망 또는 결격된 자의 직계비속이 수인인 때에는 그 상속분은 사망 또는 결격된 자의 상속분의 한도에서 제1009조(=법정상속분)의 규정에 의하여 이를 정한다. 제1003조 제2항(=배우자의 대습상속)의 경우에도 또한 같다.

대습자가 피대습자의 순위로 올라가서 피대습자의 상속분을 상속하게 된다(제1010조). 따라서 수인의 대습상속인이 있는 경우 피대습자의 상속분을 대습자 각자의 상속분의 비율에 따라 상속한다(제1010조).

IV. 관련문제

1. 재대습상속

재대습상속이란 대습상속인에게 다시 대습원인이 있으면 그 직계비속이 다시 대습상속하는 것을 말한다. 즉, 피상속인의 손자녀에게 대습원인이 생기면 그 손자녀의 직계비속인 증손자녀가 다시 대습상속을 하게 된다. 이를 재대습상속이라 한다. 이에 관하여 명문규정은 없으나 제1001조가 대습자를 '직계비속'이라고만 규정하고 있으므로 원칙적으로 재대습상속이 인정된다.

▶ **배우자에게 피대습자로서의 지위가 인정되는지 여부**(소극)
민법 제1000조 제1항, 제1001조, 제1003조의 각 규정에 의하면, 대습상속은 상속인이 될 피상속인의 직계비속 또는 형제자매가 상속개시 전에 사망하거나 결격자가 된 경우에 사망자 또는 결격자의 직계비속이나 배우자가 있는 때에는 그들이 사망자 또는 결격자의 순위에 갈음하여 상속인이 되는 것을 말하는 것으로, 대습상속이 인정되는 경우는 상속인이 될 자(사망 또는 결격자)가 피상속인의 직계비속 또는 형제자매인 경우에 한한다 할 것이므로, 상속인이 될 자의 배우자는 민법 제1003조에 의하여 대습상속인이 될 수는 있으나, 피대습자의 배우자가 대습상속의 상속개시 전에 사망하거나 결격자가 된 경우, 그 배우자에게 다시 피대습자로서의 지위가 인정될 수는 없다(대판 1999.7.9, 98다64318 · 64325).

2. 대습상속과 특별수익

① 공동상속인 중에 피상속인으로부터 증여 또는 유증을 받은 특별수익자가 있는 경우에 그 특별수익을 고려하지 않으면 불공평하게 되므로, 이를 상속분의 선급(先給)으로 다루어 상속분 산정에 참작하도록 하는 제도이다. 따라서 상속분의 선급으로 볼 수 없다면 특별수익에 해당하지 않는다. 특별수익자의 상속분 산정은 특별수익을 공제하는 방법으로 이루어지는데, 이를 특별수익의 반환의무라 한다.

② 피대습자가 피상속인으로부터 특별수익을 한 경우 대습상속인은 반환의무를 진다. 대습상속인 자신이 피상속인으로부터 특별수익을 한 경우에도, 공동상속인 사이의 공평을 위한 특별수익 반환제도의 취지상 반환의무를 진다(다수설).

▶ **대습상속인이 대습원인의 발생 이전에 피상속인으로부터 증여를 받은 경우 특별수익에 해당하는지 여부**(소극)
대습상속인이 대습원인의 발생 이전에 피상속인으로부터 증여를 받은 경우 이는 상속인의 지위에서 받은 것이 아니므로 상속분의 선급으로 볼 수 없다. 그렇지 않고 이를 상속분의 선급으로 보게 되면, 피대습인이 사망하기 전에 피상속인이 먼저 사망하여 상속이 이루어진 경우에는 특별수익에 해당하지 아니하던 것이 피대습인이 피상속인보다 먼저 사망하였다는 우연한 사정으로 인하여 특별수익으로 되는 불합리한 결과가 발생한다. 따라서 대습상속인의 위와 같은 수익은 특별수익에 해당하지 않는다고 봄이 상당하다. 이는 유류분제도가 상속인들의 상속분을 일정 부분 보장한다는 명분 아래 피상속인의 자유의사에 기한 자기 재산의 처분을 그의 의사에 반하여 제한하는 것인 만큼 그 인정 범위를 가능한 한 필요최소한으로 그치는 것이 피상속인의 의사를 존중한다는 의미에서 바람직하다는 관점에서 보아도 더욱 그러하다(대판 2014.5.29, 2012다31802).

→ [해설] : 피상속인 甲이 사망하기 이전에 甲의 자녀들 중 乙 등이 먼저 사망하였는데, 甲이 乙 사망 전에 乙의 자녀인 丙에게 임야를 증여한 사안에서, 丙이 甲으로부터 임야를 증여받은 것은 상속인의 지위에서 받은 것이 아니므로 상속분의 선급으로 볼 수 없고, 따라서 이는 특별수익에 해당하지 아니하여 유류분 산정을 위한 기초재산에 포함되지 않는다고 보아야 함에도, 위 임야가 특별수익에 해당하므로 유류분 산정을 위한 기초재산에 포함된다고 본 원심판단에 법리오해의 위법이 있다고 한 사례이다.[5]

🎯 논점정리 **상속순위와 상속분**

Ⅰ. 상속순위

> **제1000조【상속의 순위】**
> ① 상속에 있어서는 다음 순위로 상속인이 된다.
> 1. 피상속인의 직계비속
> 2. 피상속인의 직계존속
> 3. 피상속인의 형제자매
> 4. 피상속인의 4촌 이내의 방계혈족
> ② 전항의 경우에 동순위의 상속인이 수인인 때에는 최근친을 선순위로 하고 동친 등의 상속인이 수인인 때에는 공동상속인이 된다.
> ③ 태아는 상속순위에 관하여는 이미 출생한 것으로 본다.
>
> **제1003조【배우자의 상속순위】**
> ① 피상속인의 배우자는 제1000조 제1항 제1호(= 직계비속·제1순위 상속인)와 제2호(= 직계존속·제2순위 상속인)의 규정에 의한 상속인이 있는 경우에는 그 상속인과 동순위로 공동상속인이 되고 그 상속인이 없는 때에는 단독상속인이 된다.
> ② 제1001조의 경우(=대습상속)에 상속개시 전에 사망 또는 결격된 자의 배우자는 동조의 규정에 의한 상속인과 동순위로 공동상속인이 되고 그 상속인이 없는 때에는 단독상속인이 된다.

---

5) 대습상속인이 공동상속인자격 취득시점(예컨대 부의 사망)이전에 수익한 때는 반환의무가 없고, 그 후에 수익한 때에만 반환의무가 있다는 태도이다. 예컨대, ① 조부가 손자에게 생전증여를 한 후 부가 사망하였고, 그 후 조부가 사망하여 손자가 대습상속을 하는 경우에는 특별수익당시 상속인이 아니었기 때문에 반환의무가 없다. 반면 ② 부가 사망한 후 조부가 손자에게 증여를 하였고, 그 후 조부가 사망하여 손자가 대습상속인이 되는 경우에는 반환의무가 있다.

▶ 피상속인의 배우자와 자녀 중 자녀 전부가 상속을 포기한 경우 배우자와 손자녀 또는 직계존속이 공동상속인이 되는지 아니면 배우자가 단독상속인이 되는지 여부(= 배우자 단독상속)

피상속인의 배우자와 자녀 중 자녀 전부가 상속을 포기한 경우에는 배우자가 단독상속인이 된다고 봄이 타당하다. 이유는 다음과 같다. ① 상속에 관한 입법례와 민법의 입법 연혁상 구 관습이 적용될 때는 물론이고 제정 민법 이후 현재에 이르기까지 배우자는 상속인 중 한 사람이고 다른 혈족 상속인과 법률상 지위에서 차이가 없다. ② <u>상속재산 중 소극재산이 적극재산보다 많을 경우 상속포기자의 의사에 비추어 피상속인의 배우자와 자녀들 중 자녀 전부가 상속을 포기하였다는 이유로 피상속인의 배우자와 손자녀 또는 직계존속이 공동상속인이 된다고 보는 것은 당사자들의 기대나 의사에 반하고 사회 일반의 법감정에도 반한다.</u> 또한 일반인의 입장에서 피상속인의 배우자와 자녀 중 자녀 전부가 상속을 포기하면 피상속인의 배우자와 <u>손자녀 또는 직계존속이 공동상속인이 되리라는 점을 예상하기도 어렵다.</u> ③ 실무상 문제로 종래 판례에 따라 <u>피상속인의 배우자와 손자녀 또는 직계존속이 공동상속인이 되었더라도 그 이후 피상속인의 손자녀 또는 직계존속이 다시 적법하게 상속을 포기함에 따라 결과적으로는 피상속인의 배우자가 단독상속인이 되는 실무례가 많이 발견된다.</u> 결국 공동상속인들의 의사에 따라 배우자가 단독상속인으로 남게 되는 동일한 결과가 되지만, <u>피상속인의 손자녀 또는 직계존속에게 별도로 상속포기 재판 절차를 거치도록 하고 그 과정에서 상속채권자와 상속인들 모두에게 불필요한 분쟁을 증가시키며 무용한 절차에 시간과 비용을 들이는 결과가 되었다.</u> 따라서 피상속인의 배우자와 자녀 중 자녀 전부가 상속을 포기한 경우 배우자가 단독상속인이 된다고 해석함으로써 법률관계를 간명하게 확정할 수 있다. 이상에서 살펴본 바와 같이 상속에 관한 입법례와 민법의 입법 연혁, 민법 조문의 문언 및 체계적·논리적 해석, 채무상속에서 상속포기자의 의사, 실무상 문제 등을 종합하여 보면, 피상속인의 배우자와 자녀 중 자녀 전부가 상속을 포기한 경우에는 배우자가 단독상속인이 된다고 봄이 타당하고, 기존 판례의 변경 필요성이 인정된다(대결(전) 2023.3.23, 2020그42).

→ [사실관계 및 해설] : ① 망인 사망 후 망인의 아내는 상속한정승인을 하고 4명의 자녀들은 모두 상속포기를 하였는데, 망인에 대하여 확정판결을 받은 피신청인이 망인의 손자녀인 신청인들과 망인의 아내에게 위 판결에 기한 채무가 공동상속되었다는 이유로 이 사건 승계집행문 부여신청을 하여 승계집행문을 부여받았고, 이에 대해 신청인들이 자신들은 망인의 상속인이 아니라고 주장하며 승계집행문 부여에 대한 이의를 신청한 사안이다. ② 원심은 종래 판례(대판 2015.5.14, 2013다48852)에 따라 피상속인의 배우자와 자녀 중 자녀 전부가 상속을 포기한 경우 피상속인에게 손자녀가 있으면 배우자가 그 손자녀가 공동으로 상속인이 된다는 이유로 신청인들의 이의신청을 기각하였다. ③ 이에 대하여 대법원은 전원합의체 판결을 통해 피상속인의 배우자와 자녀 중 자녀 전부가 상속을 포기한 경우에는 배우자가 단독상속인이 된다고 봄이 타당하다고 판단하여, 종래 판례를 변경하고 종래 판례에 따른 원심을 파기·환송하였다. 이번 결정은 기존의 대판 2015.5.14, 2013다48852의 종래 판례를 8년 만에 변경한 것으로, 위 결정으로 상속에서 배우자의 지위 및 상속채무를 승계하는 상속인들의 상속에 따른 법률관계를 상속인들 의사에 보다 부합하는 방향으로 간명하고 신속하게 정리할 수 있게 되었다는 점에서 의미가 있다.

II. 상속분

1. 상속분의 의의

(1) 상속분이란 공동상속의 경우에 상속재산전체에 대하여 수인의 공동상속인이 각각 배당받을 몫의 비율을 말한다.

(2) 각 상속인이 받는 구체적인 상속가액은 승계할 적극·소극의 상속재산 가액에 각자의 상속분을 곱하여 산정한다.

2. 법정상속분

(1) 법정상속분

> **제1009조 【법정상속분】**
> ① 동순위의 상속인이 수인인 때에는 그 상속분은 균분으로 한다.
> ② 피상속인의 배우자의 상속분은 직계비속과 공동으로 상속하는 때에는 직계비속의 상속분의 5할을 가산하고, 직계존속과 공동으로 상속하는 때에는 직계존속의 상속분의 5할을 가산한다.

1) 동순위상속인 사이의 상속분

균분상속주의를 원칙으로 한다. 혼인 중의 출생자와 혼인 외의 출생자 사이에는 차이가 없다(제1009조 제1항 본문).

2) 배우자의 상속분

피상속인의 배우자의 상속분은 ① 직계비속과 공동으로 상속하는 때에는 직계비속의 상속분의 5할을 가산하고, ② 피상속인의 직계존속과 공동으로 상속하는 때에는 직계존속의 상속분의 5할을 가산하고(제1009조 제2항), ③ 직계비속과 직계존속이 모두 존재하지 않는 경우에는 배우자가 단독상속한다.

제11절 상속재산의 분할

I. 의의

공동상속의 경우 상속이 개시되면 상속재산은 일단 공동상속인이 잠정적으로 공유하는 상태가 된다. 이와 같은 상속재산의 공유관계를 각 공동상속인의 단독소유 등으로 전환하기 위하여 행하여지는 분배절차를 상속재산의 분할이라고 한다.

II. 상속재산 분할의 효력

> **제1015조 【분할의 소급효】**
> 상속재산의 분할은 상속개시된 때에 소급하여 그 효력이 있다. 그러나 제3자의 권리를 해하지 못한다.

1. 소급효

상속재산의 분할은 상속개시된 때로 소급하여 그 효력이 생긴다(제1015조 본문). 그 결과 상속인은 분할에 의하여 피상속인으로부터 직접 권리를 승계받은 것(취득)으로 된다. 따라서 협의분할에 의한 재산상속을 원인으로 피상속인으로부터 상속인 중 1인 앞으로 소유권이전등기가 이루어진 경우로서 그 부동산에 관한 피상속인 명의의 소유권등기가 원인무효의 등기라면, 협의분할에 의하여 이를 단독상속한 상속인만이 이를 전부 말소할 의무가 있고 다른 공동상속인은 이를 말소할 의무가 없다 할 것이다(대판 2009.4.9, 2008다87723).

2. 소급효의 제한(제3자 보호)

상속재산 분할의 소급효는 제3자의 권리를 해하지 못한다(제1015조 단서). 여기서 보호되는 제3자에 해당하려면 권리변동의 성립요건·대항요건 등을 모두 갖춘 완전한 권리자이어야 한다(판례).

III. 구체적 내용 - 관련판례의 정리

▶ 민법 제1007조에서 정한 '상속분'의 의미(=법정상속분) 및 공동상속인들 사이에서 상속재산의 분할이 마쳐지지 않았음에도 특정 공동상속인에 대하여 특별수익 등을 고려하면 그의 구체적 상속분이 없다는 등의 이유를 들어 개개의 상속재산에 관하여 법정상속분에 따른 권리승계가 아예 이루어지지 않았다거나 법정상속분에 따라 마쳐진 상속을 원인으로 한 소유권이전등기가 원인무효라고 주장하는 것이 허용되는지 여부(소극)

민법 제1007조는 "공동상속인은 각자의 상속분에 응하여 피상속인의 권리·의무를 승계한다."라고 정하는바, 위 조항에서 정한 '상속분'은 법정상속분을 의미하므로 일단 상속이 개시되면 공동상속인은 각자의 법정상속분의 비율에 따라 모든 상속재산을 승계한다. 또한 민법 제1006조는 "상속인이 수인인 때에는 상속재산은 그 공유로 한다."라고 정하므로, 공동상속인들은 상속이 개시되어 상속재산의 분할이 있을 때까지 민법 제1007조에 기하여 각자의 법정상속분에 따라서 이를 잠정적으로 공유하다가 특별수익 등을 고려한 구체적 상속분에 따라 상속재산을 분할함으로써 위와 같은 잠정적 공유상태를 해소하고 최종적으로 개개의 상속재산을 누구에게 귀속시킬 것인지를 확정하게 된다. 그러므로 공동상속인들 사이에서 상속재산의 분할이 마쳐지지 않았음에도 특정 공동상속인에 대하여 특별수익 등을 고려하면 그의 구체적 상속분이 없다는 등의 이유를 들어 그 공동상속인에게는 개개의 상속재산에 관하여 법정상속분에 따른 권리승계가 아예 이루어지지 않았다거나, 부동산인 상속재산에 관하여 법정상속분에 따라 마쳐진 상속을 원인으로 한 소유권이전등기가 원인무효라고 주장하는 것은 허용될 수 없다(대판 2023.4.27, 2020다292626).

▶ 상속을 포기한 자가 상속재산분할협의에 참여한 경우의 효력

상속재산분할협의에 이미 상속을 포기한 자가 참여하였다 하더라도 그 분할협의의 내용이 이미 포기한 상속지분을 다른 상속인에게 귀속시킨다는 것에 불과하여 나머지 상속인들 사이의 상속재산분할에 관한 실질적인 협의에 영향을 미치지 않은 경우라면 그 상속재산분할협의는 효력이 있다고 볼 수 있다(대판 2007.9.6, 2007다30447).

▶ **고유의 상속분을 초과하여 취득한 상속재산 협의분할의 법적 성격**

공동상속인 상호 간에 상속재산에 관하여 민법 제1013조의 규정에 의한 협의분할이 이루어짐으로써 공동상속인 중 1인이 고유의 상속분을 초과하는 재산을 취득하게 되었다고 하여도 이는 상속개시 당시에 피상속인으로부터 승계받은 것으로 보아야 하고 다른 공동상속인으로부터 증여받은 것으로 볼 것이 아니다(대판 1985.10.8, 85누70).

▶ **기간을 경과한 상속포기 신고로서 무효인 경우 상속재산 협의분할으로의 전환 인정여부**(적극)

상속재산을 공동상속인 1인에게 상속시킬 방편으로 나머지 상속인들이 한 상속포기 신고가 민법 제1019조 제1항 소정의 기간을 경과한 후에 신고된 것이어서 상속포기로서의 효력이 없다고 하더라도, 공동상속인들 사이에서는 1인이 고유의 상속분을 초과하여 상속재산 전부를 취득하고 나머지 상속인들은 이를 전혀 취득하지 않기로 하는 내용의 상속재산에 관한 협의분할이 이루어진 것으로 보아야 한다(대판 1996.3.26, 95다45545).

▶ **상속재산분할의 대상**(대결 2016.5.4, 2014스122)

[1] 가분채권이 상속재산분할의 대상이 될 수 있는지 여부(한정 적극)

금전채권과 같이 급부의 내용이 가분인 채권은 공동상속되는 경우 상속개시와 동시에 당연히 법정상속분에 따라 공동상속인들에게 분할되어 귀속되므로 상속재산분할의 대상이 될 수 없는 것이 원칙이다. 그러나 가분채권을 일률적으로 상속재산분할의 대상에서 제외하면 부당한 결과가 발생할 수 있다. 예를 들어 공동상속인들 중에 초과특별수익자가 있는 경우 초과특별수익자는 초과분을 반환하지 아니하면서도 가분채권은 법정상속분대로 상속받게 되는 부당한 결과가 나타난다. 그 외에도 특별수익이 존재하거나 기여분이 인정되어 구체적인 상속분이 법정상속분과 달라질 수 있는 상황에서 상속재산으로 가분채권만이 있는 경우에는 모든 상속재산이 법정상속분에 따라 승계되므로 수증재산과 기여분을 참작한 구체적 상속분에 따라 상속을 받도록 함으로써 공동상속인들 사이의 공평을 도모하려는 민법 제1008조, 제1008조의2의 취지에 어긋나게 된다. 따라서 이와 같은 특별한 사정이 있는 때는 상속재산분할을 통하여 공동상속인들 사이에 형평을 기할 필요가 있으므로 가분채권도 예외적으로 상속재산분할의 대상이 될 수 있다고 봄이 타당하다.

[2] 상속재산분할 당시 상속재산을 구성하지 아니하게 된 재산이 상속재산분할의 대상이 될 수 있는지 여부(소극)

상속개시 당시에는 상속재산을 구성하던 재산이 그 후 처분되거나 멸실·훼손되는 등으로 상속재산분할 당시 상속재산을 구성하지 아니하게 되었다면 그 재산은 상속재산분할의 대상이 될 수 없다. 다만 상속인이 그 대가로 처분대금, 보험금, 보상금 등 대상재산(代償財産)을 취득하게 된 경우에는, 대상재산은 종래의 상속재산이 동일성을 유지하면서 형태가 변경된 것에 불과할 뿐만 아니라 상속재산분할의 본질이 상속재산이 가지는 경제적 가치를 포괄적·종합적으로 파악하여 공동상속인에게 공평하고 합리적으로 배분하는 데에 있는 점에 비추어, 그 대상재산이 상속재산분할의 대상으로 될 수는 있을 것이다. → 상속재산분할 당시 이미 소멸하여 더 이상 상속재산을 구성하지 아니하게 된 예금채권을 대상으로 삼아 상속재산분할을 한 원심을 파기한 사례이다.

▶ **상속재산이 상속개시 후 멸실됨에 따라 상속인이 취득한 손해배상청구권이 상속재산분할의 대상이 되는지 여부**(적극)

피상속인의 사망 당시에는 분배농지에 관한 권리(이하 '수분배권'이라 한다)가 상속재산분할의 대상이 되는 상속재산이었다가 구 농지법(1994.12.22. 법률 제4817호로 제정되어 1996.1.1.부터 시행된 것) 부칙 제3조에서 정한 3년의 기간이 지난 1999.1.1. 소멸한 경우, 이에 따라 이 사건 상속재산분할협의 당시에는 수분배권의 대상재산(代償財産)인 손해배상청구권이 상속재산분할의 대상이 된다. 또한 다른 상속인이 분배농지와 관련한 상속지분을 모두 포기하고 이를 상속인 1인에게 귀속시키는 내용의 상속재산분할협의도 유효하고, 이에 따라 단독상속인이 상속재산분할의 대상이 된 손해배상청구권 전부의 지급을 구하는 이상, 그중 상속지분을 포기한 다른 상속인들의 상속지분에 상응하는 부분만이 시효로 소멸한다고 볼 수 없다(대판 2020.4.9, 2018다238865).

→ [사실관계 및 판단] : 피고(대한민국) 소속 공무원들의 불법행위로 말미암아 피상속인의 분배농지에 관한 권리가 피상속인 사망 후 소멸함에 따라 상속인들이 손해배상청구권을 갖게 된 경우, 그 손해배상청구권을 상속재산의 대상재산(代償財産)으로 보아 상속재산분할의 대상이 된다고 본 사례이다.

▶ **금전채무가 상속재산 분할의 대상이 되는지 여부**(소극)(대판 1997.6.24, 97다8809)

① 금전채무와 같이 급부의 내용이 가분인 채무가 공동상속된 경우, 이는 상속 개시와 동시에 당연히 법정상속분에 따라 공동상속인에게 분할되어 귀속되는 것이므로, 상속재산 분할의 대상이 될 여지가 없다.

② 상속재산 분할의 대상이 될 수 없는 상속채무에 관하여 공동상속인들 사이에 분할의 협의가 있는 경우라면 이러한 협의는 민법 제1013조에서 말하는 상속재산의 협의분할에 해당하는 것은 아니지만, 위 분할의 협의에 따라 공동상속인 중의 1인이 법정상속분을 초과하여 채무를 부담하기로 하는 약정은 면책적 채무인수의 실질을 가진다고 할 것이어서, 채권자에 대한 관계에서 위 약정에 의하여 다른 공동상속인이 법정상속분에 따른 채무의 일부 또는 전부를 면하기 위하여는 민법 제454조의 규정에 따른 채권자의 승낙을 필요로 하고, 여기에 상속재산 분할의 소급효를 규정하고 있는 민법 제1015조가 적용될 여지는 전혀 없다.

▶ **상속재산분할심판에서 상속재산 과실을 고려하지 않은 채, 분할의 대상이 된 상속재산 중 특정 상속재산을 상속인 중 1인의 단독소유로 하고 그의 구체적 상속분과 특정 상속재산의 가액과의 차액을 현금으로 정산하는 방법으로 상속재산을 분할한 경우, 공동상속인들이 수증재산과 기여분 등을 참작하여 상속개시 당시를 기준으로 산정되는 '구체적 상속분'의 비율에 따라 상속재산 과실을 취득하는지 여부**(원칙적 적극)

① 상속개시 후 상속재산분할이 완료되기 전까지 상속재산으로부터 발생하는 과실(이하 '상속재산 과실'이라 한다)은 상속개시 당시에는 존재하지 않았던 것이다. 상속재산분할심판에서 이러한 상속재산 과실을 고려하지 않은 채, 분할의 대상이 된 상속재산 중 특정 상속재산을 상속인 중 1인의 단독소유로 하고 그의 구체적 상속분과 특정 상속재산의 가액과의 차액을 현금으로 정산하는 방법(이른바 대상분할의 방법)으로 상속재산을 분할한 경우, 그 특정 상속재산을 분할받은 상속인은 민법 제1015조 본문에 따라 상속개시된 때에 소급하여 이를 단독소유한 것으로 보게 되지만, 상속재산 과실까지도 소급하여 상속인이 단독으로 차지하게 된다고 볼 수는 없다.

② 이러한 경우 상속재산 과실은 특별한 사정이 없는 한, 공동상속인들이 수증재산과 기여분 등을 참작하여 상속개시 당시를 기준으로 산정되는 '구체적 상속분'의 비율에 따라, 이를 취득한다고 보는 것이 타당하다(대판 2018.8.30, 2015다27132).

◈ 관련판례 ◈

▶ **피상속인의 배우자가 상당한 기간 투병 중인 피상속인과 동거하면서 간호하는 방법으로 피상속인을 부양한 경우 그러한 사정만으로 배우자에게 기여분을 인정하여야 하는지 여부**(소극)

배우자가 장기간 피상속인과 동거하면서 피상속인을 간호한 경우, 민법 제1008조의2의 해석상 가정법원은 배우자의 동거·간호가 부부 사이의 제1차 부양의무 이행을 넘어서 '특별한 부양'에 이르는지 여부와 더불어 동거·간호의 시기와 방법 및 정도뿐 아니라 동거·간호에 따른 부양비용의 부담 주체, 상속재산의 규모와 배우자에 대한 특별수익액, 다른 공동상속인의 숫자와 배우자의 법정상속분 등 일체의 사정을 종합적으로 고려하여 공동상속인들 사이의 실질적 공평을 도모하기 위하여 배우자의 상속분을 조정할 필요성이 인정되는지 여부를 가려서 기여분 인정 여부와 그 정도를 판단하여야 한다(대결(전) 2019.11.21. 2014스44).

→ [사실관계 및 판단] : ① 청구인들(피상속인과 전처인 망 D 사이에 태어난 자녀들)이 상대방 A(피상속인의 후처), B, C(A와 피상속인 사이에 태어난 자녀들)를 상대로 상속재산분할을 청구(본심판)하고, 상대방들은 청구인들을 상대로 기여분결정 청구(반심판)를 한 사안에서, 원심은 상대방 A가 병환 중인 피상속인을 간호하였지만 처로서 통상 기대되는 정도를 넘어 법정상속분을 수정할 정도로 피상속인을 특별히 부양하였다거나 피상속인 재산의 유지·증가에 특별히 기여하였다고 인정하기에 부족하다는 이유로 상대방 A의 기여분결정 청구를 기각하였는데, 이에 대해 대법원은, 원심 판단은 대법원판례의 법리에 따른 것으로 민법 제1008조의2에서 정한 기여분 인정 요건에 관한 법리를 오해하여 필요한 심리를 다하지 않아 재판에 영향을 미친 잘못이 없다고 보아 재항고를 기각한 사례이다. ② 이와 같은 다수의견에 대하여, 피상속인의 배우자가 상당한 기간에 걸쳐 피상속인과 동거하면서 간호하는 방법으로 피상속인을 부양한 경우, 배우자의 이러한 부양행위는 민법 제1008조의2 제1항에서 정한 기여분 인정 요건 중 하나인 '특별한 부양행위'에 해당하므로, 특별한 사정이 없는 한 배우자에게 기여분을 인정하여야 한다는 반대의견이 있었다.

▶ **상속재산 협의분할의 소급효가 제한되는 제3자의 범위**

공동상속인 중 1인이 제3자에게 상속 부동산을 매도한 뒤 그 앞으로 소유권이전등기가 경료되기 전에 그 매도인과 다른 공동상속인들 간에 그 부동산을 매도인 외의 다른 상속인 1인의 소유로 하는 내용의 상속재산 협의분할이 이루어져 그 앞으로 소유권이전등기를 한 경우에, 그 상속재산 협의분할은 상속개시된 때에 소급하여 효력이 발생하고 등기를 경료하지 아니한 제3자는 민법 제1015조 단서 소정의 소급효가 제한되는 제3자에 해당하지 아니하는바, 이 경우 상속재산 협의분할로 부동산을 단독으로 상속한 자가 협의분할 이전에 공동상속인 중 1인이 그 부동산을 제3자에게 매도한 사실을 알면서도 상속재산 협의분할을 하였을 뿐 아니라, 그 매도인의 배임행위를 유인·교사하거나 이에 협력하는 등 적극적으로 가담한 경우에는 그 상속재산 협의분할 중 그 매도인의 법정상속분에 관한 부분은 민법 제103조 소정의 반사회질서의 법률행위에 해당한다(대판 1996.4.26. 95다54426·54433).

▶ **상소재산분할의 소급효와 제3자**(대판 2020.8.13. 2019다249312)

[1] 민법 제1015조 단서에서 규정한 상속재산분할의 소급효가 제한되는 '제3자'의 의미

상속재산의 분할은 상속이 개시된 때에 소급하여 그 효력이 있다. 그러나 제3자의 권리를 해하지 못한다(민법 제1015조). 이는 상속재산분할의 소급효를 인정하여 공동상속인이 분할 내용대로 상속재산을 피상속인이 사망한 때에 바로 피상속인으로부터 상속한 것으로 보면서도, 상속재산분할 전에 이와 양립하지 않는 법률상 이해관계를 가진 제3자에게는 상속재산분할의 소급효를 주장할 수 없도록 함으로써 거래의 안전을 도모하고자 한 것이다. 이때 민법 제1015조 단서에서 말하는 제3자

는 일반적으로 상속재산분할의 대상이 된 상속재산에 관하여 상속재산분할 전에 새로운 이해관계를 가졌을 뿐만 아니라 등기·인도 등으로 권리를 취득한 사람을 말한다.

[2] 상속재산인 부동산의 분할 귀속을 내용으로 하는 상속재산분할심판이 확정된 경우, 해당 부동산에 관한 물권변동의 효력 발생 시기(=상속재산분할심판 확정 시) / 상속재산분할심판에 따른 등기가 이루어지기 전에 상속재산분할의 효력과 양립하지 않는 법률상 이해관계를 갖고 등기를 마쳤으나 상속재산분할심판이 있었음을 알지 못한 제3자에 대하여 상속재산분할의 효력을 주장할 수 있는지 여부(소극) 및 이때 제3자가 상속재산분할심판이 있었음을 알았다는 점에 관한 주장·증명책임의 소재(=상속재산분할심판의 효력을 주장하는 자)

① 상속재산인 부동산의 분할 귀속을 내용으로 하는 상속재산분할심판이 확정되면 민법 제187조에 의하여 상속재산분할심판에 따른 등기 없이도 해당 부동산에 관한 물권변동의 효력이 발생한다. 다만 ② 민법 제1015조 단서의 내용과 입법 취지 등을 고려하면, 상속재산분할심판에 따른 등기가 이루어지기 전에 상속재산분할의 효력과 양립하지 않는 법률상 이해관계를 갖고 등기를 마쳤으나 상속재산분할심판이 있었음을 알지 못한 제3자에 대하여는 상속재산분할의 효력을 주장할 수 없다고 보아야 한다. 이 경우 제3자가 상속재산분할심판이 있었음을 알았다는 점에 관한 주장·증명책임은 상속재산분할심판의 효력을 주장하는 자에게 있다고 할 것이다(주 제3자가 자신의 선의에 대해 주장·증명책임을 부담하는 것이 아님).

▶ **상속재산 분할협의의 합의해제**

상속재산 분할협의는 공동상속인들 사이에 이루어지는 일종의 계약으로서, 공동상속인들은 이미 이루어진 상속재산 분할협의의 전부 또는 일부를 전원의 합의에 의하여 해제한 다음 다시 새로운 분할협의를 할 수 있고, 상속재산 분할협의가 합의해제 되면 그 협의에 따른 이행으로 변동이 생겼던 물권은 당연히 그 분할협의가 없었던 원상태로 복귀하지만, 민법 제548조 제1항 단서의 규정상 이러한 합의해제를 가지고서는, 그 해제 전의 분할협의로부터 생긴 법률효과를 기초로 하여 새로운 이해관계를 가지게 되고 등기·인도 등으로 완전한 권리를 취득한 제3자의 권리를 해하지 못한다(대판 2004. 7. 8, 2002다73203).

제12절 ▼ 상속회복청구권

Ⅰ. 서설

1. 의의

> 제999조【상속회복청구권】
> ① 상속권이 참칭상속권자로 인하여 침해된 때에는 상속권자 또는 그 법정대리인은 상속회복의 소를 제기할 수 있다.
> ② 제1항의 상속회복청구권은 그 침해를 안 날부터 3년, 상속권의 침해행위가 있은 날부터 10년을 경과하면 소멸된다.

상속회복청구권이란 상속권이 진정하지 않은 상속인 즉 참칭상속인에 의하여 침해되었을 때 일정한 기간 내에 그 회복을 청구할 수 있는 권리이다(제999조).

2. 법적 성질

(1) 문제점

상속개시로 상속인은 법률상 당연히 피상속인의 권리·의무를 승계하므로 참칭상속인에 대하여 물권적 청구권 등을 행사할 수 있다. 그럼에도 굳이 상속회복청구권을 인정하고 있으므로 양자의 관계가 문제된다.

(2) 판례

판례는 "재산상속에 관하여 진정한 상속인임을 전제로 그 상속으로 인한 소유권 또는 지분권 등 재산권의 귀속을 주장하고, 참칭상속인 또는 자기들만이 재산상속을 하였다는 일부 공동상속인들을 상대로 상속재산인 부동산에 관한 등기의 말소 등을 청구하는 경우에도, 그 소유권 또는 지분권이 귀속되었다는 주장이 상속을 원인으로 하는 것인 이상 그 청구원인 여하에 불구하고 이는 민법 제999조 소정의 상속회복청구의 소라고 해석함이 상당하다"고 하였다.

▶ 진정한 상속인임을 전제로 상속으로 인한 재산권의 귀속을 주장하면서 참칭상속인 등을 상대로 상속재산인 부동산에 관한 등기의 말소 등을 청구하는 경우, 그 청구원인에 관계없이 상속회복청구의 소에 해당하는지 여부(적극)

자신이 진정한 상속인임을 전제로 그 상속으로 인한 소유권 또는 지분권 등 재산권의 귀속을 주장하면서 참칭상속인 또는 참칭상속인으로부터 상속재산에 관한 권리를 취득하거나 새로운 이해관계를 맺은 제3자를 상대로 상속재산인 부동산에 관한 등기의 말소 등을 청구하는 경우, 그 재산권 귀속 주장이 상속을 원인으로 하는 것인 이상 청구원인이 무엇인지 여부에 관계없이 민법 제999조가 정하는 상속회복청구의 소에 해당한다(대판 2009.10.15, 2009다42321).

▶ 진정상속인과 참칭상속인이 주장하는 피상속인이 서로 다른 사람인 경우, 상속회복청구의 소라고 할 수 있는지 여부(소극)

상속회복청구의 소는 진정상속인과 참칭상속인이 주장하는 피상속인이 동일인임을 전제로 하는 것이므로 진정상속인이 주장하는 피상속인과 참칭상속인이 주장하는 피상속인이 다른 사람인 경우에는 진정상속인의 청구원인이 상속에 의하여 소유권을 취득하였음을 전제로 한다고 하더라도 이를 상속회복청구의 소라고 할 수 없다(대판 1998.4.10, 97다54345).

→ [해설] : 진정상속인이 주장하는 피상속인과는 다른 피상속인으로부터 상속받았음을 이유로 부동산 소유권이전등기 등에 관한 특별 조치법에 의한 상속등기를 경료한 자에 대한 소유권이전등기말소청구는 상속회복청구의 소에 해당하지 않는다.

▶ 상속인인 원고가 소외인이 피상속인의 생전에 그로부터 토지를 매수한 사실이 없는데도 등기서류를 위조하여 그 앞으로 소유권이전등기를 경료하였음을 이유로 그로부터 토지를 전전매수한 피고를 상대로 진정 명의의 회복을 원인으로 한 소유권이전등기절차의 이행을 구하는 경우, 상속회복청구의 소에 해당하는지 여부(소극)

상속인인 원고가 소외인이 피상속인의 생전에 그로부터 토지를 매수한 사실이 없는데도 그러한 사유가 있는 것처럼 등기서류를 위조하여 그 앞으로 소유권이전등기를 경료하였음을 이유로 그로부터 토지를 전전매수한 피고 명의의 소유권이전등기가 원인무효라고 주장하면서 피고를 상대로 진정 명의의 회복을 원인으로 한 소유권이전등기절차의 이행을 구하는 경우, 이는 상속회복청구의 소에 해당하지 않는다(대판 1998.10.27, 97다38176).

▶ **공동상속인 중 1인이 피상속인의 생전에 그로부터 토지를 매수하거나 증여받은 사실이 없음에도 불구하고 구 부동산 소유권이전등기 등에 관한 특별조치법에 의하여 매매 또는 증여를 원인으로 한 이전등기를 경료한 경우**(소극)

공동상속인 중 1인이 피상속인의 생전에 그로부터 토지를 매수하거나 증여받은 사실이 없음에도 불구하고 구 부동산 소유권이전등기 등에 관한 특별조치법에 의하여 매매 또는 증여를 원인으로 한 이전등기를 경료한 경우 그 이전등기가 무효라는 이유로 다른 공동상속인이 그 등기의 말소(또는 진정명의회복을 위한 등기의 이전)를 청구하는 소는 상속회복청구의 소에 해당한다고 볼 수 없다(대판 2008.6.26, 2007다7898; 대판 1993.9.14, 93다12268).

▶ **동일한 부동산에 관하여 등기명의인을 달리하여 중복된 소유권보존등기가 마쳐져, 선행 보존등기로부터 소유권이전등기를 한 소유자의 상속인이 후행 보존등기나 그에 기하여 순차로 이루어진 소유권이전등기 등 후속등기가 모두 무효라는 이유로 등기의 말소를 구하는 경우, 그 소가 상속회복청구의 소에 해당하는지 여부**(소극)

동일한 부동산에 관하여 등기명의인을 달리하여 중복된 소유권보존등기가 마쳐진 경우 먼저 이루어진 소유권보존등기가 원인무효로 되지 않는 한 뒤에 된 소유권보존등기는 그것이 실체관계에 부합하는지 여부를 가릴 것 없이 1부동산 1등기용지주의의 법리에 비추어 무효라고 할 것인바, 원고가 선행 보존등기로부터 소유권이전등기를 한 소유자의 상속인으로서, 후행 보존등기나 그에 기하여 순차로 이루어진 소유권이전등기 등의 후속등기가 모두 무효라는 이유로 등기의 말소를 구하는 소는, 후행 보존등기로부터 이루어진 소유권이전등기가 참칭상속인에 의한 것이어서 무효이고 따라서 그 후속등기도 무효임을 이유로 하는 것이 아니라 후행 보존등기 자체가 무효임을 이유로 하는 것이므로 상속회복청구의 소에 해당하지 않는다고 할 것이다. 따라서 이 사건 소에는 상속회복청구권의 제척기간이 적용되지 않는다고 보아야 한다(대판 2011.7.14. 2010다107064).

II. 상속회복청구권의 당사자

1. 청구권자

① 상속회복청구권자는 상속권자 또는 그 법정대리인이다(제999조 제1항).

② 상속분의 양수인이나 포괄적 유증을 받은 자는 상속인에 준하여 상속회복청구권이 있으나, 상속재산의 특정승계인은 상속회복청구권자가 될 수 없다.

③ 또한 상속 개시 후에 인지 또는 재판의 확정에 의해 공동상속인이 된 자도 상속회복청구를 할 수 있다. 다만, 이미 분할 기타 처분을 한 때에는 그 상속분에 상당한 가액의 지급을 청구할 수 있다(제1014조). 대습상속인도 자신의 상속분에 기한 상속회복청구권을 가진다.

2. 상대방

(1) 참칭상속인

상속회복청구권은 참칭상속인에 대해서만 청구할 수 있다. 만약 참칭상속인에 해당되지 않으면 상속인은 상속회복청구권이 아니라 점유회복청구권, 소유물반환청구권, 부당이득반환청구권 등을 행사하여야 한다.

(2) 참칭상속인의 범위

1) 참칭상속인이란, ① 재산상속인인 것을 신뢰케 하는 외관을 갖추거나, ② 상속인이라고 참칭하여 상속재산의 일부 또는 전부를 점유함으로써 진정한 상속인의 재산상속권을 침해하는 자를 말한다(대판 1998.3.27. 96다37398).

2) 또한 공동상속인은 상속자격이 있다 해도 공동상속인의 1인이 다른 상속인을 배제하고, 단독으로 상속재산을 점유하거나 또는 자기의 상속분을 넘는 상속등기를 한 경우 참칭상속인에 해당한다.

3) 참칭상속인으로부터 상속재산을 취득한 제3자도 상속회복청구의 상대방이 된다. 이때 제척기간의 기산점은 최초 참칭상속인의 '최초 침해행위 시'를 기준으로 한다.

▶ **공동상속인 1인 단독명의의 소유권등기말소청구가 상속회복청구의 소인지 여부**(적극)

[1] 상속회복의 소는 재산상속권이 참칭재산상속인으로 인하여 침해된 때에 진정한 상속권자가 그 회복을 청구하는 소를 가리키는 것이나, 재산상속에 관하여 진정한 상속인임을 전제로 그 상속으로 인한 소유권 또는 지분권 등 재산권의 귀속을 주장하고, 참칭상속인 또는 자기들만이 재산상속을 하였다는 일부 공동상속인들을 상대로 상속재산인 부동산에 관한 등기의 말소 등을 청구하는 경우에도, 그 소유권 또는 지분권이 귀속되었다는 주장이 상속을 원인으로 하는 것인 이상 그 청구원인 여하에 불구하고 이는 민법 제999조 소정의 상속회복청구의 소라고 해석함이 상당하다. 따라서 제999조 제2항의 제척기간을 준수하여야 한다(대판(전) 1991.12.24. 90다5740).

[2] 공동상속인 중 1인이 협의분할에 의한 상속을 원인으로 하여 상속부동산에 관한 소유권이전등기를 마친 경우에, 협의분할이 다른 공동상속인의 동의 없이 이루어진 것이어서 무효라는 이유로 다른 공동상속인이 위 등기의 말소를 청구하는 소는 상속회복청구의 소에 해당한다(대판 2011.3.10. 2007다17482).

▶ **공동상속인이 참칭상속인에 해당하는지 여부와 판단기준**

[1] 상속회복청구의 상대방이 되는 참칭상속인이라 함은 정당한 상속권이 없음에도 재산상속인임을 신뢰케 하는 외관을 갖추고 있는 자나 상속인이라고 참칭하여 상속재산의 전부 또는 일부를 점유하고 있는 자를 가리키는 것으로서, 상속재산인 부동산에 관하여 공동상속인 중 1인 명의로 소유권이전등기가 경료된 경우 그 등기가 상속을 원인으로 경료된 것이라면 등기명의인의 의사와 무관하게 경료된 것이라는 등의 특별한 사정이 없는 한 그 등기명의인은 재산상속인임을 신뢰케 하는 외관을 갖추고 있는 자로서 참칭상속인에 해당된다(대판 2010.1.14. 2009다41199).

[2] 소유권이전등기에 의하여 재산상속인임을 신뢰케 하는 외관을 갖추었는지의 여부는 권리관계를 외부에 공시하는 등기부의 기재에 의하여 판단하여야 하므로, 비록 등기의 기초가 된 보증서 및

확인서에 취득원인이 상속으로 기재되어 있다 하더라도 등기부상 등기원인이 매매로 기재된 이상 재산상속인임을 신뢰케 하는 외관을 갖추었다고 볼 수 없다(대판 1997.1.21, 96다4688).

[3] 피상속인 사망 후 공동상속인 중 1인이 다른 공동상속인에게 (상속재산의 협의분할을 통하여 상속받은)자신의 상속지분을 중간생략등기 방식으로 명의신탁하였다가 그 명의신탁이 '부동산 실권리자 명의 등기에 관한 법률'이 정한 유예기간의 도과로 무효가 되었음을 이유로 명의수탁자를 상대로 상속지분의 반환을 구하는 경우, 그러한 청구는 명의신탁이 유예기간의 도과로 무효로 되었음을 원인으로 하여 소유권의 귀속을 주장하는 것일 뿐 상속으로 인한 재산권의 귀속을 주장하는 것이라고 볼 수 없고, 나아가 명의수탁자로 주장된 피고를 두고 진정상속인의 상속권을 침해하고 있는 참칭상속인이라고 할 수도 없으므로, 위와 같은 청구가 상속회복청구에 해당한다고 할 수 없다(대판 2010.2.11, 2008다16899).

[4] 상속회복청구의 상대방이 되는 참칭상속인이란 정당한 상속권이 없음에도 재산상속인인 것을 신뢰케 하는 외관을 갖추고 있는 자나 상속인이라고 참칭하여 상속재산의 전부 또는 일부를 점유하는 자를 가리키는 것으로서, 공동상속인의 한 사람이 다른 상속인의 상속권을 부정하고 자기만이 상속권이 있다고 참칭하여 상속재산인 부동산에 관하여 단독 명의로 소유권이전등기를 한 경우는 물론이고, 상속을 유효하게 포기한 공동상속인 중 한 사람이 그 사실을 숨기고 여전히 공동상속인의 지위에 남아 있는 것처럼 참칭하여 상속지분에 따른 소유권이전등기를 한 경우에도 참칭상속인에 해당할 수 있으나, 이러한 상속을 원인으로 하는 등기가 명의인의 의사에 기하지 않고 제3자에 의하여 상속 참칭의 의도와 무관하게 이루어진 것일 때에는 위 등기명의인을 상속회복 청구의 소에서 말하는 참칭상속인이라고 할 수 없다. 그리고 수인의 상속인이 부동산을 공동으로 상속하는 경우 그와 같이 공동상속을 받은 사람 중 한 사람이 공유물의 보존행위로서 공동상속 인 모두를 위하여 상속등기를 신청하는 것도 가능하므로, 부동산에 관한 상속등기의 명의인에 상속을 포기한 공동상속인이 포함되어 있다고 하더라도 상속을 포기한 공동상속인 명의의 지분등기 가 그의 신청에 기한 것으로서 상속 참칭의 의도를 가지고 한 것이라고 쉽게 단정하여서는 아니 된 다(대판 2012.5.24, 2010다33392).

[5] 상속회복청구는 자신이 진정한 상속인임을 전제로 그 상속으로 인한 소유권 또는 지분권 등 재산권의 귀속을 주장하면서 참칭상속인 또는 참칭상속인으로부터 상속재산에 관한 권리를 취득하거나 새로운 이해관계를 맺은 제3자를 상대로 상속재산인 부동산에 관한 등기의 말소 또는 진정명의 회복을 위한 등기의 이전 등을 청구하는 것이다. 그런데 피상속인 사망 후 공동상속인 중 1인이 다른 공동상속인에게 자신이 상속한 재산을 중간생략등기 방식으로 명의신탁하였다가 그 명의신탁이 부동산 실권리자명의 등기에 관한 법률에 반하여 무효임을 이유로 상속재산의 반환 또 는 그 반환채무의 이행불능을 원인으로 한 손해배상을 구하는 경우, 그러한 청구는 명의신탁이 무 효임을 원인으로 하여 소유권의 귀속 등을 주장하는 것일 뿐 상속으로 인한 재산권의 귀속을 주장 하는 것이라고 볼 수 없고, 나아가 명의수탁자로 주장된 피고를 두고 진정상속인의 상속권을 침해 하고 있는 참칭상속인이라고 할 수도 없으므로, 위와 같은 청구가 상속회복청구에 해당한다고 할 수 없다(대판 2012.1.26, 2011다81152).

▶ **참칭상속인으로부터 상속재산을 양수한 제3자에 대한 말소등기청구가 상속회복청구인지 여부**(적극)
진정상속인이 참칭상속인을 상대로 상속재산인 부동산에 관한 등기의 말소 등을 구하는 경우에 그 소유 권 또는 지분권 등의 귀속원인을 상속으로 주장하고 있는 이상 청구원인 여하에 불구하고 이는 민법

제999조 소정의 상속회복청구의 소라고 해석하여야 할 것이므로 동법 제982조 제2항 소정의 제척기간의 적용이 있다. 진정상속인이 참칭상속인으로부터 상속재산을 양수한 제3자를 상대로 등기말소청구를 하는 경우에도 상속회복청구권의 단기의 제척기간이 적용된다(대판(전) 1981.1.27, 79다854).

▶ **참칭상속인으로부터 양수한 제3자에 대하여 별도의 제척기간준수가 필요한지 여부**(긍정)
진정상속인이 참칭상속인의 최초 침해행위가 있은 날부터 10년의 제척기간이 경과하기 전에 참칭상속인에 대한 상속회복청구 소송에서 승소의 확정판결을 받았다고 하더라도 위 제척기간이 경과한 후에는 제3자를 상대로 상속회복청구 소송을 제기하여 상속재산에 관한 등기의 말소 등을 구할 수 없다(대판 2006.9.8, 2006다26694).

→ [해설] : 최초의 참칭상속인에 대한 상속회복청구가 있었더라도 그로부터 양수한 제3자 역시 독립된 참칭상속인에 해당하므로 별도로 상속회복청구의 제척기간준수가 필요하다. 이때 전득자인 제3자를 상대로 한 상속회복청구의 제척기간 기산점은 최초 참칭상속인의 침해행위시를 기준으로 하므로 결국 위 청구는 기간도과로 부적법하다는 취지이다.

III. 상속회복청구권의 행사와 효과

1. 행사의 방법

(1) 상속회복청구는 그 법문언의 형식에도 불구하고 재판상으로는 물론이고 재판 외에서도 할 수 있다고 보는 것이 다수설이다.

(2) 그러나 판례는 법문언에 충실하게 이를 제소기간으로 보고 있으므로, 그 기간 내에 재판상 행사하여야 한다는 입장이다(대판 1993.2.26, 92다3083).

▶ **상속회복청구의 소에 대한 제척기간의 준수 여부가 법원의 직권조사사항인지 여부**(적극)
상속회복의 소는 상속권의 침해를 안 날부터 3년, 상속개시된 날부터 10년 내에 제기하도록 제척기간을 정하고 있는바, 이 기간은 제소기간으로 볼 것이므로, 상속회복청구의 소에 있어서는 법원이 제척기간의 준수 여부에 관하여 직권으로 조사한 후 기간도과 후에 제기된 소는 부적법한 소로서 흠결을 보정할 수 없으므로 각하하여야 할 것이다(대판 1993.2.26, 92다3083).

2. 행사의 효과

상속회복청구가 인용되면 참칭상속인은 진정상속인에게 그가 점유하는 상속재산을 반환하여야 한다.

IV. 상속회복청구권의 소멸

1. 청구권자의 포기

상속회복청구권은 자유로이 포기할 수 있다. 다만, 상속개시전 상속포기가 인정되지 않는다는 점에서 상속개시 전 미리 상속회복청구권의 포기는 부정된다.

2. 제척기간의 경과

상속회복청구권은 그 침해를 안 날부터 3년, 상속권의 침해행위가 있은 날부터 10년이 경과하면 제척기간의 도과로 소멸된다(제999조 제2항).

▶ **제999조 제2항에서의 '상속권의 침해를 안 날'의 의미**

[1] 상속회복청구권의 제척기간 기산점이 되는 민법 제999조 제2항 소정의 '상속권의 침해를 안 날'이라 함은 자기가 진정한 상속인임을 알고 또 자기가 상속에서 제외된 사실을 안 때를 가리키는 것으로서, 단순히 상속권 침해의 추정이나 의문만으로는 충분하지 않다(대판 2007.10.25, 2007다36223).

[2] 민법 제1014조에 의한 피인지자 등의 상속분상당가액지급청구권은 그 성질상 상속회복청구권의 일종이므로 같은 법 제999조 제2항에 정한 제척기간이 적용되고, 같은 항에서 3년의 제척기간의 기산일로 규정한 '그 침해를 안 날'이라 함은 피인지자가 자신이 진정상속인인 사실과 자신이 상속에서 제외된 사실을 안 때를 가리키는 것으로 혼인 외의 자가 법원의 인지판결 확정으로 공동상속인이 된 때에는 그 인지판결이 확정된 날에 상속권이 침해되었음을 알았다고 할 것이다(대판 2007.7.26, 2006므2757·2764).

[3] 민법 제999조 제2항은 "상속회복청구권은 그 침해를 안 날부터 3년, 상속권의 침해행위가 있은 날부터 10년을 경과하면 소멸한다"고 규정하고 있는바, 여기서 그 제척기간의 기산점이 되는 '상속권의 침해행위가 있은 날'이라 함은 참칭상속인이 상속재산의 전부 또는 일부를 점유하거나 상속재산인 부동산에 관하여 소유권이전등기를 마치는 등의 방법에 의하여 진정한 상속인의 상속권을 침해하는 행위를 한 날을 의미한다. 또한, 제척기간의 준수 여부는 상속회복청구의 상대방별로 각각 판단하여야 할 것이어서, 진정한 상속인이 참칭상속인으로부터 상속재산에 관한 권리를 취득한 제3자를 상대로 제척기간 내에 상속회복청구의 소를 제기한 이상 그 제3자에 대하여는 민법 제999조에서 정하는 상속회복청구권의 기간이 준수되었으므로, 참칭상속인에 대하여 그 기간 내에 상속회복청구권을 행사한 일이 없다고 하더라도 그것이 진정한 상속인의 제3자에 대한 권리행사에 장애가 될 수는 없다(대판 2009.10.15, 2009다42321).

▶ **상속재산 일부에 대한 상속회복청구 기간준수 후 나머지 청구를 한 경우 적법 여부**

상속회복청구권의 경우 상속재산의 일부에 대해서만 제소하여 제척기간을 준수하였을 때에는 청구의 목적물로 하지 않은 나머지 상속재산에 대해서는 제척기간을 준수한 것으로 볼 수 없고(대판 1980.4.22, 79다2141 同旨), 민법 제1014조에 의한 상속분상당가액지급청구권의 경우도 같은 법 제999조 제2항의 제척기간이 도과되면 소멸하므로 그 기간 내에 한 청구채권에 터 잡아 제척기간 경과 후 청구취지를 확장하더라도 그 추가 부분의 청구권은 소멸한다고 할 것이나, 만일 상속분상당가액지급청구권의 가액산정 대상재산을 인지 전에 이미 분할 내지 처분된 상속재산 전부로 삼는다는 뜻과 다만, 그 정확한 권리의 가액을 알 수 없으므로 추후 감정결과에 따라 청구취지를 확장하겠다는 뜻을 미리 밝히면서 우선 일부의 금액만을 청구한다고 하는 경우 그 청구가 제척기간 내에 한 것이라면, 대상 재산의 가액에 대한 감정결과를 기다리는 동안 제척기간이 경과하고 그 후에 감정결과에 따라 청구취지를 확장한 때에는, 위와 같은 청구취지의 확장으로 추가된 부분에 관해서도 그 제척기간은 준수한 것으로 봄이 상당하다(대판 2007.7.26, 2006므2757·2764).

▶ **사실상 부가 사망한 후 인지심판이 확정된 경우 상속재산최복청구권 소멸에 관한 제척기간의 기산점**

사실상의 부가 사망한 후 혼인 외의 자가 법원의 인지심판 확정에 의하여 그 사실상의 부의 호적에 입적한 경우 그 피인지자의 재산상속 회복청구권의 소멸에 관한 제척기간은 그 인지심판이 확정된 날부터 기산한다(대판 1978.2.14, 77므21).

▶ **피상속인인 남한주민으로부터 상속을 받지 못한 북한주민의 경우, 상속권이 침해된 날부터 10년이 경과하면 민법 제999조 제2항에 따라 상속회복청구권이 소멸하는지 여부**(원칙적 적극)

상속의 회복은 해당 상속인들 사이뿐 아니라 상속재산을 전득한 제3자에게까지 영향을 미치므로, 민법에서 정한 제척기간이 상당히 지났음에도 그에 대한 예외를 인정하는 것은 법률관계의 안정을 크게 해칠 우려가 있다. 상속회복청구의 제척기간이 훨씬 지났음에도 특례를 인정할 경우에는 그로 인한 혼란이 발생하지 않도록 예외적으로 제척기간의 연장이 인정되는 사유 및 기간 등에 관하여 구체적이고 명확하게 규정할 필요가 있고, 또한 법률관계의 불안정을 해소하고 여러 당사자들의 이해관계를 합리적으로 조정할 수 있는 제도의 보완이 수반되어야 하며, 결국 이는 법률해석의 한계를 넘는 것으로서 입법에 의한 통일적인 처리가 필요하다. 상속회복청구에 관한 제척기간의 취지, 남북가족특례법의 입법 목적 및 관련 규정들의 내용, 가족관계와 재산적 법률관계의 차이, 법률해석의 한계 및 입법적 처리 필요성 등의 여러 사정을 종합하여 보면, 남북가족특례법 제11조 제1항은 피상속인인 남한주민으로부터 상속을 받지 못한 북한주민의 상속회복청구에 관한 법률관계에 관하여도 민법 제999조 제2항의 제척기간이 적용됨을 전제로 한 규정이며, 따라서 남한주민과 마찬가지로 북한주민의 경우에도 다른 특별한 사정이 없는 한 상속권이 침해된 날부터 10년이 경과하면 민법 제999조 제2항에 따라 상속회복청구권이 소멸한다(대판(전) 2016.10.19, 2014다46648).

▶ **상속인의 상속회복청구권 및 그 제척기간에 관하여 규정한 민법 제999조가 포괄적 유증의 경우에도 유추 적용되는지 여부**(적극)

포괄적 수증자의 법적 지위 내지 권리의무에 관하여 구 민법(1990.1.13. 법률 제4199호로 개정되기 전의 것) 제1078조는 "포괄적 유증을 받은 자는 재산상속인과 동일한 권리의무가 있다."고 규정하고 있어 포괄적 수증자는 그 수증분에 따라서 유증자의 일신전속적인 권리를 제외한 모든 권리 및 의무를 법률상 당연히 포괄적으로 승계하기 때문에 포괄적 유증은 실질적으로는 수증분을 상속분으로 하는 피상속인(유증자)에 의한 상속인 및 상속분의 지정과 같은 기능을 하고 있으므로, 상속인의 상속회복청구권에 관한 규정은 포괄적 수증의 경우에 유추 적용되고(포괄적 유증을 받은 자도 상속회복청구권을 행사할 수 있다), 상속회복청구권의 제척기간에 관한 규정도 상속에 관한 법률관계의 신속한 확정을 위한 상속회복청구권의 제척기간의 제도적 취지에 비추어 볼 때 포괄적 수증의 경우에 유추 적용된다고 할 것이다(대판 2001.10.12, 2000다22942).

3. 상속회복청구권 소멸의 효과

상속회복청구권이 제척기간의 경과로 소멸하게 되면 상속인은 상속인으로서의 지위 즉 상속에 따라 승계한 개개의 권리의무 또한 총괄적으로 상실하게 되고, 그 반사적 효과로서 참칭상속인의 지위는 확정되어 참칭상속인이 상속개시의 시로부터 소급하여 상속인으로서의 지위를 취득한 것으로 봄이 상당하므로, 상속재산은 상속 개시일로 소급하여 참칭상속인의 소유로 된다(대판 1998. 3.27, 96다37398).

제13절 ▼ 상속의 승인 및 포기

Ⅰ. 법정단순승인

> **제1026조【법정단순승인】**
> 다음 각 호의 사유가 있는 경우에는 상속인이 단순승인을 한 것으로 본다.
> 1. 상속인이 상속재산에 대한 처분행위를 한 때
> 2. 상속인이 제1019조 제1항의 기간(= 상속개시 있음을 안 날로 3月) 내에 한정승인 또는 포기를 하지 아니한 때
> 3. 상속인이 한정승인 또는 포기를 한 후에 상속재산을 은닉하거나 부정소비하거나 고의로 재산목록에 기입하지 아니한 때

제1026조 제1호의 처분행위는 한정승인 또는 포기를 하기 전에 한 처분행위만을 의미하며, 그 후에 한 처분행위에는 제1026조 제3호가 적용될 수 있을 뿐이다(대판 2004.3.12, 2003다63586).

▶ **상속인의 상속재산에 대한 처분행위의 의미 및 범위**

① 민법 제1026조 제1호는 상속인이 한정승인 또는 포기를 하기 이전에 상속재산을 처분한 때에만 적용되는 것이고, 상속인이 한정승인 또는 포기를 한 후에 상속재산을 처분한 때에는 그로 인하여 상속채권자나 다른 상속인에 대하여 손해배상책임을 지게 될 경우가 있음은 별론으로 하고, 그것이 같은 조 제3호에 정한 상속재산의 부정소비에 해당되는 경우에만 상속인이 단순승인을 한 것으로 보아야 한다(대판 2004.3.12, 2003다63586).

② 상속인이 상속재산에 대한 처분행위를 한 때에는 단순승인을 한 것으로 보는바, 상속인이 피상속인의 채권을 추심하여 변제받는 것도 상속재산에 대한 처분행위에 해당한다. (따라서) 상속인이 피상속인의 甲에 대한 손해배상채권을 추심하여 변제받은 행위는 상속재산의 처분행위에 해당하고, 그것으로써 단순승인을 한 것으로 간주되었다고 할 것이므로, 그 이후에 한 상속포기는 효력이 없다고 할 것이다(대판 2010.4.29, 2009다84936).

③ 민법 제1026조 제1호는 상속인이 상속재산에 대한 처분행위를 한 때에는 단순승인을 한 것으로 본다고 규정하고 있다. 그런데 상속의 한정승인이나 포기의 효력이 생긴 이후에는 더 이상 단순승인으로 간주할 여지가 없으므로, 이 규정은 한정승인이나 포기의 효력이 생기기 전에 상속재산을 처분한 경우에만 적용된다고 보아야 한다. 한편 상속의 한정승인이나 포기는 상속인의 의사표시만으로 효력이 발생하는 것이 아니라 가정법원에 신고를 하여 가정법원의 심판을 받아야 하며, 그 심판은 당사자가 이를 고지받음으로써 효력이 발생한다. 이는 한정승인이나 포기의 의사표시의 존재를 명확히 하여 상속으로 인한 법률관계가 획일적으로 처리되도록 함으로써, 상속재산에 이해관계를 가지는 공동상속인이나 차순위 상속인, 상속채권자, 상속재산의 처분 상대방 등 제3자의 신뢰를 보호하고 법적 안정성을 도모하고자 하는 것이다. 따라서 상속인이 가정법원에 상속포기의 신고를 하였다고 하더라도 이를 수리하는 가정법원의 심판이 고지되기 이전에 상속재산을 처분하였다면, 이는 상속 포기의 효력 발생 전에 처분행위를 한 것에 해당하므로 민법 제1026조 제1호에 따라 상속의 단순승인을 한 것으로 보아야 한다(대판 2016.12.29, 2013다73520).

II. 한정승인

1. 의의

> **제1019조 【승인, 포기의 기간】**
> ① 상속인은 상속개시 있음을 안 날로부터 3월 내에 단순승인이나 한정승인 또는 포기를 할 수 있다. 그러나 그 기간은 이해관계인 또는 검사의 청구에 의하여 가정법원이 이를 연장할 수 있다.
> ② 상속인은 제1항의 승인 또는 포기를 하기 전에 상속재산을 조사할 수 있다.
> ③ 제1항의 규정에 불구하고 상속인은 <u>상속채무가 상속재산을 초과하는 사실(이하 이 조에서 "상속채무 초과사실"이라 한다)</u>을 중대한 과실 없이 제1항의 기간 내에 알지 못하고 단순승인(제1026조 제1호 및 제2호에 따라 단순승인 한 것으로 보는 경우를 포함한다. 이하 이 조에서 같다) 을 <u>한 경우</u>에는 그 사실을 안 날부터 3개월 내에 <u>한정승인</u>을 할 수 있다.
> ④ 제1항에도 불구하고 미성년자인 상속인이 상속채무가 상속재산을 초과하는 상속을 성년이 되기 전에 단순승인한 경우에는 성년이 된 후 그 상속의 상속채무 초과사실을 안 날부터 3개월 내에 한정승인을 할 수 있다. 미성년자인 상속인이 제3항에 따른 한정승인을 하지 아니하였거나 할 수 없었던 경우에도 또한 같다. [신설 2022.12.13.]
>
> **제1028조 【한정승인의 효과】**
> 상속인은 상속으로 인하여 취득할 재산의 한도에서 피상속인의 채무와 유증을 변제할 것을 조건으로 상속을 승인할 수 있다.
>
> **제1029조 【공동상속인의 한정승인】**
> 상속인이 수인인 때에는 각 상속인은 그 상속분에 응하여 취득할 재산의 한도에서 그 상속분에 의한 피상속인의 채무와 유증을 변제할 것을 조건으로 상속을 승인할 수 있다.
>
> **제1030조 【한정승인의 방식】**
> ① 상속인이 한정승인을 함에는 제1019조 제1항·제3항 또는 <u>제4항</u>의 기간 내에 상속재산의 목록을 첨부하여 법원에 한정승인의 신고를 하여야 한다.
> ② 제1019조 제3항 또는 제4항에 따라 한정승인을 한 경우 상속재산 중 이미 처분한 재산이 있는 때에는 그 목록과 가액을 함께 제출하여야 한다.

상속으로 인하여 취득할 재산의 한도에서 피상속인의 채무와 유증을 변제할 것을 조건으로 상속을 승인하는 것을 말한다(제1028조, 제1029조).

2. 요건

(1) 일반 한정승인

<u>상속개시 있음을 안 날부터 3월 내에 상속재산의 목록을 첨부하여 가정법원에 한정승인의 신고를 하여야 한다</u>(제1019조 제1항 본문, 제1030조). 여기서 '상속개시 있음을 안 날'의 의미에 관하여는 다툼이 있으나, 판례는 '상속개시의 사실 및 자기가 상속인이 된 사실을 안 날'을 의미한다고 본다. 따라서 상속재산 및 상속채무의 존재를 알아야만 위 고려기간이 진행되는 것은 아니다.

(2) 특별 한정승인

① 상속인은 상속채무가 상속재산을 초과하는 사실을 '중대한 과실 없이' 상속개시 있음을 안 날로부터 3월 내에 알지 못하고 단순승인(단순승인간주 포함)을 한 경우에는, 그 사실을 안 날로부터 3월 내에 한정승인을 할 수 있다(제1019조 제3항). 중대한 과실 없다는 점은 특별한정승인을 주장하는 자가 증명해야 한다.

② 미성년자 상속인의 경우 스스로 법률행위를 할 수 없기 때문에 법정대리인이 상속을 단순승인하거나 특별한정승인을 하지 않으면 상속채무가 상속재산을 초과하더라도 미성년자 상속인 본인의 의사와 관계없이 피상속인의 상속채무를 전부 승계하여 상속채무에서 벗어날 수 없고 성년이 된 후에도 정상적인 경제생활을 영위하기 어렵게 되는 문제가 있었으므로(이러한 점 때문에 대판(전) 2020.11.19. 2019다232918는 법정대리인의 무지 탓에 성년이 되자마자 아버지의 빚을 상속받게 된 자녀의 처지를 개정 전 민법의 해석으로는 구제할 수 없음을 안타까워하면서 입법적인 해결을 촉구하였다. 즉 미성년자의 빚 대물림 방지의 필요가 있었다). 미성년 상속인은 상속채무가 상속재산을 초과하는 상속을 성년이 되기 전에 법정대리인이 단순승인(의제)한 경우 미성년 시기의 법정대리인의 인식 여부와 관계없이 성년이 된 후 본인이 상속의 상속채무 초과사실을 안 날부터 3개월 내에 한정승인을 할 수 있도록 하였고(제1019조 제4항 전단 신설), 현행 제1019조 제3항의 특별한정승인의 요건을 충족하지 못하거나, 해당 요건에 해당하지만 그에 따라 한정승인을 하지 아니하는 경우에도 특별한정승인을 할 수 있도록 하였다(제1019조 제4항 후단 신설).

▶ **상속채무가 상속재산을 초과하는 사실을 알지 못한 경우 중과실 유무의 판단**

민법 제1019조 제1항은 "상속인은 상속개시 있음을 안 날로부터 3월 내에 한정승인을 할 수 있다."고 규정하고 있고, 같은 조 제3항은 "제1항의 규정에 불구하고 상속인은 상속채무가 상속재산을 초과하는 사실을 중대한 과실 없이 제1항의 기간 내에 알지 못하고 단순승인을 한 경우에는 그 사실을 안 날로부터 3월 내에 한정승인을 할 수 있다."고 규정하고 있으며, 한편 민법 제1020조는 "상속인이 무능력자인 때에는 제1019조 제1항의 기간은 그 법정대리인이 상속개시 있음을 안 날로부터 기산한다."고 규정하고 있다. 이러한 규정들과 함께 민법 제1019조 제3항의 기간은 한정승인신고의 가능성을 언제까지나 남겨둠으로써 당사자 사이에 일어나는 법적 불안상태를 막기 위하여 마련한 제척기간인 점, 법정대리인 제도의 취지 등을 종합하여 보면, 민법 제1019조 제3항에서 정한 '상속채무가 상속재산을 초과하는 사실을 중대한 과실 없이 제1항의 기간 내에 알지 못하였는지 여부'를 판단함에 있어서 상속인이 무능력자인 경우에는 그 법정대리인을 기준으로 삼아야 할 것이다(대판 2012.3.15. 2012다440).

▶ **상속채무 초과사실을 몰랐고 거기에 중과실이 없다는 입증책임의 분배**

상속인이 상속채무가 상속재산을 초과하는 사실을 중대한 과실 없이 민법 제1019조 제1항의 기간 내에 알지 못하였다는 점은 위 법 규정에 따라 한정승인을 할 수 있는 요건이므로 그 입증책임은 채무자인 피상속인의 상속인에게 있다(대판 2003.9.26. 2003다30517).

▶ **민법 제1019조 제3항 및 부칙 제3항 소정의 기간의 법적 성질(=제척기간) 및 추후보완이 가능한지 여부(소극)**

민법 제1019조 제3항의 기간은 한정승인신고의 가능성을 언제까지나 남겨둠으로써 당사자 사이에 일어나는 법적 불안상태를 막기 위하여 마련한 제척기간이고, 경과규정인 개정 민법(2002.1.14. 법률 제6591호) 부칙 제3항 소정의 기간도 제척기간이라 할 것이며, 한편 제척기간은 불변기간이 아니어서 그 기간을 지난 후에는 당사자가 책임질 수 없는 사유로 그 기간을 준수하지 못하였더라도 추후에 보완될 수 없다(대결 2003.8.11. 2003스32).

▶ **특별한정승인의 제 문제**(대판(전) 2020.11.19. 2019다232918)

[1] 1998.5.27. 전에 이미 상속개시 있음과 상속채무 초과사실을 모두 알았던 상속인이 민법 제1019조 제3항의 특별한정승인을 할 수 있는지 여부(소극)

민법 제1019조 제3항은 민법 부칙(2002.1.14. 개정 법률 부칙 중 2005.12.29. 법률 제7765호로 개정된 것, 이하 같다) 제3항, 제4항에 따라 ① 1998.5.27.부터 위 개정 민법 시행 전까지 상속개시 있음을 안 상속인과 ② 1998.5.27. 전에 상속개시 있음을 알았지만 그로부터 3월 내에 상속채무 초과사실을 중대한 과실 없이 알지 못하다가 1998.5.27. 이후 상속채무 초과사실을 알게 된 상속인에게도 적용되므로, 이러한 상속인들도 위 부칙 규정에서 정한 기간 내에 특별한정승인을 하는 것이 가능하였다. 그러나 위 부칙 규정상 1998.5.27. 전에 이미 상속개시 있음과 상속채무 초과사실을 모두 알았던 상속인에게는 민법 제1019조 제3항이 적용되지 않으므로, 이러한 상속인은 특별한정승인을 할 수 없는 것으로 귀결된다.

[2] 상속인이 미성년인 경우, 민법 제1019조 제3항이나 그 소급 적용에 관한 민법 부칙(2002.1.14.) 제3항, 제4항에서 정한 '상속채무 초과사실을 중대한 과실 없이 제1019조 제1항의 기간 내에 알지 못하였는지'와 '상속채무 초과사실을 안 날은 법정대리인의 인식을 기준으로 판단하여야 하는지 여부(적극)

민법 제1019조 제1항, 제3항의 각 기간은 상속에 관한 법률관계를 조기에 안정시켜 법적 불안 상태를 막기 위한 제척기간인 점, 미성년자를 보호하기 위해 마련된 법정대리인 제도와 민법 제1020조의 내용 및 취지 등을 종합하면, 상속인이 미성년인 경우 민법 제1019조 제3항이나 그 소급 적용에 관한 민법 부칙(2002.1.14. 개정 법률 부칙 중 2005.12.29. 법률 제7765호로 개정된 것, 이하 같다) 제3항, 제4항에서 정한 '상속채무 초과사실을 중대한 과실 없이 제1019조 제1항의 기간 내에 알지 못하였는지'와 '상속채무 초과사실을 안 날이 언제인지'를 판단할 때에는 법정대리인의 인식을 기준으로 삼아야 한다. 따라서 ① 미성년 상속인의 법정대리인이 1998.5.27. 전에 상속개시 있음과 상속채무 초과사실을 모두 알았다면, 앞서 본 민법 부칙 규정에 따라 그 상속인에게는 민법 제1019조 제3항이 적용되지 않으므로, 이러한 상속인은 특별한정승인을 할 수 없다. 또한 ② 법정대리인이 상속채무 초과사실을 안 날이 1998.5.27. 이후여서 상속인에게 민법 제1019조 제3항이 적용되더라도, 법정대리인이 위와 같이 상속채무 초과사실을 안 날을 기준으로 특별한정승인에 관한 3월의 제척기간이 지나게 되면, 그 상속인에 대해서는 기존의 단순승인의 법률관계가 그대로 확정되는 효과가 발생한다.

[3] 미성년 상속인의 법정대리인이 인식한 바를 기준으로 할 때 민법 제1019조 제3항의 특별한정승인 규정이 적용되지 않거나 그 제척기간이 이미 지난 경우, 상속인이 성년에 이른 뒤 본인 스스로의 인식을 기준으로 새롭게 특별한정승인을 할 수 있는지 여부(소극)

[다수의견] 미성년 상속인의 법정대리인이 인식한 바를 기준으로 '상속채무 초과사실을 중대한 과실 없이 알지 못하였는지 여부'와 '이를 알게 된 날'을 정한 다음 이를 토대로 살폈을 때 특별한정승인 규정이 애당초 적용되지 않거나 특별한정승인의 제척기간이 이미 지난 것으로 판명되면, 단순승인의 법률관계가 그대로 확정된다. 그러므로 이러한 효과가 발생한 이후 상속인이 성년에 이르더라도 상속개시 있음과 상속채무 초과사실에 관하여 상속인 본인 스스로의 인식을 기준으로 특별한정

승인 규정이 적용되고 제척기간이 별도로 기산되어야 함을 내세워 새롭게 특별한정승인을 할 수는 없다고 보아야 한다.[6]

3. 효과

(1) 채무와 책임의 분리

상속채무는 전부 승계된다. 다만 책임은 상속재산의 범위 내에서만 진다. 따라서 피상속인의 채무에 대한 보증채무에는 영향이 없다.

▶ **상속의 한정승인에 있어서 상속재산이 없거나 그 상속재산이 상속채무의 변제에 부족한 경우 상속채무 전부에 대한 이행판결을 선고하여야 하는지 여부**(적극)

상속의 한정승인은 채무의 존재를 한정하는 것이 아니라 단순히 그 책임의 범위를 한정하는 것에 불과하기 때문에, 상속의 한정승인이 인정되는 경우에도 상속채무가 존재하는 것으로 인정되는 이상, 법원으로서는 상속재산이 없거나 그 상속재산이 상속채무의 변제에 부족하다고 하더라도 상속채무 전부에 대한 이행판결을 선고하여야 하고, 다만, 그 채무가 상속인의 고유재산에 대해서는 강제집행을 할 수 없는 성질을 가지고 있으므로, 집행력을 제한하기 위하여 이행판결의 주문에 상속재산의 한도에서만 집행할 수 있다는 취지를 명시하여야 한다(대판 2003.11.14, 2003다30968).

▶ **한정승인 사실이 적법한 청구이의 사유인지 여부**(적극)

채권자가 피상속인의 금전채무를 상속한 상속인을 상대로 그 상속채무의 이행을 구하여 제기한 소송에서 채무자가 한정승인 사실을 주장하지 않으면 책임의 범위는 현실적인 심판대상으로 등장하지 아니하여 주문에서는 물론 이유에서도 판단되지 않으므로 그에 관하여 기판력이 미치지 않는다. 그러므로 채무자가 한정승인을 하고도 채권자가 제기한 소송의 사실심 변론종결 시까지 그 사실을 주장하지 아니하여 책임의 범위에 관한 유보가 없는 판결이 선고되어 확정되었다고 하더라도, 채무자는 그 후 위 한정승인 사실을 내세워 청구에 관한 이의의 소를 제기할 수 있다(대판 2006.10.13, 2006다23138).

▶ **상속포기의 사실이 적법한 청구이의 사유인지 여부**(소극)

채무자가 한정승인을 하였으나 채권자가 제기한 소송의 사실심 변론종결 시까지 이를 주장하지 아니하는 바람에 책임의 범위에 관하여 아무런 유보 없는 판결이 선고·확정된 경우라 하더라도 채무자가 그 후 위 한정승인사실을 내세워 청구에 관한 이의의 소를 제기하는 것이 허용되는 것은, 한정승인에 의한 책임의 제한은 상속채무의 존재 및 범위의 확정과는 관계없이 다만 판결의 집행대상을 상속재산의 한도로 한정함으로써 판결의 집행력을 제한할 뿐으로, 채권자가 피상속인의 금전채무를 상속한 상속인을 상대로 그 상속채무의 이행을 구하여 제기한 소송에서 채무자가 한정승인사실을 주장하지 않으면 책임의 범위는 현실적인 심판대상으로 등장하지 아니하여 주문에서는 물론 이유에서도 판단되지 않는 관계로 그에 관하여는 기판력이 미치지 않기 때문이다. 위와 같은 기판력에 의한 실권효제

---

6) 다수의견에 반해, "상속인이 미성년인 동안 그의 법정대리인이 상속채무 초과사실을 알고도 3월 동안 상속인을 대리하여 특별한정승인을 하지 않은 경우 상속인이 성년에 이르러 상속채무 초과사실을 알게 된 날부터 3월 내에 스스로 특별한정승인을 할 수 있다."고 본 반대의견이 있었다. 이렇게 봄이 합헌적 법률해석의 원칙 및 특별한정승인 제도의 입법 경위, 미성년자 보호를 위한 법정대리인 제도, 상속인의 자기책임 원칙 등을 고려하여 법규정을 해석한 결과로서 문언의 통상적인 의미에 충실하게 해석하여야 한다는 원칙에 부합할뿐더러, 상속채권자와의 이익 형량이나 법적 안정성 측면에서도 타당하다는 것이다.

한의 법리는 채무의 상속에 따른 책임의 제한 여부만이 문제되는 한정승인과 달리 상속에 의한 채무의 존재 자체가 문제되어 그에 관한 확정판결의 주문에 당연히 기판력이 미치게 되는 상속포기의 경우에는 적용될 수 없다(대판 2009.5.28, 2008다79876).

(2) 상속재산과 고유재산의 분리

상속인이 한정승인을 한 때에는 피상속인에 대한 상속인의 재산상 권리·의무는 소멸하지 아니한다(제1031조). 즉 혼동은 되지 않는다.

▶ **상속채권자가 피상속인에 대하여는 채권을 보유하면서 상속인에 대하여는 채무를 부담하는 경우, 상속채권자가 상속이 개시된 후 피상속인에 대한 채권을 자동채권으로 하여 상속인에 대한 채무에 대하여 상계하였더라도 이후 상속인이 한정승인을 하면 상계가 소급하여 효력을 상실하는지 여부** (적극)

상속인이 한정승인을 하는 경우에도, 피상속인의 채무와 유증에 대한 책임 범위가 한정될 뿐 상속인은 상속이 개시된 때부터 피상속인의 일신에 전속한 것을 제외한 피상속인의 재산에 관한 포괄적인 권리·의무를 승계하지만(민법 제1005조), 피상속인의 상속재산을 상속인의 고유재산으로부터 분리하여 청산하려는 한정승인 제도의 취지에 따라 상속인의 피상속인에 대한 재산상 권리·의무는 소멸하지 아니한다(민법 제1031조). 그러므로 상속채권자가 피상속인에 대하여는 채권을 보유하면서 상속인에 대하여는 채무를 부담하는 경우, 상속이 개시되면 위 채권 및 채무가 모두 상속인에게 귀속되어 상계적상이 생기지만, 상속인이 한정승인을 하면 상속이 개시된 때부터 민법 제1031조에 따라 피상속인의 상속재산과 상속인의 고유재산이 분리되는 결과가 발생하므로, 상속채권자의 피상속인에 대한 채권과 상속인에 대한 채무 사이의 상계는 제3자의 상계에 해당하여 허용될 수 없다. 즉, 상속채권자가 상속이 개시된 후 한정승인 이전에 피상속인에 대한 채권을 자동채권으로 하여 상속인에 대한 채무에 대하여 상계하였더라도, 그 이후 상속인이 한정승인을 하는 경우에는 민법 제1031조의 취지에 따라 상계가 소급하여 효력을 상실하고, 상계의 자동채권인 상속채권자의 피상속인에 대한 채권과 수동채권인 상속인에 대한 채무는 모두 부활한다(대판 2022.10.27, 2022다254154·254161).

(3) 한정승인자가 상속재산에 관하여 처분행위를 한 경우의 법률관계

1) 처분행위의 유효성

최근 대법원은 전원합의체 판결에서 "법원이 한정승인신고를 수리하게 되면 피상속인의 채무에 대한 상속인의 책임은 상속재산으로 한정되고, 그 결과 상속채권자는 특별한 사정이 없는 한 상속인의 고유재산에 대하여 강제집행을 할 수 없다. 그런데 민법은 한정승인을 한 상속인(이하 '한정승인자'라 한다)에 관하여 그가 상속재산을 은닉하거나 부정소비한 경우 단순승인을 한 것으로 간주하는 것(제1026조 제3호) 외에는 상속재산의 처분행위 자체를 직접적으로 제한하는 규정을 두고 있지 않기 때문에, 한정승인으로 발생하는 위와 같은 책임제한 효과로 인하여 한정승인자의 상속재산 처분행위가 당연히 제한된다고 할 수는 없다."는 입장을 취하였다(대판(전) 2010.3.18, 2007다77781).

2) 한정승인자로부터 상속재산에 관하여 저당권 등의 담보권을 취득한 사람과 상속채권자 사이의 우열관계

최근 대법원은 전원합의체 판결에서 "민법은 한정승인자가 상속재산으로 상속채권자 등에게 변제하는 절차는 규정하고 있으나(제1032조 이하), 한정승인만으로 상속채권자에게 상속재산에 관하여 한정승인자로부터 물권을 취득한 제3자에 대하여 우선적 지위를 부여하는 규정은 두고 있지 않으며, 민법 제1045조 이하의 재산분리 제도와 달리 한정승인이 이루어진 상속재산임을 등기하여 제3자에 대항할 수 있게 하는 규정도 마련하고 있지 않다. 따라서 한정승인자로부터 상속재산에 관하여 저당권 등의 담보권을 취득한 사람과 상속채권자 사이의 우열관계는 민법상의 일반원칙에 따라야 하고, 상속채권자가 한정승인의 사유만으로 우선적 지위를 주장할 수는 없다. 그리고 이러한 이치는 한정승인자가 그 저당권 등의 피담보채무를 상속개시 전부터 부담하고 있었다고 하여 달리 볼 것이 아니다."라고 판시한 바 있다(대판(전) 2010.3.18, 2007다77781).

▶ 상속재산에 대한 '상속채권자'와 '한정승인자의 고유채권자' 사이의 우열관계

민법 제1028조는 "상속인은 상속으로 인하여 취득할 재산의 한도에서 피상속인의 채무와 유증을 변제할 것을 조건으로 상속을 승인할 수 있다."고 규정하고 있다. 상속인이 위 규정에 따라 한정승인의 신고를 하게 되면 피상속인의 채무에 대한 한정승인자의 책임은 상속재산으로 한정되고, 그 결과 상속채권자는 특별한 사정이 없는 한 상속인의 고유재산에 대하여 강제집행을 할 수 없으며 상속재산으로부터만 채권의 만족을 받을 수 있다. 상속채권자가 아닌 한정승인자의 고유채권자가 상속재산에 관하여 저당권 등의 담보권을 취득한 경우, 그 담보권을 취득한 채권자와 상속채권자 사이의 우열관계는 민법상 일반원칙에 따라야 하고 상속채권자가 우선적 지위를 주장할 수 없다. 그러나 위와 같이 상속재산에 관하여 담보권을 취득하였다는 등 사정이 없는 이상, 한정승인자의 고유채권자는 상속채권자가 상속재산으로부터 그 채권의 만족을 받지 못한 상태에서 상속재산을 고유채권에 대한 책임재산으로 삼아 이에 대하여 강제집행을 할 수 없다고 보는 것이 형평의 원칙이나 한정승인제도의 취지에 부합하며, 이는 한정승인자의 고유채무가 조세채무인 경우에도 그것이 상속재산 자체에 대하여 부과된 조세나 가산금, 즉 해당세에 관한 것이 아니라면 마찬가지라고 할 것이다(대판 2016.5.24, 2015다250574).

→ [사실관계] : 상속재산의 매각대금을 한정승인자의 고유채권자로서 그 상속재산에 관하여 담보권을 취득한 바 없는 조세채권자에게 상속채권자보다 우선하여 배당한 경매법원의 조치가 적법하다고 한 원심판결을 파기한 사례이다.

(4) 한정승인에 따른 청산절차가 종료되지 않은 경우 상속재산분할청구의 가부

우리 민법이 한정승인 절차가 상속재산분할 절차보다 선행하여야 한다는 명문의 규정을 두고 있지 않고, 공동상속인들 중 일부가 한정승인을 하였다고 하여 상속재산분할이 불가능하다거나 분할로 인하여 공동상속인들 사이에 불공평이 발생한다고 보기 어려우며, 상속재산분할의 대상이 되는 상속재산의 범위에 관하여 공동상속인들 사이에 분쟁이 있을 경우에는 한정승인에 따른 청산절차가 제대로 이루어지지 못할 우려가 있는데 그럴 때에는 상속재산분할청구 절차를 통하여 분할의 대상이 되는 상속재산의 범위를 한꺼번에 확정하는 것이 상속채권자의 보호나 청산절차의 신속한 진행을 위하여 필요하다는 점 등을 고려하면, 한정승인에 따른 청산절차가 종료되지 않은 경우에도 상속재산분할청구가 가능하다(대결 2014.7.25, 2011스226).

Ⅲ. 상속의 포기

상속인은 상속개시된 때부터 피상속인의 재산에 관한 포괄적 권리의무를 승계한다(제1005조 본문). 다만 상속인은 상속개시 있음을 안 날부터 3월 내에 단순승인이나 한정승인 또는 포기를 할 수 있고(제1019조 제1항 본문), 상속의 포기는 상속개시된 때에 소급하여 그 효력이 있다(제1042조). 상속인은 상속포기를 할 때까지는 그 고유재산에 대하는 것과 동일한 주의로 상속재산을 관리하여야 한다(제1022조). 상속인이 상속을 포기할 때에는 민법 제1019조 제1항의 기간 내에 가정법원에 포기의 신고를 하여야 하고(제1041조), 상속포기는 가정법원이 상속인의 포기신고를 수리하는 심판을 하여 이를 당사자에게 고지한 때에 효력이 발생하므로, 상속인은 가정법원의 상속포기신고 수리 심판을 고지받을 때까지 민법 제1022조에 따른 상속재산 관리의무를 부담한다.

▶ **민법 제1019조 제1항 소정의 기간을 초과한 후의 상속포기의 효력**

상속재산 전부를 상속인 중 1인(乙)에게 상속시킬 방편으로 그 나머지 상속인들이 상속포기신고를 하였으나 그 상속포기가 민법 제1019조 제1항 소정의 기간을 초과한 후에 신고된 것이어서 상속포기로서의 효력이 없더라도, 乙과 나머지 상속인들 사이에는 乙이 고유의 상속분을 초과하여 상속재산 전부를 취득하고 나머지 상속인들은 그 상속재산을 전혀 취득하지 않기로 하는 의사의 합치가 있었다고 할 것이므로, 그들 사이에 위와 같은 내용의 상속재산의 협의분할이 이루어진 것이라고 보아야 하고 공동상속인 상호 간에 상속재산에 관하여 협의분할이 이루어짐으로써 공동상속인 중 1인이 고유의 상속분을 초과하여 상속재산을 취득하는 것은 상속개시 당시에 피상속인으로부터 상속에 의하여 직접 취득한 것으로 보아야 한다(대판 1989.9.12. 88누9305).

▶ **상속포기의 효력이 피상속인을 피대습자로 하여 개시된 대습상속에 미치는지 여부**(소극)

피상속인의 사망으로 상속이 개시된 후 상속인이 상속을 포기하면 상속이 개시된 때에 소급하여 그 효력이 생긴다(민법 제1042조). 따라서 제1순위 상속권자인 배우자와 자녀들이 상속을 포기하면 제2순위에 있는 사람이 상속인이 된다. 이러한 상속포기의 효력은 피상속인의 사망으로 개시된 상속에만 미치는 것이고, 그 후 피상속인을 피대습자로 하여 개시된 대습상속에까지 미치지는 않는다. 대습상속은 상속과는 별개의 원인으로 발생하는 것인데다가 대습상속이 개시되기 전에는 이를 포기하는 것이 허용되지 않기 때문이다. 이는 종전에 상속인의 상속포기로 피대습자의 직계존속이 피대습자를 상속한 경우에도 마찬가지이다. 또한 피대습자의 직계존속이 사망할 당시 피대습자로부터 상속받은 재산 외에 적극재산이든 소극재산이든 고유재산을 소유하고 있었는지 여부에 따라 달리 볼 이유도 없다. 따라서 피상속인의 사망 후 상속채무가 상속재산을 초과하여 상속인인 배우자와 자녀들이 상속포기를 하였는데, 그 후 피상속인의 직계존속이 사망하여 민법 제1001조, 제1003조 제2항에 따라 대습상속이 개시된 경우에 대습상속인이 민법이 정한 절차와 방식에 따라 한정승인이나 상속포기를 하지 않으면 단순승인을 한 것으로 간주된다. 위와 같은 경우에 이미 사망한 피상속인의 배우자와 자녀들에게 피상속인의 직계존속의 사망으로 인한 대습상속도 포기하려는 의사가 있다고 볼 수 있지만, 그들이 상속포기의 절차와 방식에 따라 피상속인의 직계존속에 대한 상속포기를 하지 않으면 그 효력이 생기지 않는다. 이와 달리 피상속인에 대한 상속포기를 이유로 대습상속 포기의 효력까지 인정한다면 상속포기의 의사를 명확히 하고 법률관계를 획일적으로 처리함으로써 법적 안정성을 꾀하고자 하는 상속포기제도가 잠탈될 우려가 있다(대판 2017.1.12. 2014다39824).

▶ 상속채권자가 상속 승인, 포기 등으로 상속관계가 확정되지 않은 동안 상속인을 상대로 상속재산에 관한 가압류결정을 받아 이를 집행할 수 있는지 여부(적극) 및 그 후 상속인이 상속포기로 인하여 상속인의 지위를 소급하여 상실한다고 하더라도 이미 발생한 가압류의 효력에 영향을 미치는지 여부(소극) / 이때 상속채권자가 종국적으로 상속인이 된 사람 또는 상속재산관리인을 채무자로 한 상속재산에 대한 경매절차에서 적법하게 배당을 받을 수 있는지 여부(적극)

상속인은 아직 상속 승인, 포기 등으로 상속관계가 확정되지 않은 동안에도 잠정적으로나마 피상속인의 재산을 당연 취득하고 상속재산을 관리할 의무가 있으므로, 상속채권자는 그 기간 동안 상속인을 상대로 상속재산에 관한 가압류결정을 받아 이를 집행할 수 있다. 그 후 상속인이 상속포기로 인하여 상속인의 지위를 소급하여 상실한다고 하더라도 이미 발생한 가압류의 효력에 영향을 미치지 않는다. 따라서 위 상속채권자는 종국적으로 상속인이 된 사람 또는 민법 제1053조에 따라 선임된 상속재산관리인을 채무자로 한 상속재산에 대한 경매절차에서 가압류채권자로서 적법하게 배당을 받을 수 있다(대판 2021.9.15, 2021다224446).

제14절 유언집행자의 지위

1. 유언집행자의 법적 성질 – 법정소송담당 : 갈음형

유언집행자는 유증의 목적인 재산의 관리 기타 유언의 집행에 필요한 모든 행위를 할 권리의무가 있으므로(제1101조), 유증 목적물에 관하여 경료된, 유언의 집행에 방해가 되는 다른 등기의 말소를 구하는 소송에 있어서는 유언집행자가 이른바 법정소송담당으로서 원고적격을 가진다고 할 것이고, 유언집행자는 유언의 집행에 필요한 범위 내에서는 상속인과 이해상반되는 사항에 관하여도 중립적 입장에서 직무를 수행하여야 하므로, 유언집행자가 있는 경우 그의 유언집행에 필요한 한도에서 상속인의 상속재산에 대한 처분권은 제한되며 그 제한 범위 내에서 상속인은 원고적격이 없다고 할 것이다. 민법 제1103조 제1항은 "지정 또는 선임에 의한 유언집행자는 상속인의 대리인으로 본다."고 규정하고 있으나, 이 조항은 유언집행자의 행위의 효과가 상속인에게 귀속함을 규정한 것이지, 유언집행자의 소송수행권과 별도로 상속인 본인의 소송수행권도 언제나 병존함을 규정한 것은 아니다(대판 2001.3.27, 2000다26920).

2. 수인의 유언집행자의 공동소송형태

상속인이 유언집행자가 되는 경우를 포함하여 유언집행자가 수인인 경우에는, 유언집행자를 지정하거나 지정위탁한 유언자나 유언집행자를 선임한 법원에 의한 임무의 분장이 있었다는 등의 특별한 사정이 없는 한, 유증 목적물에 대한 관리처분권은 유언의 본지에 따른 유언의 집행이라는 공동의 임무를 가진 수인의 유언집행자에게 합유적으로 귀속되고, 그 관리처분권 행사는 과반수의 찬성으로써 합일하여 결정하여야 하므로, 유언집행자가 수인인 경우 유언집행자에게 유증의무의 이행을 구하는 소송은 유언집행자 전원을 피고로 하는 고유필수적 공동소송으로 봄이 상당하다(대판 2011.6.24, 2009다8345).[7]

제15절 유류분

Ⅰ. 서설

1. 유류분

유류분은 법률상 상속인에게 귀속되는 것이 보장되는 상속재산에 대한 일정 비율을 말한다. 민법은 유언자에게 생전증여·유증 등을 통한 유산처분의 자유를 허용하면서, 한편으로 일정범위의 상속인에게 최소한의 생활보장을 위해 유류분제도를 두고 있다.

2. 유류분권

(1) 상속이 개시되면 일정범위의 상속인은 상속재산에 대한 일정비율을 취득할 수 있는 지위를 가지게 되는데, 이를 유류분권이라고 한다.

(2) 유류분권으로부터 유류분을 침해하는 증여 또는 유증의 수증자에 대하여 부족분의 반환을 청구할 수 있는 유류분반환청구권이 생긴다.

(3) 유류분권은 상속이 개시된 후에 발생하며, 상속이 개시되기 전에는 일종의 기대권에 지나지 않는다. ① 유류분권이 발생한 후에는 그것은 재산권의 일종이므로 유류분권자가 이를 포기할 수 있다. ② 다만, 상속이 개시되기 전에는 유류분권을 포기할 수 없다.

Ⅱ. 유류분의 범위

1. 유류분권자와 그 유류분

> 제1112조【유류분의 권리자와 유류분】
> 상속인의 유류분은 다음 각 호에 의한다.
> 1. 피상속인의 직계비속은 그 법정상속분의 2분의 1
> 2. 피상속인의 배우자는 그 법정상속분의 2분의 1

---

7) 수인의 유언집행자 중 1인만을 피고로 하여 유증의무 이행을 구하는 소송을 제기한 사안에서, 유언집행자 지정 또는 제3자의 지정 위탁이 없는 한 상속인 전원이 유언집행자가 되고, 유증의무자인 유언집행자에 대하여 민법 제1087조 제1항 단서에 따라 유증의무의 이행을 구하는 것은 유언집행자인 상속인 전원을 피고로 삼아야 하는 고유필수적 공동소송이라고 한 사례이다.

3. 피상속인의 직계존속은 그 법정상속분의 3분의 1

4. 피상속인의 형제자매는 그 법정상속분의 3분의 1

2. 유류분액의 산정

> 제1113조【유류분의 산정】
> ① 유류분은 피상속인의 상속개시 시에 있어서 가진 재산의 가액에 증여재산의 가액을 가산하고 채무의 전액을 공제하여 이를 산정한다.
> ② 조건부의 권리 또는 존속기간이 불확정한 권리는 가정법원이 선임한 감정인의 평가에 의하여 그 가격을 정한다.

(1) 유류분 산정의 기초가 되는 재산

유류분 산정의 기초가 되는 재산 = 피상속인이 상속개시 시에 가진 재산가액 + 증여재산 가액 − 채무 전액이다.

▶ **유류분산정의 기초가 되는 재산의 가액환산 기준시기 – 상속개시 시**
유류분반환범위는 상속개시 당시 피상속인의 순재산과 문제된 증여재산을 합한 재산을 평가하여 그 재산액에 유류분청구권자의 유류분비율을 곱하여 얻은 유류분액을 기준으로 하는 것인바, 그 유류분액을 산정함에 있어 반환의무자가 증여받은 재산의 시가는 상속개시 당시를 기준으로 하여 산정하여야 한다(대판 2009.7.23, 2006다2812).

▶ **유류분반환의 범위를 산정할 때 증여받은 재산의 시가 산정의 기준 시점**(상속개시 당시) **및 증여 이후 수증자나 수증자에게서 증여재산을 양수한 사람이 자기 비용으로 증여재산의 성상**(性狀) **등을 변경하여 상속개시 당시 가액이 증가되어 있는 경우, 증여 당시의 성상 등을 기준으로 상속개시 당시의 가액을 산정하여야 하는지 여부**(적극)
유류분반환의 범위는 상속개시 당시 피상속인의 순재산과 문제 된 증여재산을 합한 재산을 평가하여 그 재산액에 유류분청구권자의 유류분비율을 곱하여 얻은 유류분액을 기준으로 산정하는데, 증여받은 재산의 시가는 상속개시 당시를 기준으로 하여 산정하여야 한다. 다만 증여 이후 수증자나 수증자에게서 증여재산을 양수한 사람이 자기 비용으로 증여재산의 성상(性狀) 등을 변경하여 상속개시 당시 가액이 증가되어 있는 경우, 변경된 성상 등을 기준으로 상속개시 당시의 가액을 산정하면 유류분권리자에게 부당한 이익을 주게 되므로, 이러한 경우에는 그와 같은 변경을 고려하지 않고 증여 당시의 성상 등을 기준으로 상속개시 당시의 가액을 산정하여야 한다(대판 2015.11.12, 2010다104768).

▶ **증여재산이 상속개시 전에 처분 또는 수용된 경우, 유류분을 산정함에 있어 증여재산의 가액산정 방법**(=증여재산의 현실 가치인 처분 당시의 가액을 기준으로 상속개시까지 사이의 물가변동률을 반영)
민법 문언의 해석과 유류분 제도의 입법 취지 등을 종합할 때 피상속인이 상속개시 전에 재산을 증여하여 그 재산이 유류분반환청구의 대상이 된 경우, 수증자가 증여받은 재산을 상속개시 전에 처분하였거나 증여재산이 수용되었다면 민법 제1113조 제1항에 따라 유류분을 산정함에 있어서 그 증여재산의 가액은 증여재산의 현실 가치인 처분 당시의 가액을 기준으로 상속개시까지 사이의 물가변동률을 반영하는 방법으로 산정하여야 한다. (중략) 수증자가 증여재산을 상속개시 시까지 그대로 보유하고 있는 경우에는 그 재산의 상속개시 당시 시가를 증여재산의 가액으로 평가할 수 있으나, 이에 비하여 수증자가 상속개시 전에 증여재산을 처분하였거나 증여재산이 수용된 경우 그 재산을 상속 개시 시를 기준으로 평가하는 방법은 달리 보아야 한다(대판 2023.5.18, 2019다222867).

1) 상속개시 시에 가진 재산

① 상속재산 중 적극재산만을 의미한다. 그리고 ② 유증이나 사인증여한 재산은 상속개시 시에 현존하는 재산으로 다루어지며, 증여계약이 체결되었으나 아직 이행되지 않은 채로 상속이 개시된 재산도 상속개시 시에 가진 재산에 포함된다(대판 1996.8.20, 96다13682).

▶ **유류분 산정 시 산입될 '증여재산'에 아직 이행되지 아니한 증여계약의 목적물이 포함되는지 여부**(소극)
유류분 산정의 기초가 되는 재산의 범위에 관한 민법 제1113조 제1항에서의 '증여재산'이란 상속개시 전에 이미 증여계약이 이행되어 소유권이 수증자에게 이전된 재산을 가리키는 것이고, 아직 증여계약 이 이행되지 아니하여 소유권이 피상속인에게 남아 있는 상태로 상속이 개시된 재산은 당연히 '피상속 인의 상속개시 시에 있어서 가진 재산'에 포함되는 것이므로, 수증자가 공동상속인이든 제3자이든 가 리지 아니하고 모두 유류분 산정의 기초가 되는 재산을 구성한다(대판 1996.8.20, 96다13682).

2) 증여재산의 가산

> **제1114조 【산입될 증여】**
> 증여는 상속개시 전의 1년간에 행한 것에 한하여 제1113조의 규정에 의하여 그 가액을 산정한다. 당사 자 쌍방이 유류분권리자에 손해를 가할 것을 알고 증여를 한 때에는 1년 전에 한 것도 같다.

가) **상속개시 전의 1년간에 행한 증여** : 모두 산입된다(제1114조 제1문). 이때 1년의 기산점은 증여 계약의 이행시기가 아니라, 계약 체결시기를 기준으로 한다.

나) **당사자 쌍방이 유류분권리자에 손해를 가할 것을 알고 한 증여** : 1년 전의 것도 산입된다(제1114조 제2문). 이 경우 그 증여로 객관적으로 유류분 권리자에게 손해를 가할 가능성이 있다는 사실 을 아는 것만으로 족하고, 유류분권리자를 해할 목적이나 의도까지 있을 필요는 없다.

다) **공동상속인 특별수익** : 공동상속인 중에 피상속인으로부터 재산의 증여에 의하여 특별수익을 한 자가 있는 경우에는 제1114조의 규정은 적용되지 않는다. 따라서 그 증여가 상속개시 전의 1년간에 행하여졌는지에 관계없이 모두 산입한다(대판 1996.2.9, 95다17885).

▶ **공동상속인이 아닌 제3자에 대한 증여 당시 법정상속분의 2분의 1을 유류분으로 갖는 배우자나 직계비속이 공동상속인으로서 유류분권리자가 되리라고 예상할 수 있는 경우, 위 증여가 유류분권 리자에게 손해를 가할 것을 알고 행해진 것이라고 보기 위한 요건과 그 판단의 기준 시기**(=증여 당시) **및 이에 관한 증명책임의 소재**(=유류분반환청구권을 행사하는 상속인)
공동상속인이 아닌 제3자에 대한 증여는 원칙적으로 상속개시 전의 1년간에 행한 것에 한하여 유류분 반환청구를 할 수 있고, 다만 당사자 쌍방이 증여 당시에 유류분권리자에 손해를 가할 것을 알고 증여 를 한 때에는 상속개시 1년 전에 한 것에 대하여도 유류분반환청구가 허용된다(민법 제1114조 참조). 증 여 당시 법정상속분의 2분의 1을 유류분으로 갖는 배우자나 직계비속이 공동상속인으로서 유류분권리자가 되리라고 예상할 수 있는 경우에, 제3자에 대한 증여가 유류분권리자에게 손해를 가할 것을 알고 행해진 것이라고 보기 위해서는, 당사자 쌍방이 증여 당시 증여재산의 가액이 증여하고 남은 재산의 가액을 초과한다는 점을 알았던 사정뿐만 아니라, 장래 상속개시일에 이르기까지 피상속인의 재산이 증가하지 않으리라는 점까지 예견하고 증여를 행한 사정이 인정되어야 하고, 이러한 당사자 쌍방의 가해의 인식은 증여 당시를 기준으로 판단하여야 하는데, 그 증명책임은 유류분반환청구권을 행사하는 상속인에게 있다(대판 2022.8.11, 2020다247428).

▶ **상속인의 경우 유류분 산정시 가산되어야 할 증여재산의 범위**
공동상속인 중에 피상속인으로부터 재산의 생전 증여에 의하여 특별수익을 한 자가 있는 경우에는 민법 제1114조의 규정은 그 적용이 배제되고, 따라서 그 증여는 상속개시 1년 이전의 것인지 여부, 당사자 쌍방이 손해를 가할 것을 알고서 하였는지 여부에 관계없이 유류분 산정을 위한 기초재산에 산입된다(대판 1996.2.9, 95다17885).

▶ **상속분 양도의 의미 및 공동상속인이 다른 공동상속인에게 무상으로 자신의 상속분을 양도한 경우, 그 상속분이 양도인 사망으로 인한 상속에서 유류분산정을 위한 기초재산에 산입되는지 여부(적극) 및 어느 공동상속인이 다른 공동상속인에게 자신의 상속분을 무상으로 양도하는 것과 같은 내용으로 상속재산 분할협의가 이루어진 경우에도 마찬가지인지 여부(적극)**

① 상속분 양도는 상속재산분할 전에 적극재산과 소극재산을 모두 포함한 상속재산 전부에 관하여 공동상속인이 가지는 포괄적 상속분, 즉 상속인 지위의 양도를 뜻한다. 공동상속인이 다른 공동상속인에게 무상으로 자신의 상속분을 양도하는 것은 특별한 사정이 없는 한 유류분에 관한 민법 제1008조의 증여에 해당하므로, 그 상속분은 양도인의 사망으로 인한 상속에서 유류분 산정을 위한 기초재산에 산입된다고 보아야 한다(대판 2021.7.15, 2016다210498).

② 위와 같은 법리는 상속재산 분할협의의 실질적 내용이 어느 공동상속인이 다른 공동상속인에게 자신의 상속분을 무상으로 양도하는 것과 같은 때에도 마찬가지로 적용된다. 따라서 상속재산 분할협의에 따라 무상으로 양도된 것으로 볼 수 있는 상속분은 양도인의 사망으로 인한 상속에서 유류분 산정을 위한 기초재산에 포함된다고 보아야 한다(대판 2021.8.19, 2017다230338).

▶ **피대습인의 특별수익과 유류분 산정을 위한 기초재산의 산입 여부**(대판 2022.3.17, 2020다267620)
[1] 피대습인이 대습원인의 발생 이전에 피상속인으로부터 생전 증여로 특별수익을 받은 경우, 생전 증여를 대습상속인의 특별수익으로 보아야 하는지 여부(적극)
민법 제1008조는 공동상속인 중에 피상속인으로부터 재산의 증여 또는 유증을 받은 특별수익자가 있는 경우에 공동상속인들 사이의 공평을 기하기 위하여 그 수증재산을 상속분의 선급으로 다루어 구체적인 상속분을 산정할 때 이를 참작하도록 하려는 데 그 취지가 있다. 피대습인이 생전에 피상속인으로부터 특별수익을 받은 경우 대습상속이 개시되었다고 하여 피대습인의 특별수익을 고려하지 않고 대습상속인의 구체적인 상속분을 산정한다면 대습상속인은 피대습인이 취득할 수 있었던 것 이상의 이익을 취득하게 된다. 이는 공동상속인들 사이의 공평을 해칠 뿐만 아니라 대습상속의 취지에도 반한다. 따라서 피대습인이 대습원인의 발생 이전에 피상속인으로부터 생전 증여로 특별수익을 받은 경우 그 생전 증여는 대습상속인의 특별수익으로 봄이 타당하다.

[2] 피상속인으로부터 특별수익인 생전 증여를 받은 공동상속인이 상속을 포기한 경우, 민법 제1114조가 적용되는지 여부(적극) / 위와 같은 법리는 피대습인이 대습원인의 발생 이전에 피상속인으로부터 생전 증여로 특별수익을 받은 이후 대습상속인이 피상속인에 대한 대습상속을 포기한 경우에도 그대로 적용되는지 여부(적극)

① 유류분에 관한 민법 제1118조는 민법 제1008조를 준용하고 있으므로, <u>공동상속인 중에 피상속인으로부터 재산의 생전 증여로 민법 제1008조의 특별수익을 받은 사람이 있으면 민법 제1114조가 적용되지 않고, 그 증여가 상속개시 1년 이전의 것인지 여부 또는 당사자 쌍방이 유류분권리자에 손해를 가할 것을 알고서 하였는지 여부와 관계없이 증여를 받은 재산이 유류분 산정을 위한 기초재산에 산입된다.</u> ② 그러나 피상속인으로부터 특별수익인 생전 증여를 받은 공동상속인이 상속을 포기한 경우에는 민법 제1114조가 적용되므로, <u>그 증여가 상속개시 전 1년간에 행한 것이거나 당사자 쌍방이 유류분권리자에 손해를 가할 것을 알고 한 경우에만 유류분 산정을 위한 기초재산에 산입된다고 보아</u>야 한다. 민법 제1008조에 따라 구체적인 상속분을 산정하는 것은 상속인이 피상속인으로부터 실제로 특별수익을 받은 경우에 한정되는데, 상속의 포기는 상속이 개시된 때에 소급하여 그 효력이 있고(민법 제1042조), 상속포기자는 처음부터 상속인이 아니었던 것이 되므로, 상속포기자에게는 민법 제1008조가 적용될 여지가 없기 때문이다. ③ 위와 같은 법리는 피대습인이 대습원인의 발생 이전에 피상속인으로부터 생전 증여로 특별수익을 받은 이후 대습상속인이 피상속인에 대한 대습상속을 포기한 경우에도 그대로 적용된다.

▶ **유류분 반환청구자가 유류분 제도 시행 전에 피상속인으로부터 재산을 증여받아 이행이 완료된 경우, 그 재산이 유류분산정을 위한 기초재산에 포함되는지 여부**(소극) **및 이때 위 재산이 유류분 반환청구자의 유류분 부족액 산정 시 특별수익으로 공제되어야 하는지 여부**(적극)(대판 2018.7.12. 2017다278422)

① <u>유류분 제도가 생기기 전에 피상속인이 상속인이나 제3자에게 재산을 증여하고 이행을 완료하여 소유권이 수증자에게 이전된 때에는 피상속인이 1977. 12. 31. 법률 제3051호로 개정된 민법(이하 '개정 민법'이라 한다) 시행 이후에 사망하여 상속이 개시되더라도 소급하여 증여재산이 유류분 제도에 의한 반환청구의 대상이 되지는 않는다.</u> 개정 민법의 유류분 규정을 개정 민법 시행 전에 이루어지고 이행이 완료된 증여에까지 적용한다면 수증자의 기득권을 소급입법에 의하여 제한 또는 침해하는 것이 되어 개정 민법 부칙 제2항의 취지에 반하기 때문이다. 개정 민법 시행 전에 이미 법률관계가 확정된 증여재산에 대한 권리관계는 유류분 반환청구자이든 반환의무자이든 동일하여야 하므로, <u>유류분 반환청구자가 개정 민법 시행 전에 피상속인으로부터 증여받아 이미 이행이 완료된 경우에는 그 재산 역시 유류분산정을 위한 기초재산에 포함되지 아니한다고 보는 것이 타당하다.</u>

② <u>그러나 유류분 제도의 취지는 법정상속인의 상속권을 보장하고 상속인 간의 공평을 기하기 위함이고,</u> 민법 제1115조 제1항에서도 '유류분권리자가 피상속인의 증여 및 유증으로 인하여 그 유류분에 부족이 생긴 때에는 부족한 한도 내에서 그 재산의 반환을 청구할 수 있다'고 규정하여 이미 법정 유류분 이상을 특별수익한 공동상속인의 유류분 반환청구권을 부정하고 있다. 이는 개정 민법 시행 전에 증여받은 재산이 법정 유류분을 초과한 경우에도 마찬가지로 보아야 하므로, 개정 민법 시행 전에 증여를 받았다는 이유만으로 이를 특별수익으로도 고려하지 않는 것은 유류분 제도의 취지와 목적에 반한다고 할 것이다. 또한 민법 제1118조에서 제1008조를 준용하고 있는

이상 유류분 부족액 산정을 위한 특별수익에는 그 시기의 제한이 없고, 민법 제1008조는 유류분 제도 신설 이전에 존재하던 규정으로 민법 부칙 제2조와도 관련이 없다. 따라서 개정 민법 시행 전에 이행이 완료된 증여 재산이 유류분 산정을 위한 기초재산에서 제외된다고 하더라도, 위 재산은 당해 유류분 반환청구자의 유류분 부족액 산정 시 특별수익으로 공제되어야 한다.

3) 채무 전액의 공제

피상속인의 채무, 즉 상속채무는 공제한다. ① 공제되어야 할 채무에는 사법상 채무뿐만 아니라 공법상 채무도 포함(세금, 벌금)된다는 데에는 이견이 없다. 그러나 ② 상속재산에 관한 비용(상속재산의 관리비용이나 상속세 등), 유언집행에 관한 비용(유언의 검인신청비용, 재산목록의 작성비용 등)이 피상속인의 채무에 해당하는지에 관하여는 견해가 대립되어 있는데, 판례는 부정하는 입장이다.

> ► **유류분 산정 시 공제되어야 할 채무에 상속세, 상속재산의 관리·보존을 위한 소송비용 등 상속재산에 관한 비용이 포함되는지 여부**(소극)
> 민법 제1113조 제1항은 "유류분은 피상속인의 상속개시 시에 있어서 가진 재산의 가액에 증여재산의 가액을 가산하고 채무의 전액을 공제하여 이를 산정한다."라고 규정하고 있다. 이때 공제되어야 할 채무란 상속채무, 즉 피상속인의 채무를 가리키는 것이고, 여기에 상속세, 상속재산의 관리·보존을 위한 소송비용 등 상속재산에 관한 비용은 포함되지 아니한다(대판 2015.5.14, 2012다21720).

(2) 유류분액의 계산 방법

유류분권자의 유류분액은 위에서 확정한 유류분산정의 기초 재산에 그 상속인의 유류분율을 곱한 것이다. 그 구체적인 계산식은 다음과 같다.

1) **유류분** = 유류분 산정의 기초재산 × 유류분 비율
2) **유류분 산정의 기초재산** = 상속개시시의 적극재산 + [1년간의 증여액 + 1년 전의 악의의 증여액 + 공동상속인의 모든 증여액] − 상속채무
3) **유류분 비율** = 해당 상속인의 법정상속분 × 그의 유류분율

III. 유류분의 보전 – 유류분반환청구권

1. 유류분반환청구권

(1) 의의

유류분권자가 피상속인의 증여 또는 유증으로 인하여 그의 유류분에 부족이 생긴 때에, 그는 부족한 한도에서 증여 또는 유증된 재산의 반환을 청구할 수 있다. 이를 유류분반환청구권이라 한다.

(2) 발생요건 – 유류분의 침해가 있을 것

유류분의 침해가 존재해야 유류분반환청구권이 발생한다. 구체적으로 유류분의 침해액은 앞서 본 유류분에서 상속인의 특별수익과 순상속분을 공제한 액이다.

▶ **공동상속인 중 특별수익을 받은 유류분권리자의 유류분 부족액을 산정할 때 유류분액에서 공제하여야 하는 순상속분액을 산정하는 방법**

유류분제도는 피상속인의 재산처분행위로부터 유족의 생존권을 보호하고 법정상속분의 일정 비율에 해당하는 부분을 유류분으로 산정하여 상속인의 상속재산형성에 대한 기여와 상속재산에 대한 기대를 보장하는 데 입법 취지가 있다. 유류분에 관한 민법 제1118조에 의하여 준용되는 민법 제1008조는 "공동상속인 중에 피상속인으로부터 재산의 증여 또는 유증을 받은 자가 있는 경우에 그 수증재산이 자기의 상속분에 달하지 못한 때에는 그 부족한 부분의 한도에서 상속분이 있다."라고 규정하고 있다. 이는 공동상속인 중 피상속인으로부터 재산의 증여 또는 유증을 받은 특별수익자가 있는 경우에 공동상속인들 사이의 공평을 기하기 위하여 그 수증재산을 상속분의 선급으로 다루어 구체적인 상속분을 산정함에 있어 이를 참작하도록 하려는 데 취지가 있다. 이러한 유류분제도의 입법 취지와 민법 제1008조의 내용 등에 비추어 보면, 공동상속인 중 특별수익을 받은 유류분권리자의 유류분 부족액을 산정할 때에는 유류분액에서 특별수익액과 순상속분액을 공제하여야 하고, 이때 공제할 순상속분액은 당해 유류분권리자의 특별수익을 고려한 구체적인 상속분에 기초하여 산정하여야 한다(대판 2021.8.19, 2017다235791).

▶ **유류분 부족액 산정과 특정유증의 경우 법률관계**(대판 2022.1.27, 2017다265884)

[1] 유류분권리자의 유류분 부족액 산정 방법 / 유류분권리자의 구체적인 상속분보다 유류분권리자가 부담하는 상속채무가 더 많은 경우, 그 초과분을 유류분액에 가산하여 유류분 부족액을 산정하여야 하는지 여부(적극)

유류분권리자의 유류분 부족액은 유류분액에서 특별수익액과 순상속분액을 공제하는 방법으로 산정하는데, 피상속인이 상속개시 시에 채무를 부담하고 있던 경우 유류분액은 민법 제1113조 제1항에 따라 피상속인이 상속개시 시에 가진 재산의 가액에 증여재산의 가액을 가산하고 채무의 전액을 공제하여 유류분 산정의 기초가 되는 재산액을 확정한 다음, 거기에 민법 제1112조에서 정한 유류분 비율을 곱하여 산정한다. 그리고 유류분액에서 공제할 순상속분액은 특별수익을 고려한 구체적인 상속분에서 유류분권리자가 부담하는 상속채무를 공제하여 산정하고, 이때 유류분권리자의 구체적인 상속분보다 유류분권리자가 부담하는 상속채무가 더 많다면 그 초과분을 유류분액에 가산하여 유류분 부족액을 산정하여야 한다. 구체적으로, ① 유류분권리자의 구체적인 상속분보다 유류분권리자가 부담하는 상속채무가 더 많다면, 즉 순상속분액이 음수인 경우에는 그 초과분을 유류분액에 가산하여 유류분 부족액을 산정하여야 한다. 이러한 경우에는 그 초과분을 유류분액에 가산해야 단순승인 상황에서 상속채무를 부담해야 하는 유류분권리자의 유류분액 만큼 확보해줄 수 있기 때문이다. ② 그러나 위와 같이 유류분권리자의 구체적인 상속분보다 유류분권리자가 부담하는 상속채무가 더 많은 경우라도 유류분권리자가 한정승인을 했다면, 그 초과분을 유류분액에 가산해서는 안 되고 순상속분액을 0으로 보아 유류분 부족액을 산정해야 한다. 유류분권리자인 상속인이 한정승인을 하였으면 상속채무에 대한 한정승인자의 책임은 상속재산으로 한정되는데, 상속채무 초과분이 있다고 해서 그 초과분을 유류분액에 가산하게 되면 법정상속을 통해 어떠한 손해도 입지 않은 유류분권리자가 유류분액을 넘는 재산을 반환받게 되는 결과가 되기 때문이다. 상속채권자로서는 피상속인의 유증 또는 증여로 피상속인이 채무초과상태가 되거나 그러한 상태가 더 나빠지게 되었다면 수증자를 상대로 채권자취소권을 행사할 수 있다(대판 2022.8.11, 2020다247428).

[2] 유언자가 임차권 또는 근저당권이 설정된 목적물을 특정유증하면서 유증을 받은 자가 임대차보증금 반환채무 또는 피담보채무를 인수할 것을 부담으로 정한 경우, 특정유증으로 유류분권리자가 얻은 순상속분액은 없다고 보아 유류분 부족액을 산정하여야 하는지 여부(적극) 및 특정유증을 받은 자가 임대차보증금반환채무 또는 피담보채무를 변제한 경우, 상속인에 대하여 구상권을 행사할 수 있는지 여부(소극) / 이러한 법리는 유증 목적물에 관한 임대차계약에 대항력이 있는지와 무관하게 적용되는지 여부(적극)

유언자가 자신의 재산 전부 또는 전 재산의 비율적 일부가 아니라 <u>일부 재산을 특정하여 유증한 특정유증의 경우에는, 유증 목적인 재산은 일단 상속재산으로서 상속인에게 귀속되고 유증을 받은 자는 유증의무자에 대하여 유증을 이행할 것을 청구할 수 있는 채권을 취득하게 된다.</u> 유언자가 임차권 또는 근저당권이 설정된 목적물을 특정유증하면서 유증을 받은 자가 그 임대차보증금반환채무 또는 피담보채무를 인수할 것을 부담으로 정한 경우에도 <u>상속인이 상속개시 시에 유증 목적물과 그에 관한 임대차보증금반환채무 또는 피담보채무를 상속하므로 이를 전제로 유류분 산정의 기초가 되는 재산액을 확정하여 유류분액을 산정하여야 한다. 이 경우 상속인은 유증을 이행할 의무를 부담함과 동시에 유증을 받은 자에게 유증 목적물에 관한 임대차보증금반환채무 등을 인수할 것을 요구할 수 있는 이익 또한 얻었다고 할 수 있으므로,</u> 결국 그 특정유증으로 인해 유류분권리자가 얻은 순상속분액은 없다고 보아 유류분 부족액을 산정하여야 한다. 나아가 위와 같은 경우에 특정유증을 받은 자가 유증 목적물에 관한 임대차보증금반환채무 또는 피담보채무를 임차인 또는 근저당권자에게 변제하였다고 하더라도 <u>상속인에 대한 관계에서는 자신의 채무 또는 장차 인수하여야 할 채무를 변제한 것이므로 상속인에 대하여 구상권을 행사할 수 없다고 봄이 타당하다. 위와 같은 법리는 유증 목적물에 관한 임대차계약에 대항력이 있는지 여부와 무관하게 적용된다.</u>

[3] 유언자가 임차권 또는 근저당권이 설정된 목적물을 특정유증한 경우, 유증을 받은 자가 임대보증금반환채무 또는 피담보채무를 인수할 것을 부담으로 정하여 유증한 것으로 볼 수 있는지 여부(원칙적 적극)

유언자가 부담부 유증을 하였는지는 유언에 사용한 문언 및 그 외 제반 사정을 종합적으로 고려하여 탐구된 유언자의 의사에 따라 결정되어야 하는데, 유언자가 임차권 또는 근저당권이 설정된 목적물을 특정유증하였다면 특별한 사정이 없는 한 <u>유증을 받은 자가 그 임대보증금반환채무 또는 피담보채무를 인수할 것을 부담으로 정하여 유증하였다고 볼 수 있다.</u>

2. 유류분반환청구권의 행사

(1) 당사자

1) 반환청구권자

유류분권자와 그 포괄승계인 및 특정승계인이다.

▶ **유류분반환청구권이 채권자대위권의 목적이 될 수 있는지 여부(원칙적 소극)**
<u>유류분반환청구권</u>은 그 행사 여부가 유류분권리자의 인격적 이익을 위하여 그의 자유로운 의사결정에 전적으로 맡겨진 권리로서 행사상의 일신전속성을 가진다고 보아야 하므로, 유류분권리자에게 그 권리행사의 확정적 의사가 있다고 인정되는 경우가 아니라면 <u>채권자대위권의 목적이 될 수 없다</u>(대판 2010.5.27, 2009다93992).

2) 반환의무자

① 증여 또는 유증 받은 자 및 그 포괄승계인인 상속인이 반환의무자가 된다.

② 증여 또는 유증 받은 자로부터 그 목적재산을 양수한 자는 그가 악의인 경우에 한하여 반환의무자가 된다(대판 2002.4.26, 2000다8878).

▶ **반환대상인 목적재산의 양수인에 대하여도 유류분반환청구를 할 수 있는지 여부**(한정 적극)

유류분반환청구권의 행사에 의하여 반환되어야 할 유증 또는 증여의 목적이 된 재산이 타인에게 양도된 경우 그 양수인이 양도 당시 유류분권리자를 해함을 안 때에는 양수인에 대하여도 그 재산의 반환을 청구할 수 있다고 보아야 한다(대판 2002.4.26, 2000다8878).

---

(2) 행사방법

> **제1115조 【유류분의 보전】**
> ① 유류분권리자가 피상속인의 제1114조에 규정된 증여 및 유증으로 인하여 그 유류분에 부족이 생긴 때에는 부족한 한도에서 그 재산의 반환을 청구할 수 있다.
> ② 제1항의 경우에 증여 및 유증을 받은 자가 수인인 때에는 각자가 얻은 유증가액의 비례로 반환하여야 한다.
> **제1116조 【반환의 순서】**
> 증여에 대하여는 유증을 반환받은 후가 아니면 이것을 청구할 수 없다.

1) 행사방법

① 반환청구권의 행사는 재판상 또는 재판 외에서 상대방에 대한 의사표시로 할 수 있고, 이 경우 그 의사표시는 침해를 받은 유증 또는 증여행위를 지정하여 이에 대한 반환청구의 의사를 표시하면 그것으로 족하고, 그로 인하여 생긴 목적물의 이전등기청구권이나 인도청구권 등을 행사하는 것과 달리 그 목적물을 구체적으로 특정하여야 하는 것이 아니다(대판 1995.6.30, 93다11715).

② 반환청구권은 유류분이 부족한 한도에서 행사하여야 한다.

2) 반환의 순서

① 반환청구의 대상이 되는 증여와 유증이 병존하는 경우, 먼저 유증에 대하여 반환을 청구하고, 부족한 부분에 한하여 2차적으로 증여에 대하여 반환을 청구하여야 한다(제1115조 제1항).

② 사인증여는 유증과 마찬가지로 다룬다(판례).

▶ **유류분반환청구에 있어 사인증여를 유증으로 볼 수 있는지 여부**(적극)

유류분반환청구의 목적인 증여나 유증이 병존하고 있는 경우에는 유류분권리자는 먼저 유증을 받은 자를 상대로 유류분침해액의 반환을 구하여야 하고, 그 이후에도 여전히 유류분침해액이 남아 있는 경우에 한하여 증여를 받은 자에 대하여 그 부족분을 청구할 수 있는 것이며, 사인증여의 경우에는 유증의 규정이 준용될 뿐만 아니라 그 실제적 기능도 유증과 달리 볼 필요가 없으므로 유증과 같이 보아야 할 것이다(대판 2001.11.30, 2001다694).

▶ 공동상속인 중에 상당한 기간 동거·간호 그 밖의 방법으로 피상속인을 특별히 부양하거나 피상속인의 재산의 유지 또는 증가에 특별히 기여한 사람이 있는 경우, 유류분반환청구소송에서 기여분을 주장할 수 있는지 여부 / 공동상속인의 협의 또는 가정법원의 심판으로 기여분이 결정된 경우, 유류분을 산정함에 있어 기여분을 공제할 수 있는지 여부(소극) 및 기여분으로 유류분에 부족이 생겼다고 하여 기여분 반환을 청구할 수 있는지 여부(소극)

민법 제1008조의2, 제1112조, 제1113조 제1항, 제1118조에 비추어 보면, 기여분은 상속재산분할의 전제 문제로서의 성격을 가지는 것으로서, 상속인들의 상속분을 일정 부분 보장하기 위하여 피상속인의 재산처분의 자유를 제한하는 유류분과는 서로 관계가 없다. 따라서 공동상속인 중에 상당한 기간 동거·간호 그 밖의 방법으로 피상속인을 특별히 부양하거나 피상속인의 재산의 유지 또는 증가에 특별히 기여한 사람이 있을지라도 공동상속인의 협의 또는 가정법원의 심판으로 기여분이 결정되지 않은 이상 유류분반환청구소송에서 기여분을 주장할 수 없음은 물론이거니와, 설령 공동상속인의 협의 또는 가정법원의 심판으로 기여분이 결정되었다고 하더라도 유류분을 산정함에 있어 기여분을 공제할 수 없고, 기여분으로 유류분에 부족이 생겼다고 하여 기여분에 대하여 반환을 청구할 수도 없다(대판 2015.10.29, 2013다60753).

3) 상대방이 복수인 경우

증여 또는 유증을 받은 자가 수인인 때에는 유증·증여의 순서로 각자가 받은 가액의 비례로 반환한다(제1115조 제2항).

(3) 행사의 효과

1) 원물반환의 원칙

유류분권자가 반환을 청구하는 것은 원칙적으로 증여 또는 유증된 원물 자체이고, 원물반환이 불가능한 경우에는 그 가액 상당액을 반환청구할 수 있다(대판 2005.6.23, 2004다51887). 그리고 가액반환을 하는 경우 그 가액은 사실심 변론종결 시를 기준으로 산정하여야 한다(대판 2005.6.23, 2004다51887).

▶ **유류분의 반환방법**

우리 민법은 유류분제도를 인정하여 제1112조부터 제1118조까지 이에 관하여 규정하면서도 유류분의 반환방법에 관하여 별도의 규정을 두지 않고 있으나, 증여 또는 유증대상 재산 그 자체를 반환하는 것이 통상적인 반환방법이라고 할 것이므로, 유류분 권리자가 원물반환의 방법에 의하여 유류분반환을 청구하고 그와 같은 원물반환이 가능하다면 달리 특별한 사정이 없는 이상 법원은 유류분 권리자가 청구하는 방법에 따라 원물반환을 명하여야 한다(대판 2006.5.26, 2005다71949).

2) 가액반환의 예외

원물반환이 불가능한 경우 그 가액 상당액의 반환을 구할 수밖에 없다(대판 2005.6.23, 2004다51887).

▶ **유류분액의 산정에 있어서 증여재산의 산정의 기준시기**(상속개시 시) **및 원물반환이 불가능하여 가액반환을 명하는 경우 그 가액 산정의 기준시기**(사실심 변론종결 시)

[1] 우리 민법은 유류분제도를 인정하여 제1112조부터 제1118조까지 이에 관하여 규정하면서도 유류분의 반환방법에 관하여 별도의 규정을 두지 않고 있는바, 다만 제1115조 제1항이 "부족한

한도에서 그 재산의 반환을 청구할 수 있다"고 규정한 점 등에 비추어 반환의무자는 통상적으로 증여 또는 유증대상 재산 그 자체를 반환하면 될 것이나 위 원물반환이 불가능한 경우에는 그 가액 상당액을 반환할 수밖에 없다.

[2] 유류분반환범위는 상속개시 당시 피상속인의 순재산과 문제된 증여재산을 합한 재산을 평가하여 그 재산액에 유류분청구권자의 유류분비율을 곱하여 얻은 유류분액을 기준으로 하는 것인바, 이와 같이 유류분액을 산정함에 있어 반환의무자가 증여받은 재산의 시가는 상속개시 당시를 기준으로 산정하여야 하고, 해당 반환의무자에 대하여 반환하여야 할 재산의 범위를 확정한 다음 그 원물반환이 불가능하여 가액반환을 명하는 경우에는 그 가액은 사실심 변론종결 시를 기준으로 산정하여야 한다(대판 2005.6.23. 2004다51887).

3. 반환청구권의 소멸시효

> **제1117조【소멸시효】**
> 반환의 청구권은 유류분 권리자가 상속의 개시와 반환하여야 할 증여 또는 유증을 한 사실을 안 때로부터 1년 내에 하지 아니하면 시효에 의하여 소멸한다. 상속이 개시한 때로부터 10년을 경과한 때도 같다.

① 1년의 기간은 소멸시효기간이다. 그리고 이 시효의 기산점에 대해 판례는 유류분권리자가 상속이 개시되었다는 사실과 증여 또는 유증이 있었다는 사실 및 그것이 반환하여야 할 것임을 안 때를 뜻한다고 한다(대판 2006.11.10. 2006다46346).

▶ **유류분반환청구권에 대한 소멸시효기간의 기산점과 민법 제1117조의 '반환하여야 할 증여 또는 유증을 한 사실을 안 때'의 의미**
민법 제1117조는 유류분반환청구권은 유류분권리자가 상속의 개시와 반환하여야 할 증여 또는 유증을 한 사실을 안 때부터 1년 내에 하지 아니하면 시효에 의하여 소멸한다고 규정하고 있는바, 여기서 '반환하여야 할 증여 등을 한 사실을 안 때'라 함은 증여 등의 사실 및 이것이 반환하여야 할 것임을 안 때라고 해석하여야 하므로, 유류분권리자가 증여 등이 무효라고 믿고 소송상 항쟁하고 있는 경우에는 증여 등의 사실을 안 것만으로 곧바로 반환하여야 할 증여가 있었다는 것까지 알고 있다고 단정할 수는 없다(대판 2001.9.14. 2000다66430·66447).

② 상속이 개시된 때부터 10년이 경과하여도 소멸한다. 이 기간도 소멸시효기간으로 해석함이 판례이다(대판 1993.4.13. 92다3595).

③ 유류분반환청구권의 행사는 재판상 또는 재판 외에서 상대방에 대한 의사표시의 방법으로 할 수 있고, 이 경우 그 의사표시는 침해를 받은 유증 또는 증여행위를 지정하여 이에 대한 반환청구의 의사를 표시하면 그것으로 족하며, 그로 인하여 생긴 목적물의 이전등기청구권이나 인도청구권 등을 행사하는 것과는 달리 그 목적물을 구체적으로 특정하여야 하는 것은 아니고, 민법 제1117조에 정한 소멸시효의 진행도 그 의사표시로 중단된다(대판 2002.4.26. 2000다8878).

▶ **유류분반환청구권을 행사함으로써 발생하는 목적물의 이전등기청구권 등에 대하여 민법 제1117조에서 정한 유류분반환청구권에 대한 소멸시효가 적용되는지 여부**(소극)
유류분권리자가 유류분반환청구권을 행사한 경우 그의 유류분을 침해하는 범위 내에서 유증 또는 증여는 소급적으로 효력을 상실하고, 상대방은 그와 같이 실효된 범위 내에서 유증 또는 증여의 목적물을 반환할 의무를 부담한다. 유류분반환청구권을 행사함으로써 발생하는 목적물의 이전등기청구권 등은 유류분반환청구권과는 다른 권리이므로, 그 이전등기청구권 등에 대하여는 민법 제1117조 소정의 유류분반환청구권에 대한 소멸시효가 적용될 여지가 없고, 그 권리의 성질과 내용 등에 따라 별도로 소멸시효의 적용 여부와 기간 등을 판단하여야 한다(대판 2015.11.12, 2011다55092).

▶ **유류분반환청구의 제 문제 1**(대판 2013.3.14, 2010다42624 · 42631)

[1] 증여 또는 유증을 받은 재산 등의 가액이 자기 고유의 유류분액을 초과하는 수인의 공동상속인이 유류분권리자에게 반환하여야 할 재산과 범위를 정하는 기준 및 어느 공동상속인 1인이 수 개의 재산을 유증받아 각 수유재산으로 유류분권리자에게 분담액을 반환하는 경우, 반환하여야 할 각 수유재산의 범위를 정하는 방법

증여 또는 유증을 받은 재산 등의 가액이 자기 고유의 유류분액을 초과하는 수인의 공동상속인이 유류분권리자에게 반환하여야 할 재산과 범위를 정할 때에, 수인의 공동상속인이 유증받은 재산의 총 가액이 유류분권리자의 유류분 부족액을 초과하는 경우에는 유류분 부족액의 범위 내에서 각자의 수유재산을 반환하면 되는 것이지 이를 놓아두고 수증재산을 반환할 것은 아니다. 이 경우 수인의 공동상속인이 유류분권리자의 유류분 부족액을 각자의 수유재산으로 반환할 때 분담하여야 할 액은 각자 증여 또는 유증을 받은 재산 등의 가액이 자기 고유의 유류분액을 초과하는 가액의 비율에 따라 안분하여 정하되, 그 중 어느 공동상속인의 수유재산의 가액이 그의 분담액에 미치지 못하여 분담액 부족분이 발생하더라도 이를 그의 수증재산으로 반환할 것이 아니라, 자신의 수유재산의 가액이 자신의 분담액을 초과하는 다른 공동상속인들이 위 분담액 부족분을 위 비율에 따라 다시 안분하여 그들의 수유재산으로 반환하여야 한다. 나아가 어느 공동상속인 1인이 수 개의 재산을 유증받아 각 수유재산으로 유류분권리자에게 반환하여야 할 분담액을 반환하는 경우, 반환하여야 할 각 수유재산의 범위는 특별한 사정이 없는 한 민법 제1115조 제2항을 유추적용하여 각 수유재산의 가액에 비례하여 안분하는 방법으로 정함이 타당하다.

[2] 유류분반환청구소송에서 법원이 유류분권리자가 특정한 대상과 범위를 넘어서 청구를 인용할 수 있는지 여부(소극)

유류분권리자가 반환의무자를 상대로 유류분반환청구권을 행사하고 이로 인하여 생긴 목적물의 이전등기의무나 인도의무 등의 이행을 소로써 구하는 경우에는 그 대상과 범위를 특정하여야 하고, 법원은 처분권주의의 원칙상 유류분권리자가 특정한 대상과 범위를 넘어서 청구를 인용할 수 없다.

[3] 유류분반환청구권의 행사로 생기는 원물반환의무 또는 가액반환의무의 지체책임의 발생 시기

유류분반환청구권의 행사로 인하여 생기는 원물반환의무 또는 가액반환의무는 이행기한의 정함이 없는 채무이므로, 반환의무자는 그 의무에 대한 이행청구를 받은 때에 비로소 지체책임을 진다.

[4] 유류분권리자의 가액반환청구에 대하여 반환의무자가 원물반환을 주장하며 가액반환에 반대 의사를 표시한 경우, 법원이 가액반환을 명할 수 있는지 여부(원칙적 소극)

우리 민법은 유류분제도를 인정하여 제1112조부터 제1118조까지 이에 관하여 규정하면서도 유류분의 반환방법에 관하여는 별도의 규정을 두고 있지 않다. 다만 제1115조 제1항이 "부족한 한도에서 그 재산의 반환을 청구할 수 있다"고 규정한 점 등에 비추어 볼 때 반환의무자는 통상적으로 증여 또는 유증 대상 재산 자체를 반환하면 될 것이나 원물반환이 불가능한 경우에는 가액 상당액을 반환할 수밖에 없다. 원물반환이 가능하더라도 유류분권리자와 반환의무자 사이에

가액으로 이를 반환하기로 협의가 이루어지거나 유류분권리자의 가액반환청구에 대하여 반환의무
자가 이를 다투지 않은 경우에는 법원은 가액반환을 명할 수 있지만, 유류분권리자의 가액반환청
구에 대하여 반환의무자가 원물반환을 주장하며 가액반환에 반대하는 의사를 표시한 경우에는 반
환의무자의 의사에 반하여 원물반환이 가능한 재산에 대하여 가액반환을 명할 수 없다.

[5] 공동상속인 중 1인이 자신의 법정상속분 상당의 상속채무 분담액을 초과하여 유류분권리자의 상
속채무 분담액까지 변제한 경우, 그러한 사정을 유류분권리자의 유류분 부족액 산정 시 고려할 것
인지 여부(소극)

금전채무와 같이 급부의 내용이 가분인 채무가 공동상속된 경우, 이는 상속개시와 동시에 당연
히 공동상속인들에게 법정상속분에 따라 상속된 것으로 봄이 타당하므로, 법정상속분 상당의 금
전채무는 유류분권리자의 유류분 부족액을 산정할 때 고려하여야 할 것이나, 공동상속인 중 1인
이 자신의 법정상속분 상당의 상속채무 분담액을 초과하여 유류분권리자의 상속채무 분담액까지
변제한 경우에는 유류분권리자를 상대로 별도로 구상권을 행사하여 지급받거나 상계를 하는 등의
방법으로 만족을 얻는 것은 별론으로 하고, 그러한 사정을 유류분권리자의 유류분 부족액 산정 시
고려할 것은 아니다.

[6] 유류분권리자의 유류분반환청구권 행사에 의하여 그의 유류분을 침해하는 증여 또는 유증이 소급적
으로 실효된 경우, 반환의무자가 부당이득으로 반환하여야 하는 목적물 사용이익의 범위

유류분권리자가 반환의무자를 상대로 유류분반환청구권을 행사하는 경우 그의 유류분을 침해하는
증여 또는 유증은 소급적으로 효력을 상실하므로, 반환의무자는 유류분권리자의 유류분을 침해하
는 범위 내에서 그와 같이 실효된 증여 또는 유증의 목적물을 사용·수익할 권리를 상실하게 되고,
유류분권리자의 목적물에 대한 사용·수익권은 상속개시의 시점에 소급하여 반환의무자에 의하여
침해당한 것이 된다. 그러나 민법 제201조 제1항은 "선의의 점유자는 점유물의 과실을 취득한다."
고 규정하고 있고, 점유자는 민법 제197조에 의하여 선의로 점유한 것으로 추정되므로, 반환의무자
가 악의의 점유자라는 사정이 증명되지 않는 한 반환의무자는 목적물에 대하여 과실수취권이 있다
고 할 것이어서 유류분권리자에게 목적물의 사용이익 중 유류분권리자에게 귀속되었어야 할 부분
을 부당이득으로 반환할 의무가 없다. 다만 민법 제197조 제2항은 "선의의 점유자라도 본권에 관한
소에 패소한 때에는 그 소가 제기된 때부터 악의의 점유자로 본다."고 규정하고 있고, 민법 제201조
제2항은 "악의의 점유자는 수취한 과실을 반환하여야 하며 소비하였거나 과실로 인하여 훼손 또는
수취하지 못한 경우에는 그 과실의 대가를 보상하여야 한다."고 규정하고 있으므로, 반환의무자가
악의의 점유자라는 점이 증명된 경우에는 악의의 점유자로 인정된 시점부터, 그렇지 않다고 하더
라도 본권에 관한 소에서 종국판결에 의하여 패소로 확정된 경우에는 소가 제기된 때부터 악의의
점유자로 의제되어 각 그때부터 유류분권리자에게 목적물의 사용이익 중 유류분권리자에게 귀속
되었어야 할 부분을 부당이득으로 반환할 의무가 있다.

▶ '특별수익자의 상속분'에 관해 규정한 민법 제1008조의 취지 및 어떠한 생전 증여가 특별수익에
해당하는지 결정하는 기준 / 피상속인이 한 생전 증여에 상속인의 특별한 부양 내지 기여에 대한
대가의 의미가 포함되어 있는 경우, 생전 증여를 특별수익에서 제외할 수 있는지 여부(적극) 및
그 판단 기준

유류분에 관한 민법 제1118조에 따라 준용되는 민법 제1008조는 '특별수익자의 상속분'에 관하여
"공동상속인 중에 피상속인으로부터 재산의 증여 또는 유증을 받은 자가 있는 경우에 그 수증재산이

자기의 상속분에 달하지 못한 때에는 그 부족한 부분의 한도에서 상속분이 있다."라고 정하고 있다. 이는 공동상속인 중에 피상속인으로부터 재산의 증여 또는 유증을 받은 <u>특별수익자가 있는 경우</u>에 공동상속인들 사이의 공평을 기하기 위하여 그 수증재산을 <u>상속분의 선급</u>으로 다루어 <u>구체적인 상속분을 산정</u>하는 데 <u>참작</u>하도록 하기 위한 것이다. 여기서 어떠한 생전 증여가 특별수익에 해당하는지는 피상속인의 생전의 자산, 수입, 생활수준, 가정상황 등을 참작하고 공동상속인들 사이의 형평을 고려하여 당해 생전 증여가 장차 상속인으로 될 자에게 돌아갈 상속재산 중 그의 몫의 일부를 미리 주는 것이라고 볼 수 있는지에 의하여 결정하여야 한다. 따라서 <u>피상속인으로부터 생전 증여를 받은 상속인이 피상속인을 특별히 부양하였거나 피상속인의 재산의 유지 또는 증가에 특별히 기여하였고, 피상속인의 생전 증여에 상속인의 위와 같은 특별한 부양 내지 기여에 대한 대가의 의미가 포함되어 있는 경우와 같이 상속인이 증여받은 재산을 상속분의 선급으로 취급한다면 오히려 공동상속인들 사이의 실질적인 형평을 해치는 결과가 초래되는 경우에는 그러한 한도 내에서 생전 증여를 특별수익에서 제외할 수 있다</u>(대판 2022.3.17, 2021다230083·230090).

▶ **피대습인의 특별수익과 유류분 산정을 위한 기초재산의 산입 여부**(대판 2022.3.17, 2020다267620)

[1] 피대습인이 대습원인의 발생 이전에 피상속인으로부터 생전 증여로 특별수익을 받은 경우, 생전 증여를 대습상속인의 특별수익으로 보아야 하는지 여부(적극)

민법 <u>제1008조</u>는 공동상속인 중에 피상속인으로부터 재산의 증여 또는 유증을 받은 <u>특별수익자가 있는 경우</u>에 공동상속인들 사이의 공평을 기하기 위하여 그 수증재산을 <u>상속분의 선급</u>으로 다루어 구체적인 상속분을 산정할 때 이를 <u>참작</u>하도록 하려는 데 그 취지가 있다. 피대습인이 생전에 피상속인으로부터 특별수익을 받은 경우 대습상속이 개시되었다고 하여 <u>피대습인의 특별수익을 고려하지 않고 대습상속인의 구체적인 상속분을 산정한다면 대습상속인은 피대습인이 취득할 수 있었던 것 이상의 이익을 취득하게 된다.</u> 이는 공동상속인들 사이의 공평을 해칠 뿐만 아니라 대습상속의 취지에도 반한다. 따라서 <u>피대습인이 대습원인의 발생 이전에 피상속인으로부터 생전 증여로 특별수익을 받은 경우 그 생전 증여는 대습상속인의 특별수익으로 봄이 타당하다.</u>

[2] 피상속인으로부터 특별수익인 생전 증여를 받은 공동상속인이 상속을 포기한 경우, 민법 제1114조가 적용되는지 여부(적극) / 위와 같은 법리는 피대습인이 대습원인의 발생 이전에 피상속인으로부터 생전 증여로 특별수익을 받은 이후 대습상속인이 피상속인에 대한 대습상속을 포기한 경우에도 그대로 적용되는지 여부(적극)

① 유류분에 관한 민법 제1118조는 민법 제1008조를 준용하고 있으므로, <u>공동상속인 중에 피상속인으로부터 재산의 생전 증여로 민법 제1008조의 특별수익을 받은 사람이 있으면 민법 제1114조가 적용되지 않고, 그 증여가 상속개시 1년 이전의 것인지 여부 또는 당사자 쌍방이 유류분권리자에 손해를 가할 것을 알고서 하였는지 여부와 관계없이 증여를 받은 재산이 유류분 산정을 위한 기초재산에 산입된다.</u> ② 그러나 피상속인으로부터 특별수익인 생전 증여를 받은 공동상속인이 상속을 포기한 경우에는 민법 제1114조가 적용되므로, <u>그 증여가 상속개시 전 1년간에 행한 것이거나 당사자 쌍방이 유류분권리자에 손해를 가할 것을 알고 한 경우에만 유류분 산정을 위한 기초재산에 산입된다고 보아야 한다.</u> 민법 제1008조에 따라 구체적인 상속분을 산정하는 것은 상속인이 피상속인으로부터 실제로 특별수익을 받은 경우에 한정되는데, 상속의 포기는 상속이 개시된 때에 소급하여 그 효력이 있고(민법 제1042조), 상속포기자는 처음부터 상속인이 아니었던 것이 되므로, 상속포기자에게는 민법 제1008조가 적용될 여지가 없기 때문이다. ③ <u>위와 같은 법리는 피대습인이 대습원인</u>

의 발생 이전에 피상속인으로부터 생전 증여로 특별수익을 받은 이후 대습상속인이 피상속인에 대한 대습상속을 포기한 경우에도 그대로 적용된다.

▶ **공동상속인 중 특별수익을 받은 유류분권리자의 유류분 부족액을 산정할 때 유류분액에서 공제하여야 하는 순상속분액을 산정하는 방법**

<u>유류분제도는</u> 피상속인의 재산처분행위로부터 유족의 생존권을 보호하고 법정상속분의 일정 비율에 해당하는 부분을 유류분으로 산정하여 상속인의 상속재산형성에 대한 기여와 상속재산에 대한 기대를 보장하는 데 입법 취지가 있다. 유류분에 관한 민법 제1118조에 의하여 준용되는 민법 제1008조는 "공동상속인 중에 피상속인으로부터 재산의 증여 또는 유증을 받은 자가 있는 경우에 그 수증재산이 자기의 상속분에 달하지 못한 때에는 그 부족한 부분의 한도에서 상속분이 있다."라고 규정하고 있다. 이는 공동상속인 중 피상속인으로부터 재산의 증여 또는 유증을 받은 특별수익자가 있는 경우에 공동상속인들 사이의 공평을 기하기 위하여 그 수증재산을 상속분의 선급으로 다루어 구체적인 상속분을 산정함에 있어 이를 참작하도록 하려는 데 취지가 있다. 이러한 유류분제도의 입법 취지와 민법 제1008조의 내용 등에 비추어 보면, <u>공동상속인 중 특별수익을 받은 유류분권리자의 유류분 부족액을 산정할 때에는 유류분액에서 특별수익액과 순상속분액을 공제하여야 하고, 이때 공제할 순상속분액은 당해 유류분권리자의 특별수익을 고려한 구체적인 상속분에 기초하여 산정하여야 한다</u>(대판 2021.8.19. 2017다235791).

▶ **유류분반환청구의 제 문제 2**(대판 2022.1.27. 2017다265884)

[1] 유류분권리자의 유류분 부족액 산정 방법 / 유류분권리자의 구체적인 상속분보다 유류분권리자가 부담하는 상속채무가 더 많은 경우, 그 초과분을 유류분액에 가산하여 유류분 부족액을 산정하여야 하는지 여부(적극)

유류분권리자의 <u>유류분 부족액은 유류분액에서 특별수익액과 순상속분액을 공제하는</u> 방법으로 산정하는데, 피상속인이 상속개시 시에 채무를 부담하고 있던 경우 <u>유류분액은</u> 민법 <u>제1113조 제1항에 따라</u> 피상속인이 <u>상속개시 시에 가진 재산의 가액에 증여재산의 가액을</u> 가산하고 <u>채무의 전액을 공제하여 유류분 산정의 기초가 되는 재산액을 확정한 다음, 거기에</u> 민법 <u>제1112조에서 정한 유류분 비율을 곱하여 산정한다.</u> 그리고 <u>유류분액에서 공제할 순상속분액은 특별수익을 고려한 구체적인 상속분에서</u> 유류분권리자가 부담하는 상속채무를 공제하여 산정하고, 이때 <u>유류분권리자의 구체적인 상속분보다 유류분권리자가 부담하는 상속채무가 더 많다면 그 초과분을 유류분액에 가산하여 유류분 부족액을 산정하여야 한다.</u>

[2] 유언자가 임차권 또는 근저당권이 설정된 목적물을 특정유증하면서 유증을 받은 자가 임대차보증금반환채무 또는 피담보채무를 인수할 것을 부담으로 정한 경우, 특정유증으로 유류분권리자가 얻은 순상속분액은 없다고 보아 유류분 부족액을 산정하여야 하는지 여부(적극) 및 특정유증을 받은 자가 임대차보증금반환채무 또는 피담보채무를 변제한 경우, 상속인에 대하여 구상권을 행사할 수 있는지 여부(소극) / 이러한 법리는 유증 목적물에 관한 임대차계약에 대항력이 있는지와 무관하게 적용되는지 여부(적극)

유언자가 자신의 재산 전부 또는 전 재산의 비율적 일부가 아니라 <u>일부 재산을 특정하여 유증한 특정유증의 경우에는, 유증 목적인 재산은 일단 상속재산으로서 상속인에게 귀속되고 유증을 받은 자는 유증의무자에 대하여 유증을 이행할 것을 청구할 수 있는 채권을 취득하게 된다.</u> 유언자가 임차권 또는 근저당권이 설정된 목적물을 특정유증하면서 유증을 받은 자가 그 임대차보증금반환채무 또는 피담보채무를 인수할 것을 부담으로 정한 경우에도 상속인이 상속개시 시에 유증 목적물과 그에 관한 임대차보증금반환채무 또는 피담보채무를 상속하므로 이를 전제로 유류분 산정의 기초가 되는 재산액을 확정하여 유류분액을 산정하여야 한다. 이 경우 상속인은 유증을 이행할 의무를 부담함과 동시에 유증을 받은 자에게 유증 목적물에 관한 임대차보증금반환채무 등을 인수할 것을 요구할 수 있는 이익 또한 얻었다고 할 수 있으므로, 결국 그 특정유증으로 인해 유류분권리자가 얻은 순상속분액은 없다고 보아 유류분 부족액을 산정하여야 한다. 나아가 위와 같은 경우에 특정유증을 받은 자가 유증 목적물에 관한 임대차보증금반환채무 또는 피담보채무를 임차인 또는 근저당권자에게 변제하였다고 하더라도 상속인에 대한 관계에서는 자신의 채무 또는 장차 인수하여야 할 채무를 변제한 것이므로 상속인에 대하여 구상권을 행사할 수 없다고 봄이 타당하다. 위와 같은 법리는 유증 목적물에 관한 임대차계약에 대항력이 있는지 여부와 무관하게 적용된다.

[3] 유언자가 임차권 또는 근저당권이 설정된 목적물을 특정유증한 경우, 유증을 받은 자가 임대보증금반환채무 또는 피담보채무를 인수할 것을 부담으로 정하여 유증한 것으로 볼 수 있는지 여부(원칙적 적극) 유언자가 부담부 유증을 하였는지는 유언에 사용한 문언 및 그 외 제반 사정을 종합적으로 고려하여 탐구된 유언자의 의사에 따라 결정되어야 하는데, 유언자가 임차권 또는 근저당권이 설정된 목적물을 특정유증하였다면 특별한 사정이 없는 한 유증을 받은 자가 그 임대보증금반환채무 또는 피담보채무를 인수할 것을 부담으로 정하여 유증하였다고 볼 수 있다.

▶ **유류분반환청구의 제 문제 3**(대판 2022.2.10. 2020다250783)

[1] 유류분제도에 관한 민법 제1112조, 제1113조, 제1118조와 제1008조가 피상속인의 재산처분의 자유와 수증자의 재산권을 과도하게 침해함으로써 헌법 제23조 제1항과 제37조 제2항에 위반되는지 여부(소극)

유류분제도에 관한 민법 제1112조, 제1113조, 제1118조와 제1008조가 피상속인의 재산처분의 자유와 수증자의 재산권을 과도하게 침해함으로써 헌법 제23조 제1항과 제37조 제2항에 위반된다고 할 수 없다. 그 이유는 다음과 같다. 유류분제도는 피상속인의 재산처분행위로부터 유족의 생존권을 보호하고 법정상속분의 일정 비율에 해당하는 부분을 유류분으로 산정하여 상속인의 상속재산 형성에 대한 기여와 상속재산에 대한 기대를 보장하는 데 그 목적이 있다. 민법 제1118조에 따라 준용되는 민법 제1008조는 공동상속인 중에 피상속인으로부터 재산의 증여 또는 유증을 받은 특별수익자가 있는 경우에 공동상속인 사이의 공평을 도모하기 위하여 수증재산을 상속분의 선급으로 다루어 구체적인 상속분을 산정하는 데 참작하도록 하려는 데 그 취지가 있다. 유류분제도가 피상속인이 생전에 자유롭게 처분하는 것을 원천적으로 막는 것은 아니다. 또한 공동상속인이 피상속인으로부터 받은 증여가 모두 유류분반환의 대상인 특별수익이 되는 것은 아니고, 어떠한 생전 증여가 특별수익에 해당하는지는 피상속인의 생전의 자산, 수입, 생활수준, 가정상황 등을 참작하고 공동상속인 사이의 형평을 고려하여 생전 증여가 장차 상속인으로 될 사람에게 돌아갈 상속재산 가운데 그의 몫 일부를 미리 주는 것이라고 볼 수 있는지에 따라 판단된다. 유류분의 범위도 법정상속분의 일부로 제한되어 있다. 따라서 유류분제도에 관한 민법 제1112조, 제1113조, 제1118조와 제1008조에 따라 피상속인의 재산처분 자유와 수증자의 재산권이 과도하게 침해된다고 보기 어렵다.

[2] 유류분의 통상적 반환방법(=원물반환) / 증여나 유증 후 그 목적물에 관하여 제3자가 저당권이나 지상권 등의 권리를 취득한 경우, 유류분권리자가 원물반환 대신 그 가액의 반환을 구할 수 있는지 여부(원칙적 적극) 및 그럼에도 유류분권리자가 스스로 위험이나 불이익을 감수하면서 원물반환을 구하는 경우, 법원은 원물반환을 명하여야 하는지 여부(적극)

① 민법은 유류분의 반환방법에 관하여 별도의 규정을 두고 있지 않다. 그러나 증여 또는 유증대상 재산 그 자체를 반환하는 것이 통상적인 반환방법이므로, 유류분권리자가 원물반환의 방법으로 유류분반환을 청구하고 그와 같은 원물반환이 가능하다면 특별한 사정이 없는 한 법원은 유류분권리자가 청구하는 방법에 따라 원물반환을 명하여야 한다. ② 증여나 유증 후 그 목적물에 관하여 제3자가 저당권이나 지상권 등의 권리를 취득한 경우에는 원물반환이 불가능하거나 현저히 곤란하므로, 반환의무자가 목적물을 저당권 등의 제한이 없는 상태로 회복하여 이전해 줄 수 있다는 등의 예외적인 사정이 없는 한 유류분권리자는 반환의무자를 상대로 원물반환 대신 그 가액의 반환을 구할 수 있다. 그러나 그렇다고 해서 유류분권리자가 스스로 위험이나 불이익을 감수하면서 원물반환을 구하는 것까지 허용되지 않는다고 볼 것은 아니므로, 그 경우에도 법원은 유류분권리자가 청구하는 방법에 따라 원물반환을 명하여야 한다.

[3] 유류분반환의 범위를 산정하기 위하여 증여받은 재산의 시가를 산정할 때 기준이 되는 시기(=상속개시 당시) / 어느 공동상속인 1인이 특별수익으로서 여러 부동산을 증여받아 그 증여재산으로 유류분 부족액을 반환하는 경우, 반환해야 할 증여재산의 범위를 정하는 방법 / 증여 이후 수증자나 수증자로부터 증여재산을 양수받은 사람이 자기 비용으로 증여재산의 성상 등을 변경하여 상속개시 당시 그 가액이 증가되어 있는 경우, 그와 같은 변경이 있기 전 증여 당시의 성상 등을 기준으로 상속개시 당시 가액을 산정하여야 하는지 여부(적극) / 유류분 부족액 확정 후 증여재산별로 반환 지분을 산정할 때 기준이 되는 증여재산의 총가액은 상속개시 당시의 성상 등을 기준으로 산정하여야 하는지 여부(적극)

① 유류분반환의 범위는 상속개시 당시 피상속인의 순재산과 문제된 증여재산을 합한 재산을 평가하여 그 재산액에 유류분청구권자의 유류분비율을 곱하여 얻은 유류분액을 기준으로 산정하는데, 증여받은 재산의 시가는 상속개시 당시를 기준으로 산정해야 한다. ② 어느 공동상속인 1인이 특별수익으로서 여러 부동산을 증여받아 그 증여재산으로 유류분권리자에게 유류분 부족액을 반환하는 경우 반환해야 할 증여재산의 범위는 특별한 사정이 없는 한 민법 제1115조 제2항을 유추적용하여 증여재산의 가액에 비례하여 안분하는 방법으로 정함이 타당하다. 따라서 유류분반환 의무자는 증여받은 모든 부동산에 대하여 각각 일정 지분을 반환해야 하는데, 그 지분은 모두 증여재산의 상속개시 당시 총가액에 대한 유류분 부족액의 비율이 된다. ③ 다만 증여 이후 수증자나 수증자로부터 증여재산을 양수받은 사람이 자기의 비용으로 증여재산의 성상(性狀) 등을 변경하여 상속개시 당시 그 가액이 증가되어 있는 경우, 유류분 부족액을 산정할 때 기준이 되는 증여재산의 가액에 관해서는 위와 같이 변경된 성상 등을 기준으로 증여재산의 상속개시 당시 가액을 산정하면 유류분권리자에게 부당한 이익을 주게 되므로, 그와 같은 변경이 있기 전 증여 당시의 성상 등을 기준으로 상속개시 당시 가액을 산정해야 한다. ④ 반면 유류분 부족액 확정 후 증여재산별로 반환 지분을 산정할 때 기준이 되는 증여재산의 총가액에 관해서는 상속개시 당시의 성상 등을 기준으로 상속개시 당시의 가액을 산정함이 타당하다. 이 단계에서는 현재 존재하는 증여재산에 관한 반환 지분의 범위를 정하는 것이므로 이와 같이 산정하지 않을 경우 유류분권리자에게 증여재산 중 성상 등이 변경된 부분까지도 반환되는 셈이 되어 유류분권리자에게 부당한 이익을 주게 되기 때문이다.

판례색인 선고일자별 대법원 판결·결정 색인

박문각
법무사

이혁준 **민법 정리**

2차 | 요건사실론 Vol. **2**

제9판 인쇄 2024. 10. 25. | **제9판 발행** 2024. 10. 30. | **편저자** 이혁준
발행인 박 용 | **발행처** (주)박문각출판 | **등록** 2015년 4월 29일 제2019-000137호
주소 06654 서울시 서초구 효령로 283 서경 B/D 4층 | **팩스** (02)584-2927
전화 교재 문의 (02)6466-7202

저자와의
협의하에
인지생략

이 책의 무단 전재 또는 복제 행위를 금합니다.

정가 80,000원
ISBN 979-11-7262-238-1(2권)
ISBN 979-11-7262-236-7(세트)

MEMO